고구려통사 10

# 고구려통사
### - 총론 편

고구려통사 ⑩

# 고구려통사
## —총론 편

동북아역사재단 한중연구소 편

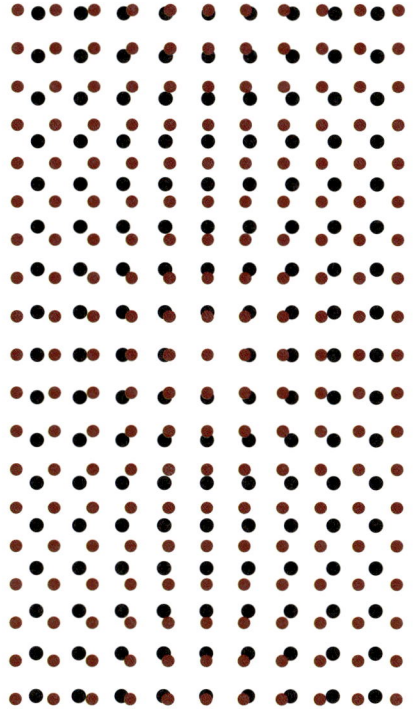

동북아역사재단
NORTHEAST ASIAN HISTORY FOUNDATION

**책머리에**

# 『고구려통사』의 편찬 목적과 주안점

고구려사는 한국고대사에서 지난 10년간 가장 큰 변화상을 보였던 분야이다. 『삼국사기(三國史記)』 고구려본기(高句麗本紀)의 초기 기사를 적극 활용하여 고구려사 연구의 방향과 방법론이 새롭게 모색되었으며, 정치사와 대외관계사를 중심으로 연구주제가 세분화되고 다양해지면서 괄목할 만한 성과를 거두었다. 또한 고고학에서는 북한의 연구성과에 기초하여 개설적인 정리를 시도하던 경향에서 벗어나, 중국에 남아 있는 고구려 고고자료가 소개되고 임진강 이남의 한반도 중부지역에서 고구려 유적에 대한 조사가 늘어나면서 고분벽화·고분·토기 등 여러 분야에서 독자적인 연구성과물이 나오는 단계에까지 이르고 있다.

이에 현시점에서 그간의 연구성과를 정리·집약하여 고구려사에 대한 우리의 이해가 어디에 이르렀는지를 파악하고, 남은 과제는 무엇이며, 새로운 연구는 어디로 나아가야 할 것인지를 따져 봐야 할 필요가 있다. 이 책은 다음과 같은 목적을 가지고 편찬하였다.

첫째, 축적된 연구성과를 정리해야 할 필요성이다. 현재 학계가 이용하고 있는 고구려사 개설서나 개인 연구자의 연구서들은 발간 당시의 성과를 반영한 결과물이지만, 담고 있는 내용이 제한적이거나 과거의 이해에 머물고 있다. 지난 10여 년 동안 연구범위가 넓어지고 새로운 이해가 더해졌지만, 학문적 성과를 잘 담지 못하고 있는 것이다. 그러므로 최근 연구성과를 반영한 새로운 정리물이 절실하다.

둘째, 역사상에 부합하는 이해를 제시할 필요성이다. 그동안 고구려사 연구가 커다란 성과를 거둔 것은 의심할 나위가 없다. 하지만 일부 연구에서는 재검토가 요청되는 섣부른 결론도 보인다. 이 경우 역사상에 부합하는 이해를 제시하여 이제 막 연구자의 길에 들어선 이나 역사에 관심 있는 이들이 학술적으로 타당한 이해를 토대로 고구려사를 고찰할 수 있도록 해주어야 한다.

이러한 문제의식에서 『고구려통사』 기획위원회를 구성하였다. 기획위원회가 가장 고민한 지점은 어떻게 하면 역사상에 충실하며 특정 이해에 치우치지 않는 집필이 가능할 것인가였다. 기획위원으로는 임기환(서울교육대학교 명예교수), 여호규(한국외국어대학교 교수), 김기섭(경기도박물관 관장), 정호섭(고려대학교 교수), 양시은(충북대학교 교수), 김현숙(동북아역사재단 명예연구위원), 이성제(동북아역사재단 수석연구위원)가 참여하였다. 『고구려통사』 총서는 시대별 특징과 고고자료의 중요성을 고려하여 초기사(전 2권), 중기사(전 2권), 후기사(전 3권), 고고자료(전 2권), 그리고 총론(1권)으로 구성하였다.

각 권은 주제와 시기를 달리하지만, 체계와 내용의 주안점에서 기획위원회가 마련한 일관된 기준에 따르도록 하였다. 관련 연구를 진행한 연구자가 책임지고 해당 장절을 집필하는 방식이 아니라, 위원회가 여러 차례 논의를 거쳐 마련한 편목별 내용구성안과 집필기준에 따라 원고를 작성토록 하였다.

한편, 고구려사 연구가 짧은 시간 내에 이토록 발전하게 된 데에는 중국의 동북공정식 연구가 추동한 위기의식 때문이기도 하였다. 이들 연구는 고구려사를 핵심과제로 다루었고, 자연히 고구려사를 구성한 제 분야를 섭렵하는 연구가 쏟아져 나왔던 것이다. 최근에는 유민 묘지(遺民墓誌)나 『한원(翰苑)』 등 1차사료에 대한 활발한 연구와 고고자료를 활용한 새로운 논리 개발도 적극적으로 전개되고 있다. 이 점에서 『고구려통사』는 세 번째 주안점을 새로운 문헌자료와 고고자료의 충실한 소개와 중국 측 논거에 대한 학술적 비판과 정합적 이해의 제시에 두었다.

 『고구려통사』 발간은 이러한 고구려사의 연구성과를 충실하게 정리하여 학계와 일반에게 제공하는 데 목적을 두고 있다. 연구에 막 입문한 이들에게는 고구려사의 주요 맥락과 과제에 보다 수월하게 접근할 수 있는 지침서가 되길 바라며, 역사에 관심을 가진 이들에게는 그간 알지 못했던 고구려의 새로운 모습을 살필 수 있는 자료가 되기를 희망한다.

기획위원회를 대신하여<br>
이성제

**차례**

책머리에 / 5

# 1 고구려사란 무엇인가

## 1장 고구려사의 전개와 역사적 성격 / 임기환
1. 고구려사의 시간·공간 범위 / 15
2. 고구려사의 시기구분 / 31
3. 고구려사의 역사적 성격 / 39

# 2 고구려사 연구동향

## 2장 조선 후기~1970년대, 고구려사 연구의 태동 / 이정빈
1. 근대적 연구의 여명과 광개토왕비 발견 / 53
2. 기원·종족 계통 및 시공간의 탐색 / 60
3. 발전단계론을 중심으로 한 역동적 변화상 탐구 / 67

## 3장 1980~1990년대, 새로운 장을 연 고구려 연구 / 김현숙
1. 정치체제와 정치사 연구 / 81
2. 초기 왕계 연구 / 99
3. 건국신화, 기원, 주민 구성 연구 / 101
4. 광개토왕비 연구의 새로운 국면 / 105
5. 대외관계, 유민 및 기타 연구 / 113
6. 1980~1990년대 연구의 특징과 한계 / 118

## 4장 2000년대 이후, 고구려사 연구의 비약적 성장과 심화 / 정호섭
1. 사료 연구 / 144
2. 정치사 연구 / 151

3. 지방통치와 관방체계 연구 / 157

4. 대외관계와 영역 변천 연구 / 164

5. 도성과 왕릉 연구 / 178

6. 종교와 문화 연구 / 188

7. 천하관과 기타 연구 / 192

8. 동북공정과 고구려사 인식 논쟁 / 194

# 3 고구려사 연구자료

## 5장 국내 문헌사료 / 임기환

1. 『삼국사기』 고구려 관련 기사 / 223

2. 『삼국유사』 고구려 관련 기사 / 242

3. 『동명왕편』, 『제왕운기』, 『해동고승전』의 고구려 관련 기사 / 252

## 6장 국외 문헌사료 / 이성제

1. 『한서』·『후한서』·『삼국지』 고구려 관련 기사 / 263

2. 고구려 중기사 관련 사서 / 272

3. 고구려 후기사 관련 사서 / 285

## 7장 금석문과 문자자료 / 여호규

1. 금석문·문자자료의 현황과 문자문화 / 303

2. 고분 묵서와 무덤 주인공의 성격 / 312

3. 광개토왕릉비와 집안고구려비 / 324

4. 충주고구려비의 구성 내용과 건립시기 / 353

5. 고구려 유민묘지명의 현황 / 363

6. 의의와 과제 / 370

## 8장 고고·미술자료 / 양시은

1. 도성과 성곽 / 398

2. 고분과 벽화 / 420

3. 유물 / 442

# 고구려사란 무엇인가

1

1장 고구려사의 전개와 역사적 성격

1장

# 고구려사의 전개와 역사적 성격

임기환 | 서울교육대학교 명예교수

'고구려사'는 과연 '무엇'이라고 규정할 수 있을까? '고구려'라는 국가체의 역사인가? 역사의 주체가 인간이라면 과연 고구려라는 국가체의 역사를 고구려사라고 하는 게 타당할까? 아니면 고구려인이라고 부를 수 있는 어떤 주민집단의 역사로 파악하는 것이 옳을까? 고구려인 혹은 고구려 주민이라고 할 때, 고구려인과 아닌 사람을 구분하는 기준은 무엇일까? 오늘날과 같이 단순히 국적으로 귀속 여부를 따질 수는 없을 것이다. 그렇다면 고구려인이라고 하는 정체성의 유무를 따져볼 수 있을텐데, 그 정체성은 과연 무엇일까? 또 고구려인은 모두 자신이 고구려인이라는 정체성을 인식하고 있었을까?

『삼국사기』 온달전에는 온달이 한강 유역을 되찾겠다고 출정하면서 "신라가 우리 한강 이북의 땅을 빼앗아 군현을 삼았으니, 백성들이 심히 한탄하여 일찍이 부모의 나라를 잊은 적이 없습니다"라는 명분을 내세우고 있다. 여기서 '부모의 나라'라는 뜻은 곧 고구려인으로서의 정체성이라고 할 수 있을 텐데, 과연 그 시기에 귀족 등 지배층을 제외하고 일반 지방민이, 그것도 이미 신라의 군현으로 편제된 주민들이 여전히 고구려인으로서 귀속의식을 갖고 있었을까? 물론 이를 그대로 인정하기는 어렵다. 다만 온달의 발언으로 대표되듯이 6세기 후반 무렵에는 각 왕조국가마다 일반 민을 포함한 전체 사회 구성원에게 일종의 귀속의식이나 정체성을 부여하고 확대시키는 분위기가 조성되었던 점은 인정해도 좋지 않을까 싶다. 발해의 건국자 대조영의 경우에도 출신 종족은 속말말갈(粟末靺鞨)로 추정되지만, 자료상으로 볼 때 속말말갈인이라는 정체성보다는 고구려인이라는 정체성이 더 두드러져 보인다. 적어도 6세기 이후에는 지배층의 경우 고구려인이라는 정체성을 갖고 있었음은 어느 정도 분명해 보인다.

고구려 국가의 정복활동에 의해 통합, 정복된 영역과 주민들은 고구려 국가의 통치범위에 들어갔다. 고구려인이라는 인식은 그 범위 내에서 이루어졌을 것이다. 그리고 고구려 국가의 정복활동은 다수의 종족과 주민을 영역 내로 편제시킴으로써 고구려가 다종족사회로 되는 데 결정적인 역할을 하였다. 그런데 다종족사회인 고구려에서 국가정체성이 어떤 형태로 구현되었는지는 아직 밝혀지지 않았다. 따라서 고구려인의 역사로서 '고구려사'라는 기준은 여전히 모호하고 불분명하다.

그렇다면 고구려사의 범주를 고구려 국가라는 기준으로 파악하는 것이 현재로서는 가장 명료해 보인다. 통상 국가를 구성하는 영토, 주민(국민), 주권이란 3요소를 고려하면, 고구려라는 국가의 주권이 미치는 영토와 주민으로 구성된 국가체의 범주에서 고구려사의 범주를 설정하는 것이 그나마 무난하다고 생각한다. 다만 고구려라는 국가체의 역사라고 할 때 유의할 점은 고구려인들이 갖고 있는 정체성이다. 즉 정체성을 매개로 고구려라는 국가체와 주민의 일체화된 역사를 구성할 수 있으리라 본다. 이 점이 앞으로의 연구과제이다.

## 1. 고구려사의 시간·공간 범위

### 1) 시간 범위

고구려사의 시간 범주는 곧 역사에서 고구려라는 국가체, 혹은 고구려라고 부를 수 있는 정치공동체, 사회공동체의 등장 시점이 언제인가? 그리고 이 국가체의 역사상 소멸 시점을 언제로 볼 수 있는가의 문제와 관련된다. 물론 국가체를 기준으로 하는 이런 관점이 타당하냐 여부 역시 따져야 하겠지만, 앞서 언급한 바와 같이 주민보다는 국가의 성립과 소멸이 좀더 고구려사의 시간적 범주를 파악하는 데 유용하다는 입장에서 검토하겠다.

먼저 고구려사의 출발 시점부터 살펴보자. 물론 기준을 무엇으로 하느냐에 따라 시점이 달라질 수 있다. 일단 고구려인들이 스스로 인식하고 주장한 건국 시점을 전하는 문헌사료부터 살펴보자. 고구려의 건국 시점에 대한 가장 대표적인 문헌기록인 『삼국사기』 고구려본기에는 시조 주몽이 고구려를 건국한 시점을 한(漢) 건소(建昭) 2년이라고 기록하고 있다. 서기로 환산해서 기원전 37년이다. 고구려 왕조의 멸망 시점이 668년이니 705년간 존속한 셈이 된다.

이와 유사한 고구려 건국 시점을 보여주는 문헌기록은 좀더 찾아볼 수 있다. 고구려 유민인 고자(高慈)의 묘지명(699년 작성)에는 "고려가 처음 건국된 이래 나라가 망하기까지 708년(自高麗初立, 至國破已來, 七百八年)"이라는 기록이 있다. 또『일본서기』천지천황7년(668) 동10월조에는 "고려 중모왕(仲牟王)이 처음 건국했을 때 천 년을 다스리고자 하였는데, 어머니가 '나라를 잘 다스리더라도 [그렇게] 할 수 없을 것이다. 단지 700년 정도 다스리게 될 것이다'라고 하였다. 지금 이 나라가 망한 것은 700년의 끝에 해당한다"는 기록이 있다. 이런 자료들은 고구려본기에 전하는 건국 시점이 멸망기 고구려 사회 내부에서 어느 정도 공통된 인식이었음을 반영하고 있다.

그런데 이와 다른 기록도 있다.『삼국사기』신라본기 문무왕10년조에 문무왕이 안승(安勝)을 고구려왕으로 봉하면서 내린 책문에는 "공의 태조인 중모왕(中牟王)은… 자손이 서로 이어 대대로 끊어지지 않고 땅은 천리를 개척하고 햇수는 장차 800년이 되려 하였다"라고 하여 800년 개국기년설을 전하고 있다. 또한『신당서』고려전에는 당 시어사(侍御史) 가언충(賈言忠)이 "고려의 비기(祕記)에 '900년이 못 되어 80 대장이 나와 멸한다'라는 전승이 있다"고 전한다. 개국 기년에 대해 800년설, 900년설 등이 고구려 멸망 당시에도 전하고 있음을 알 수 있지만, 고구려본기의 기록과는 다른 전승이 무엇을 근거로 하고 있는지는 알 수 없다. 다만 고구려본기의 기록이 시조 주몽 이래의 왕계를 갖추고 있다는 점에서 고구려 왕실이 인정한 공식적인 건국 시점임을 짐작할 수 있다.

그런데 중국 측 사서에는 주몽의 고구려 건국 시점 이전에 '고구려'라는 명칭 및 고구려로 볼 수 있는 정치체의 동향을 시사하는 자료가 현도군의 설치 및 퇴축과 관련하여 기록되어 있다. 『삼국지』 동옥저조, 『후한서』 동이전, 『한서』 지리지 현도군조 등에 의하면, 한이 고조선을 정벌하여 멸망시키고 기원전 108년에 낙랑군, 임둔군, 진번군 3군을 설치하고, 1년 뒤에 현도군(제1현도군)을 설치하였는데, 현도군의 군치를 옥저성에 두었으며, 그 뒤에 이맥(夷貊)에게 침략을 받아 현도군을 구려(句麗) 서북으로 옮겼다고 한다. 이것이 제2현도군이다.

다시 말해서 기원전 75년 무렵에 압록강 중상류 유역에서는 '이맥'으로 표현된 존재가 현도군을 퇴축시킬 수 있는 정도의 군사력 등 힘을 갖춘 세력으로 등장하였고, '구려'라는 명칭을 갖는 일정한 지리적 공간을 점유한 세력이 있음을 알 수 있다. 즉 현도군을 퇴축시킨 이맥이 곧 구려라는 이름과 깊이 연관될 가능성이 높다. 그리고 제2현도군에는 고구려현(高句麗縣)이 설치되었는데, 이런 사실은 늦어도 기원전 75년 이전 혹은 현도군의 설치 이전에 고구려라는 이름의 정치체 혹은 세력집단이 존재하였음을 뜻한다. 따라서 기원전 75년경에는 고구려가 국가 형태를 갖추었고, 국가 형성 시기는 현도군 설치 이전으로 올려볼 수 있다(임기환, 2020).

이러한 문헌자료에 보이는 고구려의 국가체 형성과 관련하여 고고자료의 현황도 이를 뒷받침하고 있다. 압록강 중상류 지역에서 고구려라고 부를 수 있는 하나의 정치체로서 양상을 드러내는 주요한 고고자료는 적석묘(積石墓)와 철기문화이다. 즉 묘제상에서 고구려 적석묘는 하나의 문화 범주, 종족 범주를 구성하고 있다. 고구려 초기 적석묘는 지상에 돌을 쌓아 묘단을 만든 다음 그 위에 시신을 안치하고 돌로 덮는 형태로 축조되었는데, 지상의 묘단에 매장부를 마련했다는 점에서 지석묘와 석관묘, 토광묘 등과 명확하게 구분되고 있기 때문이다.

즉 고구려 적석묘의 분포 범위가 고구려의 국가 형성 과정에서 고구려 주민집단의 거주 범위이며 정치체의 공간 범위에 해당한다(여호규, 2014).

그런데 고구려 초기 적석묘에서는 동검, 동모, 동경 등 전형적인 청동기시대의 유물은 출토되지 않는 반면, 청동제 장식품, 생활용구 및 철제 농공구와 무기가 많이 출토된다. 대표적으로 통화 만발발자(萬發撥子) 및 환인 오녀산성(五女山城) 유적에서 청동기시대 후기층과 고구려 초기 문화층은 명확하게 구별되고 있어, 고구려 초기 적석묘가 철기문화의 보급과 더불어 축조되었음을 알 수 있다. 따라서 고구려의 등장이나 국가 형성의 문화적 기반이 철기문화임은 분명하며, 이는 고구려의 등장 시기를 보여주는 중요한 증거이다. 즉 고구려 초기 적석묘는 기원전 3세기 말 철기문화의 보급과 더불어 조영되기 시작하였으며, 외부에서 이주하거나 유입된 묘제가 아니라 이 지역의 토착 주민들이 조영한 묘제였다(양시은, 2020).

고구려 초기 적석묘의 분포 범위는 대체로 압록강 중상류 일대로 한정된다는 점에서 문헌상에 보이는 고구려 국가의 지리적 범주와 일치한다. 따라서 공간적으로는 압록강 중상류 일대라는 범위 내에서 시기적으로는 기원전 3세기 말경에, 문화적으로는 철기문화를 기반으로 적석묘라는 묘제를 갖추고 있는 독자적인 문화권을 형성하고 있는 주민집단이 출현한 것이다. 이 주민집단은 종족상으로는 주변의 예맥 사회와 동일하지만, 문화적·정치적으로 구분되어 '고구려' 혹은 '구려'로 불리게 되었다. 이들 주민집단을 고구려를 구성하는 기반이라는 의미에서 학술상 용어로 '원(原)고구려사회'로 지칭하기도 한다(여호규, 1992).

이와 같이 문헌자료상으로 늦어도 1세기 초 이전, 고고자료상 적석묘의 축조와 철기문화의 보급과 관련하여 후일 '고구려'라고 불리는 정치체와 주민집단의 등장은 기원전 3세기 말~기원전 2세기 초로 볼 수 있다. 이 시점을 고구려사의 시작 시점으로 상정할 수 있다. 다만 고고자료상에 보이는 사회 분화와 정치체의 형성 자료가 국가 형성 과정을 그대로 드러내지 않으며, 문헌자료에는 공식적인 건국 시점 이전의 상황이 기록되지 않았다는 자료상의 불균형이 문제가 된다.

그런데 『삼국사기』 고구려본기에 보이는 나(那), 곡(谷) 집단과 관련된 몇몇 자료가 지역단위 읍락사회를 기반으로 등장하는 정치세력들의 동향을 간접적으로 추정케 한다. 고구려본기에는 나(那), 나국(那國), 나부(那部)의 용례가 등장한다. '나'란 명칭의 집단은 대개 천변 또는 계곡의 어떤 지역집단을 뜻하며, 그것은 씨족공동체가 붕괴된 이후 각 지역별로 성립된 단위정치체로서의 성격을 지니는 것으로 이해되어 왔다(노태돈, 1975). 이들 용례를 통해 논리적으로 추론해 보면 압록강·혼강 유역의 각 지역에 분산적으로 성립되어 있던 단위정치집단 즉 곡집단 혹은 나집단인 '나(那)'가 성장하면서 상대적으로 우세한 나를 중심으로 결속하여 '나국'을 구성하고, 이들 나국 사이에 통합 과정을 거치면서 고구려라는 국가를 형성하였던 것이다. 고구려 국가의 5나부의 존재는 나국이나 읍락들의 상호 통합 과정의 결과로서 최후에 5개의 단위정치체가 성립되고 이들이 하나의 고구려 연맹체를 구성하였음을 보여준다. 즉 나부의 내부 구조인 '나-나국-나부'를 통해 고구려 국가 형성 과정을 투시할 수 있다(임기환, 1987; 여호규, 1992).

이와 같이 고구려 역사의 시점을 파악하는 방식은 자료에 따라 설명의 범위를 달리하고 있다. 고구려사를 해명하는 주된 문헌자료인 『삼국사기』 고구려본기가 기원전 37년이라는 건국 전승 이전의 상황을 담고 있지 않으며, 고구려본기 초기 기사에 관한 신빙성 문제가 제기되면서 고구려사 시점 및 초기사 대한 연구는 문헌과 고고자료를 포함하여 공통된 연구방법론을 모색하고 있다.

고구려사의 종점과 관련해서는 비교적 명확하다. 즉 668년 보장왕 등 항복과 평양성의 함락이라는 왕조의 멸망을 종식 시점으로 삼을 수 있다. 그런데 그 이후 고구려의 부흥을 꾀하는 부흥전쟁이나 고구려 유민들의 활동을 고구려사와 어떻게 연관할 수 있는지가 문제다. 당에 의한 정복과 왕조의 멸망이 고구려 국가체의 소멸로 직결되는 상황 이후에 고구려 유민들의 활동은 일단 유민사(遺民史) 차원에서 다루어질 수 있다.

다만 부흥전쟁은 유민사의 일부라고 하더라도 본래 고구려의 국가체가 존재했던 공간 내에서 활동이기 때문에 이 역시 고구려사의 범위에 포함하는 것이 타당하리라고 생각한다. 즉 고구려 유민들의 활동 공간이 본래 고구려의 공간 내부에 있느냐, 아니면 이를 벗어난 타국에서 이루어지느냐에 따라 고구려사의 범위에 포함 여부를 판단할 수 있는 기준으로 삼을 수 있다고 생각한다. 고구려의 본래 영역 내에서 이루어지는 부흥운동은 현재의 기록상으로는 한성 고구려국이 주체가 되어 벌이는 당과의 전쟁이며, 이는 673년에 소멸된다. 따라서 673년을 고구려사의 종점으로 파악해도 그리 무리가 없다고 본다. 물론 요동 지역 등에서 고구려 유민들의 활동도 추정할 수 있지만, 구체적인 양상이 파악되지 않는다. 그리고 앞서 고구려 유민사를 고구려사와 구분함이 타당하다고 언급하였는데, 고구려 국가체가 중심이 되는 역사와 달리 고구려인(주민)의 역사라는 점에서는 고구려사의 범주는 아니라고 하더라도 고구려사의 주변사 혹은 경계의 역사로서 갖는 의미가 중요하다.

## 2) 공간 범위와 시기별 변천

고구려의 국가적 성장에 따라 고구려사의 공간적 범주가 변화, 확대되어 갔다. 즉 고구려사의 공간적 범주를 고구려 국가의 영역과 일치시켜 파악할 때, 그 변화 과정은 대략 여섯 시기로 구분할 수 있다. 이 시기는 고구려 영역의 변화 과정을 대략 파악하기 위하여 필자가 편의상 구분하였다는 점을 양해바란다.

제1기는 고구려의 국가체 형성과 관련된 지리공간이다. 고구려는 혼강과 압록강 중상류 일대에서 발흥했는데, 앞서 언급한 바와 같이 고구려 독자적인 묘제인 초기 적석묘의 분포지를 통해 초기 고구려 국가의 지리공간 범위를 확인할 수 있다. 이 적석묘의 분포 범위 외곽에는 초기 성곽들이 분포되어 있는데, 성곽 자체가 고구려 국가의 정치적 지배의 산물이라는 점에서 성곽 분포 범위의 내부 공간이 고구려 국가체의 정치적 지배공간으로서 영역을 뜻한다.

예컨대 전기 산성으로 추정되는 고검지산성(高儉地山城), 흑구산성(黑溝山城), 전수호산성(轉水湖山城), 자안산성(自安山城)은 초기 고구려 영역의 외곽선에 배치된 산성이다. 고검지산성은 소자하(蘇子河)나 태자하(太子河)에서 고구려의 졸본(환인)으로 들어오는 경로의 최서북단에 위치한다. 흑구산성·전수호산성은 소자하에서 부이강(富爾江)으로 따라 내려오는 경로상의 최북단에 위치하는 산성이다. 자안산성은 혼하(渾河)와 유하(柳河) 상류에서 지금의 통화를 거쳐 국내 지역으로 들어오는 경로에 위치한 최북단에 위치한다. 그리고 성장립자산성(城墻

砬子山城), 와방구산성(瓦房溝山城)은 환인에서 혼강을 따라 국내성으로 이어지는 경로상에 위치한 산성이며, 애하(靉河) 상류를 통해 서안평(西安平)으로 이어지는 경로를 방어하는 최서남단의 산성이다.

이들 산성을 선으로 연결하면 고검지산성-흑구산성·전수호산성-자안산성을 잇는 선이 북계선(北界線), 고검지산성-성장립자산성·와방구산성을 잇는 선이 서계선(西界線)이 되는데, 압록강 이북에 존재하는 고구려 적석총의 소재지는 대체로 이 범위 안에 분포한다. 이들 산성의 축조 시기는 비록 3세기 전후 시기까지 내려간다고 하더라도 초기 압록강 일대의 고구려 주민집단의 거주공간과 영역을 군사적으로 방어하기 위한 산성이라는 점에서 볼 때, 이른바 기원전 2세기 이래 고구려 사회의 공간 범위를 이들 산성이 둘러싼 지역으로 확정할 수 있다. 물론 당시 고구려의 영역지배는 교통로를 따라 이루어지고 있기 때문에 외곽의 산성을 연결하는 영역선은 지리공간 범위의 대강을 파악하는 방식일 뿐이다(임기환, 1998).

그런데 적석총의 분포 범위와 외곽 산성의 분포가 일치한다는 점에서 산성의 축조가, 고구려 국가권력이 이른바 5나부라는 고구려 공동체를 통합하는 정치체로서의 성격을 가지고 있었음을 시사한다. 이는 고구려 국가와 주민들의 공간적 정체성으로 볼 수 있다고 생각한다. 이러한 공간적 정체성은 고구려사 내내 일정하게 변화하였지만 말기까지 지속적으로 작용하였다고 판단된다. 즉 공간적 정체성이 곧 고구려인의 정체성과 연관될 가능성이 크다.

제2기는 기원 전후에서 3세기까지로 원고구려 지역을 기반으로 국가체를 성립한 고구려가 다양한 방향에서 외부로 진출해가는 과정과 그 영역 공간이다. 이 시기에 고구려는 먼저 함경도 일대 및 두만강 방면으로 진출했다. 『삼국사기』에 따르면 두만강 하류의 북옥저를 차지하고, 태조왕 대에는 함흥평야의 동옥저를 복속하였다. 뒤이어 2세기에는 영흥만 일대의 동예 지역을 대부분 장악했다. 이들 지역은 후한(後漢) 군현의 영향력이 상대적으로 약하면서, 농업 등 경제기반은 원고구려 지역보다 우월하여 고구려의 배후기지로서 적절한 지역이었다. 특히 동옥저가 핵심 배후지역이었다. 북옥저가 있는 두만강 하류 일대는 옥저계 주민 외에 말갈계 주민이 함께 거주하는 곳이었는데, 고구려 멸망 직전에 책성 욕살(柵城褥薩)을 역임한 이타인(李他仁)이 "12주 고려를 관장하고, 37부 말갈을 통합했다"는 기록처럼 최말기까지 고구려 주민과 말갈 주민이 혼재하고 있던 지역적 특성을 갖고 있었다. 이러한 면모는 고구려가 다종족국가체의 성격을 어떤 방식으로 유지하였는지를 탐색할 수 있는 자료가 된다. 고구려본기 기록으로는 태조왕 대에 이미 책성이 이 일대를 지배하는 전략적 거점으로 기능하면서 태조왕의 순행이 이루어지고 있었다. 또 동천왕 때에는 북옥저가 국왕의 피난처가 되기도 하였다(여호규, 2020).

　이 시기는 서쪽으로 현도군을 퇴축시키는 과정이었다. 원고구려 지역과 현도군 통할지역의 관계에 대해서는 여러 논란이 있지만, 일단 고구려 국가체의 등장에 따라 기원전 75년경에 현도군의 치소는 소자하 방면으로 이동하였다. 그 뒤 고구려는 태자하 상류의 양맥(梁貊)을 복속시키고 1세기 말경에는 소자하 일대 제2현도군을 점령하였으며, 뒤이어 제3현도군 및 요동군과 충돌하고, 압록강 하구의 서안평에 대한 공세도 이어갔다. 이 과정에서 요동반도를 장악한 공손씨 정권, 그리고 그 뒤로 조위(曹魏), 서진(西晉)과의 충돌과 교섭이 이어졌다. 아직 서안평과 혼하의 제3현도군을 장악하지 못한 상태에서 서쪽 경계선이 확보되었다.

제3기는 3세기 말 4세기 후반에 걸쳐 제3현도군, 낙랑군 등 중국 군현을 퇴축시키면서 요동 진출의 교두보를 확보하고, 북쪽의 부여 지역을 차지하고, 한반도 서북부 지역을 장악하는 등 본격적인 영역국가로서의 성격이 두드러졌다. 먼저 3세기 말에 무순 일대 제3현도군을 장악하고, 이곳에 고구려 서방 최대 요충성인 신성(新城)을 축조하였다. 4세기 전반에는 송화강 중류의 원부여 중심지인 길림 일대를 장악하였고, 동시에 요하 중상류 동쪽 지역인 서풍, 철령, 요원 등 지역으로도 진출했다(여호규, 2020). 요동반도에서는 전연(前燕), 후연(後燕)과 충돌을 거듭했으며, 아직 요동반도를 장악하지는 못했다. 이러한 요동 지역으로 진출 과정과 짝하여 압록강 하구의 서안평에 대한 공세를 펼치면서 미천왕 대에는 낙랑군을 퇴축시키고 한반도 서북부를 차지하였다. 제3기 영역 확장은 북방 유목족의 남하와 서진(西晉) 세력의 후퇴라는 국제정세의 변화를 배경으로 하고 있다.

한편 이 시기에는 무순의 신성, 서풍의 성자산산성(城子山山城)을 최전선으로 하여 소자하에서 혼하로 이어지는 교통로와 태자하 상류 교통로 일대에 다수의 성곽을 축조하면서 영역지배와 방어망을 구축하였다. 그 대표적인 성곽은 이른바 남도(南道)와 북도(北道)의 교통로상에 위치한 고이산성(高爾山城: 신성), 철배산성(鐵背山城: 남소성), 오룡산성(五龍山城), 구로성(舊老城), 태자성(太子城), 삼송산성(杉松山城), 나통산성(羅通山城) 등이다.

그런데 이들 산성을 보면 초기 산성과는 그 구조와 성격이 달라졌다. 산성의 규모가 대형화되고, 산성의 위치나 구조가 평지에서의 접근이 용이하여 산성 내에 관청이나 중요 시설물이 설치됨으로써, 산성이 평상시에도 정치적·행정적 중심지로서 기능하였음을 보여준다. 성 내부 거주공간의 확대로 주민들의 입거성(入居性)이 확대된다는 점에서 산성의 지역 중심지로서 성격이 강화되었다. 이러한 변화에 따라 4세기 이후 산성이 순수 군사적인 기능만이 아니라 지방통치의 중심지로서 기능하는 역사적 성격을 부각하게 된다. 성(城)을 단위로 한 고구려 특유의 지방통치방식은 이 시기에 그 기본적 틀이 확립되는 것이다(임기환, 1998).

그런데 제2기와 제3기에 확보한 지역과 그 주민이 광개토왕비문에 이른바 '구민(舊民)'이라고 부르는 영역의 주민이라는 점이 유의된다. 이 지역에는 원고구려 지역 외곽 영역으로서 성(城)과 곡(谷) 중심이라는 새로운 방식의 영역지배가 적용되었다는 사실이 주목된다. 구민 수묘인연호가 차출되는 돈성(敦城), 동해고(東海賈), 우성(于城), 비리성(碑利城) 등 지역은 북옥저와 동옥저 지역으로 앞서 살펴본 바와 같이 제2기에 영역 내로 편제한 지역이었다. 양곡(梁谷), 양성(梁城), 신성(新城), 남소성(南蘇城)은 태자하 상류, 소자하 유역으로 제3기에 편입하고 영역지배를 구축한 지역이었다. 한반도 서북부의 핵심인 평양성(平穰城) 역시 제3기에 편입한 지역이었다. 이처럼 광개토왕비문의 구민 수묘인연호조를 통해 광개토왕 이전까지 고구려가 확장한 영역에 대한 인식을 살펴볼 수 있다는 점이 중요하다. 비록 정복지역과 그 주민은 '구민'이라는 칭호로 부르고 있지만, 일단 수묘인연호가 5나부를 구성한 주민을 대상으로 차출되지 않았다는 점에서 5나부 고구려인과 구민 정복민 사이에는 일정한 차등이 있었음을 짐작할 수 있다.

제4기는 그동안 고구려가 각 방면으로 진출하면서 충돌했던 상대국들을 제압하면서 영역을 확보해가는 과정이었으며, 5~6세기 중반에 걸쳐 전성기의 제국적인 영역을 구성하였다. 5세기를 전후하여 광개토왕 대에는 후연의 내분을 틈타 요동평원, 요동반도 일대를 영역화하고, 서요하의 거란 지역으로 진출하였으며, 목단강 유역으로 진출하여 읍루(숙신)을 예속시켰다(여호규, 2020; 공석구, 2022; 장창은, 2022).

제4기에서 가장 중요한 과정은 고구려가 요하 유역의 요동평원과 요동반도로 진출하여 이 일대를 영역화한 점이다. 이 지역은 한의 요동군이 설치되었고, 공손씨 정권의 거점이었으며, 선비 모용씨의 세력기반이었던 중요한 공간이었다. 그리고 그 중요성만큼 고구려는 이 지역에 대한 지방지배와 군사적 방어를 위해 다수의 성곽을 구축하였다. 요원의 용수산성, 서풍의 성자산산성, 철령의 최진보산성, 무순의 고이산성(신성), 심양의 석대자산성, 탑산산성(개모성), 요양의 요동성, 해성의 영성자산성(안시성), 개주의 고려성산성(건안성), 대련의 대흑산산성(비사성) 등 요하에서 천산산맥으로 이어지는 최전선 일대에 중대형 성곽을 축조하여, 이 일대 지방지배의 거점과 군사적 방어망을 구축하였다(여호규, 2023). 이 일련의 성곽방어체계가 후기에는 이른바 천리장성으로 알려졌으며, 최말기까지 고구려 영역의 실제적인 서쪽 경계선을 이루고 있다고 볼 수 있다. 수·당과의 전쟁 시에는 이들 영역의 최전선에 구축된 성곽들이 효율적인 방어체계를 구성하여 기능하였다.

고구려는 4세기 이후 한반도 방면으로의 남진정책도 적극 추진했다. 4세기 초에 차지한 한반도 서북 지역에 대한 지배력을 강화하고, 4세기 후반에는 재령강과 예성강의 분수령인 멸악산맥 일대에서 백제와 공방전을 벌이다가 광개토왕 대에 예성강-임진강 일대를 장악하는 한편, 내륙지역에서는 북한강 유역으로 진출했다. 그리고 장수왕 대인 475년 백제 도성 한성(漢城)을 함락시키고 남하하면서 남한강 전 유역과 서해안 일대를 장악하였다. 이로써 신라와는 소백산맥을 경계로 접하고, 백제와는 차령산맥을 경계로 대치하였다(여호규, 2022).

최근에 백제가 웅진시기에 한강 유역을 수복했다는 견해가 다수 제기되고 있지만, 5세기 후반에서 551년까지 한강 유역을 비롯한 한반도 중부 지역을 차지하였다고 보는 게 통설이다. 그리고 한반도 중부 지역에 대한 고구려의 지배방식에 대해서도 논란이 분분하다. 이 지역에서는 서북한이나 요동 지역과 달리 지방행정의 중심지로 추정되는 중대형 포곡식산성이 거의 확인되지 않았기 때문이다. 이에 고구려가 중부 지역 전역을 지배하지 않고 전략적 거점만 장악했다고 보기도 한다(임기환, 2002). 그런데 최근 경기 남부 지역에서 다수의 고구려 고분이 조사되었으며, 경기 남부와 금강 유역에서는 안성 도기동산성, 진천 대모산성, 청주 정북동토성, 청원 남성골산성, 연기 나성리토성, 대전 월평동산성과 월평동유적 등 성곽이나 주거 유적도 다수 확인되었다. 이 중 몇몇 산성은 군사방어뿐 아니라 거점성의 역할도 수행할 수 있는 입지 조건이기 때문에 고구려가 한강 유역을 비롯한 중부지역을 지방행정구역으로 편제하여 지배했다는 주장도 제기되고 있다(여호규, 2022). 다만 요동반도를 비롯한 만주 지역이나 한반도 서북부와 같이 성을 단위로 하는 균질적인 영역지배가 이루어졌는지는 여전히 의문이다.

다시 말해서 고구려의 영역을 정복 과정이나 각 지역의 주민집단 및 지리적 환경과 산업에 따라 여러 권역으로 구분할 수 있고, 각 권역에 대한 지배방식에서 일정한 차이가 있었다고 볼 수 있다. 이러한 각 권역별 지배방식에 대한 보다 정밀한 연구가 향후 과제다.

이와 아울러 고구려는 427년에 평양 천도를 통해 한반도 서북부 지역을 만주 중남부 및 한반도 중북부에 걸친 광대한 영역을 경영하는 중심지로 삼았을 뿐 아니라, 황해를 끼고 있는 지리적 조건 등을 배경으로 중원 왕조를 비롯하여 동북아 각국과의 국제교섭을 활발하게 전개했다. 5세기 초에는 동아시아 국제정세가 새롭게 변화하고 있었다. 420년 송의 건국, 427년 고구려의 평양 천도, 439년 북위의 화북 지역 통일 등은 동아시아에서 새로운 국제환경의 변화를 상징하는 사건이다. 130여 년이나 계속된 중국의 5호16국시대는 막을 내리고 북위가 가장 강력한 세력으로 등장하면서 새로운 국제질서가 성립하였다. 즉 북위를 가운데 두고 중국의 남조 송와 북방의 유연 및 서의 토욕혼, 그리고 동의 고구려는 서로 연결을 꾀하며 북위를 포위 견제하는 한편, 각자 북위와 우호관계 또는 적대관계를 맺게 되었다. 이와 같은 국제정세 속에서 고구려는 이들 3국과 등거리 외교관계를 맺으며, 동아시아의 세력균형에 일조하고 있었다. 고구려는 북위에 대한 견제책으로 남조 국가와 통교하였으며 북방의 유연과도 우호적인 관계를 맺고 있었다.

5세기 후반에 들어서 고구려는 동북아 국제정세를 이끌어가는 중심국가로서 안정된 위상을 확보한 뒤, 서북방 지역으로 본격적으로 진출하였다. 그 결과 시라무렌 일대 거란 일부 집단은 고구려에 부용세력화되었으며, 거란 북방의 지두우(地豆于)를 유목제국인 유연과 함께 분할 점령을 기도하였다. 지두우 분할의 실행 여부와 결과는 기록상 나타나지 않지만, 지두우 옆에 위치한 실위(室韋)에 고구려가 철을 수출하면서 영향력을 행사한 것을 보면, 고구려가 서북방쪽으로 세력을 확장해 간 모습은 충분히 짐작할 수 있다. 이는 고구려가 단순히 영역지배만이 아니라 영역 외곽에 존재하는 이종족세력에 대한 통제력을 발휘하는 일종의 세력권을 구축하고 있음을 보여주는 사례다.

이와 같이 당대 국제정세를 배경으로 중국 세력이나 북방 유목세력의 영향력을 배제한 가운데 동북아시아에서 고구려는 독자적 세력권을 구축하였다. 즉 세력권의 외곽에 거란족와 말갈족의 일부를 거느리고, 내몽고 동북부 지역에도 세력을 뻗쳤다. 한반도 내에서는 백제를 압박하면서 중북부 일대를 차지하였고, 신라에 정치적·군사적 영향력을 행사하였다.

독자적 세력권의 구축이라는 점에서 제4기 고구려사의 공간은 영역 공간과 세력권 공간이라는 중층성을 갖게 된다. 이러한 중층성은 여러 구성으로 변화하지만, 세력권이라는 성격에서 고구려 말기까지 지속되며, 이 점이 제5기에서 고구려가 수·당제국과 충돌하는 주요한 배경이 된다. 그리고 이러한 독자적 세력권을 배경으로 당시 고구려는 자국 중심의 독자적 천하관을 형성하였다(노태돈, 1989).

제5기는 6세기 중반에서 7세기 초까지로, 고구려가 요서로 진출하면서 새로운 영역과 공간을 확보하였지만, 한반도 내에서는 백제와 신라의 공세로 한강 유역을 상실하였다. 6세기 전반기에 북위의 내란과 분열로부터 시작하여 동아시아에서 세력 변동이 일어났다. 이러한 상황을 틈타 6세기 전반 이후 고구려는 요서로 진출하고 영주(營州) 일대까지 공세를 취하면서, 대릉하 동쪽 범위까지 세력을 확장했다. 요서 지역은 대릉하 하류와 남북으로 뻗은 의무려산(醫巫閭山)이라는 자연 경계로 동서로 구분되고 있다. 고구려가 요서 동부지역을 차지한 것은 영토를 확대했다는 데에 그치지 않고 요동을 안전하게 지킬 수 있는 전략적 교두보지역을 확보하였다는 의미를 갖는다. 나아가 요서 지역을 통해 거란은 물론이고 북방 유목세력과 교섭을 가질 수 있게 되었다. 그리고 요서 지역 종족들을 고구려의 세력권으로 편입하거나 복속시키는 것은 대외전략과 군사적 안정에 중요한 변수가 되었다(김진한, 2022).

그러나 6세기 중반 북방 몽골고원에서 신흥 돌궐이 유연을 격파하는 세력 교체가 일어났고, 돌궐이 동진하여 요서까지 진출하면서 요해 지역에서 정세 변화는 더욱 복잡해졌고, 580년을 전후한 무렵에는 고구려와 돌궐이 충돌하게 되었다. 요해 지역에서의 이러한 정세 변화 및 고구려 내부의 왕위계승을 둘러싼 내분 등으로 551년에 고구려는 백제와 신라의 동맹군에게 한강 유역을 상실하였으며, 멸망기까지 한강 유역을 회복하지 못하고, 임진강을 경계선으로 신라와 대립하였다. 그러나 한강 유역이라는 영역 공간에 대한 고구려인의 인식은 끝내 신라와의 대립관계를 지속시키면서, 제6기에 수·당과의 전쟁 과정에서 남부전선을 위태롭게 하는 전략적 한계를 드러냈다.

제6기는 7세기 초부터 멸망기까지로, 요서 지역 상실 외에는 영역상의 큰 변화는 없었지만 중국의 통일제국인 수·당과 총력을 기울인 전쟁을 계속 벌이게 되었다. 7세기에 들어 수와 당이라는 중원의 통일제국이 등장하고, 이들이 대외 팽창을 통해 서역 세력과 북방의 돌궐을 차례로 복속하면서, 5세기 이래의 다원적인 국제질서는 급속히 변동되었다. 수와 당은 중국 중심의 일원적 국제질서를 수립하고자 하였으며, 이에 5세기 이래의 독자적 세력권을 구축하고 있었던 고구려의 세력권과 영역에 대한 인식은 수·당의 인식과 충돌할 수밖에 없었다.

그런데 이 시기에는 영역과 공간의 역사성 인식이 고구려와 수·당의 경우에 나타나고 있음이 유의된다. 온달과 연개소문 때의 사례에서 보듯이 고구려는 신라에게 빼앗긴 한강 유역이 본래 고구려의 영토라는 인식이 있어 지속적으로 신라와의 대외관계를 경직시켰다. 수와 당은 요동과 고구려의 영토가 한의 군현 영역이라는 인식을 내세우며 고구려 정벌의 명분으로 삼았다. 아울러 영류왕 때 고구려가 당에 봉역도(封域圖)를 보낸 예처럼, 고구려 국가의 통합된 공간과 영역에 대한 인식이 성숙했다는 점이 유의된다.

## 2. 고구려사의 시기구분

고구려사의 전개 과정을 체계적으로 이해하는 방법으로 시기구분을 하게 되는데, 초기는 국가의 형성, 중기는 국가체제의 정비·완성, 후기는 국가체제의 붕괴와 멸망이라는 맥락에서 파악하는 관점이 일국사(一國史)의 흐름을 조망하기에 가장 일반적이고 통상적인 방식이 된다. 고구려사의 경우에도 이러한 시기구분을 적용할 수 있는데, 문제는 정치사의 전개나 국가체제의 변화 양상에서 볼 때 각 시기의 성격을 어떻게 규정할 것인가이다(임기환, 2004).

노태돈은 정치체제에 따라 연맹체적인 부(部)체제시기와 영역국가적인 중앙집권체제시기로 크게 구분하고, 중앙집권체제시기 내에서 6세기 중반 이후를 귀족연립정권기로 다시 구분하였다. 즉, 건국기에서 봉상왕 대까지를 초기의 부체제기로, 미천왕에서 안원왕 대를 중기의 중앙집권체제기로, 양원왕에서 보장왕 대까지를 후기의 귀족연립정권기로 나누어 설명하였다(노태돈, 1999). 이러한 시기구분에는 많은 연구자들이 동의하고 있어 지금은 통설로 자리잡고 있다.

그러나 김영하는 부체제론이 고대 국가 발전단계의 한 단계로 설정됨을 비판하며, 고대 국가의 범주 안에서 귀족합의체제, 대왕집권(大王執權)체제, 중세 중앙집권적 귀족관료체제로 시기구분을 단계화하였다(김영하, 1995; 2000). 이는 고대 국가에서는 대왕(大王)만이 출현하였을 뿐 중앙과 지방 사이에 권력지배가 관철되지 않았기 때문에 중앙집권성은 중세 국가에서 비로소 달성되었다고 보기 때문이다.

한편 노태돈의 시기구분 중 초기를 부체제로 파악한 점을 비판하면서 초기에 이미 왕권의 집권력에 기초하는 정치체제가 성립되었다는 조기집권체제론(早期集權體制論)이 제기되었다. 초기의 부체제에 대한 이해는 본래 국가형성론에서 고대국가의 이전 단계인 과도기 국가체에 대한 이해와 연관하여 나타났다. 그런데 학자에 따라 부체제기에 대한 국가발전단계의 위상을 서로 달리 파악하여, 부체제기를 국가발전단계에서 연맹체의 대체 개념으로 사용하거나, 연맹국가에서 중앙집권국가로 이행하는 과도기 단계로 설명하기도 하고, 부족연맹 단계(형식적으로 대등한 단계)와 부체제 단계(왕권 중심의 결속단계)를 구분하기도 하였다. 따라서 고구려사의 경우 부체제를 고대 국가 발전단계의 하나로 이해하는 부체제론(나부체제론)이 하나의 연구흐름을 이루고 있고, 이와 달리 단위정치체로서 부의 존재를 부정하고 초기 국가 단계부터 왕의 집권력을 중심으로 정치체제를 파악하는 조기집권체제론이 또 다른 연구흐름을 구성했다(임기환, 2022).

부체제론과 조기집권체제론은 초기 정치체제를 이해하는 방식이 서로 대립되어 있다. 초기의 정치체제나 정치운영에 대해서 조기집권체제론은 왕의 집권력을 전제로 논의를 전개함에 반하여, 부체제론의 입장에서는 왕권과 나부 제가세력의 길항관계에서 파악하게 된다. 그러나 부체제론에서도 전망하듯이 중기에 왕권을 중심으로 하는 집권적 정치체제가 구성된다면, 초기 정치체제의 파악에 있어서도 왕권의 집권력이란 요소가 어떠한 양상을 드러내고 있는지 파악할 필요가 있다. 한편 부체제론의 논점이 권력구조나 정치운영에 그치는 것이 아니라 일종의 국가구조나 사회체제에까지 확대된다는 점에서, 양 논의의 접점을 분명히 드러내기 위해서는 조기집권체제론의 입장에서도 단순히 정치체제론에서 벗어나 논의 범위를 확대할 필요가 있다.

한편 4세기 이후의 정치사에서도 양자의 입장은 서로 다른 연구범위를 드러낸다. 즉 초기부터 왕권 중심의 정치체제가 확립되었다고 본 조기집권체제론의 입장에서는 중기 정치제체로의 전환 과정이나 이후의 정치체제에 대해서 별다른 관심을 기울이지 않는다. 이에 비해 부체제론의 입장은 나부의 소멸과 중앙집권체제로 전환하는 과정으로 파악하면서, 3~4세기의 전환기적 양상과 4세기 이후의 중앙집권체제 정비 과정을 주요 연구주제로 삼고 있다. 따라서 초기의 정치사 연구에서 연구시각을 달리하는 부체제론과 조기집권체제론의 입장이 중기와 후기의 정치사 연구에까지 확장되고 있지 않는 실정이다. 부체제를 초기 정치체제 단계로 설정하는 입장에서는 이후의 중앙집권적 정치제제로의 전환과 그 배경을 탐구해 갔지만, 조기집권체제론의 입장에서는 초기와 중·후기의 정치체제의 차별성에 별로 주목하지 않은 결과다(임기환, 2004).

그런데 고구려사 연구에서 본격적으로 등장한 부체제론이란 연구시각과 부체제의 존재 여부는 고구려 초기 정치사 연구만이 아니라, 삼국 및 가야의 초기 정치사 연구에 모두 적용되고 있다. 특히 부체제는 근래에 고조선이나 부여의 정치체제를 파악하는 기준으로 확대되면서, 특히 부체제의 존부를 둘러싼 논의가 활발하게 전개된 바 있다. 앞서 언급한 바와 같이 부체제의 개념은 고구려 초기 나부의 존재 형태에서 비롯된 면이 적지 않은데, 고구려의 나부와 신라 및 백제의 부(部)는 그 형성 기반과 시기 및 성격에서 상당한 차별성을 드러내고 있다. 따라서 부체제를 한국 고대사에서 보편적인 개념으로 확장 일반화하기 위해서는 다양한 부의 내용에 대해 좀더 구체적인 실증이 진행되어야 한다.

그리고 고구려사 나아가서는 삼국을 포함하는 한국 고대사에서 부(部)라는 정치단위이든 혹은 부체제이든지, 이는 중국의 정치체제는 물론 유목국가의 그것과도 다른 특성을 보인다. 즉 한국 고대국가의 형성과 발전의 기반이 주변의 여러 문화권이나 정치세력권과 상당한 내용적 차별성을 갖고 있음을 시사한다. 그런데 중기 이후에는 구체적인 내용에서 차이가 있다고 하더라도 기본적으로 중국식 율령체제를 수용하고 있기 때문에 부(部)에 기반한 정치체제와는 상당한 차이가 있다. 따라서 고대국가의 성격 변화라는 점에서 부체제에서 중앙집권적 지배체제로의 전환이 갖는 의미에 대한 깊이 있는 탐구가 필요하다.

중기의 중앙집권체제는 두 측면에서 주로 이해되고 있다. 즉 왕권을 중심으로 하는 관료조직의 확대이며, 다른 하나는 지방민에 대한 중앙권력의 직접적인 지배를 관철하는 지방통체제의 정비이다. 즉 초기에 고구려 영역 내에서 다양한 형태로 존재했던 5나부를 비롯한 단위 자치체들이 해체되고 전국의 인민과 토지를 왕권으로 대표되는 중앙정권이 직접 지배하는 형태로 진전되어 간 것이다. 아울러 당대의 국제관계 및 내부 중앙집권체제의 기반 위에서 태왕권과 천하관의 등장이 유의된다. 즉 태왕(太王)과 노객(奴客)의 군신관계, '태왕국토(太王國土)'라는 영역적 기반, 태왕과 민의 관계 및 고구려 중심의 차등적 국제관계 속에서 태왕의 위상 등이 중기 집권체제의 특성을 상징적으로 드러낸다.

그리고 고구려의 전성기라 할 수 있는 중기 고구려사에 대한 연구는 대외 팽창과 영역의 확대 등 제국적 발전에 힘입은 면모가 두드러지는 시기이기 때문에, 주로 대외관계의 측면에서 접근이 이루어지고 있다. 다만 초기의 정치사 연구에서 국가 형성 및 사회 성격이나 지배체제에 대한 연구가 주류를 이루는 것과는 달리, 중기 이후 고대국가의 집권체제를 정비해가는 과정에 대해서는 자료의 부족으로 연구내용이 제한될 수밖에 없는 상황이라는 한계가 있다. 결과적으로 고구려사의 시기구분에 있어서 고구려 국가의 특성이 가장 잘 드러날 수 있는 전성기인 중기의 고구려 국가체제에 대한 이해가, 현재의 자료 조건으로 인해 상대적으로 연구밀도가 약하기 때문에, 고구려사 전 체계에 대한 시기구분에서 균질적인 이해 기반을 마련하기가 쉽지 않다.

다음 후기 고구려 정치사에서는 왕권의 약화와 귀족 중심의 정치운영의 양상을 보인 이 시기 정권의 성격을 귀족연립정권(체제)으로 이해하는 것이 현재 통설이다(노태돈, 1999). 본래 통일신라 후기사에 적용되던 개념이었던 귀족연립정권(체제)이란 이해방식이 고구려 후기 정치사에 적용된 것인데, 이후 이러한 이해는 여러 연구자에 의하여 별다른 비판 없이 받아들여졌다. 그래서 중기의 강력한 왕권 중심 체제가 붕괴되고 왜 귀족연립정권이 등장하게 되었는지에 대한 배경이나 귀족연립정권의 구체적인 정치운영 양상에 대한 검토는 크게 진전되지 않았다. 사실 국내외 몇몇 자료에 보이는 왕권 약화와 귀족 중심의 정치운영 현상이 얼마나 지속되었는지, 그리고 이러한 왕권의 약화현상을 귀족연립정권으로 이해함이 과연 타당한지, 그렇다면 통일신라 말기의 귀족연립정권과 동질적으로 파악할 수 있는지, 또한 귀족연립정권이 고대 정치체제의 전개 과정에서 필연적인 귀결인지 아니면 고구려만의 현상인지 등에 대한 의문은 여전히 남아 있다.

근래의 연구 중에는 평원왕 이후 왕권이 강화되는 면모에 주목하면서 귀족연립정권의 존재를 부정하는 견해도 제기되고 있는데, 주로 각 왕대별 정치상황에 대한 분산적 접근으로서 아직 후기 정치사를 설명하는 전체적인 틀을 갖추고 있지 못하다. 나아가 백제와 신라의 정치체제에서 나타나는 왕권과 귀족권의 갈등 구조와 고구려 후기의 소위 귀족연립체제 사이에 나타나는 차별성이 무엇인지를 살피는 것도 귀족연립체제의 개념과 역사적 위상을 밝히는 데 중요한 비교사적 과제라 하겠다(임기환, 2021).

또한 한국 고대 정치사 이해에서 일종의 기준처럼 등장하는 왕권 대 귀족세력의 길항관계라는 도식적 이해에 대한 다각도의 비판도 필요하다. 오히려 왕권과 귀족권의 결합방식이라는 측면도 유의해야 하며, 귀족연립정권을 권력운영의 파행적 결과로서가 아니라 그 자체 권력운영의 안정성을 갖고 있음에 주목하고, 귀족연립정권의 안정적인 정치운영체제로 권력의 분배방식 등에 연구초점을 두어야 한다. 그동안 귀족연립정권에 대한 연구는 그 자체의 존부나 권력기반에 대한 이해보다는 그 마지막 단계에 나타나는 연개소문의 정변과 그 정권에 대한 이해에 집중되어 있는 점이 아쉽다.

한편, 고구려 후기사의 이해에서 고려해야 할 점은 시대구분과 관련된 관점이다. 즉 7세기를 고대에서 중세로 넘어가는 사회 성격 변화의 분기점으로 파악할 수 있는가 하는 점이다. 귀족연립정권이나 연개소문 정권 역시 단지 정치적 동향의 측면에서만이 아니라, 전 사회적 변동과 연관하여 이해하는 시각이 요구된다고 하겠다.

앞에서 살펴보았듯이 현재까지의 연구동향이 각 시기별로 자료 조건이나 연구시각에서 서로 차별적이기 때문에 초기와 후기의 정치사 이해가 분절되어 있고, 정치사 시기구분이 아직 합리적 기준을 찾기 어려운 실정이다. 특히 집권적 지배체제가 완성된 중기의 지배체제에 대한 이해가 부족한 점이 주된 요인이다. 또한 중앙집권성이란 통시대적 개념이기 때문에 역사적 단계성을 분명히 부여할 때 비로소 하나의 시기구분의 지표가 될 수 있다. 부체제와 상대적으로 비교하면 그 역사성이 분명하겠지만, 삼국시대 이후의 중앙집권체제와 비교해서도 그 역사적 단계가 분명히 드러나야 할 것이다. 그런 점에서는 오히려 중앙집권성 여부 자체를 따지기보다는 구체적인 집권체제 실상을 밝히고 그 단계화를 통해 고대적 집권체제의 특질이 부각될 수 있을 것으로 전망된다(임기환, 2004).

다음 이러한 시기구분은 고구려사의 연구자료 상황과도 일정하게 연관되어 있다. 『삼국사기』 고구려본기는 3세기까지의 역사상을 전해 주는 국내 전승자료를 상당수 포함하고 있어, 초기 고구려사의 경우에는 다른 시기에 비해 상대적으로 고구려 내부의 정치·사회상을 제법 규모 있게 구성할 수 있는 편이다. 그런데 4세기 이후 본기의 기년 기사는 많은 부분이 중국 측 자료를 토대로 구성되어 있어 독자적인 전승자료가 드문 편이다. 다음 중국 측 자료는 전 시기에 걸쳐 있으나, 초기 자료는 『삼국지』 고구려전 등 민족지적인 성격의 자료이고, 5~6세기에는 조공·책봉관계를 중심으로 하는 대외교섭관계 자료가 중심이며, 6세기 말~7세기에는 새로운 사회 변화상을 보여주는 일부 자료 및 고구려와 수·당과의 전쟁 기사가 대부분이다. 중국 측 자료 역시 시기별로 반영되는 역사상에 차이점이 나타나고 있다.

따라서 고구려본기의 내용이나 이와 대교되는 중국 사서자료 등의 반영 시기를 고려하면, 자연스럽게 미천왕 대를 전후한 시기를 경계로 연구주제가 달라질 수밖에 없게 된다. 그리고 광개토왕비, 충주고구려비, 집안고구려비를 비롯한 다수의 금석문도 시기구분상 중기에 집중되어 있어, 자료 조건상 자연스럽게 하나의 시기 범주가 정해지게 된다. 현재 고구려사 연구주제가 시기구분상에서 불균형해질 수밖에 없는 사정이 여기에 있다. 앞으로 좀더 다양한 측면에서 정치사 구성요소와 지표를 검토해야겠다.

한편, 수도의 변천에 따른 시기구분도 시도되고 있는데, 졸본도읍기, 국내성도읍기, 평양성도읍기로 구분할 수 있다. 하지만 이는 엄격한 의미의 시기구분은 아니고 연구주제에 따라 편의적으로 사용되고 있을 뿐이다. 그런데 졸본도읍기는 문헌상으로 매우 짧은 시기이지만 국내 천도 시기와 관련하여 시기구분이 달라지게 된다. 따라서 초기 정치사와 관련하여 중요한 논쟁점의 하나는 왕도(王都) 위치 및 천도 시기 문제다. 그중에서도 졸본에서 국내성으로 천도한 시기와 그 정치적 배경에 대해서는 적지 않은 논란이 있다. 즉 국내성 천도 시기에 대해서 고구려본기에는 유리왕 대로 기록되어 있는데, 『삼국지』 고구려전에는 산상왕 대에 환도(丸都)로 천도하여 "다시 새로운 나라를 세웠다(更作新國)"라고 기록되어 있다. 따라서 『삼국지』 고구려전의 기사를 신뢰하는 입장에서는 이 천도 기사가 고구려본기를 불신하는 근거가 되고 있다. 유리왕 대 천도를 부정하는 주장 중에는 왕실 교체와 천도가 연결된 정치적 변화라는 관점에서 태조왕 대에 천도 및 왕실 교체가 일어났던 것으로 보는 견해가 있으며, 왕실 교체는 부정하면서 태조왕 대 천도를 인정하는 견해도 있다(권순홍, 2020). 즉 도읍에 따른 시기구분은 천도 시점에 따라 달라지게 된다.

이와 관련하여 태조왕 대의 정치적 성격 및 시기구분의 기준점이 중요해진다. 태조왕 대를 시기구분상의 획기로 설정하는 견해는 드물다고 하더라도, 태조왕 대는 고대국가체제의 확립기로서 이미 주목을 받아왔으며, 부체제론의 입장에서는 5나부체제가 성립된 시기로 파악되어 정치체제상으로도 하나의 전환기로 이해되고 있다. 근래에는 태조왕 대를 소노부에서 계루부로의 왕실 교대 및 왕계상 변동이 일어난 전환기, 또는 졸본에서 국내로의 천도가 이루어진 시기로 파악하는 견해가 등장하고 있다는 점에서 태조왕 대의 정치상황과 정치체제에 대한 보다 다각도의 검토가 앞으로 주요 과제라 할 수 있다.

## 3. 고구려사의 역사적 성격

고구려사는 국가 멸망으로 인하여 그 역사적 경험과 사회적 특질 등이 이후의 역사 전개에 제대로 이어지지 않은 부분이 적지 않다. 특히 고구려 사회가 갖는 유목사회적 요소나 다종족국가의 측면, 정복국가로서 제국적 통치질서, 정치·문화의 국제성 등등의 측면이 그러하다. 이러한 면모는 한국사의 다른 왕조에서는 쉽게 찾아볼 수 없는 고구려 국가의 독특한 성격이다. 앞서 살펴본 고구려사의 시공간 범위 및 시대구분론에서 논의한 내용을 중심으로 고구려사의 역사적 성격에 대해 살펴보자.

고구려의 국가 형성 시점은 철기문화를 기반으로 적석묘이라는 묘제를 공유하는 정치적·문화적 주민공동체집단의 형성에서 비롯한다. 문헌상으로 예맥 혹은 맥으로 표현되거나, 고구려, 구려라는 정치체로 표현된다. 이를 원고구려사회라고 할 수 있으며, 초기 고구려 국가체이다. 이후 고구려의 형성과 성장 과정은 현도군 등 중국 군현과의 충돌 및 이들의 축출 과정과 겹쳐 있다. 중국의 주변 국가와 종족집단 중 만주와 한반도 지역에서는 고구려가 가장 이른 시기에 선진적으로 국가체를 형성하고 중국 군현과 대립하면서 성장하였는데, 이 점이 초기 고구려사의 중요한 면모이며 역사적 성격이다. 이에 따라 중국 측 역사서에 초기 고구려 국가체의 모습이 상대적으로 풍부하게 서술되어 있는 편이다. 따라서 고구려 자체의 전승자료에 기반하는 『삼국사기』 고구려본기의 내용과 대교하면서 초기 고대국가의 형성 과정을 실증적으로 해명하여 한국 고대 초기사의 인식틀을 마련할 수 있다.

고구려는 국가 형성기부터 정복전쟁과 대외적 팽창을 통하여 국가적 성장을 이루었기 때문에 자연히 영역의 확대와 더불어 주변 여러 종족을 국가체제에 편입시킨 일종의 제국적인 면모를 갖추고 있다. 그리고 5세기 이후에는 영역 외곽에 거란, 말갈 등 주변 종족을 예속시키면서 고구려 자체 세력권을 구성하고 있다. 고대 시기 동북아시아에서 하나의 세력권을 구축한 국가는 고구려뿐이었다. 이 점이 고구려사의 주요한 성격이다. 다만 자료의 부족으로 제국적 면모에 대해서 구체적으로 해명하지 못하고 있어 아쉽다.

고구려가 제국적인 면모를 갖추게 된 결과 한국 역사상 보기 드문 다종족국가라는 점도 중요한 성격이다. 대표적인 고구려 사회 내부의 이종족으로서는 말갈을 들 수 있다. 따라서 고구려 국가를 구성하는 종족과 주민집단의 다양한 존재 양상을 밝히는 구체적인 연구가 뒷받침되어야 한다. 예컨대 광개토왕비문에 나타난 수묘제와 수묘인에 대한 논의 역시 영역 확대에 따른 영역지배의 다양한 현상을 드러내 주며, 고구려가 제국적 지배질서를 수립해가는 일면을 반영하고 있다.

'신래한예(新來韓穢)'라는 표현은 한과 예 역시 고구려를 구성하는 여러 이종족의 일부로 인식되었음을 보여주고 있다. 나아가 지방통치체제나 조세제 등 집권적 국가지배질서에 대한 이해에도 다종족국가이며 제국적 질서를 구축해 간 고구려 국가의 특성을 고려해야 한다. 이러한 점으로 인해 같은 삼국시대 역사라고 하더라도 고구려사는 신라사, 백제사, 가야사와 다른 관점에서 접근해야 한다.

이와 관련하여 5세기 금석문에 잘 드러나 있는 태왕호(太王號)와 천하관에도 주목할 필요가 있다. 특히 태왕호와 천하관은 고구려에서 시작하여 주변 국가로 확산되어 가는 왕호 및 세계관이다. 태왕(대왕)이란 왕호가 당대에 백제, 신라, 가야에서 공유되고 후에 발해, 고려, 조선으로 이어진다는 점에서 비록 내포하는 의미에는 차이가 있다고 하더라도 최고 통치자로서 태왕(대왕)호를 공유하는 하나의 시공간 범주를 이루고 있다는 점이 유의된다.

태왕호 등장은 처음 5세기 고구려의 중앙집권적 정치기반에서 비롯하였는데, 이 태왕은 고구려 세력권의 구축을 통하여 고구려 중심의 천하관을 표상하는 권력체로서 등장하였다. 당시 고구려의 천하관에서는 고구려 중심의 국제질서와 고구려 국내의 질서가 태왕을 중심으로 통일적으로 구성하고 있다는 점이 주목된다. 아울러 고구려 천하에 속한다고 여긴 나라와 족속 중에는 일종의 동류의식과 같은 범주에 포함된 존재와 그렇지 않은 존재로 구분되었다. 즉 백제, 신라, 동부여는 고구려의 속민으로 규정되는데, 이는 같은 태왕의 통치를 받는 민으로서 일종의 동류의식에서 비롯된 것으로 추정된다. 이러한 소박한 동류의식은 그 뒤 시기에 등장하는 한국인의 동족의식 형성의 단초적인 모습으로서 유의된다(노태돈, 1989).

아울러 고구려사가 한국 민족사의 일부로 구성되는 과정도 고구려사의 전개에서 찾아볼 수 있다. 이 점에서 한반도 내의 평양으로 천도한 이후의 고구려사 전개가 유의되는 바이다. 한반도와 만주에 걸친 영역 공간을 확보한 왕조국가는 한국사에서 고구려가 유일하였다. 물론 당시에는 오늘날과 같이 한반도와 만주에 대한 지리 구분 인식이 없었다는 점을 고려해야 하며, 고구려사의 소멸 이후 만주와 한반도 사이에 공간적 분리 인식이 심화되는 역사가 전개되었다는 점도 유의된다.

한편, 평양 천도 이후 고구려와 백제, 신라 사이에 충돌이 증가했지만 다양한 형태의 교류도 늘어났고, 이러한 역사적 배경에서 7세기 이후 동아시아 정세 변화에 따른 고구려, 백제 멸망 및 신라에 의한 삼국통일의 결과로 신라에서 '일통삼한(一統三韓)' 의식의 출현이 주목된다. 7세기 이전 삼국 간의 갈등 구조는 한반도를 중심 무대로 전개되었으나, 당이 출현한 이후 비록 전쟁의 무대는 한반도였다고 하더라도 국제질서의 변동 축은 중국이 중심이었다. 삼국을 넘어선 거대한 외부 힘의 출현은 삼국의 운명을 바꾸었을 뿐만 아니라, 삼국인의 대외적 인식에도 어떤 형태로든지 영향을 주었을 것으로 보인다.

물론 그것이 백제와 고구려의 멸망 이후 삼국민 간의 공동체의식을 보다 강화하는 외적 조건이 되었는지는 아직 불투명하다. 다만 정복자로서 당의 점령정책이 무자비하였다는 점에서 신라와는 다른 면모를 드러냈으며, 특히 나당전쟁 과정에서 신라는 일종의 삼국통합정책으로 이해되는 조치를 시행하였다. 이렇게 당시 삼국인이 가졌을 당에 대한 위기의식은 각각의 나라를 넘어선 하나의 범주를 형성하는 외적 배경이 되기에 충분하였으리라 짐작된다. 결과적으로 통일신라기에 삼국인의 동류의식은 심화되어 갔고, '일통삼한' 의식 내부에서 고구려를 계승한다는 역사의식의 형성으로 이어져 갔다.

고구려사는 단지 고구려 국가체의 역사에 그치는 것이 아니라 이른바 한국사의 맥락에서 그 위상을 인식하는 대상이다. 그렇다면 고구려사는 한국사에서 그 범주를 어떻게 설정하는 게 타당할까? 특히 한국 민족사의 범주에서 고구려사를 다룰 때 국가사로서 고구려사는 민족사의 맥락과 어떻게 결합할 수 있을까?

한국사의 체계에서 무엇보다 중요한 것이 영토, 주민, 주권의 연결성과 계승성이다. 즉 왕조가 교체된다고 하더라도 일정한 영토와 주민, 그리고 주권이 이어지고 있으면 역사의 계승을 자연스럽게 논할 수 있다. 그런데 앞서 살펴본 국가사의 기준에서 보자면 고구려 국가의 경우 다수의 영토와 주민이 한반도의 통일신라 국가로 계승되지 못하였고, 고구려 국가의 주권은 소멸되고 말았다. 후일 발해 국가에 의해 고구려 국가의 영토, 주민, 주권의 계승이 이루어졌지만, 발해 국가 역사 또한 영토와 주민이 고려 국가의 역사로 이어지지 않았고, 발해 국가의 주권은 소멸되고 말았다.

이때 중요한 점이 역사 계승성 등을 포함하는 정체성의 계승이다. 그리고 그 정체성 계승의식의 내면은 고구려 문화의 다양한 계승, 고구려 영역 내에 구축되었던 고구려적 요소, 고구려인의 정체성을 유지하고 있는 주민집단의 존재 등이 복합적으로 결합된 결과였다. 한 국가의 역사가 후대 국가에 의해 특별하게 정체성의 계승이 표방되지 않았다고 한다면, 이 역사를 후대 국가의 특정한 역사체계 속에 포함하기 어렵다. 즉 고구려사의 역사적 위상은 정체성에 대한 계승의식을 통해 비로소 확보된다고 할 수 있다.

# 참고문헌

금경숙, 2004, 『高句麗 前期 政治史 硏究』, 고려대학교 민족문화연구소.
김현숙, 2005, 『고구려 영역지배방식 연구』, 모시는 사람들.
노태돈, 1999, 『고구려사 연구』, 사계절.
여호규, 2014, 『고구려 초기 정치사 연구』, 신서원.
이성제, 2005, 『高句麗의 西方政策 硏究』, 국학자료원.
임기환, 2004, 『고구려 정치사 연구』, 한나래.

공석구, 2022, 「광개토왕대의 대외관계」, 『고구려 중기 대외관계와 문물교류』(고구려통사4), 동북아역사재단.
권순홍, 2020, 「정치 중심지의 형성과 초기 도성의 성격」, 『고구려의 기원과 성립』(고구려통사1), 동북아역사재단.
김기섭, 2020, 「남진과 한강 이남 지역 지배」, 『고구려 중기의 정치와 사회』(고구려통사3), 동북아역사재단.
김기흥, 1990, 「高句麗의 國家形成」, 『한국고대국가의 형성』, 민음사.
김락기, 2022, 「4세기 대외관계의 흐름과 의미」, 『고구려 중기 대외관계와 문물교류』(고구려통사4), 동북아역사재단.
김영하, 1995, 「한국 고대 사회의 정치 구조」, 『한국고대사연구』 8.
_____, 2000, 「한국 고대 국가의 정치 체제 발전론」, 『한국고대사연구』 17.
김진한, 2022, 「6세기 전반의 대외관계」, 『고구려 중기 대외관계와 문물교류』(고구려통사4), 동북아역사재단.
김철준, 1956, 「高句麗·新羅의 官階組織의 成立過程」, 『李丙燾博士華甲紀念論叢』.

김현숙, 1993, 「高句麗 初期 那部의 分化와 貴族의 姓氏」, 『경북사학』 16.
_____, 1995, 「고구려 전기 那部統治體制의 운영과 변화」, 『歷史教育論叢』 20.
_____, 1997, 「고구려 중·후기 중앙 집권적 지방 통치 체제의 발전 과정」, 『한국 고대사연구』 11.
_____, 1999, 「6세기 고구려 집권 체제 동요」, 『경북사학』 22.
_____, 2022, 「영역 확장과 복속지역 지배방식」, 『고구려 초기 국가체제와 대외관계』(고구려통사2), 동북아역사재단.
노태돈, 1975, 「三國時代의 部에 관한 硏究」, 『韓國史論』 2.
_____, 1976, 「高句麗의 漢江流域 喪失原因에 대하여」, 『한국사연구』 13.
_____, 1986, 「高句麗史硏究의 現況과 課題 - 政治史論理 -」, 『東方學志』 52.
_____, 1989, 「5세기 金石文에 보이는 高句麗人의 天下觀」, 『韓國史論』 19.
_____, 1996, 「5~7세기 고구려의 지방 제도」, 『한국고대사논총』 8.
_____, 2000, 「초기 고대 국가의 국가 구조와 정치 운영」, 『한국고대사연구』 17.
서영대, 1981, 「高句麗 平壤遷都의 動機」, 『韓國文化』 2.
안정준, 2020, 「태왕권과 정치이념의 확립」, 『고구려 중기의 정치와 사회』(고구려통사3), 동북아역사재단.
양기석, 1983, 「4~5세기 고구려의 천하관에 대하여」, 『호서사학』 11.
양시은, 2020, 「고구려 성립 전야의 물질문화」, 『고구려의 기원과 성립』(고구려통사1), 동북아역사재단.
여호규, 1992, 「高句麗 初期 那部統治體制의 成立과 運營」, 『韓國史論』 27.
_____, 1995, 「3세기 후반~4세기 전반 고구려의 교통로와 지방 통치 조직」, 『한국사연구』 91.
_____, 1996, 「한국 고대의 국가 형성」, 『역사와 현실』 19.
_____, 1997, 「1~4세기 高句麗 政治體制 연구」, 서울대학교 박사학위논문.
_____, 2005, 「고구려 국내 천도의 시기와 배경」, 『한국고대사연구』 38.
_____, 2020, 「고구려의 자연지리와 환경」, 『고구려의 기원과 성립』(고구려통사1), 동북아역사재단.
_____, 2021, 「중앙정치체제의 재편」, 『고구려 후기 정세변화와 지배체제』(고구려통사5), 동북아역사재단.

_____, 2022, 「정치체제의 구조와 운영」, 『고구려 초기 국가체제와 대외관계』(고구려통사2), 동북아역사재단.

_____, 2023, 「고구려 군사방어체계의 역사적 변천」, 『7세기 국제정세와 고구려-수,당전쟁』(고구려통사6), 동북아역사재단.

_____, 2023, 「요동지역의 군사방어체계와 천리장성」, 『7세기 국제정세와 고구려-수,당전쟁』(고구려통사6), 동북아역사재단.

이성제, 2020, 「요동진출과 요동지역 지배」, 『고구려 중기의 정치와 사회』(고구려통사3), 동북아역사재단.

_____, 2021, 「남북조 및 주변국가와의 대외관계」, 『고구려 후기 정세변화와 지배체제』(고구려통사5), 동북아역사재단.

_____, 2022, 「북위와의 교섭 재개와 5세기 후반의 대외관계」, 『고구려 중기 대외관계와 문물교류』(고구려통사4), 동북아역사재단.

_____, 2023, 「당의 등장과 국제정세의 변동」, 『7세기 국제정세와 고구려-수,당전쟁』(고구려통사6), 동북아역사재단.

이정빈, 2022, 「동아시아 국제질서와 고구려의 천하관」, 『고구려 중기 대외관계와 문물교류』(고구려통사4), 동북아역사재단.

이종욱, 1982, 「高句麗 初期의 中央政府組織」, 『東方學志』 33.

_____, 1982, 「高句麗 初期의 地方統治制度」, 『역사학보』 94·95 합집.

임기환, 1987, 「고구려 초기의 지방 통치 체제」, 『朴性鳳回甲紀念論叢』.

_____, 1992, 「6~7세기 高句麗 政治勢力의 動向」, 『한국고대사연구』 5.

_____, 1998, 「高句麗 前期 山城 硏究」, 『國史館論叢』 82.

_____, 1999, 「4~7세기 고구려 관등제의 전개와 신분제」, 『한국 고대의 관등제와 신분제』, 아카넷.

_____, 2002, 「고구려, 신라의 한강유역 경영과 서울」, 『서울학연구』 18.

_____, 2004, 「고구려사 연구의 제문제」, 『동북아시 선사 및 고대사 연구의 방향』, 학연문화사.

_____, 2020, 「한 현도군의 퇴축과 고구려의 국가 형성」, 『고구려의 기원과 성립』(고구려통사1), 동북아역사재단.

_____, 2021, 「국내 정국의 변화와 귀족연립체제의 성립」, 『고구려 후기 정세변화

와 지배체제』(고구려통사5), 동북아역사재단.

_____, 2022, 「초기 정치체제 해체와 중앙집권체제로의 전환」, 『고구려 초기 국가체제와 대외관계』(고구려통사2), 동북아역사재단.

장창은, 2022, 「장수왕대의 대외관계」, 『고구려 중기 대외관계와 문물교류』(고구려통사4), 동북아역사재단.

전미희, 1994, 「淵蓋蘇文의 집권과 그 정권의 성격」, 『李基白古稀紀念論叢』.

정호섭, 2023, 「연개소문의 정변과 동아시아 국제 정세」, 『7세기 국제정세와 고구려-수,당전쟁』(고구려통사6), 동북아역사재단.

조영광, 2020, 「고구려의 종족 기원」, 『고구려의 기원과 성립』(고구려통사1), 동북아역사재단.

# 2 고구려사 연구동향

2장 조선 후기~1970년대, 고구려사 연구의 태동
3장 1980~1990년대, 새로운 장을 연 고구려사 연구
4장 2000년대 이후, 고구려사 연구의 비약적 성장과 심화

**2장**

# 조선 후기~1970년대, 고구려사 연구의 태동

이정빈 | 경희대학교 사학과 부교수

　오늘날 고구려사 연구의 전통은 조선 후기부터 찾아볼 수 있다. 조선 후기의 역사 서술을 통해 각종 사료가 집성되었고 몇몇 문제의 고증이 시도되었는데, 이는 근대적 연구의 기초를 제공하였다. 근대 역사학의 형식과 방법은 19세기 후반 이후 수용되었다. 이를 주도한 것은 일본의 역사학계였다. 일본의 역사학계는 19세기 후반에 발견된 광개토왕비에 주목해 문헌사료 비판의 준거로 삼고 연구의 토대를 마련하였다. 그런데 일본 역사학계의 연구는 자국 중심의 고대사 이해에서 벗어나지 못했고, 고구려사를 비롯한 한국사에 대해서는 차별적 시각을 보였다. 고구려사의 주체성을 고려하지 않았고, 정체성을 전제하였다. 식민주의 역사학이었다.
　한국의 민족주의 역사학은 한국사의 주체성을 강조하였는데, 이에 따라 중시된 것이 고구려사였다. 백남운(白南雲)을 비롯한 일부 마르크스주의 역사학자는 고구려가 노예제 국가로 발전하였다고 보면서 한국사의 세계사적 보편성을 탐색하였다. 김광진을 비롯한 일부 마르크스주의 역사학자는 한국사가 아시아적 특수성을 갖는다고 보았는데, 고구려의 경우 국가와 촌락·민의 관계에 주목하였다. 이와 같은 시각의 차이는 광복 이후 1950년대 중반까지 북한 역사학계 내부의 주된 논쟁 주제 중 하나였다. 하지만 1950년대 후반 이후 북한 역사학계에서는 민족주의적 시각이 굳어지며 논쟁은 종식되었다. 고구려는 중세 봉건제 국가로 규정되었고, 고대 노예제 국가인 고조선에서 일국사적 발전의 노정을 걸어온 것으로 통설이 확립되었다. 6·25전쟁 이후 분단이 고착되면서 북한에서는 평양의 역사적 전통에 주목하며 고구려사가 각광을 받았다. 1970년대 이후 주체사상이 확립되며 그와 같은 경향은 더욱 심화되었다. 그런데 북한에서 고구려사에 대한 관심은 정권의 정통성을 강조하기 위한 것으로, 학문보다 정치적 목적에서 비롯한 면이 컸다.

　광복 이후 남한의 역사학은 실증이 연구의 주된 방식이었지만, 고구려사에 대한 전문적인 연구는 활발하지 못하였다. 본격적인 논의는 1970년대 이후에 전개되었다. 고대 국가의 발달 과정에 대한 다양한 학설이 제기되며 경합하였고, 『삼국지』 동이전에 보이는 5부(部)를 중심에 두고 한층 역동적인 발전상을 제기하였다. 그리고 이에 기초해 정치제도와 귀족세력의 변화를 탐구하였다. 정치사 방면에서 초기사·중기사·후기사가 구분되었고, 이로써 1980년대 이후의 연구에 토대를 제공하였다. 오늘날의 고구려사 연구가 태동하였던 셈이다.

## 1. 근대적 연구의 여명과 광개토왕비 발견

근대 역사학의 형식과 방법으로 고구려사를 서술·연구하기 시작한 것은 19세기 후반~20세기 초반 이후였다. 다만 근대적 연구의 토대는 중세의 역사 서술과 연구에서 비롯하였다. 특히 조선 후기의 성과가 주목된다. 양란 이후 조선에서는 고구려를 재인식하고 새롭게 조명하였다(李萬烈, 1984). 전란 극복과 중화질서 회복을 위한 역사적 경험으로 고구려의 강성을 주목하였고, 북벌을 추구하고 중화계승의식을 표방하며 북방 고토(故土)에 대한 관심이 높아진 가운데 자국사로서 고구려사를 중시하였던 것이다(허태용, 2009).

이종휘(李種徽)의 『동사(東史)』가 대표적이다. 『동사』에서는 단군조선·기자조선의 정통이 고구려로 계승되었다고 파악하였다. 일각에서는 단군조선·기자조선의 정통을 신라에서 찾기도 하였지만, 이종휘를 비롯한 일각에서는 단군조선·기자조선의 고지(故地)에서 발흥한 고구려가 그 영역과 문물을 계승하였다고 본 것이다(김문식, 1994; 許太榕, 2021). 고구려 중심의 고대사 이해였다.

고구려를 중시한 역사 서술로 한치윤(韓致奫)과 한진서(韓鎭書)의 『해동역사(海東繹史)』도 주목된다. 『해동역사』는 정통이 아닌 건국 시점의 선후를 고려해서 고구려·백제·신라 순으로 삼국의 역사를 서술하였고(韓永愚, 1985; 한영우, 1994), 고구려를 세 권으로 하고 백제·신라는 한 권으로 하였다. 고구려에 높은 비중을 두었던 셈이다(李萬烈, 1984). 무엇보다 『해동역사』는 사료를 집성하였다는 점에서 사학사적 중요성이 크다. 『삼국사기』와 같은 국내 사서만이 아니라 중국·일본의 각종 사서에서 고구려와 관련된 방대한 사료를 집성하였는데, 이는 근대적 연구가 개시하는 데 기초를 제공하였기 때문이다.

『해동역사』에서는 사료의 이해와 해석을 두고 독창적인 견해를 밝히며 이를 고증하기도 하였다. 사료에 대한 고증은 한백겸(韓百謙)의 『동국지리지(東國地理志)』, 이익(李瀷)의 『성호사설(星湖僿說)』, 신경준(申景濬)의 『강역고(疆界考)』, 안정복(安鼎福)의 『동사강목(東史綱目)』, 정약용(丁若鏞)의 『아방강역고(我邦疆域考)』 등에서도 찾아볼 수 있다(李萬烈, 1984; 김현숙, 2011).

『동사강목』과 『해동역사』에서는 왕계(王系)와 인물·사건·지명 등을 고증하였는데, 이를 비롯한 이상의 여러 사서에서 가장 큰 관심을 두었던 것은 지명과 지리였다. 지명의 의미를 파악하고 위치를 비정하고자 하였다. 일종의 역사지리 연구였다. 조선 후기의 역사지리 연구는 고증에 철저했다. 사료를 비교·검토하고 전거를 탐색하였다. 이는 연구주제의 설정과 방법이란 측면에서 근대적 연구에 영향을 미쳤다.

예컨대 안정복은 『동사강목』의 「졸본고(卒本考)」·「국내위나암성고(國內尉那巖城考)」·「환도고(丸都考)」·「비류수고(沸流水考)」 등을 통해 『삼국사기』에 보이는 고구려 초기 도성의 위치 문제를 제기하였고, 이를 고증하고자 했다. 그의 성과 중 일부는 오늘날 연구에서도 하나의 학설로서 유효하다. 비단 『동사강목』만이 아니라 조선 후기의 역사 서술과 연구는 지금의 한국 고대사 연구에서도 선행연구로서 중시되고 있는데(조인성, 2011), 고구려사 연구에서도 마찬가지다.

이처럼 조선 후기의 역사 서술과 연구는 사료의 집성과 고증이란 근대적 연구의 과정을 일부 수행하였다. 그러므로 고구려사 연구의 기원 내지 전통을 찾는다고 하면, 조선 후기의 역사 서술과 연구를 주목할 수 있다. 하지만 조선 후기의 역사 서술과 연구가 근대적 연구를 예비하였거나 그와 직결된 것은 아니었다. 조선 후기의 역사 서술과 연구는 유교적 가치를 우선적으로 추구하였다. 이 점에서 중세 유교적 역사학의 범주에서 이탈한 것은 아니었다. 고구려사를 중시하였던 것도 마찬가지였다. 중화계승의식의 일환으로 조선 왕조의 정통과 유교적 가치의 계승을 밝히는 데 주된 목적이 있었다(허태용, 2009; 2021).

유교적 가치를 추구하였던 중세, 조선 후기의 역사 서술과 비교해 19세기 서구에서 성립한 근대의 역사학은 독립된 분과학문으로 사료 비판이란 연구방법을 통해 과거 사실의 객관적인 관찰과 서술을 추구하였다는 점에서 중요한 차이가 있었다. 그런데 근대 역사학도 역사의 산물이었다. 시대에서 자유로울 수 없었다. 근대 역사학은 국민국가의 시대에 성립하였고, 국민국가 형성에 호응하며 번영하였다. 대부분의 역사 서술은 민족 내지 국가를 단위로 하였고, 연구의 관심은 그 기원과 형성 과정을 해명하는 데 집중되었다. 이른바 국사(國史)였다. '근대 역사학의 창건자'로 불리는 랑케(Leopold von Ranke)도 마찬가지였다(도면회, 2009; 이상신, 2021).

동아시아에서 근대 역사학을 가장 먼저 수용한 것은 일본이었다. 1887년 일본에서는 도쿄제국대학에 사학과를 설치하고 랑케의 제자 리스(Ludwig Riess)를 교원으로 초빙함으로써 서구의 근대 역사학을 수용하였다. 그리고 근대 역사학을 통해 서구와 같은 국사(일본사)를 서술·연구하고자 국사과를 증설하였고(1889), 국사와 중국사(지나사)·동양사를 구분하였다. 그 결과 1904~1910년 도쿄제국대학과 교토제국대학에서는 국사·동양사·서양사의 3과 제도가 수립되었다(旗田巍 著, 李基東 譯, 1983; 스테판 다나카 지음, 박영재·함동주 옮김, 2004; 나가하라 게이지 지음, 하종문 옮김, 2011; 오병수 편, 2021).

일본 학계의 고구려사 연구는 일본사와 동양사 분야에서 진행되었다. 다만 초기의 연구는 역사학의 제도가 정립하기 이전부터 시작하였다. 1870년대 중반~1880년에 중국 길림성(吉林省) 집안(集安) 지역에서 광개토왕비가 발견된 것이 그 계기였다. 광개토왕비는 발견 직후부터 동아시아 여러 나라 학자의 관심이 집중되었다. 청의 학계에서는 금석학에 대한 높은 관심 속에서 1880년대 전반부터 광개토왕비 탁본을 수집해 이를 연구하였다. 판독작업이 이루어졌고, 서체가 탐구되었으며, 비의 성격이 논의되었다(조우연, 2015; 趙宇然, 2019). 1904년 러일전쟁이 일어나기 전까지 주요 논저는 표1과 같이 정리된다(조우연, 2015).

광개토왕비는 일본 학계에도 전달되었다. 1883년 육군 참모본부의 사코 가게노부(酒匂景信)가 묵수곽전본(墨水廓填本)을 구입해 귀국하였는데, 이로부터 본격적인 연구를 개시하였다.

일본 해군성 군사부의 고요가카리(御用掛)였던 아오에 하이즈(淸江秀)의 『東扶餘永樂大王碑銘解』(1884)와 육군 참모본부 편찬과의 요코이 나다나오(橫井忠直)의 『高句麗古碑考』(1884)가 대표적인 성과였다. 비문에 주해를 붙였고, 건립 연대를 논의하였다. 특히 요코이 나다나오는 이른바 '신묘년조(辛卯年條)'를 주목하였다. "倭以辛卯來渡海 破百殘□□新羅以爲臣民"을 두고, "그 말이 딱 우리 옛 역사와 맞았다. 즉 천고에 비할 바 없는 좋은 증거이다. 또한 유쾌하지 않겠는가"라고 하였다. 광개토왕비를 통해 『일본서기(日本書紀)』에 보이는 신공황후(神功皇后)의 '삼한 정벌'이 사실로 입증되었다고 생각하고 이를 중시한 것이다(이노우에 나오키, 2015).

당시 일본 학계에서는 한학·국학의 전통 속에서 근대 역사학을 수

**표1** 1882~1903년 중국의 광개토왕비 관련 주요 논저

| 구분 | 저술/발표 연도 | 저자 | 논저 |
|---|---|---|---|
| 1 | 1882 | 이초경(李超瓊) | 『遼左日記』 |
| 2 | 1884 | 섭창치(葉昌熾) | 「高句驪王墓碑跋」 |
| 3 | 1887 | 양이(楊頤) | 「好太王碑考訂」 |
| 4 | 1889 | 성욱(盛昱) | 「好太王碑釋文」 |
| 5 | 1890~1896 | 양동계(楊同桂) | 「高麗墓碑」(『瀋考』 卷1) |
| 6 | 1891 | 왕효렴(王孝廉) | 「跋文」, 釋文 |
| 7 | 1895 | 왕지수(王志修) | 「高句麗永樂太王古碑歌」·「高句麗永樂太王碑考」(『高句麗永樂太王碑歌考』) |
| 8 | 1897 | 부운용(傅雲龍) | 「跋」(『長白彙徵錄』, 1910 수록) |
| 9 | 1897 | 육심원(陸心源) | 「高句麗廣開土好太王談德紀勛碑跋」(『儀顧堂續跋』) |
| 10 | 1898 | 정문작(鄭文焯) | 「高麗國永樂好太王碑釋文纂考」 跋(『平湖朱氏經注經齋刻本』(1900) |
| 11 | 1900 | 오중희(吳重熹) | 「高麗永樂好太王碑釋文纂攷後跋」 |
| 12 | 1901 | 섭창치(葉昌熾) | 「奉天一則」(『語石』 卷2) |
| 13 | 1903 | 영희(榮禧) | 「高句麗永樂太王墓碑文」·「高句麗永樂太王墓碑譾言」(『古高句麗永樂太王墓碑文考』); 朴殷植 編, 『西北學會月報』1卷 9號, 1909 재수록) |

용하고 있었는데, 『일본서기』를 비롯한 고대 문헌에 대한 이해를 두고 논쟁이 있었다. 한학·국학의 전통 속에서 고대 문헌에 보이는 일선동조(日鮮同祖) 내지 남선경영(南鮮經營)의 사실을 긍정하기도 하였고, 근대 역사학의 시각에서 그를 비판적으로 보기도 하였던 것이다(旗田巍 著, 李基東 譯, 1983). 후자의 경우 『동국통감(東國通鑑)』과 같은 한국 측의 사서와 비교해 『일본서기』 초기 기록의 기년(紀年)과 사실성을 의심하였다. 신공기(神功紀)·응신기(應神紀) 등은 후대 역사가의 망찬(妄撰) 내지 날조로 생각하기도 했다(이노우에 나오키, 2015).

광개토왕비는 당대의 금석문이었다. 따라서 기왕의 고대 문헌사료보다 사료적 가치를 높이 평가받았고, 문헌사료 비판에 유용하였다. 그

런데 새로이 발견된 광개토왕비에서는 왜의 백제·신라 공격과 신민(臣民) 관계 설정이 보였다. 1889년 『회여록(會餘錄)』 제5집이 광개토왕비 특집으로 간행되며 광개토왕비에 대한 관심은 한층 높아졌다. 이제 근대 역사학의 시각에서도 요코이 나다나오처럼 『일본서기』 초기 기록의 사료적 가치를 높이 평가했다. 반대로 한국 측 사서의 사료적 가치는 낮추어 보았다. 간 마사토모(管政友)의 「高麗好太王碑考」(1891)가 대표적이다.

간 마사토모는 "한국 사료는 어떤 것도 멀리 후세의 것이므로 오류가 많고", "믿기 어려운 것이 많다"고 하였다. 이 외에도 나카 미치요(那珂通世)의 「高句麗古碑考」(1893), 시라토리 구라키치(白鳥庫吉)의 「高句麗百濟新羅三國の興起」(1894), 미야케 요네기치(三宅米吉)의 「高麗古碑考」(1898), 「高麗古碑追考」(1898) 등 성과가 제출되었는데, 주된 관심은 광개토왕비 탁본 및 판독과 더불어 이를 중심으로 한 사료비판에 있었다(이노우에 나오키, 2015).

사료비판의 대상이 비단 『일본서기』 등 일본 고대의 문헌만은 아니었다. 한국과 중국 등 동아시아 여러 나라의 사서를 망라하였다(旗田巍 著, 李基東 譯, 1983). 하지만 광개토왕비 발견 이후 일본 학계의 고구려사 연구는 자국 중심의 고대사 이해를 구축하는 데 경도되었다. 이는 메이지 연간(1868~1912) 이후 일본 학계의 일각에서 한국사에 대한 차별적·멸시적 시각이 점차 강화되고 있었던 사정과 무관치 않았는데, 이는 일본의 한국 침략과 식민지 지배를 정당화하는 데 기능하였다(旗田巍 著, 李基東 譯, 1983). 이를 식민주의 역사학이라고 부를 수 있다. 근대 역사학의 수용 이후 일본 학계의 광개토왕비 및 고구려사 연구는 제국주의·식민주의 역사학의 성립을 배경으로 하였던 것이다.

물론 조선에서도 서구의 근대 역사학을 수용하고 있었다. 1894년 갑오개혁 이후 학부아문에서는 독립된 교과목으로 국사를 설정하고 교과서를 편찬하였고, 이를 국민 양성에 활용하였다. 현채(玄采)는 『동국사략(東國史略)』(1907)에서 하야시 다이스케(林泰輔)의 『朝鮮史』(1892)와 『朝鮮近世史』(1900)를 역술(譯述)하였는데, 이로부터 이른바 신사체(新史體)를 보편적으로 사용하였다. 국사 교과서 편찬을 통해 서구·일본의 근대 역사학의 형식과 방법이 수용된 것이다. 그리고 러일전쟁(1904~1905)과 을사조약(1905) 이후 일제의 침략과 그에 대한 저항의 노력 속에서 민족주의가 고양되며 왕조 정통의 통사(通史)를 변용해 민족 정통의 통사를 수립하였다(도면회, 2009).

신채호(申采浩)의 역사 서술과 연구가 대표적이다. 그는 『독사신론(讀史新論)』(1908)을 통해 부여족 중심의 한국사 체계를 제시하였는데, 한국사의 정통은 단군조선-부여-고구려-발해로 이어졌다고 생각하였다(도면회, 2009). 부여를 통해 고조선에서 고구려로 정통이 계승되었다고 본 것이다. 이는 부여를 매개로 하여 고구려를 중심으로 한 한국 고대사 체계를 전망한 것으로, 신채호는 삼국 중에서 특히 고구려를 중시하였다. 고구려의 적극적인 대외투쟁이 고유의 민족정신을 대표하며, 이는 자강과 독립의 가능성을 보여준다고 생각하였기 때문이다(조인성, 2009).

이처럼 한국의 근대 역사학은 서구·일본의 역사 서술형식을 수용함으로써 성립하였는데, 고구려사 서술과 연구는 일본 학계의 연구와 그 시각에 대항해 개시되었다. 반식민주의·민족주의의 시각과 태도였다. 이로써 일제시기 민족주의 역사학의 방향이 마련되었다고 할 수 있는데, 신채호의 『조선상고사(朝鮮上古史)』(1931), 『조선상고문화사(朝鮮上

古文化史)』(1931)를 비롯해 장도빈(張道斌), 권덕규(權悳奎), 황의돈(黃義敦), 정인보(鄭寅普) 등의 저술에서 고구려사가 중시된 것은 그와 같은 시각과 태도를 보여준다(조동걸, 1994).

## 2. 기원·종족 계통 및 시공간의 탐색

20세기 전반 일본 학계에서 고구려사 연구를 주도한 것은 동양사 분야에서였다. 일본의 동양사 연구는 시라토리 구라키치가 주도하였는데, 그 출발점은 한국사 연구였다. 그는 1890년에 가쿠슈인(學習院) 교수로 동양사를 강의하며, "황급히 일본에서 가장 가까운 조선의 역사부터 조사하기 시작했"다고 하였다(마쓰이 다카시, 2009). 그의 연구 안에는 고구려사도 포함되었다. 「高句麗百濟新羅三國の興起」(1894)를 비롯해 「高句麗の名稱に就きての考」(1896) 등의 논문을 발표했다. 특히 후자를 통해 고구려 명칭이 고구려어의 구루(溝漊)·홀(忽)·골(骨)에서 비롯하였고, 이는 성(城)을 의미한다고 풀이하였다. 시라토리 구라키치는 19세기 후반~20세기 전반의 여러 연구자가 그랬던 것처럼 언어가 민족의 특색을 나타낸다고 생각하였는데, 이에 명칭과 어의(語義)를 통해 고구려의 기원과 계통에 접근하고자 한 것이다(旗田巍 著, 李基東 譯, 1983; 마쓰이 다카시, 2009).

고구려의 기원과 계통은 일본 동양사 연구의 주요 주제 중 하나였다. 그런데 이에 대한 선구적인 연구 역시 조선 후기부터 찾아볼 수 있다. 안정복·한진서·정약용 등은 현도군 고구려현에 착목해 한 무제 이전부터 고구려가 존재하였던 것으로 파악하였고, 기원전 107년 그 설치

지역을 함경남도 함흥으로 파악하였다(김현숙, 2011). 이와 같은 조선 후기의 연구는 일본 동양사 연구에 본격적으로 인용되지 않았지만, 연구 방법과 결론은 대체로 동일하였다. 나카 미치요의 「朝鮮樂浪玄菟帶方考」(1894), 히구치 류지로(樋口隆次郎), 「朝鮮半島に於ける漢四郡の疆域及沿革考 1~5」(1911~1912), 시라토리 구라키치의 「漢の朝鮮四郡疆域考」(1912)와 「武帝始建の四郡」(『滿洲歷史地理』, 1913), 이나바 이와키치(稻葉岩吉)의 「玄菟郡の名稱について」(1915) 등이 대표적이다 (이준성, 2015).

『삼국지』 동이전에서 고구려는 부여의 별종이었다고 하였고 그 종족은 맥족(貊族)이었다고 하였다. 그런데 『삼국지』 동이전에서 부여는 예족(濊族)이었던 것처럼 나온다. 또한 각종 사서에서는 예(濊)와 맥(貊) 그리고 예맥(濊貊)이 혼재되어 나온다. 그러므로 그의 기원과 계통에 대해 다양한 견해가 제시되었다. 크게 보면 예맥이 같은 종족이었다고 보는 견해가 있었고, 예와 맥은 서로 다른 종족이었다고 보는 견해가 있었다. 예컨대 정약용의 경우 전자의 입장이었다.

이와 같은 연구쟁점은 일본 시라토리 구라키치를 비롯한 일본 동양사 연구에서도 중요한 주제였다. 먼저 고구려와 부여의 관계는 건국신화를 통해 논의되었다. 비단 『삼국지』 동이전만 아니라 광개토왕비와 『위서(魏書)』 고구려전에 보이는 고구려의 건국신화도 부여의 건국신화와 유사하다. 그러므로 대다수 연구에서는 고구려와 부여의 근친관계를 인정하였고, 양국이 동족이었던 것으로 생각하였다. 그러나 이를 비판적으로 보기도 하였다.

시라토리 구라키치는 「朝鮮古代地名考」(1895~1896)에서 고구려와 부여의 관계를 정치적인 측면에서 이해하였다. 이러한 그의 견해는

「濊貊民族の由來を述べて夫餘高句麗及び百濟の起原に及ぶ」(1933)에서 한층 본격적으로 개진되었는데, 부여의 쇠망 이후 동명왕(東明王)을 자국의 시조로 하여 자부심을 표출하였던 정치전략의 일환으로 본 것이다(井上直樹, 2004; 이성시 지음, 이병호·김은진 옮김, 2022). 이와 같은 그의 연구는 근대 역사학의 방법에 입각한 것으로, 사료를 비판해 보았다는 점에서 연구사적 의의를 부여할 수 있다.

이처럼 시라토리 구라키치를 중심으로 한 일본 동양사 분야에서는 고구려의 기원과 계통에 주목해 연구를 진행하였는데, 조선 후기 이후의 연구쟁점을 근대 역사학의 방법으로 해명하고자 하였다. 본격적인 연구는 러일전쟁 이후 확대되었는데, 이는 일본의 한국·만주 침략을 배경으로 하였다. 러일전쟁 이후 일본은 만주와 조선 침략을 위한 국책회사로 남만주철도주식회사(南滿洲鐵道株式會社, 이하 만철)를 설립하였는데, 만철의 지원으로 도쿄지사에 만선역사지리조사실(滿鮮歷史地理調査室, 이하 조사실)을 두고 만주사·조선사 연구를 진행하였던 것이다(旗田巍 著, 李基東 譯, 1983). 1915년 도쿄지사의 조사실은 폐지되고 도쿄제국대학 문학부로 이관되었지만, 만철의 지속적인 지원을 받아 1942년까지 연구를 지속하였다(이노우에 나오키, 2021).

조사실에서는 많은 수의 동양사·한국사 연구자가 양성되었다. 시라토리 구라키치의 주재하에 쓰다 소우키치(津田左右吉), 야나이 와타리(箭內亘), 마쓰이 히토시(松井等), 이나바 이와키치, 이케우치 히로시(池內宏), 와다 기요시(和田淸) 등이 연구에 참여하며 성과를 축적하였다. 『滿洲歷史地理』(2책, 1913)와 『朝鮮歷史地理』(2책, 1913), 그리고 『滿鮮歷史地理研究報告』(16책, 1915~1941)가 그 대표적인 성과였다.

『滿洲歷史地理』에서는 기원전 2세기부터 7세기까지 만주 지역에 소재하였던 고구려의 지리를 고증하였고, 그 과정에서 고구려와 중원, 호족(胡族) 왕조의 관계를 검토하였다. 『朝鮮歷史地理』와 『滿鮮歷史地理研究報告』는 고구려사와 관련하여 다음과 같은 논문을 수록하였다.

津田左右吉, 1913, 「好太王征服地域考」, 『朝鮮歷史地理』 1.
_____, 1913, 「長壽王征服地域考」, 『朝鮮歷史地理』 1.
_____, 1913, 「高句麗戰役新羅進軍路考」, 『朝鮮歷史地理』 1.
_____, 1922, 「三國史記高句麗紀の批判」, 『滿鮮地理歷史研究報告』 9.
池內宏, 1930, 「曹魏の東方經略 -毌丘儉の高句麗征伐に關する三國史記の記事-」, 『滿鮮地理歷史研究報告』 12.
_____, 1930, 「高句麗滅亡後の遺民の叛亂及び唐と新羅との關係」, 『滿鮮地理歷史研究報告』 12.
_____, 1941, 「高句麗討滅の役に於ける唐軍の行動」, 『滿鮮地理歷史研究報告』 16.
_____, 1941, 「樂浪郡考 -遼東の玄菟郡とその屬縣-」, 『滿鮮地理歷史研究報告』 16.

목록을 통해 알 수 있듯 주된 관심은 역사지리 분야에 있었다. 특히 전쟁 관련 기록에 주목해 주요 지명의 지리를 고증하였고, 만주와 한반도의 여러 교통로를 연구하였다. 철저한 사료비판을 통해 고구려의 영역과 국제관계의 기초를 파악할 수 있었는데, 이를 비롯한 만선역사지리조사실의 성과는 20세기 전반 일본 동양사 연구를 대표하는 것으로 평가된다.

그런데 '조위의 동방 경략'이나 '고구려 유민의 반란', '고구려 토벌'

등과 같은 표현에서 알 수 있듯이, 연구는 중원 왕조의 시각에서 진행하였다. 이는 『滿洲歷史地理』도 마찬가지였다. 중원 왕조를 기준으로 시기를 구분하였고, 중원 왕조의 관점에서 고구려의 국제관계를 이해하였다. 주지하다시피 고구려 관련 사료의 상당수는 중국 정사(正史) 및 『자치통감(資治通鑑)』에서 찾아볼 수 있는데, 이는 중원 왕조 측의 시각에서 작성된 것이었다. 20세기 전반 일본 동양사 연구는 이에 대한 비판적 시각이 없었다. 중원 왕조 측의 시각에서 작성된 사료를 그대로 활용해 고구려사를 바라보았던 것이다. 고구려의 주체적 입장이 고려되지 않았음은 물론이다. 이와 관련하여 고구려를 만주사의 범위에서 서술한 점이 주목된다.

조사실을 비롯한 일본 학계에서는 한국 고대사의 공간적 범위를 조선과 만주로 이분하였는데, 고구려는 만주사 속에서 연구·서술하였다(井上直樹, 2004; 박찬흥, 2005). 만주사 속의 고구려사 연구와 서술은 한국사의 주체성을 간과한 역사단위였다. 일본 동양사학이 한국사의 주체성을 간과한 모습은 고구려사에 대한 연구주제를 보아도 알 수 있다. 주된 관심은 지명과 연대의 고증이었다. '인간 부재의 역사학'이었다고 비판받는 까닭이다(旗田巍 著, 李基東 譯, 1983). 다만 지명과 연대의 고증은 고구려사의 시공간 범위를 파악하기 위한 작업으로 이후의 논의에 토대를 제공했다.

이와 관련하여 1910년대 이후 고구려 초기 도성에 관한 본격적인 연구가 진행된 사실이 주목된다. 이는 일본 학계의 고구려 유적 조사가 시작된 데서 비롯하였는데(양시은, 2009), 1914년 일본 『史學雜誌』에 시라토리 구라키치, 세키노 다다시(關野貞), 도리이 류조(鳥居龍藏)의 논문이 발표되며 일련의 논쟁이 전개되었다(권순홍, 2016). 이때 각종

표2   1914년 일본『사학잡지』에서 전개된 국내 천도 관련 논쟁

| 연구자 | 국내성 | 환도성 | 비고 |
|---|---|---|---|
| 시라토리 구라키치 | 집안 평지성·산성자산성 |  | 동처설 |
| 도리이 류조 | 환인 오녀산성 | 집안 산성자산성 | 이처설 |
| 세키노 다다시 | 집안 평지성·산성자산성 | 집안 우수림자(楡樹林子)·<br>외찰구문(外察溝門) | 이처설 |

문헌사료가 검토되었고, 고고자료에 비추어 구체적인 위치가 비정되었다.

이와 같은 논쟁의 전개에는 광개토왕비와 더불어 1906년 집안 소판차령(小板岔嶺)에서 발견된 관구검기공비(毌丘儉紀功碑)가 중요하였다. 광개토왕비와 그 일대의 고고자료를 통해 평양 천도 이전 고구려의 도성이 지금의 중국 길림성 집안 일대에 소재하였음이 드러났고, 관구검기공비가 발견됨으로써 환도성의 위치를 확인할 수 있었다. 이에 따라 집안 지역의 산성자산성(山城子山城)과 평지성이 주목받았다. 문제는 국내성과 환도성의 구체적인 위치 비정이었다. 이 과정에서 국내성과 환도성의 동처(同處)·이처(異處) 문제가 쟁점으로 부각되었다.

동처설은 시라토리 구라키치가 제기하였다. 그는 국내성과 환도성을 동일한 지명에 대한 이칭(異稱)으로 보고, 양자는 모두 집안 평지성을 가리킨다고 하였다. 집안 산성자산성은 그 부속 산성으로 평지성과 함께 도성을 이룬다고 하였다. 동처설은 이후 이케우치 히로시, 미시나 쇼에이(三品彰英), 이병도(李丙燾), 이기백(李基白), 이기동, 노태돈 등 다수의 연구자가 지지하였고, 이후 이를 바탕으로 해서 보다 치밀한 논의가 전개되었다.

이와 같은 초기 도성 연구는 고구려의 공간적 범위만 아니라『삼국

사기』고구려본기 초기 기록에 대한 사료비판 문제와 밀접하였는데, 이는 고구려사의 시간적 범위를 이해하는 문제와 직결되었다. 『삼국사기』고구려본기와 지리지에서는 유리왕 대에 국내성으로 천도하였다고 하지만, 『삼국지』동이전에서는 이이모(伊夷模) 즉 산상왕 대에 다시 신국(新國)을 세웠다고 하였다. 산상왕 대에 국내성 지역으로 천도하였다고 여길 수 있는 것이다. 그러고 보면 고국천왕을 비롯한 이전의 왕계도 의심받을 수밖에 없었다.

실제 『삼국사기』에 보이는 고구려의 왕계가 광개토왕비와 약간의 차이를 보이고, 『삼국지』·『후한서』 등과 비교해 보아도 태조왕이 즉위하기 이전의 왕계는 확인하기 어렵다는 점에서 문제의 소지가 있었다. 예컨대 『삼국사기』에 수록된 고구려의 왕호는 왕의 장지(葬地)에서 비롯된 것이 많았다. 고국천왕도 국천(國川) 즉 국내성 지역에 왕의 장지를 마련한 데서 비롯된 왕호였다. 그런데 고구려의 국내성 지역 천도가 유리왕 대가 아닌 산상왕 대였다고 하면, 고국천왕은 그 존재조차 신뢰할 수 없었다. 비단 고국천왕만 아니라 대무신왕(大武神王), 민중왕(閔中王), 모본왕(慕本王)도 장지에서 비롯된 왕호였다는 점에서 이 문제는 초기 왕계 전반과 관련되었다.

이에 대해 쓰다 소우키치(1922)와 이케우치 히로시(1940)는 고국천왕은 가공의 왕으로 조작된 것이었고, 태조왕·차대왕·신대왕은 『삼국지』와 『후한서』를 참조해 삽입한 것이었으며, 이 이전의 왕계도 믿을 수 없다고 하였다. 이와 같은 견해에 따르면, 『삼국사기』 고구려본기의 초기 기록도 그대로 믿기 어렵고, 이에 입각한 고구려사의 시간적 범위의 설정도 곤란하다. 『삼국지』·『후한서』 등 중국 측의 사서에 의존해 고구려사의 전개 과정을 해명할 수밖에 없는 것이다.

물론 『삼국사기』 고구려본기의 초기 기록은 후대에 윤색된 면이 있지만, 이미 광개토왕비에서 건국신화가 정착한 데서 드러나듯 일찍이 고유의 전승을 정리한 것으로, 그 사료적 가치를 전면적으로 부정할 수만도 없다. 사료적 가치가 높은 내용도 적지 않다. 연나부(椽那部) 출신의 왕비족과 관련한 내용이 대표적이다(李基白, 1959). 이와 같은 이유에서 이후의 후속 연구에서는 『삼국사기』 고구려본기의 초기 기록을 전면적으로 부정하는 데 그치기보다 원전자료와 그 형성 과정을 염두에 두고, 다른 자료와 비교해 합리적인 이해를 도모하는 데 초점이 맞추어졌다(三品彰英, 1951; 1953; 鄭早苗, 1979). 고구려의 왕위계승이 형제상속에서 부자상속으로 이행된 면모를 주목한 연구(金哲埈, 1956; 李基白, 1959)도 이와 같은 시각에서 도출되었던 것으로 이해된다.

## 3. 발전단계론을 중심으로 한 역동적 변화상 탐구

20세기 전반 일본의 역사학계는 자국을 제외한 동아시아 여러 나라의 발전 과정을 경시하였다. 고구려사를 비롯한 한국 고대사 연구에서도 마찬가지였다. 원시 사회에서 이어져 온 공동체의 유제(遺制)를 강조하였고, 한사군(漢四郡)을 비롯한 외부의 영향을 중시하였으며, 그러하였기에 고대 국가의 성립 과정도 지연된 것으로 설명하는 경향이 있었다. 이와 같은 시각 내지 태도를 식민주의 역사학의 정체성론(停滯性論)으로 묶어볼 수 있다.

식민주의 역사학의 정체성론을 정면으로 비판하고 한국사에서 고대 국가의 발전 과정을 체계화한 것은 1930년대 마르크스주의 역사학이었다. 백남운의 『조선사회경제사』(1933)가 대표적인 성과였다. 백남운은 '원시 씨족사회-원시 부족국가-고대 노예제 국가'란 고대 국가의 발전 과정을 제시하고, 고구려가 원시 부족국가에서 출발해 3세기 이후 고대 노예제 국가로 발전하였다고 파악하였다. 이와 같은 백남운의 연구는 마르크스주의 역사학의 세계사적 보편성을 중시한 것으로, 고구려도 서구의 고대 국가처럼 노예제 국가였다고 본 것이다. 이를 논의하는 과정에서 백남운은 '원시 부족국가'란 과도기를 설정한 것인데, 이는 이후의 연구에 중요한 영향을 미쳤다.

백남운의 『조선사회경제사』가 발표된 이후 마르크스주의 역사학자 중의 일부는 세계사적 보편성보다 아시아적 특수성을 강조하기도 하였다. 그들은 아시아의 여러 나라는 서구와 같은 전형적인 노예제가 부재하였고, 대신 국가와 민의 관계가 중요하다고 이해하였다. 김광진(金光鎭)이 대표적이었다. 김광진(1937)은 사회경제사의 통사적 이해를 추구하며, 국가와 촌락공동체·민의 관계를 중심으로 고구려 사회를 파악하고자 하였다.

백남운과 김광진의 견해 차이는 광복 이후 북한 역사학계에서 전개된 고대사·중세사 시대구분 논쟁으로 재연되었다. 광복 이후 북한의 삼국시대사 이해는 백남운의 연구를 기초로 통설을 구축하였지만(조선력사편찬위원회 편, 1951), 김광진을 비롯한 적지 않은 수의 역사학자는 이를 비판하며 통설에 도전하였다.

예컨대 김일성종합대학 조선사강좌에서 편찬한 『조선사개요』(1957)에서는 고구려를 비롯한 삼국시기까지 공동체적 사회가 존속했고, 국가에서는 이를 이용해 성읍·군현·식읍 등의 형식으로 공납제적 착취를 실시했다고 하였다. 노예제보다 공동체적 생산양식(우클라드)을 강조한 것으로, 『조선사개요』(1957)에서는 공동체적 생산양식과 노예제적 생산양식 그리고 농노제적 생산양식이 병존하며 서로 투쟁하던 시기를 '조기 봉건사회'라고 부른다고 했다. 김광진(1955)이 종래의 자설을 보완해 제기한 '조기 봉건사회설'을 조선사강좌의 공론으로 채택하였던 것이다.

이처럼 삼국시대를 두고 노예제설과 조기 봉건제설이 경합하며 1950년대 전·중반 북한 역사학계 내부에서는 활발한 논쟁이 전개되었는데, 이는 1960년대 전반에 양론이 절충하며 새로운 통설을 구축하였다. 즉 고조선을 비롯한 여러 나라를 고대 노예제 사회로, 삼국시대부터 중세 봉건제 사회가 개막하였다고 규정한 것이다. 이와 같은 새로운 통설은 한편으로 삼국시대사를 바라보는 시각에 조기 봉건사회설이 채택된 면모를 보여주지만, 한편으로 세계사적 보편성을 강조한 백남운의 시각이 투영된 결과였다고 할 수 있다.

이는 1956년 8월 종파사건 이후 북한의 역사학계에서 외부의 영향을 배격하고 한국사의 내재적 발전을 강조하고자 한 사정과 밀접하였다. 점차 마르크스주의 역사학의 이론과 논리보다 민족주의 시각이 중시된 모습이었다. 한편 6·25전쟁 이후 분단이 고착화하며 북한 역사학계에서는 '민주 수도' 평양의 역사적 전통을 강조하며 고구려를 주목하였는데, 이에 따라 북한 역사학의 민족주의적 시각은 고구려에 집중되었다.

이미 1949년 안악3호분이 발굴되며 고구려의 역사와 문화에 대한 관심이 높아져 있었는데, 1950년대 후반 이후 평양 일대의 고구려 유적이 대대적으로 발굴·조사되며, 이를 바탕으로 고고학 분야의 연구가 활발하였다. 『고구려 고분벽화 연구』(김용준, 1959), 『고구려 벽화무덤의 편년에 관한 연구』(주영헌, 1961) 등을 비롯해 다수의 연구논문이 발표되었다. 특히 평양의 역사적 전통을 직접적으로 말해줄 수 있는 고구려 도성유적에 대한 발굴·조사와 연구가 활발하였다. 평양성·안학궁성·대성산성 등 평양 일대 도성유적의 구체적인 면모를 살필 수 있었고, 이에 기초한 연구를 축적하였다(한창균, 2000; 백종오, 2008).

1972년 북한에서는 사회주의헌법을 제정하며 헌법상의 수도를 서울에서 평양으로 변경하였는데, 이로써 고구려사의 중요성은 더욱 부상하였다. 이는 1970년대 확립된 주체사상과도 밀접했는데, 이제 고구려사를 중심으로 삼국시대사를 바라보는 시각이 강화되어 나갔다. 1979년 발간된 『조선전사』에 그와 같은 변화가 분명히 드러난다. 『조선전사』에서는 고구려가 평양으로 천도한 이후 삼국 통일을 지향하였다고 하였고, 고구려를 중심으로 삼국시대사가 전개된 것으로 설명했다.

반면 신라의 삼국 통일은 전면 부정했다. 1950년대까지 북한 역사학계는 신라의 삼국 통일을 긍정하고, 이로써 단일의 준민족이 형성되었다고 보았지만, 민족 형성의 시점은 차츰 상향되었다. 특히 1960년대 이후 남북국시대론이 제기되며 신라의 삼국 통일은 그 의미를 축소해 보았고, 마침내 이를 전면적으로 부정하게 된 것이다(盧泰敦, 1991). 1974년 발굴된 이른바 동명왕릉이 이와 같은 북한 역사학계의 변화를 상징하였는데, 1970년대 후반 이후 북한 역사학계는 고구려의 시공간을 확장하고 그에 정통성을 부여하는 데 집중하였다.

이처럼 광복 이후 북한의 역사학계에서는 처음 마르크스주의 역사학의 고대 국가 발전단계론을 염두에 두고 논쟁이 전개되었지만, 1950년대 후반 이후 민족주의적 시각이 강화되었는데, 그 중심에는 고구려가 있었다. 고구려는 평양의 역사적 전통을 상징하였고, 평양에 수도를 둔 북한 정권의 정통성을 함의하였다. 이와 같은 북한의 역사학은 『삼국사기』를 비롯한 각종 사료에 대한 비판을 방기하였고, 동명왕릉 발굴에서 드러나듯 무리한 주장에 기초한 것이 많다.

북한 역사학과 비교해 광복 이후 남한의 역사학은 사료비판과 이에 기초한 실증이 연구의 주된 방식이었다. 일제시기부터 대학에서 역사학을 전공한 이후 연구활동을 지속해 온 이병도(李丙燾)와 이홍직(李弘稙)의 몇몇 논문이 이를 대표하였다(盧泰敦, 1986). 그럼에도 고구려사에 대한 전문적인 연구는 상대적으로 부진한 형편이었다. 고대 국가의 형성, 발전 및 사회 성격에 대한 논의도 활발하지 못하였다. 비록 손진태(孫晋泰)가 백남운의 '원시 부족국가-고대 노예제 국가' 이론을 계승해 '부족사회-부족국가-부족연맹왕국-고대 국가' 등으로 고대 국가의 발달 과정을 세분해 그의 연구가 통설처럼 수용되고 있었고, 이용범(李龍範)처럼 북방사의 시각에서 고구려사를 조명해 보기도 하였지만, 1960년대까지 고구려를 비롯한 삼국시대사 연구에서 그에 대한 본격적인 논의는 이루어지지 못했다(盧泰敦, 1986).

본격적인 논의는 1970년대부터 전개되었다. 1960년대 후반 고고학의 성과에 힘입어 청동기시대가 설정되고 『삼국사기』 초기 기록에 대한 합리적인 이해가 모색되며, 고대 국가의 형성과 발전을 한층 역동적으로 설명하고자 시도한 것이다. 특히 1970년대 수평적 혈연집단의 일종인 부족과 수직적 계급집단의 일종인 국가를 묶어 '부족국가'로 개념을 만들기에는 부적절하다는 비판에 다수의 학자가 공감대를 형성하였다. 통설에 균열이 생기며 다양한 새로운 학설이 출현하였다(여호규, 2008).

원시 사회와 고대 국가를 구분하고, 고대 국가를 '성읍국가-연맹왕국-중앙집권적 귀족국가'로 체계화하기도 하였고, 서구의 인류학에서 제기된 치프덤(chiefdom)이론을 수용하기도 했다. 치프덤은 군장사회(君長社會) 또는 군장국가(君長國家)로 번역하였는데, 부족국가를 대신한 과도기 국가였다. 부(部)를 혈연집단이 아닌 지역집단으로 파악하며 이를 중심으로 고대 국가의 발전을 해명하고자 시도하기도 했다(盧泰敦, 1975). 이를 부체제론(部體制論)이라고 하는데, 고구려를 비롯한 삼국이 부를 중심으로 국가를 형성하였다는 점에 주목한 이론이었다(여호규, 2008).

부체제론은 학자마다 국가발전론 혹은 정치운영론으로 활용하는 등 개념이 분명하지 못하다는 비판이 있었지만, 고구려를 비롯한 삼국 초기의 국가 형성과 정치 운영을 이해하는 데 다양하게 원용되었다. 부체제론은 고구려사 연구를 바탕으로 하였다.『삼국지』동이전에 보이는 5족(族)·5부(部)와『삼국사기』에 보이는 나(那)·나국(那國)·나부(那部)가 국가 형성의 기초단위였다고 보고, 그의 대응관계를 설정하는 데서 논의의 기초를 삼았던 것이다.

이와 관련하여 이마니시 류(1921), 이케우치 히로시(1926), 미시나 쇼에이(1954) 등의 선행연구도 간과할 수 없다. 이들 연구를 통해『삼국지』동이전에 보이는 3세기 중반의 고유명 부와 7세기 중반 당에서 파악한 방위명 부를 구분할 수 있었고, 전자에서 후자로의 변화를 통해 중앙집권적 국가체제의 정비를 파악할 수 있었다. 이에 따라 3세기를 전후한 방위명 부의 성립에 주목할 수 있었는데(李基白, 1959), 이상과 같은 연구에 따라 고구려 정치사에서 초기사와 중기사가 구분되었고, 고구려사의 전개 과정과 시기구분에 대한 지금의 통설적인 이해가 마련되었다.

 이처럼 광복 이후 남한 역사학계의 고구려사 연구도 고대 국가의 발전 과정을 해명하는 데 주력하였다고 하였는데, 이와 더불어 정치사의 전개 과정도 주목되었다. 이는 관제(官制)를 중심으로 한 정치제도 연구가 중심이었다. 김철준(金哲埈)과 이기백 등이 신라사와 백제사 연구를 통해 얻은 성과와 방법을 고구려사 연구에 원용하며 정치사 이해의 기초를 축적해 나가고 있었는데, 이제『삼국지』동이전을 위시한 중국 정사에 보이는 각 관등의 기원과 의미, 좌보(左輔)·우보(右輔)와 국상(國相)을 비롯한『삼국사기』에 보이는 관명·관제, 관제와 왕권의 관계가 한층 정밀히 분석되었다(盧重國, 1979a; 李鍾旭, 1979). 또한 율령의 내용과 의미가 체계적으로 설명되었는데(盧重國, 1979b), 이를 통해 4세기 국왕 중심의 정치제도가 성립한 사실이 널리 인정받을 수 있었다.

 6세기 중반 이후 대대로(大對盧)를 중심으로 한 귀족 중심의 정치 운영에 대해서도 일련의 연구가 진행되었다. 특히『일본서기』에 보이는 안장왕 대(安臧王代, 519~531), 안원왕 대(安原王代, 531~545)의 정변이 주목(李弘稙, 1954)된 이후 이를 귀족연립정권의 수립으로 본 연구(盧泰敦, 1976)는 고구려 정치사의 중기사와 후기사를 구분하는 데 중요했다. 역시 고구려사의 전개 과정과 시기구분에 대한 지금의 통설적인 이해가 마련되는 데 기여했다.

**참고문헌**

旗田巍 著, 李基東 譯, 1983, 『日本人의 韓國觀』, 一潮閣.
김일성종합대학 조선사강좌 편, 1957, 『조선사개요』, 국립출판사(1996, 한국문화사).
나가하라 게이지 지음, 하종문 옮김, 2011, 『20세기 일본의 역사학』, 삼천리.
도면회·윤해동 엮음, 『역사학의 세기-20세기 한국과 일본의 역사학』, 휴머니스트.
리지린, 1976, 『고구려사연구』, 사회과학출판사.
白南雲, 1933, 『朝鮮社會經濟史』, 改造社(하일식 옮김, 1994, 이론과 실천사).
사회과학원 력사연구소 편, 1979, 『조선전사 3: 중세편 고구려사』, 과학백과사전출판사.
스테판 다나카 지음, 박영재·함동주 옮김, 2004, 『일본 동양학의 구조』, 문학과지성사.
이상신, 2021, 『레오폴트 폰 랑케와 근대 역사학의 형성-역사연구방법론과 역사사상-』, 고려대학교 출판문화원.
이성시 지음, 이병호·김은진 옮김, 2022, 『고대 동아시아의 민족과 국가』, 삼인.
조선력사편찬위원회 편, 1951, 『조선고대사』(1952, 연변교육출판사 번인).
허태용, 2009, 『조선후기 중화론과 역사인식』, 아카넷.

권순홍, 2016, 「고구려 '도성제'론의 궤적과 함의」, 『역사와 현실』 102.
金洸鎭, 1937, 「高句麗社會の生産樣式-國家の形成過程を中心として-」, 『普專學會論集』 3, 普成專門學校普專學會(김지현 譯, 2015, 「고구려 사회의 생산양식-국가의 형성과정을 중심으로-」, 『한국전통문화연구』 15, 한국전통문화대학교 한국전통문화연구소).
_____, 1955, 「조선에 있어서의 봉건제도의 발생 과정(상·하)-노예 소유자적 구성의 존부 여하에 대한 문제와 관련하여-」, 『력사과학』 1955-8·9.
金基興, 1989, 「고구려사연구의 현황과 과제」, 韓國上古史學會 편, 『韓國上古史-연구현황과 과제-』, 民音社.

김문식, 1994, 「이종휘」, 조동걸·한영우·박찬승 엮음, 『한국의 역사가와 역사학(상)』, 창작과비평사.

金龍善, 1980, 「高句麗 琉璃王考」, 『歷史學報』 87.

金哲埈, 1956, 「高句麗·新羅의 官階組織의 成立過程」, 斗溪李丙燾博士華甲紀念事業委員會, 『李丙燾博士華甲紀念論叢』, 一潮閣(1975, 『韓國古代社會研究』, 知識産業社).

김현숙, 2011, 「실학자들의 고구려사·백제사 연구」, 『한국고대사연구』 62.

盧重國, 1979a, 「高句麗國相考(上)·(下)-初期의 政治體制와 關聯하여-」, 『韓國學報』 16·17.

_____, 1979b, 「高句麗律令에 關한 一試論」, 『東方學志』 21.

_____, 1985, 「高句麗對外關係史研究의 現況과 課題」, 『東方學志』 49.

_____, 1975, 「三國時代의 '部'에 關한 硏究-成立과 構造를 中心으로-」, 『韓國史論』 2.

_____, 1976, 「高句麗의 漢水流域 喪失의 原因에 대하여」, 『韓國史研究』 13.

_____, 1986, 「高句麗史研究의 現況과 課題-政治史 理論-」, 『東方學志』 52.

_____, 1991, 「北韓 學界의 三國時代史 研究動向」, 歷史學會 편, 『北韓의 古代史研究』, 一潮閣.

도면회, 2009, 「국사는 어떻게 구성되었는가?-한국 근대역사학의 창출과 통사체계의 확립」, 도면회·윤해동 엮음, 『역사학의 세기-20세기 한국과 일본의 역사학』, 휴머니스트.

마쓰이 다카시, 2009, 「일본의 동양사학은 어떻게 형성되었는가?-시라토리 구라키치의 역사학-」, 도면회·윤해동 엮음, 『역사학의 세기-20세기 한국과 일본의 역사학』, 휴머니스트.

마크 바잉턴, 2008, 「영어권의 고구려사 연구-고구려에 대한 서구의 일반적 인식을 중심으로-」, 『先史와 古代』 28.

朴性鳳, 1990, 「北韓의 高句麗史 研究動向과 특성」, 『東方學志』 65.

박찬흥, 2005, 「滿鮮史觀에서의 고구려사 인식 연구」, 『동북아역사논총』 8.

백종오, 2008, 「북한의 고구려 유적 연구 현황 및 성과」, 『정신문화연구』 110.

양시은, 2009, 「일본의 고구려·발해 유적조사에 대한 검토-1945년 이전까지-」, 조인성 외, 『일제시기 만주사·조선사 인식』, 동북아역사재단.

_____, 2014, 「고구려 도성 연구의 현황과 과제」, 『高句麗渤海硏究』 50.

여호규, 2008, 「국가의 형성」, 한국사연구회 편, 『새로운 한국사 길잡이(上)』, 지식산업사.

李基白, 1959, 「高句麗 王妃族考」, 『震檀學報』 20(1996, 『韓國古代政治社會史硏究』, 一潮閣).

_____, 1967a, 「高句麗의 扃堂 - 韓國 古代國家에 있어서의 未成年集會의 一遺制 -」, 『歷史學報』 35·36(1996, 『韓國古代政治社會史硏究』, 一潮閣).

_____, 1967b, 「溫達傳의 檢討 - 高句麗 貴族社會의 身分秩序에 대한 瞥見 -」, 『白山學報』 3(1996, 『韓國古代政治社會史硏究』, 一潮閣).

이노우에 나오키, 2008, 「1945년 이후 일본에서의 고구려사 연구동향」, 『先史와 古代』 28.

_____, 2015, 「일본학계에서의 광개토왕비 연구의 성과와 과제」, 『東北亞歷史論叢』 49.

_____, 2021, 「동경제국대학 동양사학과의 만주사 및 조선사, 만선사 연구 - 시라토리 구라키치, 이케우치 히로시 관계 문서를 중심으로 -」, 오병수 편, 『동아시아 근대의 형성과 역사학 1 - 제국의 학술기획과 만주 -』, 동북아역사재단.

李萬烈, 1984, 「朝鮮後期의 高句麗史 硏究」, 『東方學志』 43.

李丙燾, 1956, 「高句麗國號考 - 高句麗名稱의 起源과 그 語義에 對하여 -」, 『서울대학교 論文集』 3, 서울대학교(1976, 『韓國古代史硏究』, 博英社).

_____, 1964, 「高句麗의 一部 流民에 대한 唐의 抽戶政策」, 『震檀學報』 25·26·27(1976, 『韓國古代史硏究』, 博英社).

李龍範, 1959, 「高句麗의 遼西 進出 企圖와 突厥」, 『史學硏究』 4.

이준성, 2015, 「조선후기 역사지리연구의 계승과 식민주의적 변용 - 현도군의 위치 비정을 중심으로 -」, 『사학연구』 117.

李弘稙, 1954, 「日本書紀 所載 高句麗 關係 記事考(一), (二)」, 『東方學志』 1·3.

_____, 1959, 「三國史記 高句麗人傳의 檢討」, 『史叢』 4.

_____, 1962, 「「高句麗秘記」考 - 附 三國末期의 讖緯的 記事의 考察」, 『歷史學報』 17·18.

임기환, 2003, 「고구려 정치사의 연구 현황과 과제」, 『韓國古代史硏究』 31.

_____, 2006, 「고구려사 연구의 어제와 오늘」, 『白山學報』 76.

_____, 2007, 「고구려」, 한국고대사학회, 『한국고대사 연구의 새 동향』, 서경문화사.

井上直樹, 2004, 「近代 日本의 高句麗史 硏究 - 滿鮮史·滿洲史와 關聯해서-」, 『高句麗硏究』 18.

조우연, 2015, 「중국학계의 광개토왕비 연구 성과 검토」, 『동북아역사논총』 49.

_____, 2019, 「중국의 廣開土王碑拓本 제작 및 연구」, 『한국사학보』 77.

趙仁成, 1980, 「慕本人 杜魯 - 高句麗의 殉葬과 守墓制에 관한 一檢討 -」, 『歷史學報』 87.

_____, 2009, 「신채호의 고구려사 인식 - 북한에 미친 영향을 중심으로-」, 『동북아역사논총』 23.

_____, 2011, 「실학자들의 한국고대사 연구의 의의: 김정희의 진흥왕 순수비 연구를 중심으로」, 『한국고대사연구』 62.

최종택, 2015, 「고구려고고학 연구 120년」, 『高句麗渤海硏究』 53.

韓永愚, 1985, 「海東繹史의 硏究」, 『韓國學報』 11-1.

_____, 1994, 「한치윤」, 조동걸·한영우·박찬승 엮음, 『한국의 역사가와 역사학 (상)』, 창작과비평사.

한창균, 2000, 「1960년대의 북한 고고학 연구」, 『白山學報』 55.

許太榕, 2021, 「18세기 古代史 硏究의 談論과 柳得恭」, 『震檀學報』 136.


今西龍, 1921, 「高句麗五族五部考」, 『史林』 6-3, 史學硏究會(1937, 『朝鮮古史の硏究』, 近江書店).

武田幸男, 1978, 「高句麗官位制とその展開」, 『朝鮮學報』 86(안정준·정원주 共譯, 2017, 「高句麗 官位制의 史的 전개」, 『東아시아 古代學』 46).

三品彰英, 1951, 「高句麗王都考 - 三國史記高句麗本紀の批判を中心として-」, 『朝鮮學報』 1.

_____, 1953, 「三國史記高句麗本紀の原典批判」, 『大谷大學硏究年報』 6.

_____, 1954, 「高句麗の五族について」, 『朝鮮學報』 6(김성현 譯, 2021, 「高句麗의 五族에 관하여」, 『중원문화연구』 29).

井上秀雄, 1979, 「四世紀後半における高句麗王の性格」, 『朝鮮學報』 90.

池內宏, 1926, 「高句麗の五族及五部」, 『東洋學報』 16-1.

**3장**

# 1980~1990년대, 새로운 장을 연 고구려사 연구

김현숙 | 동북아역사재단 명예연구위원

    고대사 연구에서는 역사의 실상을 밝힐 때, 먼저 기초가 되는 골격을 찾아 기본 형태를 파악한 다음, 각 부분의 퍼즐을 찾아 전체 모양을 복원하게 된다. 한국 학계에서 고구려사 연구의 진행 상황을 이에 비춰 본다면, 대략 1980년대 이전에 기본 골격에 대한 파악이 어느 정도 이루어졌고, 1980년 후반까지 골격 복원을 마쳤으며, 1990년대 들어 여러 분야의 세부적인 면을 완성해 나가는 과정을 걸었다고 할 수 있다.

    고구려사 연구가 본격화되면서 고구려의 국가 형성 과정이 보다 선명해졌고, 초기의 국가구조와 정치체제 및 관등제를 통한 정치세력의 편제 과정, 지방통치제의 성격과 변화, 중기 고구려의 내부 구성, 영역 확대 과정에 대한 연구가 이어졌다. 그동안 국내외의 관심이 집중되었던 광개토왕비 연구도 새로운 단계로 들어서 '신묘년(辛卯年)'조에만 몰입하던 상황에서 벗어나 비문 자체의 내용과 구성에 관심을 갖게 되었다. 이후 비 건립 당시 고구려의 국내외 상황과 당대 고구려인의 인식, 동아시아의 국제정세 등 다양한 분야에 대한 연구가 활발히 이루어졌다. 이를 발판으로 삼아 1980년대부터 1990년대 후반까지 고구려사 연구는 한 단계 더 발전했다. 연구의 양적 규모가 확대되었고, 내용의 질적 수준도 수직 상승하게 되었다. 연구영역의 확대와 다양화도 이루어졌다.

이와 같이 고구려사 연구가 획기적으로 발전하게 된 것은 국내외의 연구환경이 변화되었기 때문이다. 내부적으로는 식민사학의 질곡에서 벗어난 후 긍정적이고 합리적인 역사인식 아래 한국사의 발전 과정을 살펴보는 노력이 이루어졌다. 시대구분론과 사회구성체에 대한 논의가 이루어졌고, 한국고대사의 성립과 발전 과정을 자주적인 입장에서 분석하면서, 국가형성론에 대한 연구가 집중적으로 이루어졌다(노태돈, 1981a; 노중국, 1990; 주보돈, 1990; 여호규, 1996). 또 관련 사료와 현장이 공존하는 신라사와 백제사 연구가 활발해지면서 삼국 가운데 가장 먼저 건국하여 고대국가체제를 갖추었던 고구려에 대한 관심도 높아졌다.

여기에 1979년 충주시 가금면(현 중앙탑면)에서 충주고구려비가 발견되면서 지리적, 공간적 격절로 인해 현실감을 느끼지 못하고 있던 고구려가 바로 우리 곁, 우리 역사의 중심에 존재하고 있었다는 사실을 실감할 수 있게 되었다. 이에 비석의 발견 경위와 비문 내용, 삼국 간의 관계 등에 관한 연구가 집중적으로 이루어졌다. 물론 이 시기까지는 고구려사 연구가 많이 축적되지 못한 상태였으므로 충주고구려비 연구도 일차적인 검토에 그치고 말았지만, 새로운 당대 자료의 출현과 관련 연구는 1980년대 이후 고구려사 연구가 본격화되는 중요한 계기가 되었다.

외부적으로는 중국이 개방되면서 고구려 유적에 대한 현장답사가 가능해졌고, 중국 학계는 물론 북한 학계의 연구성과도 참고할 수 있게 되었다. 이러한 변화는 우리 학계가 안고 있는, 역사현장으로부터의 유리와 자료 부족이라는 가장 근본적인 한계를 조금이나마 해소하는 데 도움이 되었다. 단편적인 문헌사료와 고구려 유적에 대한 제3자의 전언(傳言)이나 전문(傳聞)에만 의존하던 연구환경에서 벗어나, 직접 현장을 확인하고 관련 연구성과와 고고자료를 구해 볼 수 있게 됨으로써 고구려사 연구가 더욱 심화, 확산될 수 있었다. 1980~2000년까지 고구려사 박사학위논문이 대거 생산된 것은 이러한 연구여건의 변화에 힘입은 성과였다.

이 장에서는 고구려사 연구의 발전을 이룬 1980~1990년대 고구려사 연구성과를 관심이 집중된 주요 주제를 중심으로 정리해 보고자 한다. 이를 통해 고구려사 연구의 발전 과정과 시기별 연구 경향의 변화를 파악할 수 있을 것이다.

## 1. 정치체제와 정치사 연구

### 1) 부체제론과 조기집권체제론

고구려사 가운데 1990년대까지 연구가 제일 많이 이루어진 분야는 정치사였다. 고구려의 국가발전단계는 건국~3세기까지를 초기,

4~5세기를 중기, 6~7세기를 후기로 보는 3시기 분류설이 보편적으로 받아들여졌다(임기환, 1995c). 고구려사의 시기구분에 대해서는 수도의 위치에 따라 기원전 108년~210년경까지를 비류시대, 210년경~427년까지를 환도시대, 427년~668년까지를 평양시대로 나누거나(末松保和, 1965; 1996), 정치사적인 면에서 태조왕 이전, 태조왕~고국원왕, 소수림왕~문자명왕, 안장왕 이후의 4시기, 혹은 소수림왕을 기준으로 이전을 불문관습법시대, 이후의 성문법시대의 2단계로 구분할 수 있다고 보는 설(노중국, 1979a)이 있다.

하지만 국가 성격과 구조, 사회·문화적 변화 등 전반적인 면에서 볼 때 대체로 3시기 구분법이 가장 적합하다고 보았다. 고구려의 국가발전단계를 구분할 때 가장 우선적이고 직접적인 근거는 정치체제 변화였다. 즉 고구려사는 정치체제 변화를 중심에 두고 집권체제를 이루어가는 과정인 초기, 중앙집권적인 통치체제가 확립된 중기, 그리고 그 체제가 이완된 시기인 후기로 나눌 수 있다. 이에 이 글에서도 이 시기 구분에 따라 서술하고자 한다.

한국 학계에서 1980년대와 1990년대에 가장 연구를 집중한 분야는 초기 정치사였다. 건국 전후 시기의 압록강 중류 유역 정치세력의 상황과 활동, 초기 정치체제, 중앙정치제도와 운영방식, 지배층의 편제, 왕실 교체와 왕계 문제 등 다양한 분야에 대해 연구가 이루어졌다.

이 과정에서 초기 고구려 정치체제에 대한 의견이 첨예하게 대립했다. 부체제론(部體制論)과 조기집권체제론(早期集權體制論)이 그것이다. 초기 고구려 정치체제를 어떻게 보느냐는 국가의 성립 과정과 초기국가의 구조 및 정치운영방식, 민의 위상과 민에 대한 지배방식 등 국가 운영 전반과 관련된 문제로, 고구려사 연구에서 가장 기본적인 출

발점에 해당한다. 따라서 여러 학자들이 이에 대해 집중적으로 연구했다.[1]

부체제론은 고대 삼국의 국가구조와 발전 과정에서 중요한 기능을 했던 단위정치체로서 '부(部)'의 존재에 주목한 노태돈의 연구(1975)에서 비롯되었다. 초기 고구려 관련 사료에는 '나(那)'가 나온다. 『삼국사기』고구려본기에는 비류나부, 연나부, 관나부, 환나부 등 '나부(那部)'와 주나, 조나 등 '나'가 나온다. 이 연구에서는 압록강 중류 유역에 다수 존재하였던 이 나들이 느슨한 연맹체를 구성하고 있다가 뒤에 계루부 포함 5개의 부로 통합되었다고 보았다. 이 다섯 가운데 가장 강력한 계루 집단을 중심으로 무역과 외교 등 대외관계에서 창구를 단일화하여 한(漢) 등 외부세력에 대항했고, 이후 계루 집단의 권한이 점차 커져 다른 4나 내부의 일에 간여하면서, 여러 나들이 자치적인 연맹부족에서 고대국가의 부로 전환하게 된 것으로 보았다. 노태돈은 태조왕 대에 5부가 성립되었는데, 5부는 고구려 건국의 주체집단으로서 고구려 안의 다른 피정복집단에 비해 우월한 위치를 차지하고 있었다고 보았다. 또, 고구려에서 5부의 성립 과정은 곧 고대국가의 성립과 궤를 같이했으며, 초기국가체제에서 부가 중요한 역할을 담당했다는 점에서 이를 부체제라고 불렀다. 나아가 고구려, 백제, 신라 삼국에 공통으로 나타나는 부는 모두 단위정치체로서 성격을 가졌다고 보았다.

---

1   1980년대와 1990년대에 고구려사에 대한 박사학위논문이 대거 발표되었는데, 이 가운데 국가 형성과 초기 정치체제에 대한 전론(全論)이 5편이나 된다. 또 중기와 후기의 정치체제까지 다루거나 지방통치제도나 영역 확장 과정 등을 다뤘지만, 초기 정치체제도 다룬 글까지 합한다면 모두 9편이나 된다. 이 외 개별적인 논문까지 포함하면 그 수는 더욱 늘어난다.

노태돈의 부체제론은 고구려의 국가 형성 과정과 초기국가의 내부 구조를 체계적으로 분석하는 데 도움이 되었다. 그리고 한국 고대국가의 발전 과정과 국가 성격을 규명하는 데 유용한 기준을 제공했다. 그러나 그가 지적한대로 삼국의 부에 대한 개별적인 고찰이 더 필요했다(노태돈, 1986). 후학의 연구를 통해 뒤에 밝혀지듯이 고구려의 부와 백제, 신라의 부는 사료에 같은 부로 표기되어 있지만 실상을 들여다보면 기본 성격과 규모, 발전단계 면에서 서로 다른 면이 많기 때문이다.

고구려사에서는 이후 정치집단의 형성과 발전 과정을 보여주는 나와 나부 관련 사료가 비교적 풍부하여 이를 통해 국가 형성 과정이나 초기국가의 성격을 밝히려는 연구가 연이어 나왔다. 이때 부체제에 대해서는 고구려의 특징적인 정치적 실체로 사료에 나오는 '나'와 '○○나부'에 주목하여 백제, 신라와 구분해 나부체제 혹은 나부통치체제라 불렀다(임기환, 1987; 여호규, 1992; 김현숙, 1993).

임기환(1987)은 압록강 중류 유역에 존재했던 나를 국읍과 읍락으로 이루어진 삼한 소국에 비견하였다. 이는 나를 성읍국가로 본 이기백(1985)이나 소국으로 본 이종욱(1982), 손영종(1984)과 같은 입장으로, 군장사회였다고 파악한 금경숙(1989), 박경철(1996)과는 나의 성격을 달리 본 것이다. 여호규(1992)는 압록강 중류 유역에서의 정치체 성립과 성장, 발전 과정을 보다 세밀하게 단계별로 나누어 살폈다. 그는 나 집단이 모여 나국을 형성했고 나국이 모여 고구려를 형성한 후 나부가 된 것으로 보았다.

김현숙(1993; 1995)은 고구려가 소국-소국연맹-부체제기-중앙집권적 고대국가 단계로 발전해 갔다고 보았다. 압록강 중류 유역에 존재하던 5개의 유력 정치집단과 그 집단에 속하지 않은 작은 집단들이 맹주국을 중심으로 지역연맹체를 형성하고 외부세력, 특히 한 세력과 경쟁하였는데, 그 과정에서 맹주국인 계루 세력의 위상이 강화되어 왕실로 정립된 후 다른 소국 세력을 나부로 편제함으로써 나부체제가 성립되었다고 본 것이다. 즉 임기환, 여호규, 김현숙은 나와 나부의 존재를 부체제론의 입장에서 파악했다. 이들은 이후 고구려 초기의 정치운영과 귀족세력의 편제방식, 국가의 내부구조 등에 대한 연구를 이런 시각에서 진행했다.

부체제론자 사이에도 견해차가 있다. 임기환(1995)은 부체제기를 국가발전단계에서 연맹체의 대체 개념으로 사용했고, 김현숙(1993; 1995)은 연맹왕국에서 중앙집권국가로 이행하는 과도기적 단계로 보았으며, 여호규(1992)는 부체제를 통치체제 일반의 개념에서 접근했다.[2]

그런데 삼국의 부가 서로 다른 성격을 가지고 있음에도 동일하게 부체제를 설정할 수 있다고 보는 연구자가 있고, 또 부체제론이 국가형성론의 일부나 정치체제론으로 다루어지거나, 혹은 양자를 결합하여 이해하면서 논자마다 다양한 차이를 드러내고 개념의 혼란이 일어나기도 했다. 이에 서로 층위가 다른 국가발전단계와 정치체제의 발전단계를 구분하지 못한 결과라는 비판이 제기되기도 했다(김영하, 1995; 2000a). 앞에서 지적한 것처럼 고구려사 연구에서도 동일하게 부체제론에 입각해 초기사를 바라보지만 그 성격을 조금씩 다르게 규정했다.

이런 상황에 이르자 부체제론을 최초로 제기한 노태돈(2000)이 초기

---

2   임기환, 2004, 『고구려정치사연구』, 한나래, 23~24쪽.

고대국가의 구조와 정치운영방식을 정리하면서 초기국가의 정치체제로서 부체제의 개념과 범주를 설명하는 글을 발표했다. 이 글에서 그는 정치세력이 형식적으로 대등한 단계에 있는 부족연맹단계와 왕권 중심으로 결속한 단계인 부체제 단계를 구분해서 보아야 한다는 입장을 표명했다. 나부체제는 이미 다른 귀족보다 상위에 있는 국왕이 주도적으로 편제한 것이라 본 김현숙(1993; 1995)도 같은 인식을 갖고 있다. 이처럼 부체제론은 입론과 적용, 보완의 과정을 거치며 초기 고구려사의 여러 면을 규명해 갔다.

한편 고구려가 초기부터 왕을 중심으로 집권적 국가를 이룩하고 있었다고 보는 시각을 편의상 집권체제론 혹은 조기집권체제론이라 불렀다(여호규, 1997). 조기집권체제론의 입장에서는 국가의 성립 단계에서부터 이미 왕권 중심으로 권력 집중이 이루어졌다고 보았다. 따라서 단위정치체로서 부의 성격과 부체제론을 부정하는 입장에서 이후 고구려의 발전 과정을 왕권 중심의 중앙집권화가 점점 더 강화되어 가는 것으로 보았다.

김광수(1983; 1989)는 독자적 수장층을 기반으로 한 초기 지배체제가 태조왕 이후 국왕에게 권력이 집중된 집권적 지배체제로 전환된 것으로 보았다. 이종욱(1982)은 고구려가 일찍부터 왕권에 의해 중앙정치기구와 지방통치조직이 편성되고 정비되었다고 이해했다. 박경철(1996)은 나부를, 계루부가 다른 나를 국가지배구조로 편제하는 과정에서 인위적·의도적으로 분획한 하부 단위정치조직이라 보면서, 형성기 국가 성격을 '전제적 군사국가' 또는 신분제를 근간으로 전일적인 통제력이 관철되는 신분국가로 이해했다.

## 2) 관등제

국초의 주요 과제 가운데 하나는 국가의 형성과 발전 과정에 참여한 다양한 정치세력을 어떤 방식으로 편제하는가였다. 이는 초기국가의 정치체제 성격과 관계없이 우선되는 과제였다.

초기 고구려에서는 이와 관련하여 사성(賜姓), 식읍 하사, 관등과 관직 수여 등 다양한 방법이 있었다. 이후에는 귀족세력을 중앙정치체제 안에 편입하기 위해 세력, 출신 차이 등을 고려하여 등급을 상정하는 관등제를 만들었다. 관등·관직제의 제정과 정비는 고구려 중앙정부조직의 편성 과정이자 지배체제의 정비 과정으로 국가 발전의 주요 지표 가운데 하나였다.

고구려 초기에는 관등과 관직의 차이가 불분명했고, 관등의 신분적 성격도 분명히 드러나지 않았다. 하지만 3세기 중엽의 사료에는 이미 관등제가 성립되어 있었다고 나온다. 그리고 후기에는 14등 관등제로 분화, 발전했다는 것을 확인할 수 있다.

『삼국지』 고구려전에 보이는 관등의 성격과 관등제의 성립 과정을 최초로 검토한 연구자는 김철준이었다. 그는 부족집단을 누층적으로 집적하여 편제한 것이 고대국가라고 보았다. 이에 초기 고구려 관등 중 가(加)와 그 후신인 형(兄)은 족장 출신의 관등으로 족적 기반을 지닌 족장층을 통합해 그 세력 정도에 따라 차등 있게 중앙관으로 편제하였고, 사자(使者)는 고대국가의 성장에 따라 필요한 수취 업무를 담당하기 위해 만들어진 것으로 보았다(1956). 다케다 유키오(武田幸男, 1978)는 후기 자료를 통해 고구려 관등제를 분석한 다음 역으로 초기 관등제의 성격과 성립 과정에 대해 살폈다. 그는 제가(諸加)세력의 지배자공동체 성격을 갖는 관등과 왕의 직속 관료적 성격을 갖는 관등이 이원적 구조로 되어 있었는데, 이는 『삼국지』 고구려전에 초기 형태로 나타나는 관등제에서 알 수 있다고 했다. 초기 관등제는 4세기에 일원적으로 정리되었다가, 후기에 다시 14개 관등으로 분화, 발전했다고 정리했다. 그리고 고구려 관등제에는 신분제적 측면이 있다고 지적했다.

고구려 초기 관등제가 제가세력의 관등과 왕권을 뒷받침하는 귀족의 관등이라는 서로 성격이 다른 두 계통의 관등을 적절하게 편제한 것이라는 시각은 학계의 일반론이 되었다. 임기환(1995a)은 2세기 말 이후 관등조직을 패자-우태-조의의 나부 계열과 대로-주부-사자의 방위부 계열의 이원적 구조로 보았다. 또 다케다 유키오와 달리 후기 관등제는 14관등이 아니라 13관등이었으며, 세 신분으로 구분되었다고 보고, 4·5세기와 6·7세기 관등제의 차이는 곧 왕권과 귀족세력 간의 정치적 역관계의 추이에 따른 결과라고 설명했다(임기환, 1999).

여호규(1992)는 초기 관등조직은 나부의 다양한 지배력을 편제하던 관등, 계루부 왕권을 뒷받침한 관등, 나부의 자치권을 뒷받침한 관등으로 구성되어, 왕권과 나부의 역관계를 규정한 것으로 보았다. 그리고 초기 관등조직에서 중기 관등조직으로의 전환에 중점을 두고 4세기 이후 일원적 관등조직의 정비에 대해 살폈다(여호규, 1997).

이들은 나부체제론에 입각해 초기 고구려 정치체제를 보기 때문에 관등제도 국왕권을 뒷받침하는 관등과 나부세력을 편제한 관등이라는 서로 성격이 다른 관등을 교직했다고 보았다. 노태돈(1999)은 이후 관등제가 기본적으로는 제가세력을 편제하는 기능을 하였으나, 성립 이후에는 관등제 자체의 운영원리에 의해 왕실 중심으로 5부 세력을 하나의 정치체로 결집시켜 나가는 기능을 했다고 봤다.

그런 한편 집권체제론자의 경우, 고구려 관등제는 처음부터 국왕 중심으로 중앙집권화된 체제 아래 분화된 직능을 담당하던 관제였다고 보았다(김광수, 1983). 이에 따라 초기의 중앙정부조직을 관등제를 통해 살펴보면서 처음부터 관등과 관직이 엄격히 분리되어 있었던 것으로 보았다(이종욱, 1982a). 이 경우 초기 관등과 중기 이후 관등조직의 성격 차이나 변화·발전되는 양상에 대해서는 관심을 가질 수 없었다.

### 3) 국상과 제가회의

고구려 초기의 관직 가운데 연구의 관심이 집중된 주제는 국상(國相)과 상가(相加)의 성격을 어떻게 보느냐였다. 이는 제가회의(諸加會議) 성격과 직접 연결되며 초기 정치운영방식과도 관련이 있어 역시 초기 정치체제를 나부체제로 보느냐, 집권체제로 보느냐에 따라 견해가 다르게 나타났다.

노중국(1979b)은 국상을 초기 관등제에서 가장 상위로 보이는 상가와 동일하다고 보고, 국상이 제가회의의 장으로서 왕권과 제가회의 간의 역관계를 조정하는 역할을 한 것으로 보았다. 이와 달리 이종욱은 국상을 왕이 통치권을 행사하는 데 필요한 일을 의논하는 군신회의의 장으로 보았다. 김광수(1991)는 상가는 대수장층이고, 국상은 국정을 총괄하는 수장으로 막료적 성격을 갖고 있어 모두 왕권 아래 집권적 정치제도의 구성요소였고, 제가회의도 한정된 기능만 수행하는 기구였다고 보았다.

김현숙(1993)은 초기 고구려의 최고위 관직은 좌보와 우보였는데, 좌보는 나부세력, 우보는 계루부 출신 귀족이 맡아 공동으로 정치를 운영했으며, 뒤에 왕권이 커지면서 최상위관으로 국상을 설치한 것으로 보았다. 국상이 왕 아래 최고위 관직자로서 왕권을 배경으로 정치를 직접 운영하는 역할을 했다고 본 것이다. 이와 달리 여호규(1998)는 상가가 곧 국상이라고 보는 설을 따르면서, 좌·우보는 왕권 아래 나부의 대리인으로서 행정적 실무를 담당했고, 국상은 나부의 행정실무를 국가 차원에서 통솔했던 것으로 보았다. 그러면서 국상은 3세기 이후 제가회의가 상설 귀족회의로 전환되었을 때 그 회의의 의장이었다고 보았다.

하지만 노태돈(1999)은 상가가 곧 국상이라는 설을 부정하고, 상가는 4부의 부장에게 부여한 일종의 작위였고, 국상은 왕의 측근 관직이라고 보았다. 당시 국정 운영의 중심은 제가회의로서 관료조직의 취약성을 보완하여 5부 전체에 통합력을 발휘했지만, 기본적으로는 왕권 아래 종속된 존재였다고 하였다. 또 국상은 대보(大輔), 좌·우보를 이은 관직으로서 왕의 측근이 주로 임명되어 왕을 보좌하여 왕권강화를 도모하는 성격을 지녔다고 보았다.

반면 금경숙(1994;1999)은 집권체제론에 입각하여 제가회의는 초기부터 왕권 아래 편제된 비상설기구였다고 보았다. 그에 따라 국상은 제가회의의 장이 아니고, 좌·우보와 동일하게 왕권강화의 역할을 수행한 관으로, 제가회의와 국상은 대립적인 존재였다고 파악했다.

### 4) 후기 정치사

고구려사에 관한 문헌자료는 주로 초기에 집중되어 있고, 중기에 이르면 소략해지다가 후기에는 단편적인 자료 몇 개를 제외하고는 수·당과의 전쟁 관련 자료가 태반을 이루고 있다. 따라서 후기사에 대한 연구는 부분적으로 이루어질 수밖에 없었다. 왕권약화 과정과 귀족세력 분열, 대외정세 변화 등에 대한 검토를 통해 당시 정치동향이나 정치체제의 성격이 규명되었다. 그리고 이 시기의 성격을 보여주는 기준점이 되는 대대로(大對盧)와 막리지(莫離支)의 성격, 연개소문의 정변과 그 정권의 성격에 대한 연구도 이루어졌다.

6세기 이후 고구려 정치사에 대한 연구를 보면, 왕권이 약화되어 유력 귀족 중심으로 국정이 운영되는 양상을 보인 이 시기 정권의 성격을 귀족연립정권(체제)으로 이해하는 동향이 일반화되었다.

노태돈(1976)은 본래 통일신라 후기사에 적용한 개념인 귀족연립정권(체제)이란 이해방식을 고구려 후기 정치사에 처음으로 도입했다. 그 후 귀족연립정권론 혹은 귀족연립체제론은 여러 연구자가 별다른 비판 없이 받아들였다. 그런 가운데 6세기 이래의 귀족 간 대립을 국내계 정치세력과 평양계 정치세력의 대립으로 파악한 연구(임기환, 1992), 국내외적 요인으로 6세기에 들어 고구려 왕권이 급격히 약화되었음을 주목한 연구(김현숙, 1999)가 나왔다.

하지만 중기에 강력한 국왕 중심 체제가 붕괴되고 귀족연립정권이 등장하게 된 배경이나 귀족연립정권의 구체적인 정치운영방식에 대한 검토는 별로 이루어지지 않았다. 다만 권력 운영의 파행적 결과로서가 아니라 그 자체 권력운영의 안정성을 갖고 있다고 보는 입장에서 귀족연립정권의 안정적인 정치운영체제로 당시 대대로-막리지체제가 시행되었다고 본 견해가 나오는 선에서 머물렀다(임기환, 1992). 이에 따라 고구려 후기 정치체제를 일반적으로 귀족연립체제 혹은 귀족연립정권으로 칭하고 있지만, 그것이 부체제나 중앙집권체제와 등가가 되는 용어인지 의문이 제기되기도 했다(김현숙, 1996).

이후 귀족연립정권론을 가장 먼저 제기했던 노태돈(1999)이 그 운영 방식에 대한 연구를 진행했다. 그는 자율성을 가진 대대로가 중심이 된 귀족회의 중심의 권력운영을 귀족연립정권의 특징으로 지적했고, 일급 귀족인 상위 5관등 소지자의 회의체에 주목했다. 그리고 귀족연립 정권에서도 고구려 왕실이 유지된 배경으로 왕실의 신성성, 고씨 왕족의 유대감과 정치적 비중, 왕실을 압도할 정도의 권력을 갖는 귀족세력의 부재, 왕이 갖는 권위가 귀족연립정권을 안정시킬 수 있는 배경이 되었던 점 등을 지적했다. 요컨대 고구려 후기의 정치체제는 중기와 동일하게 중앙집권체제였으며, 왕권의 약화라는 요인으로 인해 정치운영방식에 있어 귀족들의 견해가 전보다 강하게 작용하는 귀족연립정권이 되었다고 정리하였다(노태돈, 1999).

고구려 후기 정치사 연구에서 주목을 끈 또 다른 주제는 연개소문의 정변과 그 정권의 성격 문제였다. 단재 신채호(1972)가 연개소문의 정변은 당의 등장과 위협에 따라 대당강경파가 결행한 것이라고 지적한 이래 대체로 이에 동의하는 가운데, 6세기 이래 국내계와 평양계 귀족 간 대립의 연장선이라는 점을 강조하거나(임기환, 1992), 연개소문과 왕위를 노리던 대양왕(大陽王)의 결속 가능성을 지목하는 연구(전미희, 1994)가 나왔다.

연개소문의 행적 및 후기 정권의 성격과 관련해 볼 때 주목되는 핵심 관직이 대대로와 막리지였다. 연개소문이 부직(父職)으로서 승계한 관이 대대로인가 막리지인가, 아니면 대인(大人)인가를 두고 서로 다른 의견이 제출되었다. 특히 정변 이후 연개소문의 권력기반이 된 막리지에 대해 관심을 기울였다.

다케다 유키오(1978)는 막리지를 태대형으로 보는 견해를 처음으로 밝히고, 연개소문 집권기에는 옛날부터 최고위직이었던 대대로를 공동화시키고, 새로운 권력 집중의 중심체로서 막리지를 활용했다고 보면서 이 시기 권력운영방식에 대해 살폈다. 이문기는 이에 동의하면서 막리지를 국왕의 근시직인 중리제(中裏制)의 최고위직인 중리태대형(中裏太大兄)으로 보고, 중리직이 평원왕 이후 귀족연립적 정치운영을 견제하고 왕권강화를 뒷받침할 수 있는 제도적 장치였다고 설명했다(이문기, 2000). 노태돈은 연개소문의 지위가 정변 전에는 동부욕살 대인, 정변 후에는 대모달(大模達) 대장군 막리지(태대형)였으며, 이후 대대로에 취임하여 귀족회의를 중심으로 하는 귀족연립정권의 정상적인 운영방식을 따른 것으로 이해했다.

이처럼 막리지 및 연개소문의 권력기반을 관료제 운영의 틀 안에서 이해하고 연개소문 정변 시 동원된 부병을 공적인 군사력으로 본 것은 귀족연립정권의 공적 기반 위에 연개소문 정권이 위치한 것으로 파악했기 때문이다. 즉 기본적으로 5세기 집권체제의 관료제적 기반이 귀족연립정권 이래 지속되었다고 본 것이다.

막리지의 성격을 어떻게 보느냐는 고구려 후기의 정치운영방식이나 권력구조, 연개소문 정권의 성격과 밀접한 연관을 갖고 있다. 임기환(1992)은 연개소문이 이전 귀족연합정권의 정치운영체제인 대대로-막리지체제를 붕괴시키고 사적 권력을 장악함으로써 이후 내분의 주요 인이 되었다고 지적했다. 전미희(1994)도 연개소문이 정변 이후 귀족연립체제를 부정했는데, 보장왕과 연개소문이 서로 이해를 달리하면서 정권의 불안정성이 드러난 것으로 보았다. 반면 김기흥(1992)은 보장왕 대의 권력구조를, 기본적으로는 귀족연립정권의 성격을 유지하였으나 실제 집권자인 연개소문과 상징적인 존재인 보장왕의 이원집정제였다고 보았다. 이성시(1993)는 정변 전 대대로에서 정변 후 막리지로 연개소문의 지위가 변화된 것에 주목하고, 다케다 유키오의 막리지에 대한 견해를 받아들여 연개소문이 족제적 성격의 구세력을 타도하고 집권화를 지향하여 국가체제를 재편하려는 의도를 가졌다고 지적했다. 그러나 이 견해는 대대로와 막리지의 성격이 대립적이었다고 보는 근거를 제시하지는 못했다.

### 5) 지방통치제

1980년대 후반부터 1990년대 중반까지 고구려사 연구에서 논의가 집중된 주제 중 하나로 지방통치제를 들 수 있다. 지방통치제에 대한 연구 역시 고구려 초기의 정치체제를 조기집권체제로 보느냐, 부체제로 보느냐에 따라 근본적으로 다른 방향으로 진행되었다.

조기집권론의 경우 국초부터 왕명을 대행하는 지방관이 각지에 파견되어 지역을 지배한 것으로 보았다(이종욱, 1982b). 그러나 부체제론의 입장에서는 엄밀한 의미에서의 지방관 파견은 3세기 후반경이 되어야 이루어졌고, 4세기에 지방통치가 본격화되었다고 보았다. 이때부터 교통로를 중심으로 주요 전략거점지역에 성을 축조하고 지방관을 파견하여 지역을 통치한 것으로 본 것이다. 하지만 지방통치체제의 기본구조와 변화, 그리고 군현제 실시 여부나 지방 5부의 존부(存否) 문제 등에서 견해차를 드러냈다.

4~5세기의 지방지배 연구에 주요한 토대를 제공한 것은 다케다 유키오의 연구(1979)였다. 그는 광개토왕비문을 면밀히 분석하여 고구

려에서는 곡(谷)지배, 성촌(城村)지배, 종족지배, 부락-영(營)지배[3] 등 구성원의 성격에 맞는 다양한 방식을 적용하여 통치했지만, 일원적인 성(城) 지배체제로의 이행을 추구했던 것으로 보았다. 즉 고구려가 농경정주양식을 영위하는 촌을 기저사회로 하는 성-촌지배, 성-호(戶)지배를 강화함으로써 안정적 수취기반을 확보하고자 했던 것으로 보았다.

임기환(1987)은 이러한 다케다 유키오의 설에 동의하면서 고구려의 내부구성과 기저사회의 양상 관련 자료를 더욱 세밀하게 분석하여 초기 지방지배가 성·곡지배에서 성중심지배로 이행해 갔다는 것을 상세하게 정리했다. 또 여호규(1995)는 교통로를 중심으로 지방통치조직의 정비 과정을 살폈는데, 4~5세기에 지방통치조직이 상하 2단계로 중층화되었으며, 지방관도 수사(태수)-재(宰)가 상하 통속관계를 가졌다고 보았다.

김현숙(1996; 1997)은 고구려 지방통치제의 전체적인 발전 과정에 대해 살폈다. 3세기 말 4세기 초부터 정치·경제·군사적으로 중요한 요충지부터 지방관을 파견했는데, 4세기 중반까지는 주요 거점지역에만 지방관을 파견했다며 이를 거점지배라 불렀다. 거점지배는 전략요충지에 구축된 성을 중심으로 이루어졌는데, 주요 지역의 성에는 태수, 그보다 중요도가 낮은 지역에는 재를 파견해 통치했으며, 태수나 재는 치소성(治所城) 인근지역을 벗어난 외곽지역의 주민까지 개별적으로 통치하지는 못했던 것으로 보았다.

---

[3] 유목과 수렵으로 영위하는 비정주적인 영(營)을 기저단위로 하는 거란에 적용한 집단적 지배형태를 말한다.

김현숙은 4세기 중후반경 영역의 확대로 통치단위들이 각각 개별적으로 중앙과 직접 연결되는 거점지배를 더 이상 유지하기 어렵게 되었고, 방어체계상에도 심각한 모순이 드러나자 고국원왕 후반기부터 통치단위를 중층적으로 재편하기 시작했지만, 왕의 갑작스런 전사로 소수림왕대에 가서 태수-재의 2단계 지배체제를 완성한 것으로 보았다. 이로써 점적인 지배에서 면적인 지배로 전환되었고, 이 지배체제하에서는 통치단위를 몇 개 합친 넓은 지역을 상위 지방관이 관장했던 것으로 보고, 이를 권역지배라 불렀다. 이 권역지배체제에서는 모든 주민을 호적에 등재하고 보편적인 법률에 따라 통치했으므로 보다 체계적이고 전면적인 영역지배가 가능했다고 보았다.

그러다가 광개토왕 대에 영토가 팽창하자 다시 상·하위 행정단위를 포괄한 광역을 총괄하는 지방관인 수사(守事)를 설정하여 수사-태수-재의 3단계 지배체제가 되었다고 보았다(김현숙, 1996; 1997). 수사를 모두루묘지와 충주고구려비에 나오는 군급 지방관인 태수와 동일한 것으로 보느냐(여호규, 1995), 복수의 태수-재 관할지역을 담당하는 상위 지방관으로 보느냐에 따라 당시의 지방통치조직이 2단계였다고 보는지, 3단계였다고 보는지가 달라진 것이다.

지방통치제에 대한 견해차는 성을 단위로 구성된 6~7세기 지방제의 구조와 관련해서도 나타났다. 지방관의 구성으로 볼 때 노중국은 욕살(褥薩)-처려근지(處閭近支)-가라달(可邏達)-루초(婁肖) 4단계 조직이었다고 보았다(1976). 노태돈(1996)은 수·당이 쳐들어왔을 때 고구려 서북지역 중진 성들이 각각 개별적으로 성을 방어했음을 보여주는 『삼국사지』지리지4의 '목록(目錄)' 기사와 수·당과의 전쟁 기사를 근거로 6~7세기까지도 고구려 지방통치조직이 중층적인 조직이 아니었던 것으로 보았다. 즉 욕살과 처려근지는 병렬적이었으며 서로 통속관계가 없었다고 본 것이다.

그러나 고구려 후기의 지방통치조직은 3단계 조직이었다고 보는 것이 다수설이다. 단 여기에도 차이가 있다. 즉 가라달을 욕살과 처려근지의 속료(屬僚)였다고 보아 욕살(-가라달)-처려근지(-가라달)-루초의 3단계였다고 보는 설(武田幸男, 1980; 임기환, 1995b; 여호규 1995b)과, 전략지역에는 하부 단위 지방관으로 가라달을 두어 욕살-처려근지-가라달, 일반지역에는 루초를 두어 욕살-처려근지-루초의 3단계 조직이었다고 보는 설(김현숙, 1996)이 있다.

고구려의 지방통치제가 변화, 발전하는 과정에서 군현제를 도입했는지 여부에도 관심을 기울였다. 이에 대해 북한 학계에서는 4세기 이후 주군현제가 정연하게 실시되었다고 보았으나(리승혁, 1987), 한국 학계에서는 5세기를 전후하여 군제(郡制)가 도입되었지만 6세기 후반에 소멸되었다고 보았다(노태돈, 1996; 김현숙, 1996).

전국을 광역으로 구분한 5부의 존재에 대해서는 논의가 많이 진행되지 않았다. 하지만 연개소문 사망 후 남생이 직을 물려받은 뒤 지방 순시를 나갔을 때 "5부를 돌아봤다"는 구절이 나오는 것으로 보아 지방을 크게 나눈 5부가 존재한 것은 분명하다. 다만 광역의 5부가 실제적인 지방통치단위로 기능한 것 같지는 않다는 견해가 있다(김현숙, 1996).

한편 고구려 내부에는 다른 일반 고구려인과 성격이 다른 존재가 있었다. 대표적인 예로 생활방식과 종족면에서 이질성이 강한 말갈족이 상당수 편입되어 있었다. 노태돈(1981b)은 이들의 존재양상 및 고구려와의 관계에 주목했다. 박경철(1988)은 선비·거란·지두우(地豆于) 같은 스텝세력과 말갈같은 부차적 스텝세력이 고구려 군사역량의 인적 기반, 즉 군사동원체제의 잠재적 기반이었음에 주목하여, 이들 개개에 대한 정복·지배의 양태를 고찰했다. 그는 이러한 제국적 지배질서 아래 고구려가 이종족에 대해 그들 본래의 공동체적 질서와 생산양식, 고유의 생존영역을 비호·보장해주는 대가로 그들로부터 조부(租賦) 특히 노동력과 군사력을 수탈한 것으로 보았다. 고구려는 이러한 보호·종속관계를 바탕으로 이종족세력을 부용(附庸)화함으로써 자기 군사잠재력의 바탕을 확대·강화시켜 나갔다는 것이다.

그런 한편 김기흥(1991)은 고구려 안에 집단거주하고 있던 말갈, 거란 등을 6세기 조세 관련 사료에 나오는 '유인(遊人)'이라고 보아, 이들의 성격에 맞추어 조세를 다른 일반인에 비해 3년에 한 번만 내고 소액을 부담하도록 했다고 보았다. 김현숙(1992)도 이에 동의하는 입장에서 수·당대 말갈 7부 가운데 백산부(白山部)와 속말부(粟末部)는 기원전 5세기 이후 거의 완전한 고구려민으로서 존재할 수 있었으나, 그 외의 부는 고구려의 속민집단 혹은 부용집단 수준에 머물러 있었다고 보았다. 말갈은 다른 지역의 일반 고구려민과 생활방식이 다른 존재였으므로, 그 종족적 성격을 고려하여 형식적 수준에 그치는 소액의 세금만 부과하였고, 군사적 부담으로 국왕 직속의 특수부대로 편성하여 정복활동에 동원했던 것으로 보았다. 그러면서 유인은 조세 부담자로서 군대조직에 편제된 말갈 등을 지칭한다고 보고, 수·당과의 전쟁에서 대규모로 동원되던 말갈을 그 예로 들었다.

낙랑군과 대방군 고지(故地)에 대한 지배방식도 연구되었다. 안악3호분의 벽화와 묵서명에 근거하여 무덤 주인공의 성격에 대해 논의를 집중하면서, 평양 천도 이전까지는 이 지역에 거주하던 중국계 이주민이나 토착세력이 고구려의 직접지배를 받지 않는 상태에서 독자적으로 살아가고 있었다고 본 이전의 시각을 계승했다(武田幸男, 1989; 孔錫龜, 1989; 孔錫龜, 1990). 하지만 임기환은 광개토왕 대에 국왕 직속의 막부를 두고 이를 통해 지배했다는 새로운 견해를 제출했다. 이후 낙랑·대방 고지에 대한 고구려의 지배방식에 관한 다각도의 연구가 이루어졌다(김미경, 1996; 노태돈, 1996; 이문기, 1999).

## 2. 초기 왕계 연구

『삼국지』 고구려전에는 소노부에서 계루부로 왕실이 교체되었다는 기록이 나온다. 『후한서』, 『삼국지』, 『위서』 등에 나오는 고구려 왕계와 『삼국사기』 고구려본기, 광개토왕비에 나오는 왕계가 정확하게 일치하지 않아 『삼국사기』 고구려본기에 보이는 왕계에 의문이 제기되기도 했다. 이에 따라 이전 시기부터 왕실 교대를 인정하지 않는 선행연구도 있었고, 왕실 교대를 인정하지만 교체 시기를 달리 보기도 했다.

1980년대 이후에는 기본적으로 소노부에서 계루부로 왕실이 교체되었다고 보는 인식을 바탕으로 연구를 진행했다. 이 시기 연구에 나타난 새로운 경향 가운데 하나는 『삼국사기』 고구려본기에 대한 면밀한 검토를 통해 왕계 관련 사료에 층차가 있다는 점에 주목하여 왕계의 조정 혹은 후대의 가상이 이루어졌다고 보는 것이다.

다케다 유키오는 중국 사서와 『삼국사기』 고구려본기의 왕계를 비교하여, 1단계로 환도·국내왕계의 사실상 시조인 산상왕부터 광개토왕 대까지 왕계가 이어졌고, 2단계로 주몽을 시조로 하는 초기의 전설왕계가 4세기 말에 완성되었고, 3단계로 『삼국지』에 의거하여 환도·국내왕계의 두 왕이 가상되고, 4단계로 6세기 이후 『후한서』에 의해 태왕 왕계가 성립, 가상되어 현전하는 고구려 왕계가 성립한 것으로 추정하였다(武田幸男, 1989).

이도학(1992)은 광개토왕비와 『삼국사기』의 왕계를 비교하여 형제상속을 부자상속으로 바꾸거나 실전한 왕계를 삽입하는 형태로 왕계 복원을 시도하였다. 조인성(1990)은 고구려 왕실에서 동천왕 대에는 태조왕을 시조로 섬겼는데, 소수림왕 대에 이르러 주몽왕을 시조로 존숭하게 된 것으로 보았다. 노태돈(1994)은 광개토왕비의 왕계를 기준으로 『삼국사기』 고구려본기에 전하는 왕계의 성립 시점을 추적하여, 소위 대왕 왕계의 후대 삽입설을 부정했다. 그는 소수림왕 대에 모본왕까지의 초기 왕계와 그 이후의 왕계가 결합하여 추모왕을 시조로 하는 새로운 왕계를 정리했을 것이라 추정하였다.

『삼국사기』에 성이 고씨로 나오는 태조왕과 해씨로 나오는 그 이전 왕들은 세계(世系)가 달랐다고 본 연구도 진행되었다. 주몽을 제외한 유리왕부터 모본왕까지의 성씨가 해씨인데 태조왕은 고씨라고 되어 있으므로 자연스럽게 태조왕 대에 왕실이 교체되었다고 보았다(김용선, 1980). 태조(太祖)라는 시호 자체가 시조적 성격을 띠고 있으므로, 태조왕과 그 이전 왕계의 단층에 주목할 수밖에 없었다. 이에 따라 태조왕 대에 소노부에서 계루부로의 왕실 교체가 이루어진 것으로 보는 설이 나온 것이다.

그런데 태조왕을 계루부 안의 방계로 보아 해씨에서 고씨로의 전환을 계루부 내의 왕실 교체였다고 보는 견해가 제기되었다(노태돈, 1993). 또 비류국 송양왕이 주몽보다 선주집단으로서 더 우세한 세력이었지만 주몽과의 경쟁에서 패한 후 항복해왔고, 뒤에 비류부로 편제된 것에서도 알 수 있듯이 『삼국사기』 고구려본기는 주몽 건국 이후 그 후계 왕들의 역사를 서술한 것으로 보고, 해씨 성을 가진 초기 5왕은 유리왕계였고, 고씨 성으로 나오는 태조왕은 이들보다 앞서 압록강 중류 유역으로 온 졸본부여 출신인 모후세력을 기반으로 즉위했으므로 동일하게 졸본부여에 기반을 둔 주몽도 고씨로 명기한 것으로 본 견해도 나왔다(김현숙, 1994). 이 경우 고구려 왕들은 주몽 이래 모두 부여에서 온 유이민이었고 이들이 졸본부여, 국내성에서 편입한 세력 등과 함께 계루부를 형성했으므로 해씨 왕계에서 고씨 왕계로의 변화는 계루부 세력의 분화일 뿐 왕실이 교체된 것은 아니라고 보았다. 이후 해씨 왕계에서 고씨 왕계로의 변화를 계루부 내의 해씨 집단과 고씨 집단의 교체로 이해한 또 다른 연구(강경구, 1999)도 나왔다. 이에 따라 태조왕 대에 해씨에서 고씨로 왕의 성씨가 바뀐 것은 소노부에서 계루부로의 왕실 변화를 보여주는 것이 아니라 계루부 안의 변화라고 보는 것이 다수설로 되었다. 따라서 소노부에서 계루부로 고구려 왕실이 바뀐 것은 주몽의 고구려 건국을 가리킨다는 것을 알 수 있다(김현숙, 1994).

## 3. 건국신화, 기원, 주민 구성 연구

1980~1990년대 고구려의 건국신화를 통해 왕실의 출자를 파악하려는 연구도 이루어졌다. 광개토왕비와 모두루묘지 등 고구려 당대 사료에서는 북부여출자설, 『삼국사기』에서는 동부여출자설을 제시하고 있는 만큼 각 사료에 나오는 북부여와 동부여의 실체가 과연 무엇이었으며, 시조 주몽 집단이 원래 거주하던 부여는 어디인지를 두고 연구가

진행되었다.

노태돈(1989; 1993)은 본래 주몽의 고향은 송화강 유역의 북부여(부여)로서 5세기 말 고구려에 합병되었고, 동부여는 3세기 말 선비족 모용씨(慕容氏)의 공격을 받은 북부여 일족이 세운 나라로, 광개토왕 대에 고구려에 통합된 것으로 파악했다. 그는 『삼국사기』·『삼국유사』 및 고구려 금석문에 나오는 부여·동부여의 실체는 5세기 당시 고구려인이 의식하고 있던 '천하관(天下觀)'을 바탕으로 파악해야 한다고 보았다. 즉 당시 고구려인은 자국을 '중(中)'으로 보는 입장에서 고구려의 북쪽에 있는 나라를 북부여, 동쪽에 위치한 부여를 동부여라 생각했다고 본 것이다.

박경철(1994)도 고구려 건국 당시 동부여실재설과 주몽의 동부여출자설에 회의적인 입장에서, 길림(吉林) 지방을 중심지로 하는 북부여가 곧 주몽의 출자지인 부여라고 보았다. 박경철은 기원전 1세기 후반에 새로운 건국 주도 세력으로 등장한 주몽 집단을 한 세대 전 이 지역에서 잠깐 부여 방면으로 강제 퇴출되었던 해모수 및 유화 집단에 맥락을 대고 있는 맥계의 전사집단으로 보기도 했다(1996; 1998).

이와 달리 서영수(1988)는 고구려의 건국 당시 계루부의 고지(故地)로 비정되는 두만강 유역에 동부여가 실재했던 것으로 보았다. 그는 추모와 유리 등으로 대표되는 계루부가 왕위계승전 끝에 이탈하자, 동부여는 점차 쇠약해지다가 대무신왕에게 정복되어 기원전 1세기경에는 이미 유력한 정치세력이 아니게 되었다고 보았다. 또 고구려 광개토왕이 410년에 원정한 동부여는 285년 모용씨에 의해 북부여가 망하자 그 잔류세력이 친연관계에 있던 동부여의 고지로 옮겨옴으로써 성립된 것으로 보고, 494년 부여 왕의 내항(來降)을 동부여의 멸망과 연계시켜 이해했다.

이도학(1991)은 길림시 일원의 원부여(原夫餘)가 346년 모용씨에 의해 소멸된 후 북부여·동부여라는 방위명 부여국이 성립되었는데, 북부여는 농안(農安) 지역에, 동부여는 두만강 하류 지역에 각각 존재했던 것으로 보았다. 또 송호정(1997)은 동부여는 동해안 일대에 실재했던 국가가 아니라 원부여(북부여)의 동쪽에 있었기 때문에 붙여진 이름이라고 보았다. 송눈평원(松嫩平原) 지역을 중심으로 분포하던 원부여 세력과 달리, 길림 일대를 중심으로 서단산(西團山)문화를 조영하면서 발전하던 예족 세력이, 송눈평원 일대 예맥족계의 한 갈래가 이주해 와 새롭게 성장하자, 이를 동부여라 불렀다고 본 것이다.

이 시기 한국 학계에서는 고구려 종족에 대한 관심이 이전에 비해 옅어졌다. 사서에 나오는 기록을 분석한 결과, 고구려 종족은 맥족 혹은 예맥족이라 지칭되는 존재라는 데 의견 일치가 이루어졌기 때문이다.

이옥(1984)은 예족과 맥족이 중국 산서성·하북성 방면에 각각 거주하다가 점차 동으로 이동해 온 것으로 보았다. 그는 기원전 3세기 무렵 길림의 장춘, 농안 방면에 먼저 정착해 있던 예족이 맥족에 밀려 남천(南遷)하였다가 다시 고조선에 의해 쫓겨났는데, 이들이 『한서』 권6 무제기(武帝紀)에 등장하는 예군남여(濊君南閭) 집단이라는 것이다. 이 예의 일부가 맥족에 흡수되어 기원전 2세기 무렵 새로운 종족인 예맥이 성립했는데, 이들이 바로 고구려족이라고 보았다.

유 엠 부찐(1986)은 고조선 주민 구성의 토대는 알타이어족인 예와 맥이며, 이 중 맥족은 그 서쪽 지역인 요서 지역, 요하 중류의 분지, 요동반도, 한반도의 북서 연안지역에, 예족은 그 동쪽 지역인 길림 지방의 남쪽 지역, 한반도의 북쪽 나머지 지역에 거주한 것으로 보았다. 그는 이런 종족 간의 혼합이 요령 지방 동부와 압록강 중류 및 하류 계곡을 접맥(接脈)지대로 하여 이루어졌고, 그 결과 새로운 인종명인 예맥(濊貊)이 나타났다고 설명했다.

정한덕(1990)은 미송리형 문화를 이루었던 사람들을 혼하(渾河), 태자하(太子河), 압록강 중·하류 지방의 맥계 민족으로 파악했다. 그는 요하 중·하류 유역부터 청천강 이북까지 지역은 기원전 천년기 전반대에서 늦어도 기원전 3세기대에 이르기까지 중원문화와 구별되는 독자적 문화를 가지고 있었던 곳으로, 고구려족-맥족 계통의 활동범위였던 것으로 보았다.

여호규(1996)는 고구려의 종족적 기원에 대해 기존의 견해를 정리하고, 그 족원을 예족에서 분화한 것으로 보았다. 그는 고구려를 이룬 주민집단은 원래 예족 혹은 예맥족의 일원이었다가, 기원전 3세기~2세기 초 무렵 철기문화를 바탕으로 주변 예맥사회와 구별되는 주민집단을 형성했고, 기원전 2세기 후반경부터 독자적인 정치세력으로 성장했는데, 이 주민집단은 처음에는 구려라 불리다가 이후 고구려라는 국가명으로 고정되었고, 기원을 전후한 시기부터 점차 맥이라는 종족명으로 불리게 되었다고 이해했다.

이러한 여호규의 견해는 현 한국 학계의 보편적인 인식이라 볼 수 있다. 즉 고구려는 예, 예맥, 맥족으로 지칭되었으며, 이들은 부여, 동옥저, 예 등과 동일 종족 내의 지파로서 거주지역이 달랐고, 문화 성격면에서 약간씩 차이가 있었기 때문에 각기 다른 명칭으로 불렸다는 것이 일반적인 인식이다.

노태돈(1998)은 종래의 예맥 문제 연구성과를 주민이동론과 분포설로 분별하고, 이를 비판적으로 보았다. 그는 고구려를 세운 족속으로 거론되는 선진 문헌의 맥족은 고대 황하 유역 주민들이 그 북방의 족속을 지칭하던 일종의 범칭이라 보았다. 그는 분포설이 사실이라 할 경우라도, 북중국 방면의 맥족은 한국인의 기원이나 고구려사와의 관계에서 볼 때 별다른 의미가 없다고 설명했다. 또 이동설의 경우 역시 동이족 혹은 맥족의 이동 과정이나 그 결과물이 고고학적으로 논증되어야만 의미가 있다고 주장했다. 따라서 고구려의 기원을 찾기 위한 노력은 북중국 방면의 족속 이동을 추구하는 것보다는 오히려 일단 현재로서는 압록강 유역 적석총의 기원과 관련지어 논의를 진행하는 것이 보다 실효적이라고 지적했다.

한편 북한의 손영종은 고구려의 주민 구성에 대해 논하면서 종래의 고조선·부여·고구려 사람들의 예·맥족 분별론 즉 고구려가 맥족이라는 설을 부인하고, 송화강 유역 남쪽, 요하 유역 동쪽 지역 주민들은 읍루족을 제외하고는 다 신석기시대 이래 기본적으로 같은 문화를 가지고 있던 조선 옛류형사람들의 후손이었으며, 후에 하나의 조선 민족이 된 사람들이라고 주장했다. 그는 고구려의 고조선계승론에 입각해 고조선은 예족, 고구려는 맥족이라고 구분하지 않았다. 그의 이런 인식은 신판 『조선전사2: 고대 편』(1991)에 반영되었고 변함없이 이어지고 있다.

## 4. 광개토왕비 연구의 새로운 국면

광개토왕비는 4~5세기 동북아시아의 국제정세를 보여주는 금석문 자료로서 오랫동안 학계의 주목을 받았다. 이에 따라 광개토왕비문 연구는 한국고대사에서 특히 연구성과가 많이 축적된 분야 가운데 하나가 되었다. 하지만 고대한일관계사의 일면을 보여주는 이른바 신묘년 기사에 연구가 집중됨으로써 비 자체와 비문 내용에 대한 전반적인 연구는 부족한 형편이었다. 광개토왕비에는 고구려의 건국신화와 천하관, 광개토왕의 정복활동과 왕릉 수묘 관련 상황, 당시 고구려민의 구성, 영역범위, 지방통치 등 당시 고구려의 사회상과 국가 성격을 보여주는 내용이 풍부하게 담겨 있다. 따라서 비문 전체 내용에 대한 정밀한 분석과 함께 다각적인 방향에서의 새로운 검토가 필요했다.

그러나 1970년대까지는 비문의 훼손과 변조 가능성이 제기되어 있는 상태였으므로 비문의 전반적인 내용에 대한 연구를 진행하기 어려웠다. 이런 상황에도 불구하고 광개토왕비의 일부 자구에만 매달리던 연구에서 벗어나 비문의 전체 내용을 구조적으로 분석함으로써 비문에서 신묘년 기사가 차지하는 의미에 대해 재해석한 연구가 이루어졌다(濱田耕策, 1974). 광개토왕비의 '정복' 기사와 '수묘인연호(守墓人烟戶)' 기사를 적극적으로 이용하여 광개토왕의 영토 확장 과정과 그 내용, 고구려의 영역편제방식, 고구려 사회를 구성하는 다양한 종족집단과 그들의 존재양상 등 여러 문제에 대한 고찰도 이루어졌다(武田幸男, 1979).

이러한 새로운 방면에서의 연구로 인해 1980년대부터 광개토왕비 연구는 전환기를 맞이했다. 1980년에서 2000년까지 이루어진 광개토왕비 관련 새로운 연구는 비문에 나타나는 4~5세기 고구려의 천하관, 광개토왕의 정복활동 및 영역 확장, 수묘인(守墓人)과 수묘제(守墓制) 등 다양한 방면에서 진행되었다.

천하관에 대한 연구(양기석, 1983; 노태돈, 1988; 武田幸男, 1989)의 경우, 광개토왕비문을 통해 당대 왕권의 위상과 그 현실적 기반을 태왕권(太王權)과 고구려 천하관이란 시각에서 접근했다. 그리고 태왕과 노객(奴客)의 군신관계(武田幸男, 1981), 태왕국토(太王國土)라는 영역적 기반(노태돈, 1989), 태왕과 민의 관계(임기환, 1996b), 태왕의 대민관(김현숙, 1999b), 5세기 고구려를 중심으로 한 국제사회의 범위와 그 내부에서의 차등성을 보여주는 속민의 존재(김현숙, 1996) 등 새로운 방향의 연구가 진행되었다.

광개토왕이 벌인 정복전쟁의 내용과 성격, 구체적인 지명 비정, 영역 및 세력권 확장에 대한 연구도 이루어졌다. 천관우(1980), 서영수(1982; 1988), 이도학(1988), 공석구(1991), 이인철(1996), 다나카 도시아키(田中俊明, 1996)의 연구가 이에 해당한다. 이러한 연구를 통해 광개토왕 대에 서쪽 방면으로 요동 지역을 완점했고, 북쪽 방면으로 북부여, 동북쪽 방면으로 목단강과 연해주, 남쪽 방면으로 한강 이북선까지 영역이 확장되었다는 것이 밝혀졌다.

1980년대와 1990년대 광개토왕비 연구에서 가장 주목되는 점은 수묘인과 수묘제에 대한 연구가 본격적으로 진행되었다는 것이다. 이 시기에 집중적으로 이루어진 연구는 이후 2012년에 집안고구려비가 발견되고 고구려 수묘제 및 두 비석의 성격과 비문 내용을 둘러싸고 심도 있는 연구가 진행될 때 중요한 토대가 되었다.

수묘인 관련 사료의 사회사적 가치에 주목하고 이를 중점적으로 다룬 연구는 다케다 유키오(1979)에 의해 먼저 이루어졌다. 그는 광개토왕비의 정복 기사와 수묘인연호 기사를 적극적으로 이용하여 광개토왕의 구체적인 영토 확장 과정과 그 내용, 고구려의 영역편제방식, 고구려 사회를 구성하는 다양한 종족집단 및 그들의 존재양상 등 여러 문제를 고찰했다. 그리고 고구려에서 수묘인의 차출상황과 수묘제 수행방식, 수묘인의 성격 등에 대해서도 살폈다. 이 논문은 이후 시기 수묘인과 수묘제 연구에 중요한 시사점을 제공했다.

수묘제 문제를 전론으로 다룬 최초의 논고는 북한 학계에서 나왔다. 손영종(1986)은 고구려에서 수묘인의 신분과 수묘역(守墓役)의 수행방식 등에 대해 본격적으로 살폈다. 그 다음 해에 남한 학계에서 수묘인 연호 관련 기록을 보다 세부적으로 분석하여 광개토왕과 장수왕 대 수묘인의 사회적 성격과 수묘제의 개혁 등을 당시 고구려의 정치적, 사회적 변화와 관련지어 검토한 석사학위논문(김현숙, 1987)이 나왔다.[4]

이후 고구려 수묘제의 변화와 수묘인의 성격, 광개토왕비의 성격, 고구려의 대민편제방식 등에 대해 살핀 비중 있는 논고가 연이어 발표되었다(조인성, 1988; 임기환, 1994; 이성시, 1995; 門田誠一, 1995; 이성시, 1996; 이인철, 1997). 이로 인해 수묘제 연구는 더욱 심화되어 고구려 사회의 내부구조와 신래한예(新來韓穢)와 구민(舊民), 국연(國烟)과 간연(看烟)의 성격, 수묘제 정비 시기와 내용, 광개토왕비에 표기된 수묘인이 소속된 왕릉 등 다양한 주제가 검토되었다. 이로 인해 이를 활용한 사회사 관련 연구가 보다 활성화될 수 있는 기반도 마련되었다.

이처럼 고구려의 수묘제와 수묘인에 관한 연구가 활발하게 진행되면서 연구자 사이에 견해차가 드러나게 되었다. 광개토왕비에 나오는 "신래한예"는 광개토왕의 정복활동으로 고구려 영역에 편입된 백제 지역 출신자이고, "구민"은 이전부터의 영역 확장 과정에서 편입된 지역

---

[4] 이 논문은 1989년에 『한국사연구』 65에 게재되었다.

의 주민으로 모두 복속민 출신이라는 데 대체로 동의했다. 하지만 구민에 대한 이해에는 차이가 있다. 즉 비문에 나오는 구민은 일반적인 복속민이 아니라 수묘의 법칙을 알고 있는 존재로서 광개토왕 이전 시기부터 왕릉 수묘역에 종사해 온 수묘인으로 보는 설이 있다(김현숙, 1987; 조인성, 1988; 이인철, 1997). 이 경우 비문에 나오는 "구민리열(舊民羸劣)"이란 구절을 기존 수묘인의 약화를 일컫는 것으로 보아, 결원이 생기고 조직이 흐트러진 기존 수묘인들을 장수왕 즉위 초에 정리하여 110가로 재편해 신래한예 220가와 합쳐 새로 수묘인연호 330가를 편성했다고 이해했다. 그러나 임기환, 조법종은 구민리열을 전체 구민 일반의 상황을 가리키는 것으로 본 박성봉(1985)의 견해에 따라 구민과 신래한예의 농업생산력 차이가 수묘인 교체의 배경이 되었던 것으로 보았다. 그러나 임기환도 언급했듯이 구민과 신래한예의 경제적 기반이나 농업생산력의 차이가 구체적으로 논증되지 않은 현 상태에서는 쉽게 동의하기 어렵다.

국연과 간연의 실체에 대해서는 이전 시기에 이미 주목한 연구가 있었다. 박시형(1966)은 이를 고려나 조선의 병역제도와 선상노비제도 및 각종 국역(國役)에서 보는 호수·봉족과 같은 관계로 규정하고, 왕릉 수묘에서 국연이 주된 복무를 수행하고 간연은 국연의 복무를 각 방면에서 보좌해주는 임무를 담당한 것으로 보았다. 다케다 유키오(1979)도 국연은 수도나 왕묘가 있는 국강상(國罡上)에서 수묘역이란 국가적 노역에 종사하도록 지정된 사람이며, 간연은 왕묘의 간수(看守)·간시(看視)·간호(看護)를 담당한 사람이라고 규정했다.

이와 달리 경철화(耿鐵華, 1984)는 국연이 근교를 포함한 도시와 도읍에 거주하는 성민(城民) 출신으로 주로 수공업 생산과 가공에 종사하던 사람임에 반해, 간연은 심산유곡에 거주하던 곡민(谷民)으로서 주로 농업과 어렵생산을 영위하던 사람이라 하여 거주환경과 직업에 차이가 있었던 것으로 보았다. 손영종(1986)은 국연은 부유하여 수묘역 한 몫을 감당할 수 있는 사람이고, 간연은 그렇지 못하여 열이 하나로 합쳐 한 몫을 하는 사람이라 보았다. 김현숙(1987; 1989)은 국연은 국가적인 노역인 수묘역을 책임지고 수행해 나갔던 존재이고, 간연은 '간(看)'자의 뜻 그대로 능을 간수(看守)하는 실질적인 노역을 직접 행하는 존재로 보고, 국연과 간연 사이에 일단의 계층차가 존재했다고 보았다. 조법종(1995)은 국연은 국강상에서 수묘역을 직접 수행하였고 간연은 본래 거주지에서 수묘역 수행에 필요한 제반 경비를 조달한 것으로 보았다.

수묘역 수행방식에 대해서는 국연 1가와 간연 10가 총 11가로 구성된 노동조가 수묘역의 기초적인 노동단위였다고 보고, 이들이 일정량의 노역을 책임지고 행하거나, 몇 개의 노동조가 합쳐 1기의 왕릉을 각각 책임지고 관리하는 식으로 수행해 나갔을 것으로 본 설(김현숙, 1987; 1989)과 구민 수묘호 1조와 신래한예 수묘호 2조(총 33호)가 한 조가 되어 합동으로 수묘역을 수행했을 것으로 본 설(조인성, 1988), 66호씩 5개 부대로 나누어져 3개 부대는 소수림왕릉, 고국양왕릉, 광개토왕릉의 3기 능의 수묘역을 이행하고, 나머지 2개 부대는 기와나 벽돌을 굽는 노역에 동원되는 형태로 운영되었다고 추정한 설(이인철, 1997)이 있다.

수묘인의 사회적 위상은 고구려 사회의 내부구조와 성격의 일면을 보여 주는 중요한 문제이기 때문에 1970년대 후반 이래 여러 학자들의 관심 대상이 되었다. 수묘인의 신분에 대해서는 매매의 대상이 되었다는 점에서 노예로 보는 설(勞幹, 1929; 백남운, 1933; 왕건군, 1984)과 군역을 면제받는 대신 당번이 되면 수도에 올라가 역을 수행했던 농노적 성격을 띤 양인(良人)으로 보는 설(김석형, 1974; 耿鐵華, 1984; 孫永鐘, 1986; 임기환, 1994)로 크게 나눠졌다. 하지만 수묘인의 사회적 위상이 일반 자연촌에 거주하는 민보다는 낮고 노예보다는 다소 높았던 특수직역인집단이라고 보는 설(김현숙, 1987; 1989; 이인철, 1997)과 발해의 부곡(部曲)과 유사한 존재일 것으로 보는 설도 있다(조인성, 1988).

수묘인의 사회적 위상이나 신분이 어떠했느냐는 수묘역의 성격을 어떻게 보느냐 하는 점과 밀접한 관련이 있다. 이에 대해서는 국강상에 살면서 고정적, 세습적으로 특수역인 수묘역을 수행했던 것으로 보는 논자(노예제론자, 김현숙, 이인철, 조인성)와 지방에 거주하면서 순번이 돌아오면 국강상으로 올라와 일반 국역의 하나인 수묘역을 수행했다고 보는 논자(양인론자)로 크게 양분되어 있는 가운데 국연은 국강상에서 수묘역을 수행하고 간연은 지방에 거주하면서 그에 필요한 경비를 조달했다고 보는 설도 있다(조법종, 1995).

광개토왕비에 기록된 수묘인의 소속에 대해서도 의견이 나눠져 있다. 이에 대해 330가의 수묘인이 고국원왕, 고국양왕, 광개토왕 세 왕의 능에 소속되었다고 본 하마다 고사쿠(浜田耕策, 1982)와 소수림왕, 고국원왕, 광개토왕릉을 수묘했다고 본 이인철(1997)을 제외하고 대부분의 학자들이 광개토왕릉만 수호했다고 보았으나, 집안(集安)에 조영된 고구려 왕릉 전체를 관리했다고 보는 설도 있다(김현숙, 1987; 1999).

수묘인에 대한 내용이 비문의 상당수를 차지한다는 점에서 광개토왕비의 건립 목적과 비의 성격에 대해서도 이전 시기와 다른 시각에서 바라보는 설이 제기되었다. 이에 대해 1970년대까지는 능비(陵碑)나 훈적비(勳績碑)로 보는 것이 일반적이었다. 하지만 수묘인에 관심을 두면서 광개토왕비 설립에 수묘연호에 관한 율령을 공시하기 위한 목적도 있었다고 보는 설이 나왔다(김현숙, 1987). 비문의 내용과 설치시기, 비석을 세운 현실적인 필요성 등에서 어떤 점을 더 우선시하느냐에 따라 견해가 달라지게 된다. 그러나 사실상 광개토왕비는 이 모든 성격을 종합적으로 가진 비석이다. 어느 하나의 성격과 기능만 가진 비석이라고 보는 것은 오히려 문제가 있다. 능비나 훈적비로만 보는 시각이 지나치게 강했으므로 비 건립 당시의 현실적인 목적에 주목하는 연구가 나왔던 것이다(김현숙, 1987; 1989; 李成市, 1994).

이 시기에도 신묘년 기사에 대한 관심은 계속되었다. 서영수(1996)는 신묘년 기사에서 판독이 어려운 글자를 추정하는 작업을 했다. 김영만(1980)은 신묘년 기사를 고구려가 바다를 건너와 백제를 깨뜨리고 신민(臣民)으로 삼았다고 해석했다. 천관우(1979)는 파(破)를 고(故) 또는 인(因), 시(時), 이(而)로 고쳐보고, '이위신민(以爲臣民)'의 주체는 백제, 객체는 신라로 보아야 한다고 주장했다.

한편, 전 시기에 광개토왕비의 훼손과 비문 변조에 대한 논쟁이 격렬히 진행되었는데, 그에 대한 검증 노력의 일환으로 이 시기에 석회가 발리기 전에 뜬 광개토왕비 원석 탁본에 대한 조사와 연구 및 집성 작업이 활발히 진행되었다. 그 결과 한중일 삼국에서 주목할 만한 성과를 거두었다(武田幸男, 1988; 徐建新, 1994; 林基中, 1995). 이는 이후 시기 광개토왕비 연구가 안전한 토대 위에서 진행될 수 있게 했다는 점에서 매우 중요한 의미가 있다.

## 5. 대외관계, 유민 및 기타 연구

고구려의 대외관계에 대한 연구는 크게 두 갈래로 나눠볼 수 있다. 하나는 중원 왕조와 북방 유목국가, 왜 등 한반도를 둘러싼 정치세력과의 관계이고, 다른 하나는 백제, 신라와의 관계다.

먼저 전자에 대해 살펴보면, 고대 동아시아세계의 국제관계를 설명하는 논리로 중국의 전통적인 중화사관에 입각한 조공책봉론과 1970년대에 제시된 책봉체제론 등이 제시되어 있었다. 이를 고구려사에 적용하면 고구려가 중국에 조공하고 책봉을 받은 왕조였다는 점에서 중원 세력에게 일방적으로 좌우되었다고 규정하게 된다. 예컨대 미사키 요시아키(三崎良章, 1982)는 북위의 화북 통일 이후 고구려는 북위의 번병(藩屛)이 되었고 그 지위는 다른 나라에 비견할 수 없을 정도로 일관되고 안정되었다며 북위 중심의 번병설을 주장했다. 그리고 기토 기요아키(鬼頭淸明, 1984)는 고구려의 국가 형성에 있어서 국제적 조건을 중요하게 살폈다.

그러나 고구려의 역사 전개 과정에서 중국과의 대외관계사를 살펴보면 시기와 상황에 따라 오히려 고구려가 동아시아 국제관계를 능동적으로 활용하는 측면이 있다는 것을 알 수 있다. 이런 점에서 노중국 (1986)은 국제적 조건이 국가의 성립, 형성 과정에 관여하는 정도는 하나의 원칙으로 일반화하여 말할 수 없으며, 개별 국가의 구체적인 역사적 조건에 의해 생성된 외적 계기에 대한 반향이 국제적 조건에 미치는 역파동의 영향도 다각적으로 고려되어야 할 것이라고 지적하였다.

일반적으로 알려져 있듯이, 남북조시기와 수·당시기의 중원과 고구려의 관계는 성격이나 내용에서 큰 차이가 있다. 신형식(1981)은 5세기 중엽 이후 고구려와 북위 사이에 외형적인 조공관계가 성립된 것으로 보았다. 이에 서영수(1981)는 한중 사서에 사행의 대다수가 조공사로 표현되어 있는 것은 중국인의 화이관에 의한 조공의 이중구조적 개념에서 발생한 것이라며, 삼국과 남북조와의 조공관계는 일반적인 외교관계로 봐야 하고 전형적인 조공관계의 성립은 수·당제국이 출현하여 물리적 힘으로 신속(臣屬) 거부에 대한 응징이 본격화되면서 비로소 그 초기적 양상이 나타난다고 보았다. 서영수는 이 시기 고구려의 대중국 교섭을 장수왕의 평양 천도 이전까지의 대북조 교섭, 천도 이후 문자왕대에 이르는 시기의 대남북조 양속(兩屬)외교, 안장왕 이후 삼국 정립기의 외교로 구분하고, 고구려의 남북조에 대한 양속외교는 중국에 대한 조공관계라기보다는 광개토왕 대부터 전환된 남진책의 외교적 배경이라고 파악했다. 즉 한중 간의 조공관계가 조공제도의 이념 그대로 현실에 작용하지 않았음을 지적한 것이다.

노태돈(1984)은 5~6세기의 고구려는 중국의 남북조와 각각 관계를 맺어 양자를 견제하고 북방 유목세력인 유연과 교류하면서 독자적인 세계를 형성했다고 보았다. 이에 따라 5세기 중엽 동아시아 국제질서를 고구려, 유연, 남조, 북조 4강이 상호 견제와 승인 위에 세력균형을 이루고 있어 어느 한 세력이 다른 세력을 공격하거나 균형을 깨뜨리기 어려운 상태였다고 설명했다. 당시 고구려는 동아시아 국제사회에서 독자적인 천하를 구축하고 자주적이고 능동적인 외교활동을 벌이는 등 국제적 위상이 높았는데, 이는 바로 4강의 세력균형이라는 상황에서 기인한 것이라고 보았다. 노태돈(1989)은 또 고구려인, 발해인과 내륙아시아 주민 간의 교섭에 대한 연구를 통해 고구려 때 구축된 대외교류가 발해시기까지 이어졌음을 밝혔다.

고구려와 수·당과의 관계 및 전쟁에 대한 연구는 조공 기사와 말갈을 중심으로 고구려와 수·당과의 관계를 정리한 연구(김선욱, 1984; 1985)가 있고, 수·당과 고구려 전쟁의 원인에 대해 살핀 논고(강성문, 1996)가 있다. 고구려와 수·당과의 전쟁사를 개괄적으로 정리한 책(서인한, 1991)도 나왔고, 고구려의 요서 공격 원인과 관련 내용을 살핀 연구(이성제, 2000)도 이루어졌다. 하지만 고구려와 수·당과의 대외관계와 전쟁에 관한 연구는 주제의 무게에 비해 많이 진행되지 않았다. 이에 대한 본격적인 연구는 2000년대 이후 활발히 진행되었다.

고구려와 백제, 신라의 관계에 대해서는 이후 연구의 기준이 될 중요한 성과가 있었다. 노중국(1986)은 삼국의 대외정책이 지닌 기본 성격을 자주외교, 실리외교, 세력균형으로 파악하고, 삼국이 상호 간 또는 대중국 관계에서 상황 변화나 이해관계 여하에 따라 대외정책을 수시로 바꾸어온 것으로 보았다. 그는 중국 주변 여러 나라의 주체적 측면을 경시한 책봉체제론과 달리 여러 나라의 주체적 입장을 강조하는 역학관계론에 입각해 삼국의 관계 변화를 검토했다(노중국, 1981). 또 고구려의 남하와 백제·신라의 화호(4세기 초~4세기 말), 고구려·신라 대 백제·왜·가야 연합의 대결(4세기 말~5세기 중엽), 고구려의 남진정책 적극화와 백제·신라의 동맹(5세기 중엽~6세기 중엽), 고구려·신라 대 백제의 대립과 신라의 한강 하류 점령(6세기 중엽~6세기 말), 삼국의 상호 항쟁과 대립(6세기 말~7세기 초), 고구려·백제 연합 대 신라·당 연합의 대결(7세기 초~7세기 중엽), 여섯 시기로 나누어 삼국 관계가 어떤 역사적 사건을 겪으며 어떻게 변화되었는지 상세히 살폈다.

다케다 유키오(1978)는 5~6세기에 동아시아 국제관계가 중국이 남북조로 나눠진 가운데 북위-고구려 추축과 남조-백제-왜 추축의 2대

추축권이 성립되었음을 지적하면서, 고구려는 신라와 백제의 연합을 견제하기 위해 신라와 비교적 느슨한 예속인 형제관계를 유지하면서도 전통적인 남하정책을 위압적으로 추구해 나갔다고 설명했다. 그리고 고구려와 백제, 신라와의 관계를 조공-속민관계와 귀왕(歸王)-노객 (奴客)관계로 정리했다.

이에 대해 비판적인 입장에서 서영수(1982)는 귀왕이나 노객은 왕에 대한 귀의복속을 강조한 표현으로서 조공관계와 다른 별도의 예속적 관계를 의미하는 것은 아니라고 보고, 광개토왕 대의 고구려는 화이정통론에 입각한 차등적인 조공 개념을 통해 정토(征討)를 합리화하는 동시에 그러한 복속지배를 구체화하고자 한 것으로 파악하였다. 그는 광개토왕비에 보이는 조공의 개념은 고구려의 독자적인 대외관계라기보다는 4세기 이후 명분에 입각한 유교문화가 중국을 중심으로 한 주변 제국에 확산되면서 '온 하늘 아래 임금의 땅이 아닌 곳이 없다(普天之下 莫非王土)'라는 왕토사상에 입각한 중국적 천하관이 고구려에 반영되어 나타난 것으로 보았다.

삼국의 관계와 관련하여 양기석(1981)은 이 시기 외교관계의 하나로 나타나는 인질에 대해 본격적으로 연구했다. 그는 4세기 중엽에서 5세기 중엽까지는 고구려의 국력이 팽창함에 따라 인질외교는 고구려의 천하관을 반영하는 외교 개념 형태로 나타나고 있다고 설명했다.

이호영(1982)은 이 시기 려제동맹의 결성에 대해 려제연화(麗濟連和)란 실제상으로 존재한 것이 아니고 신라가 당과 제휴를 도모하는 외교적 교섭 과정에서 교묘한 말로 려제연화설을 당에 전했고, 당이 이를 착각하여 받아들임에 따라 빚어진 허구의 산물이라고 보았다. 그는 고구려와 백제가 실제로 연화하지 못했기 때문에 멸망했다고 설명했다.

한편 고구려 멸망 후 유민의 행방에 관해서는 이병도가 1970년대에 관심을 가진 바 있다(1976). 그는 멸망 후 고구려인의 저항과 그에 대응한 당의 강제천사(强制遷徙)정책에 대해 살폈다. 이후 노태돈(1981)이 고덕무(高德武)의 안동도독 임명을 소고구려국 건국으로 보지 않고, 안사(安史)의 난 이후 요동 지방이 당과 발해의 완충지대가 됨으로써 비로소 소고구려국 건립이 가능했으며, 9세기 전반 선왕(宣王) 대에 발해로 합병되었다고 파악했다. 그는 당 내지(內地)로 옮겨진 유민을 고구려 구지배층·전쟁포로·사민정책에 의해서 변경지대로 천사된 부류로 나누어 이들의 동향과 존재 양태에 대해 검토했다. 또 묵철가한(黙啜可汗)의 사위가 된 고문간(高文簡)으로 대표되는, 집단별 자치를 영위하며 가한에 종속하고 있던 몽골 방면 돌궐로 옮겨간 유민의 삶과 그 문화적 흔적에 대해서도 살폈다.

김문경(1981)은 당의 외민내사책(外民內徙策)과 관련, 고구려의 반당(反唐)세력을 당 내륙으로 이치(移置)하여 '강간약지(强幹弱支)'하는 조치를 취하였으며, 옛 영토에 대한 직접지배를 관철하고자 했다고 보았다. 또 당이 대고구려 유민정책이 실패한 후 기미통치(羈縻統治)를 꾀하다가 다시 유민을 내륙으로 천사시켜 치주편호(置州編戶)하였다고 보았다. 그는 당의 이민족에 대한 개방정책 결과 많은 외민(外民)이 무장으로 기용되어 당 제국의 질서유지에 이용되었음을 지적하였다. 서병국(1982)은 고구려와 동돌궐의 기존 관계가 계기가 되어 유민의 동돌궐 망명이 가능했다고 보았다. 그는 고문간·고공의(高拱毅) 등이 당으로 투항하게 된 배경을 고구려 유민이 동돌궐에서 독자적 활동이 불가능해진 점에서 찾기도 했다.

이외에 김기흥의 고구려 조세 관련 문제 연구(1987, 1991)와 김영하의 순수제(巡狩制) 연구(1985)와 고구려의 발전과 전쟁 연구(1997), 서영대의 평양 천도 연구(1981), 이경식의 식읍제 연구(1988) 등도 이 시기 고구려사 연구자에게 많은 가르침을 주었다.

한편, 이 글에서 살펴보지는 않았지만 1990년대에는 고구려 고분벽화 연구가 진행되어 큰 성과를 거두었다(전호태, 1997; 2000). 또 한강과 임진강 유역에서 고구려 유적이 확인되면서 이후 한국 학계에서도 고구려 고고학에 대한 연구가 본격적으로 이루어질 수 있는 기반이 마련되었다.

## 6. 1980~1990년대 연구의 특징과 한계

1980~1990년대는 고구려사 연구에 있어 발전기라 부를 수 있다. 앞에서 살펴보았듯이 고구려의 성립과 발전 과정, 그것을 통해 형성된 국가의 성격, 정치체제의 내용과 변화, 영역지배방식, 5세기 고구려의 국내외 위상을 보여주는 태왕호와 건국신화, 신성족으로서 왕족의 자의식, 고구려의 인적 구성, 고구려의 고양된 국제적 위상, 능동적이고 자주적인 대외관계, 멸망 후 유민에 대한 연구까지 다양한 연구가 본격적으로 진행되었다.

이 글에서 정리하지는 못했지만, 고분벽화에 대한 본격적인 연구, 고구려 무기와 병종 연구, 산성과 교통로 및 방어체계 연구, 남한 지역 고구려 유적에 대한 본격적인 조사 및 연구 등 이전 시기에는 거의 이루어지지 못했던 연구도 심도 있게 진행되어 주목할 만한 성과를 거두었다. 이로 인해 고구려의 역사와 문화가 보다 구체적으로 밝혀지게 되었다.

이와 같이 이 시기에 고구려 역사와 문화에 대한 연구가 심화되고 확산될 수 있었던 것은 이전 시기부터 진행해 온 국가 형성 문제와 초기국가의 성격, 한국사의 시대구분 등 근본적인 주제에 대한 심도 있는 고민과 토론이 밑거름으로 작용했다. 또한 『삼국사기』, 『구삼국사』, 『삼국지』 동이전 등 문헌사료에 대한 깊은 연구가 이루어졌고, 고대사 연구의 기본자료인 금석문 자료를 집대성하여 자료집을 발간했으며, 『삼국사기』 역주작업이 진행되어 결과물을 전집으로 발간하는 등 고구려사를 포함한 한국고대사 연구의 기반을 다져놓았기 때문에 가능했다고 할 수 있다.

　이러한 연구기반을 발판으로 1980년대와 1990년대에는 고구려사의 전체적인 면모를 밝히고 복원하는 데 집중했다. 특히 1980년대에는 소수의 고구려 연구자들이 연구를 진행했던 것에 비해, 1990년대에는 연구자의 수가 확대됨으로써 여러 분야에 대한 연구가 더 활발히 이루어질 수 있었다.

　그러나 1990년대 후반에 이르러서는 문헌사학계의 연구가 약간 소강상태에 들어갔다. 물론 이 시기에도 주목할 만한 논문이 꾸준히 발표되었지만, 새로운 분야에 대한 연구를 진행하기보다는 기존 연구를 보완하거나 재검토하는 작업이 주류를 이루었다. 무엇보다 신진 연구자의 수가 별로 증가하지 않았다는 점이 이 시기의 고구려사 연구 분위기를 잘 보여준다. 어쩌면 한 차례의 폭발적인 진전 다음에 오는 숨고르기 단계로 해석할 수도 있다. 아무튼 이때 고고학과 문헌사학으로 분류가 가능할 정도로 고구려사 연구의 공간이 확대되었다는 점에서 소강상태였다고만 평가할 수는 없을지도 모르겠다. 분명한 것은 이 시기의 연구로 인해 불투명했던 고구려사의 이런저런 모습이 보다 선명해졌다.

가장 중요한 성과는 이 시기의 활발한 연구활동으로 인해 고구려사 가운데 어떤 부분에 대한 연구가 더 필요한지, 어떤 점에서 시각의 전환이 필요한지 등 향후 보완하고 수정해야 할 부분이 드러났다는 것이다. 이로써 이후 더 세부적인 연구를 진행해 갈 수 있는 기반을 마련했다.

그런 한편 그동안 고구려에 크게 관심을 가지지 않고 있던 중국 학계에서 1990년대 중반 이후 고구려사 연구결과물이 집중적으로 발표되었다. 이는 2002년에 진행한 이른바 동북공정의 전초작업이 이 시기에 시작되었음을 보여준다.

이 시기 중국 학계 고구려사 연구의 주된 관심대상은 고구려사의 귀속 문제였다. 그때까지 중국 학계는 고구려사에 대해 첫째, 중국 북방의 소수민족 역사로 파악하는 견해, 둘째, 현재 중국 영토에 속하는 평양 천도(427) 이전의 고구려사는 중국사이고, 천도 이후는 한국사에 속한다고 본 일사양용설(一史兩用說), 셋째, 고구려사를 고대 한국사로 보는 세 입장이 있었다. 이 시기까지만 해도 이 중에서 두 번째 시각으로 보는 연구자가 많았다. 하지만 중국의 동북 지역과 한반도의 정세가 변화된 1990년대 중반 이후부터 고구려사를 중국사로 보는 입장이 주류가 되었다.

중국 학계에서는 고구려사가 중국사에 속한다는 논리를 입증하기 위해 다음 여섯 가지 주제를 집중적으로 연구했다.

첫째, 고구려의 종족 기원과 건국 과정에 대한 연구가 이루어졌다. 1990년대 전반까지만 해도 중국 학계에서는 장박천(張博泉, 1985)의 견해에 따라 고구려를 건국한 종족은 맥이고, 맥이 곧 예, 예맥이라고 보는 것이 다수설이었다(孫進己, 1987; 孫玉良·李殿福, 1990; 李殿福, 1993; 劉永智, 1994; 王綿厚, 1997; 魏存成, 1997). 부여기원설도 중국 학계의 전통적인 학설이었다(金毓黻, 1941; 王健群, 1987a; 楊昭全, 1993; 金岳, 1994). 이 가운데 왕건군의 경우 부여족을 예맥족과 계통을 달리하는 퉁구스어족인 숙신의 후예로 말갈, 여진과 동일 계통이라 본 점에서 다른 부여기원론자와 인식상 차이가 있다. 그러나 예맥과 부여기원설은 사서에 기반한 전통적인 시각이다.

그런데 1990년대 중반 이후 고구려를 구성한 종족이 중원에서 왔다고 보는 주장이 나왔다. 그중 하나가 고구려 선조가 상인(商人)에서 분리되어 나온 고이족(高夷族)이라는 설이다. 이 주장은 『일주서(逸周書)』 왕회(王會) 편에 나오는 "고구려는 일명 구려라고 하는데, 옛날의 고이이다"라는 공조(孔晁)의 주석에서 나왔다. 김육불(金毓黻)의 『동북통사(東北通史)』에서도 이 점을 간단히 서술했으며, 강맹산(1983), 왕면후(1987)도 고이에 관한 언급을 한 바 있다. 하지만 1980년대까지만 해도 종족의 먼 기원 문제에는 별반 관심을 두지 않았고, 압록강 중류 유역에 이전부터 살던 토착민과 부여에서 내려온 주몽 집단이 결합해 고구려를 건국했다고 보는 입장이었으므로, 고이에 대해서는 이름만 잠시 거론했을 뿐 논증하지는 않았다. 이 설의 가장 적극적인 주도자는 유자민(劉子敏, 1996)이다.

양지룡(梁志龍, 1996)은 전욱의 아들이 세운 계우지국(季禺之國)과 구려(句麗)의 음이 동일하고, 난생족(卵生族) 신화, 모우(毛羽) 습속, 조우삽관(鳥羽挿冠) 풍습 및 귀신숭배사상 등의 공통점이 있다며, 고구려를 전욱고양씨((顓頊高陽氏)의 후손이라고 했다. 이는 고이의 선대가 중국 전설상의 황제인 전욱고양씨라며, 전욱고양씨-고이-고구려로 이어지는 계보를 설정한 견해로 고이족설의 확대재생산이다. 이후 장벽파(張碧波, 1999)도 이전 견해를 수정하여 전욱고양씨를 고구려의 선조로 보는 설을 내놓았다.

상인(商人)기원설도 제기되었다. 범리(范梨, 1993)는 고구려의 선조는 상인에서 분리되어 나왔다며, 그 근거로 5방(方) 개념, 국인(國人, 城民)과 야인(野人, 谷民)의 구분, 왕위의 형제계승, 사유재산제와 귀족제, 백색(白色) 숭상, 귀신 숭배 등 문화의 유사성을 들었다.

이 외에 중국 산동 지역으로부터 압록강 중류 일대로 이주한 염제족의 한 지파가 고구려인이라고 본 견해도 나왔다(李德山, 1992; 1996).

둘째, 고구려와 중국 간의 조공책봉에 대한 연구가 이루어졌다. 중국 학계에서는 자국의 역사를 서술할 때 명분상, 자구상의 조공책봉이라는 관계와 실질적인 상황을 구분해서 파악한다. 하지만 고구려와의 관계에 대해서만은 조공하고 책봉을 받았으므로 지방정권이었다고 이해하였다(邢炎, 1999; 康德文, 1997; 2000; 徐貴通, 1996; 徐德源, 1999; 孫玉良·李殿福, 1990b; 孫進己, 1994; 孫泓, 1999; 劉永智, 1995a; 劉子敏, 1995; 1996; 1999; 劉厚生, 1999).

셋째, 평양 천도 이후 고구려사의 귀속 문제에 대한 연구가 진행되었다. 중국 학계에서는 "현재의 중국 땅 안에 속하는 모든 지역의 과거사는 모두 중국사"라는 '통일적 다민족국가론'에 입각해 역사를 서술하고 있다. 그런데 이에 따르면 평양 천도 이후의 고구려사와 이전의 고구려사를 분리해 보아야 하는 문제가 발생한다. 이 때문에 일사양용설이 나오게 되었다(姜孟山, 1999). 하지만 동북공정이 본격 가동되면서는 평양 천도 이후 고구려사도 중국사에 속한다고 보는 것이 전체적인 입장이다.

손진기(孫進己, 1995)는 한반도에서의 고구려사 기간이 427년부터 668년까지 241년인 데 비하여, 중국 영토 즉 중국사로서의 고구려사 기간은 기원전 37년부터 427년까지 464년이나 되어 2배가량이나 되고, 고구려 땅의 3분의 2가량이 현 중국의 영토 안에 있다면 고구려사는 중국사라고 강조했다. 또 유영지(劉永智, 1995a)는 고구려의 첫 번째 수도인 홀승골성과 두 번째 수도인 국내성이 현재 중국 영토에 있고, 세 번째 수도인 평양은 역사적으로 한의 관할범위에 있었기 때문에 고구려사는 당연히 중국사에 포함되어야 한다고 했다.

넷째, 고구려의 대수·당전쟁의 성격을 파악하는 연구가 이루어졌다. 고구려가 중국의 지방정권이었고, 고구려 왕은 황제의 신하였다고 보는 입장에 따라 고구려의 대수·당전쟁에 대해서도 국제전이라 보지 않고 중국 내부의 통일전쟁이라고 보았다(孫玉良·李殿福, 1990b). 중국 학계에서는 중화주의적 시각에 따라 전쟁의 명분으로 삼기 위해 발표한 수 문제와 양제, 당 태종의 조서를 자구 그대로 받아들여 책봉에 의한 수·당과의 신속관계를 깨뜨린 고구려의 잘못을 응징한 것이라고 수·당의 고구려 침략에 당위성을 강조했다(楊春吉, 1996). 그리고 고구려에 대한 수·당의 정벌은 국가 사이의 전쟁이 아니라 중원 통일정권이 지방정권의 이탈을 막고 본래의 영역을 확보하기 위해 벌인 중국 국내의 통일전쟁자 민족전쟁이지, 침략전쟁이 아니라고 규정했다(張春霞, 1999).

다섯째, 고구려 유민의 거취에 대한 연구가 이루어졌다. 중국 학계는 고구려 멸망 후 그 주민의 상당수가 중국으로 들어가 한족으로 흡수되었기 때문에 고구려사는 중국사에 속한다고 보았다. 손진기(孫進己, 1982; 1984)는 일찍부터 다수의 고구려 유민이 한족으로 융입되었으므로 고구려사가 중국사에 속한다고 강조했다. 당시에는 학계의 주목을 크게 받지 못하다가 1990년 중반 이후 주목을 받았다(通化師範學院高句麗研究所, 1996; 楊春吉·耿鐵華 主編, 1997; 吉林省社會科學院高句麗研究中心·通化師範學院高句麗研究所, 1999). 고구려 멸망 후 상당수 사람이 중국 내지로 바로 들어갔고, 일부는 요동에 남아 있다가 발해 건국에 참여하거나 돌궐로 들어갔지만, 이들도 뒤에는 모두 중국으로 들어갔으며(王鐘翰, 1994; 楊保隆, 1998, 孫泓, 1999), 신라는 고구려 유민의 7분의 1만 접수했으므로 고구려를 계승했다고 할 수 없다는 것이다(劉厚生, 1999).

여섯째, 발해와 고려의 고구려사 계승 문제에 대한 연구를 진행했다. 중국 학계에서는 발해를 고구려를 계승한 자주국으로 보지 않고 "당의 지방정권 가운데 하나였던 말갈국"이었다고 보고 있다. 이는 『신당서』가 발해 건국자인 대조영을 속말말갈(粟末靺鞨) 출신이라 기록해 놓은 것과 말갈이 그 건국세력의 다수를 차지했다는 것을 주요 근거로 삼았다(回俊才·董振興, 1980; 嚴聖欽, 1981; 1982; 楊昭全, 1982; 李殿福, 1981; 王承禮, 1982; 魏國忠, 1982; 姜守鵬, 1982; 莊嚴, 1982; 諸慶福, 1983; 孫玉良, 1983; 許憲範, 1989; 徐德源, 1996).

또 고구려와 고려의 계승관계에 대해 이전복(李殿福)·손옥량(孫玉良) (1990)은 "오대(五代)시대에 한반도에서 일어난 왕씨의 고려 왕조 역시 고구려와는 무관하다. 고려는 한족(韓族)인 신라를 주체로 하여 건립된 국가로, 신라의 후계정권이었다"라고 서술했다. 이와 관련된 중국의 입장을 일목요연하게 정리한 학자는 손진기(1994)였다. 그는 고주몽이 세운 고구려와 왕건이 세운 고려는 이름만 비슷할 뿐 서로 계승관계가 없는 타국의 역사라고 주장했다. 고구려와 고려는 본래 족속이 다르다며, 고구려는 중국 역사상의 국가로 중국인의 선조가 세운 나라였으나, 고려는 한국인의 선조인 신라의 후손들이 세운 나라라는 것이다(孫進己, 1994b; 劉子敏, 1999). 이런 주장은 고려가 고구려를 계승한 나라라고 기록한 『송사(宋史)』의 내용과 배치되는데, 이에 관해 이런 모순을 해결하기 위해 『송사』에 이렇게 기록한 것 자체가 잘못된 인식에서 비롯된 오류라고 주장했다(孫進己, 1994b; 張春霞, 1999).

이처럼 이 시기의 연구는 중국 학계의 이후 고구려 연구에 방향성을 제시하였다. 이에 따라 2002년 이후 이때 제시된 논리의 보강, 심화, 확산이 이루어졌다.

## 참고문헌

고구려연구회 편, 2000, 『중원고구려비 연구』(고구려연구 10), 학연문화사.
孔錫龜, 1999, 『高句麗 領域擴張史 硏究』, 書景文化社.
김기흥, 1991, 『삼국 및 통일신라 세제의 연구-사회변동과 관련하여-』, 역사비평사.
金杜珍, 1999, 『韓國古代의 建國神話와 祭儀』, 一潮閣.
盧泰敦, 1999, 『고구려사연구』, 사계절.
노태돈 외, 1996, 『한국사』 5, 국사편찬위원회.
서인한, 1991, 『高句麗 對隋·唐戰爭史』, 국방부 군사편찬위원회.
손영종, 1990, 『고구려사(Ⅰ)』, 과학백과사전종합출판사.
_____, 2000, 『고구려사의 제문제』, 사회과학출판사.
孫玉良·李殿福, 1990, 『高句麗簡史』, 삼성출판사.
申瀅植, 1981, 『三國史記 硏究』, 一潮閣.
_____, 1994, 『남북한 역사관의 비교』, 솔.
유 엠 부찐 지음, 국사편찬위원회 옮김, 1986, 『고조선』, 국사편찬위원회.
이강래, 1996, 『三國史記 典據論』, 민족사.
李基白, 1996, 『韓國古代政治社會史硏究』, 一朝閣.
이옥, 1984, 『고구려 민족형성과 사회』, 교보문고.
李殿福·孫玉良 저, 강인구·김영수 역, 1990, 『高句麗簡史』, 삼성출판사.
林基中, 1995, 『廣開土王碑原石初期拓本集成』, 동국대학교출판부.
全海宗, 1980, 『東夷傳의 文獻的 硏究』, 一潮閣.
전호태, 2000, 『고구려고분벽화연구』, 사계절.
鄭求福 外, 1995, 『三國史記의 原典 檢討』, 韓國精神文化硏究院.
채희국, 1982, 『고구려력사연구-평양 천도와 고구려의 강성-』, 김일성종합대학

　　　　출판사.

_____, 1985, 『고구려력사연구-고구려 건국과 삼국통일을 위한 투쟁, 성곽』, 김일성종합대학출판사.

崔光植, 1994, 『고대 한국의 국가와 제사』, 한길사.

姜仙, 1995, 「高句麗 國都 移動에 關한 一考察-建國初부터 故國原王代까지-」, 『韓國學研究』4.

姜性文, 1996, 「麗隋·麗唐戰爭 原因考」, 『國史館論叢』69.

강인숙, 1985, 「구삼국사의 본기와 지」, 『력사과학』1985-4.

강현숙, 2000, 「石槨積石塚을 통해 본 高句麗 五部」, 『외대사학』12.

공명성, 2000, 「구려사연구」, 『조선고대사연구』1, 사회과학출판사.

孔錫龜, 1989, 「安岳 3號墳의 墨書銘에 대한 考察」, 『歷史學報』121.

_____, 1990, 「德興里壁畵古墳의 주인공과 그 性格」, 『百濟研究』21.

_____, 1991, 「고구려의 領域擴張에 대한 연구」, 『韓國上古史學報』6.

權五重, 1980, 「靺鞨의 種族系統에 관한 試論」, 『震檀學報』49.

금경숙, 1994, 「고구려 초기의 중앙정치구조-諸加會議와 國相制를 중심으로-」, 『한국사연구』86.

_____, 1995a, 「고구려 前期의 정치제도 연구」, 고려대학교 박사학위논문.

_____, 1995b, 「고구려 前期의 地方統治 고찰」, 『史學研究』50.

_____, 1999, 「고구려의 제가회의와 국상제 운영」, 『강원사학』15·16.

金光洙, 1983, 「고구려 古代 集權國家의 成立에 관한 연구」, 연세대학교 박사학위논문.

_____, 1989, 「고구려사 연구의 제문제」, 『韓國上古史』, 민음사.

_____, 1991, 「高句麗의 '國相'職」, 『李元淳停年紀念論叢』.

김기흥, 1987a, 「6·7세기 고구려의 조세제도-『수서』고려전의 조세조항 분석」, 『한국사론』17.

_____, 1987b, 「고구려의 成長과 대외무역」, 『韓國史論』16.

_____, 1992, 「고구려 淵蓋蘇文政權의 한계성」, 『西巖趙恒來教授華甲紀念韓國史學論叢』, 亞細亞文化社.

김락기, 2000,「고구려의 '유인'에 대하여」,『백산학회』56.
金文經, 1981,「唐代 外民의 內徙策: 특히 高句麗遺民의 徙民策을 中心으로」, 『崇田大學校論文集』11.
김미경, 1996,「고구려의 낙랑·대방 진출과 그 지배형태」,『학림』17.
김석형, 1981,「구삼국사와 삼국사기」,『력사과학』1981-4.
金善昱, 1984,「高句麗의 隋唐關係 硏究 -朝貢記事의 檢討를 中心으로-」,『人文科學硏究所 論文集』11-2.
_____, 1985,「高句麗의 隋唐關係硏究 -靺鞨을 中心으로-」,『百濟硏究』16.
_____, 1987,「隋代 '遼東之役'의 정의에 關한 檢討」,『人文科學硏究所 論文集』14-1.
김수태, 1994,「통일기 신라의 고구려 유민지배」,『이기백선생고희기념 한국사학논총(상)』, 일조각.
金永萬, 1980,「廣開土王陵碑文辛卯年記事의 再檢討」,『歷史學報』82.
金瑛河, 1985,「高句麗의 巡狩制」,『歷史學報』106.
_____, 1995,「한국 고대사회의 정치구조」,『한국고대사연구』8.
_____, 1997,「高句麗의 發展과 戰爭」,『大東文化硏究』32.
_____, 2000a,「한국고대국가의 정치체제발전론」,『한국고대사연구』17.
_____, 2000b,「高句麗內紛의 국제적 배경」,『韓國史硏究』110.
金龍善, 1980,「高句麗琉璃王考」,『歷史學報』87.
金昌鎬, 1987,「중원고구려비의 재검토」,『韓國學報』47.
金哲俊, 1956,「高句麗·新羅의 官階組織의 成立過程」,『李丙燾博士華甲紀念論叢』.
김현숙, 1987,「廣開土王碑를 통해 본 高句麗 守墓人의 社會的 性格」, 경북대학교 석사학위논문.
_____, 1989,「廣開土王碑를 통해 본 高句麗 守墓人의 社會的 性格」,『韓國史硏究』65.
_____, 1992,「高句麗의 靺鞨支配에 관한 試論的 考察」,『韓國古代史硏究』6.
_____, 1993,「高句麗 初期 那部의 分化와 貴族의 姓氏」,『慶北史學』16.
_____, 1994,「高句麗의 解氏王과 高氏王」,『大丘史學』47.

_____, 1995, 「高句麗 前期 那部統治體制의 運營과 變化」, 『歷史敎育論集』 20.
_____, 1996, 「高句麗 地方統治體制 硏究」, 경북대학교 박사학위논문.
_____, 1997, 「高句麗 中·後期 地方統治體制의 發展過程」, 『韓國古代史硏究』 11.
_____, 1999a, 「6세기 고구려 集權體制 動搖의 一要因」, 『慶北史學』 22.
_____, 1999b, 「고구려왕의 對民觀의 변화와 그 의미」, 『大丘史學』 58.
_____, 1999c, 「廣開土王碑文의 守墓制와 守墓人」, 『廣開土王碑文의 新硏究』, 서라벌군사연구소.
_____, 2000, 「延邊地域의 長城을 통해 본 高句麗의 東夫餘支配」, 『國史館論叢』 88.
金希宣, 1999, 「高句麗 方位部의 成立과 機能」, 『典農史論』 5.
盧重國, 1979a, 「高句麗律令에 관한 一試論」, 『東方學志』 21.
_____, 1979b, 「高句麗 國相考」(上, 下), 『韓國學報』 16, 17.
_____, 1981, 「고구려·백제·신라 사이의 역관계 변화에 대한 일고찰」, 『동방학지』 28.
_____, 1985, 「高句麗對外關係史硏究의 現況과 課題」, 『東方學志』 49.
盧泰敦, 1975, 「三國時代'部'에 대한 연구」, 『韓國史論』 2.
_____, 1980b, 「高句麗遺民史硏究: 遼東·唐內地 및 突厥方面의 集團을 중심으로」, 『韓沽劢博士停年紀念私學論叢』, 知識産業社.
_____, 1981a, 「국가의 성립과 발전」, 『한국사연구입문』, 지식산업사.
_____, 1984a, 「5~6세기 東아시아의 國際情勢와 高句麗의 對外關係」, 『東方學志』 44.
_____, 1986, 「高句麗史硏究의 現況과 課題: 政治史 理論」, 『東方學志』 52.
_____, 1988, 「5세기 금석문에 보이는 고구려인의 천하관」, 『한국사론』 19.
_____, 1989a, 「高句麗·渤海人과 內陸아시아 주민과의 교섭에 관한 일고찰」, 『大東文化硏究』 23.
_____, 1993, 「朱蒙의 出自傳承과 桂婁部의 起源」, 『韓國古代史論叢』 5.
_____, 1994, 「高句麗의 初期 王系에 대한 一考察」, 『李基白고희기념논총』.
_____, 1996, 「5~7세기 고구려의 지방제도」, 『韓國古代史論叢』 8.
_____, 1998, 「고구려의 기원과 국내성 천도」, 『한반도와 중국 동북3성의 역사와

문화』, 서울대학교출판부.

_____, 2000, 「초기 고대국가의 국가구조와 정치운영」, 『한국고대사연구』 17.

리승혁, 1985, 「고구려의 막리지에 대하여」, 『력사과학』 1985-1.

_____, 1987, 「고구려의 주·군·현에 대하여」, 『력사과학』 1987-1.

문병우, 1988, 「고구려 군사제도의 특징」, 『력사과학』 1988-1.

文昌魯, 1990, 「三國時代 初期의 豪民」, 『歷史學報』 125.

朴京哲, 1988, 「高句麗軍事力量의 再檢討」, 『白山學報』 35.

_____, 1989, 「高句麗 軍事戰略 考察을 위한 一試論 -平壤遷都 以後 高句麗 軍事戰略의 指向點을 中心으로-」, 『史學研究』 40.

_____, 1996a, 「高句麗의 國家形成 연구」, 고려대학교 박사학위논문.

_____, 1997a, 「高句麗와 濊貊: 高句麗의 住民과 그 文化系統」, 『白山學報』 48.

_____, 1997b, 「B.C.1000年紀 後半 積石塚築造集團의 政治的 存在樣式」, 『韓國史研究』 98.

_____, 1998, 「'高句麗社會'의 發展과 政治的 統合 努力: 國家形成期 高句麗史 理解를 위한 前提」, 『韓國古代史研究』 14.

박성봉, 1980, 「高句麗의 南進發展에 關한 研究」, 경희대학교 박사학위논문.

_____, 1985, 「廣開土好太王期의 內政整備에 대하여」, 『千寬宇先生還曆紀念 韓國史學論叢』.

_____, 1996a, 「'廣開土好太王' 王號에 대하여」, 『重山鄭德基博士華甲記念韓國史學論叢』.

_____, 1996b, 「'廣開土好太王'王號와 世界觀」, 『廣開土好太王碑研究100年(下)』, 고구려연구회.

徐永大, 1981, 「高句麗 平壤遷都의 動機」, 『한국문화』 2.

_____, 1995, 「高句麗 貴族家門의 族祖傳承」, 『韓國古代史研究』 8.

_____, 1997, 「高句麗 王室 始祖神話의 類型」, 『東西文化論叢』 2.

徐榮洙, 1981, 「三國과 南北朝交涉의 性格」, 『東洋學』 11.

_____, 1982, 「廣開土王陵碑文의 정복기사 재검토(上)」, 『歷史學報』 96.

_____, 1988, 「廣開土王陵碑文의 征服記事의 再檢討(中)」, 『歷史學報』 119.

_____, 1996, 「신묘년기사의 변상과 원상」, 『고구려연구』 2.

손영종, 1984, 「고구려의 5부」, 『력사과학』 1984-4.
_____, 1985, 「중원고구려비에 대하여」, 『력사과학』 1985-2.
_____, 1986, 「광개토왕릉비를 통하여 본 고구려의 령역」, 『력사과학』 1986-2.
_____, 1989, 「고구려의 남도·북도와 환도성의 위치에 대하여」, 『력사과학』 1989-3·4.
_____, 1993, 「5~7세기 고구려의 서방과 북방 령역에 대하여(1)·(2)」, 『력사과학』 1993-1·2.
宋基豪, 1991, 「고구려사를 바라보는 또 하나의 시각」, 『한국고대사논총』 1.
_____, 1998, 「고구려 유민 高玄 墓誌銘」, 『서울大學校博物館年報』 10.
송호정, 1991, 「요동지역 청동기문화와 미송리형 토기에 관한 고찰」, 『한국사론』 24.
시노하라 히로카타, 2000, 「중원고구려비의 해독과 내용의 의의」, 『사총』 51.
申東河, 1988, 「高句麗의 寺院 造成과 그 意味」, 『韓國史論』 19.
_____, 1995, 「삼국사기 고구려본기 분주의 연구」, 『동대사학』 1.
_____, 1995, 「삼국사기 고구려본기의 인용자료에 관한 일고」, 『삼국사기의 원전 검토』, 한국정신문화연구원.
신채호, 1972, 「朝鮮上古史」, 『丹齋申采浩全集』 上.
신형식, 1997, 「고구려 천리장성 연구」, 『백산학보』 49.
梁起錫, 1983, 「4~5세기 고구려 왕자의 천하관에 대하여」, 『호서사학』 11.
여호규, 1992, 「고구려 초기 나부 통치 체제의 성립과 운영」, 『한국사론』 27.
_____, 1995a, 「3세기 고구려의 사회변동과 통치체제의 변화」, 『역사와현실』 15.
_____, 1995b, 「3세기 후반~4세기 전반 고구려의 교통로와 지방통치조직」, 『한국사연구』 91.
_____, 1996, 「고구려의 기원」, 『한국사』 5, 국사편찬위원회.
_____, 1997, 「1~4세기 고구려 政治體制 연구」, 서울대학교 박사학위논문.
_____, 1998, 「고구려 초기 제가회의와 국상」, 『한국고대사연구』 13.
_____, 1998, 「國內城期 高句麗의 軍事防禦體系」, 『한국군사사연구』 1.
_____, 1999, 「고구려 중기의 무기체계와 병종구성」, 『한국군사사연구』 2.
_____, 2000a, 「4세기 동아시아 국제질서와 고구려 대외관계의 변화」, 『역사와 현실』 36.

_____, 2000b, 「高句麗 千里長城의 經路와 築城背景」, 『國史館論叢』 91.
王光錫, 1989, 「高句麗의 年號」, 『溪村閔丙河教授停年紀念史學論叢』.
尹成龍, 1997, 「高句麗 貴族會議의 成立過程과 그 性格」, 『韓國古代史研究』 11.
이기동, 1999, 「北韓에서의 高句麗史 연구의 현단계」, 『東國史學』 33.
李基白, 1985, 「高句麗의 國家形成 문제」, 『한국 古代의 국가와 사회』, 일조각.
_____, 1997, 「韓國 古代의 祝祭와 裁判」, 『歷史學報』 154.
이내옥, 1983, 「淵蓋蘇文의 執權과 道教」, 『歷史學報』 99·100.
李道學, 1988, 「永樂 6년 廣開土王의 南征과 國原城」, 『孫寶基博士停年紀念韓國史學論叢』, 知識産業社.
_____, 1991, 「方位名 夫餘國의 성립에 관한 檢討」, 『白山學報』 38.
_____, 1992, 「高句麗 初期 王系의 복원을 위한 검토」, 『韓國學論集』 20.
이만열, 1984, 「조선 후기의 고구려사 연구」, 『東方學志』 43.
이문기, 2000a, 「高句麗 莫離支의 官制的 性格과 機能」, 『白山學報』 55.
_____, 2000b, 「高句麗 遺民 高足酉 墓誌의 檢討」, 『歷史教育論集』 26.
李丙燾, 1979, 「중원고구려비에 대하여」, 『史學志』 13.
李成制, 2000, 「嬰陽王 9年 高句麗의 遼西 攻擊」, 『震檀學報』 90.
이인철, 1996, 「4~5세기 高句麗의 南進經營과 重裝騎兵」, 『軍史』 33.
_____, 1997, 「4~5世紀 高句麗의 守墓制-廣開土大王碑의 守墓人烟戶條를 중심으로-」, 『淸溪史學』 13.
李在成, 2000, 「5~6世紀 '勿吉集團'의 成立·發展과 解體」, 『中國學報』 42.
李鍾旭, 1979, 「高句麗 初期의 左右輔와 國相」, 『全海宗華甲紀念論叢』.
_____, 1982a, 「高句麗 初期의 中央政府組織」, 『東方學志』 33.
_____, 1982b, 「고구려 초기의 지방통치제도」, 『역사학보』 94·95.
_____, 1987, 「고구려 초기의 정치적 성장과 대중국관계」, 『동아사의 비교연구』, 일조각.
李鍾泰, 1990, 「高句麗 太祖王系의 登場과 朱蒙國祖意識의 成立」, 『北岳史論』 2.
李賢惠, 1997, 「옥저의 사회와 문화」, 『한국사』 4, 국사편찬위원회.
李亨求, 1982, 「高句麗의 享堂制度研究」, 『東方學志』 32.
李昊榮, 1996, 「수·당과의 전쟁」, 『한국사』 5, 국사편찬위원회.

林起煥, 1987, 「高句麗 初期의 地方統治體制」, 『慶熙史學』 14.

_____, 1992, 「6·7세기 高句麗 政治勢力의 동향」, 『韓國古代史研究』 5.

_____, 1994, 「고구려와 수·당의 전쟁」, 『한국사』 2, 한길사.

_____, 1994, 「광개토왕비의 國烟과 看烟」, 『역사와 현실』 13.

_____, 1995a, 「高句麗 執權體制 成立過程의 硏究」, 경희대학교 박사학위논문.

_____, 1995b, 「고구려 초기 官階組織의 성립과 운영」, 『慶熙史學』 19.

_____, 1995c, 「4세기 고구려의 낙랑·대방지역 경영」, 『歷史學報』 147.

_____, 1996a, 「4세기 고구려의 낙랑·대방지역 경영」, 『역사학보』 147.

_____, 1996b, 「광개토왕릉비문에 보이는 '民'의 성격」, 『고구려연구』 2.

_____, 1996c, 「후기의 정세변동」, 『한국사』 5, 국사편찬위원회.

_____, 1998a, 「4~6세기 중국사서에 나타난 한국 고대사상」, 『韓國古代史研究』 14.

_____, 1998b, 「高句麗前期 山城 研究」, 『國史館論叢』 82.

_____, 1999, 「4~7세기 고구려 관등제의 전개와 신분제」, 『한국 고대의 관등제와 신분제』, 아카넷.

전대준, 1990, 「『삼국사기』와 광개토왕릉비문에 보이는 숙신의 정체」, 『력사과학』 1990-2.

田美嬉, 1994, 「淵蓋蘇文의 執權과 그 政權의 性格」, 『李基白先生古稀紀念 韓國史學論叢(上)』, 一潮閣.

田中俊明, 1999, 「성곽시설로 본 고구려의 방어체계」, 『고구려연구』 8.

田中俊明 지음, 서길수 옮김, 1996, 「高句麗의 北方進出과 「廣開土王碑文」-北方境域形成史에 있어서 廣開土王 時代-」, 『高句麗研究』 2.

鄭永振, 1990, 「연변지구의 고구려유적 및 몇개 문제에 대한 탐구」, 『韓國上古史學報』 4.

趙法鍾, 1995, 「廣開土王陵碑文에 나타난 守墓制研究 -守墓人의 編制와 性格을 중심으로-」, 『韓國古代史研究』 8.

조인성, 1988, 「광개토왕비를 통해 본 고구려의 수묘제」, 『한국사시민강좌』 3, 일조각.

_____, 1990, 「4, 5세기 高句麗 王室의 世系認識 변화」, 『韓國古代史研究』 4.

주보돈, 1990,「한국 고대국가 형성에 대한 연구사적 검토」,『한국 고대국가의 형성』, 민음사.

朱昇澤, 1993,「北方系 建國神話의 文獻的 再考察 -解夫婁神話의 구조를 중심으로-」,『韓國學報』70.

池炳穆, 1987,「高句麗 成立過程考」,『白山學報』34.

千寬宇, 1980,「廣開土王의 征服活動에 對하여」,『軍史』창간호.

_____, 1981,「廣開土王碑文 再論」,『全海宗博士華甲紀念史學論叢』.

崔鍾澤, 1999,「京畿北部地域의 高句麗 防禦體系」,『高句麗研究』8.

최창빈, 1990,「4세기말~5세기초 고구려의 국남7성과 국동6성에 대하여」,『력사과학』1990-3.

韓圭哲, 1988,「高句麗時代의 靺鞨研究」,『釜山史學』14·15.

한영화, 1999,「고구려 地母神 신앙과 母處制」,『사학연구』58·59.

黃約瑟, 1994,「隋나라의 高句麗에 대한 認識을 試論함」,『高句麗文化國際學術會論文集』, 해외한민족연구소.


康德文, 2000,『高句麗歷史與文化』, 吉林文史出版社.

耿鐵華, 1994,『好太王碑新考』, 吉林人民出版社.

耿鐵華·孫仁杰 編, 1993,『高句麗研究文集』, 延邊大學出版部.

吉林省社會科學院高句麗研究中心·通化師範學院高句麗研究所, 1999,『全國首屆高句麗學術研討會論文集』.

金毓黻, 1941,『東北通史』, 洪氏出版社.

譚其驤 主編, 1982,『中國歷史地圖集』5, 地圖出版社.

朴燦奎, 2000,『"三國志·高句麗傳"研究』, 吉林人民出版社.

范犁, 1993,『高句麗研究文集』, 延邊大學出版社.

傅斯年, 1932,『東北史綱(1)』, 商務印書館.

孫進己, 1987,『東北民族原流』, 黑龍江人民出版社.

_____, 1994,『東北民族史研究(一)』, 中洲古籍出版社.

孫進己·馮永謙, 1989,『東北歷史地理』1·2, 黑龍江人民出版社.

楊春吉·耿鐵華 主編, 1997,『高句麗歷史與文化研究』, 吉林文史出版社.

_____, 2000, 『高句麗歸屬問題研究』, 吉林文史出版社.

王健群, 1984, 『好太王碑研究』, 吉林人民出版社.

王綿厚, 1994, 『東北秦漢史』, 遼寧人民出版社.

王錦厚·李健才, 1990, 『東北古代交通』, 沈陽出版社.

_____, 1988, 『東北古代交通』, 瀋陽出版社.

劉健明, 1999, 『隋代政治與對外政策』, 文津出版社.

劉子敏, 1996, 『高句麗歷史研究』, 延邊大學出版社.

李德山, 1996, 『東北古代民族及東夷淵源關係考察』, 東北師大出版社.

張博泉, 1985, 『東北地方史稿』, 吉林大學出版社.

康德文, 1997, 「高句麗何以能同'南北朝'長期和平共處」, 『高句麗歷史與文化研究』, 吉林文史出版社.

姜孟山, 1983, 「試論高句麗族的源流及其早期國家」, 『朝鮮史研究』 1983-3.

_____, 1989, 「고구려족의 기원과 초기의 국가형태」, 『조선학 연구』 1, 연변대학출판사.

_____, 1999, 「高句麗史的歸屬問題」, 『東北民族與彊域研究動態』 1999-3.

姜守鵬, 1982, 「渤海隸屬于唐朝」, 『學習與探索』 1982-4.

姜維東, 1999, 「從夫余, 高句麗官制中的"加"看夫余玉文化與紅山文化的關係」, 『全國首屆高句麗學術研討會論文集』.

耿鐵華, 1986, 「高句麗起源和建國問題探索」, 『求是學刊』 1986-1.

_____, 1992, 「好太王碑辛卯年句考釋」, 『考古與文物』 1992-4.

耿鐵華·林至德, 1984, 「集安出土高句麗陶器的初步研究」, 『文物』 1984-1.

顧銘學, 1981, 「〈魏志·高句麗傳〉考釋(下)」, 『學術研究叢刊』 1981-2.

_____, 1983, 「「三國史記」與「舊三國史」和「東明王篇」」, 『朝鮮史研究』 1983-5.

高占一·杜宇, 1986, 「毌丘儉紀功碑發現始末」, 『博物館研究』 1986-1.

金岳, 1994, 「東北貊族源流研究」, 『遼海文物學刊』 1994-2.

羅繼祖, 1985, 「遼東公孫氏聯吳拒魏及其和高句麗的關係」, 『東北地方史研究』 1985-4.

那炎, 1999, 「高句麗是轄屬于中原王朝的少數民族地方政權」, 『東北民族與彊

域研究動態』1999-3.
勞幹, 1929, 「跋高句麗大兄冉牟墓誌兼高句麗都城之位置」, 『勞幹學術論文集』
　　甲編.
佟達, 1993, 「關於高句麗南北交通道」, 『博物館研究』1993-3.
藤紅岩, 1997, 「高句麗與倭的關係」, 『高句麗歷史與文化研究』, 吉林文史出版社.
孟古托力, 1993, 「隋王朝對邊疆遼海的經略」, 『中國邊疆史研究』1993-1.
木下礼仁, 1981, 「中原高句麗碑」, 『소헌남도영박사 화갑기념논총』.
박진석, 1981, 「試論廣開土王碑文的辛卯年記事」, 『朝鮮史通訊』1981-3.
＿＿＿, 1989, 「關于高句麗存在山上王與否的問題 – 與楊通方同志商榷」, 『世界
　　歷史』1989-2.
方起東, 1982, 「集安東臺子高句麗建築遺址的性質和年代」, 『東北考古與歷史』1,
　　文物出版社.
＿＿＿, 1986, 「千秋墓太王陵將軍墳主人的推定」, 『博物館研究』1986-2.
方起東·林至德, 1984, 「集安高句麗考古的新收穫」, 『文物』1984-1.
樊遠生, 1987, 「高句麗民族的探討」, 『博物館研究』1987-1.
徐家國, 1984, 「漢玄菟郡二遷址考略」, 『社會科學輯刊』1984-3.
徐貴通, 1996, 「中原王朝對高句麗諸王的冊封」, 『通化師院學報』1996-1.
徐德源, 1999, 「先秦到隋唐時期遼東地方歸屬問題考議」, 『東北民族與彊域究
　　動態』1999-3.
孫文範, 1999, 「高句麗遷都平壤芻議」, 『東北民族與彊域研究動態』1999-3.
孫玉良, 1985, 「公元5世紀前後高句麗的發展」, 『北方文物』1985-3.
孫玉良·李殿福, 1990, 「高句麗同中原王朝的關係」, 『博物館研究』1990-3.
孫祚民, 1986, 「論唐太宗的民族政策與民族關係史研究中的幾點意見分歧」,
　　『社會科學評論』1986-9.
孫進己, 1984, 「歷代東北民族的分布」, 『東北地方史研究』.
＿＿＿, 1994, 「關于高句麗歸屬問題的几個爭議焦點」, 『東北民族史研究』.
＿＿＿, 1995, 「高句麗的歸屬」, 『東北亞民族史論 研究』, 中州古籍出版社.
孫進己·艾生武, 1982, 「關於高句麗社會性質的幾個問題」, 『朝鮮史通訊』1982-4.
孫鐵山, 1998, 「唐李他仁墓志銘考釋」, 『遠望集(下)』, 陝西人民美術出版社.

孫泓, 1999, 「高句麗民族的形成,發展及消亡」, 『全國首屆高句麗學術研討會論文集』, 吉林省社會科學院高句麗研究中心通化師範學院高句麗研究所.

楊保隆, 1998, 「高句麗族族源與高句麗人流向」, 『民族研究』 1998-4.

楊昭全, 1993, 「論高句麗的歸屬」, 『韓國上古史學報』 13.

楊秀祖, 1996, 「隋煬帝征高句麗的幾個問題」, 『通化師院學報』 1996-1.

梁志龍, 1995, 「高句麗南北道新探」, 『社會科學戰線』 1995-1.

_____, 1996, 「高句麗名稱考釋」, 『遼海文物學刊』 1996-1.

楊春吉, 1996, 「高句麗史中的幾個問題」, 『通化師院學報』 1996-1.

楊通方, 1981, 「高句麗不存在山上王延优其人 -論朝鮮《三國史記》有關高句麗君主世襲問題」, 『世界歷史』 1981-3.

王健群, 1982, 「好太王碑乙未年紀事考釋」, 『博物館研究』 1982-1.

_____, 1983, 「好太王碑六年丙申八年戊戌條考釋」, 『學習與探索』 1983-4.

_____, 1985, 「好太王碑文中'倭'的實體」, 『博物館研究』 1985-3.

_____, 1987, 「高句麗族屬探源」, 『學習與探索』 1987-6.

王錦厚, 1986a, 「唐"營州至安東"陸路交通地理事實」, 『遼海文物學刊』 1986-1.

_____, 1986b, 「隋唐遼寧建置地理述考」, 『東北地方史研究』 1986-1.

_____, 1987, 「古代高句麗族稱探源」, 『遼海文物學刊』 1987-2.

_____, 1997, 「高句麗民族的起源及其考古學文化」, 『高句麗·渤海研究集成(一)』, 哈爾濱出版社.

王炳山·曹德全, 1999, 「高句麗始祖朱蒙姓"高"考析」, 『職大學報』 1999-3.

王仲殊, 1990, 「關于好太王碑文辛卯年條的釋讀」, 『考古』 1990-11.

_____, 1991, 「再論好太王碑文辛卯年條的釋讀」, 『考古』 1991-12.

王臻·金星月, 2000, 「高句麗'三貊說'」, 『延邊大學學報(社會科學版)』 33-2.

姚玉成, 2000, 「'別種'探微」, 『北方文物』 2000-1.

魏存成, 1997, 「夫餘·高句麗族源傳說考」, 『高句麗·渤海研究集成(一)』, 哈爾濱出版社.

劉炬·寧勇, 1999, 「論唐太宗東征高麗受挫之原因」, 『全國首屆高句麗學術研討會論文集』, 吉林社會科學院高句麗研究中心·通化師範學院高句麗研究所.

劉心銘, 2000, 「隋煬帝·唐太宗征高麗論略」, 『解放軍外國語學院學報』 2000-2.

劉永祥, 1988, 「朱蒙與東明-高句麗始祖問題探索-」, 『遼寧大學學報』1988-6.
劉永智, 1982, 「好太王碑辛卯年記事初探」, 『學術研究叢刊』1982-6.
_____, 1995, 「高句麗時期的中朝關係」, 『中朝關係史研究』, 中州古籍出版社.
劉子敏, 1995, 「高句麗與南北朝的關係」, 『中朝韓日關係史論叢1』, 延邊大學出版部.
劉子敏, 1996a, 「高句麗前期王系考辨」, 『高句麗歷史研究』, 延邊大學出版部.
_____, 1996b, 「古代高句麗同中原王朝的關係」, 『東疆學刊』13-3.
_____, 1999a, 「高句麗五部新探」, 『全國首屆高句麗學術研討會論文集』.
_____, 1999b, 「關于高句麗政權及其領域的歷史歸屬問題之我見」, 『全國首屆高句麗學術研討會論文集』, 吉林社會科學院高句麗研究中心·通化師範學院高句麗研究所.
_____, 1999c, 「走出高句麗歷史研究的誤區」, 『東北民族與彊域研究動態』1999-3.
劉厚生, 1999, 「高句麗是我國東北古代少數民族的地方政權」, 『東北民族與彊域研究動態』1999-3.
李建才, 1991, 「高句麗的都城和疆域」, 『中國邊疆史地研究報告』1991-1.
李德山, 1992, 「高句麗族稱及其族屬考辯」, 『社會科學戰線』1992-1.
李英·范犁, 1997, 「東明王史詩與高句麗傳說」, 『高句麗歷史與文化研究』, 吉林文史出版社.
李殿福, 1982, 「高句麗丸都山城」, 『文物』1982-6.
_____, 1986, 「兩漢時代的高句麗及其物質文化」, 『遼海文物學刊』1986-1(創刊號).
_____, 1992, 「高句麗易名高麗考」, 『韓國學報』11(臺北).
_____, 1993, 「高句麗民族的形成, 發展與解體」, 『中國古代北方民族史』, 黑龍江人民出版社.
李宗勛, 1995, 「高句麗族源流略考」, 『中朝韓日關係史研究論叢』, 延邊大學出版部.
張國慶, 1988, 「略論漢武帝對烏桓和對濊·東沃沮·高句麗的不同治理方法」, 『瀋陽師範學院學報』1988-3.

張碧波, 1999, 「高句麗文化淵源考」, 『全國首屆高句麗學術研討會 論文集』, 吉林社會科學院高句麗研究中心·通化師範學院高句麗研究所.

張甫白, 1996, 「高句麗五部與統一的民族和國家」, 『黑龍江社會科學』1996-1.

庄嚴, 1983, 「高句麗族源初探」, 『朝鮮史研究』1983-5.

張春霞, 1999, 「高句麗國家的形成發展滅亡」, 『全國首屆高句麗學術研討會論文集』, 吉林社會科學院高句麗研究中心·通化師範學院高句麗研究所.

曹德全, 1997, 「高句麗名稱辨疑」, 『高句麗渤海研究集成(一)』, 哈爾濱出版社.

趙曉剛·沈丹林, 2000, 「遼東郡及通定鎭考略」, 『東北地區三至十世紀古代文化學術討論會論文』.

朱旻暾, 1995, 「高句麗與日本的交往」, 『社會科學戰線』1995-5.

朱子方·孫國平, 1985, 「隋'韓曁墓誌'跋」, 『北方文物』1985-1.

曾憲姝, 1997, 「試評高句麗太祖王」, 『高句麗歷史與文化研究』, 吉林文史出版社.

陳大爲, 1995, 「遼寧高句麗山城再探」, 『北方文物』1995-3.

秦升陽, 1996, 「唐代對高句麗的政策及其演變」, 『通化師院學報』1996-1.

鐵兄, 1984, 「'毌丘儉'與'母丘儉'辨」, 『社會科學戰線』1984-2.

韓忠富, 1999, 「國內高句麗歸屬問題研究綜述」, 『全國首屆高句麗學術研討會論文集』, 吉林社會科學院高句麗研究中心·通化師範學院高句麗研究所.

解如智, 1989, 「試論隋唐時期的對高麗戰爭」, 『社會科學』27(蘭州).

許憲範, 1989, 「淺談唐代羈縻州與渤海政權的性質」, 『延邊大學學報』1989-4.

黃甲元·趙宏偉, 1996, 「高句麗長壽王高璉傳略」, 『通化師院學報』1996-1.

黃約瑟, 1997, 「武則天與朝鮮半島政局」, 劉健明 篇, 『黃約瑟隋唐史論集』, 中華書局.


高寬敏, 1996, 『"三國史記"原典的研究』, 雄山閣.

宮崎市定, 1987, 『隋の煬帝』, 中央公論社.

東潮, 1997, 『高句麗考古學研究』, 吉川弘文館.

末松保和, 1996, 『高句麗と朝鮮古代史』(末松保和 朝鮮史 著作集3), 吉川弘文館.

武田幸男, 1988, 『廣開土王碑原石拓本集成』, 東京大學出版會.

_____, 1989, 『高句麗史と東アジア-「廣開土王碑」研究序說-』, 岩波書店.

社會科學院 著, 高寬敏 日譯, 1985,『德興里高句麗壁畵古墳』, 朝鮮畵報社.
水谷悌二郎, 1977,『好太王碑』, 開明書館.
李成市, 1998,『古代東アジアの民族と國家』, 岩波書店.
田中俊明·東潮, 1995,『高句麗の歷史と遺跡』, 中央公論社.
田村晃一, 1990,『東北アジアの考古學』, 六興出版社.

菊池英夫, 1992,「隋朝の對高句麗戰爭の發端について」,『中央大學アジア史硏究』16.
鬼頭淸明, 1984,「高句麗の國家形成と東アジア」,『朝鮮史硏究會論文集』21.
金錫亨, 1974,「三國時代の良人農民」,『古代朝鮮の基本問題』, 學生社.
末松保和, 1965,「朝鮮三國·高麗の軍事組織」,『靑丘史草』1.
武田幸男, 1978,「高句麗官位制とその展開」,『朝鮮學報』86.
_____, 1979,「廣開土王陵碑からみた高句麗の領域支配」,『東洋文化硏究所紀要』78.
_____, 1980a,「六世紀における朝鮮三國の國家體制」,『東アジアにおける日本古代史講座(4)』, 學生社.
_____, 1980b,「朝鮮三國の國家形成」,『朝鮮史硏究會論文集』17.
_____, 1981,「牟頭婁一族と高句麗王權」,『朝鮮學報』99·100.
_____, 1989a,「德興里壁畵古墳被葬者の出自と經歷」,『朝鮮學報』130.
_____, 1989b,「高句麗'太王'の國際性」,『高句麗史と東アツア』, 岩波書店.
門田誠一, 1995,「瓦からみた高句麗の守墓制と領域支配」,『文化史學』4.
方起東, 1988,「千秋墓, 太王陵, 將軍塚」,『好太王碑と高句麗遺蹟』, 讀賣新聞社.
濱田耕策, 1974,「高句麗廣開土王陵碑文の硏究」,『朝鮮史硏究會論文集』11.
_____, 1982,「好太王碑文の一·二の問題」,『歷史公論』4.
_____, 1986,「高句麗廣開土王陵墓比定論の再檢討」,『朝鮮學報』119·120.
三崎良章, 1982,「北魏の對外政策と高句麗」,『朝鮮學報』102.
徐建新, 1994,「北京に現存する好太王碑原石拓本の調査と硏究」,『史學雜誌』103-12.
松原孝俊, 1992,「神話學から見た『廣開土王碑文』」,『朝鮮學報』145.

神崎勝, 1995, 「夫餘·高句麗の建國傳承と百濟王家の始祖傳承」, 『日本古代の傳承と東アジア』, 吉川弘文館.

李成市, 1984, 「'梁書'高句麗傳と東明王傳說」, 『中國正史の基礎的硏究』, 早稻田大學出版部.

李成市, 1989, 「高句麗の建國傳說と王權」, 『史觀』121.

_____, 1993, 「高句麗泉蓋蘇文の政變について」, 『朝鮮史研究會論文集』31.

_____, 1994, 「表象としての廣開土王碑文」, 『思想』842.

田中俊明, 1982, 「『三國史記』中國史書引用記事の再檢討」, 『朝鮮學報』104.

_____, 1994, 「高句麗の興起と玄菟郡」, 『朝鮮文化研究』1, 東京大學文學部朝鮮文化研究室.

井上直樹, 2000, 「高句麗の對北魏外交と朝鮮半島情勢」, 『朝鮮史研究會論文集』38.

鄭漢德, 1990, 「美松里型土器の生成」, 『東北アジアの考古學』, 天池.

川本芳昭, 1996, 「高句麗の五部と中國の'部'について一考察」, 『九州大學東洋史論集』24.

淺見直一郎, 1985, 「煬帝の第一次高句麗遠征軍-その規模と兵種」, 『東洋史研究』44-1.

韓昇, 1995, 「隋と高句麗の國際政治關係をめぐって」, 『堀敏一先生古稀記念中國古代の國家と民衆』, 汲古書院.

**4장**

# 2000년대 이후, 고구려사 연구의 비약적 성장과 심화

정호섭 | 고려대학교 한국사학과 교수

    2000년대 이후 한국사 분야의 연구는 그 이전 기간에 비해 비약적인 성장을 이루었다. 이러한 원인으로는 연구자와 전문학술지의 증가, 컴퓨터기기·디지털매체의 발달과 연구자료의 데이터베이스화, 계량적인 연구평가제도, 개별 연구자의 다작 경향, 한국연구재단 등 각급 기관의 대형 연구프로젝트, 정치·외교적 요인에 따른 한국사에 관한 관심 증대 등을 들고 있다. 이러한 상황은 고구려사도 마찬가지였다. 2000년 이후 고구려사 박사학위자 등 많은 연구자들이 새롭게 등장했고, 다양한 주제의 저서와 논문, 보고서 등이 다량으로 제출되었다. 이는 제한적이긴 하였지만 중국이나 북한 지역을 직접 조사 혹은 답사하는 것이 가능해졌고, 이후 중국의 동북공정에 대한 영향과 함께 한국과 중국 지역에서 새로운 고고 자료가 발굴되면서 연구가 활발해진 측면이 있다. 특히 집안고구려비 등과 같은 새로운 금석문 자료의 출현도 여기에 힘을 실었다.

2000년대 이후 고구려사 연구와 관련하여 한국, 북한, 중국, 일본 연구자들이 쓴 논문과 저서를 모두 합치면 3,000여 편에 달한다. 이러한 성과 전체를 대상으로 연구동향을 일일이 거론하는 것은 매우 광범위하여 그 대강만을 언급할 수밖에 없을 것이고, 관련 연구를 일일이 거론할 수도 없는 제한성이 있다.

21세기에 들어서서 2003년 중국의 동북공정과 관련한 연구가 많이 나타나 한중 학계를 중심으로 고구려사 인식 논쟁이 진행되었고, 고고학 발굴이나 발견을 통한 새로운 자료의 출현과 관련한 연구 및 기존 자료에 대한 재검토가 두드러지고 있다. 연구자가 늘어감에 따라 연구가 한층 심화되고 주제가 다각화되고 있으며, 기존 연구와 다른 관점의 연구도 제시되었다. 핵심 주제별로 나누어 연구동향을 살펴보면 최근 20여 년간 진행된 고구려사 연구의 사학사적인 의미와 향후 연구의 방향성을 모색해 볼 수 있을 것이다.

# 1. 사료 연구

### 1) 문헌사료

고구려사 연구에 있어서 가장 핵심적인 사료는 『삼국사기』와 『삼국유사』라는 국내 사료일 것이다. 이 외에도 중국 정사를 비롯한 중국 측 사료, 『일본서기』를 비롯한 일본 측 사료, 조선 이후의 고구려 관련 사료 등이 있다. 이 가운데 2000년 이후 『삼국사기』에 관해서는 원전 연구가 이루어졌다. 『삼국사기』 전거에 관한 연구(이강래, 1996) 이후 고구려본기의 전거자료나 원전자료에 대한 계통과 성격을 밝히는 작업이 지속되었다(임기환, 2006; 정호섭, 2011; 전덕재, 2016). 한편 대외관계 기사에 대한 분석도 이루어졌다(임기환, 2007). 아울러 『삼국유사』에 대한 역주작업이 이루어져 일련의 성과가 간행되기도 하였다(강인구 외, 2002; 하정룡, 2003; 최광식·박대재, 2014). 이와 함께 『제왕운기』에 대한 연구(신종원 외, 2019)가 이루어지기도 하였다. 중국 측 연구자들도 기존의 동향과는 다르게 『삼국사기』나 『삼국유사』 연구(李大龍, 2013; 孫文範, 2003)를 진행하기도 하였다.

중국 측 자료에 대해서는 중국 정사 동이전 교감과 중국 정사 외국전 역주라는 방대한 작업이 동북아역사재단 중심으로 이루어졌다(동북아역사재단, 2018). 또한 중국 당 고종 현경 5년 이전에 장초금(張楚金)이 저술하고, 송대에 옹공예(雍公叡)가 주석을 붙인 유서(類書)인 『한원(翰苑)』에 대한 역주도 이루어졌다(동북아역사재단, 2018). 『한원』은 번이부(蕃夷部) 1권만이 일본 후쿠오카시 다자이후(太宰府) 덴만구(天滿宮)에 필사본이 전하고 있는바, 여기에 고구려와 관련한 내용이 있다. 중국 측 연구자들도 중국 정사 고구려전에 대한 연구(朴燦奎, 2000; 劉子敏·苗威, 2006; 姜維東·鄭春穎·高娜, 2006; 鄭春穎·姜維東, 2014; 張芳, 2015)를 비롯하여 『한원』 고려기(高麗記)에 대한 연구(高福順·姜維公·戚暢, 2003)를 진행하기도 하였다.

일본 측 사료에 대해서는 『일본서기』 한국 관련 기사에 대한 연구(김현구 외, 2002), 『일본서기』에 대한 역주(연민수 외, 2013)와 헤이안시대 초기인 815년에 편찬된 일본 고대 씨족의 일람서로 도래인계 고려에

41씨족이 포함되어 있는 『신찬성씨록』에 대한 번역(연민수, 2020) 등이 이루어졌다. 이 외에도 고구려 관련 문헌사료에 대한 분석의 하나로 청 건륭제의 칙명을 받아 1778년에 완성된 『만주원류고』에 대한 분석이 이루어졌다(박찬흥, 2018; 이정빈, 2018; 정호섭, 2018; 조영광; 2018). 이러한 연구들은 역사 연구의 가장 기본이 되는 사료에 대해 재검토하여 보다 명확하고 참고가 되는 기초적 자료와 정보를 제공한다는 측면에서 의미 있다.

## 2) 금석문 자료

고구려 금석문을 비롯한 문자자료에 대해서는 이 책 7장에서 정리하는 관계로 여기서는 주요 금석문에 대한 자세한 연구내용의 소개보다는 대체적인 경향에 대해 언급하는 것으로 한다. 고구려 당대에 건립된 비인 광개토왕비, 집안고구려비, 충주고구려비는 고구려사 연구에 있어서 핵심적인 사료라 할 것이다. 비문이 4~5세기 무렵 고구려 전성기의 자료라는 점에서도 고구려 사회를 이해하는 데 있어 더욱 중요하다. 이 밖에도 안악3호분 묵서명, 덕흥리고분 묵서명, 모두루묘지명 등의 묵서명과 고분 벽면의 단편적 묵서명, 서봉총 은합명이나 광개토왕 호우명 등 신라 지역에서 확인되는 명문자료, 금동연가7년명여래입상을 비롯한 불상의 명문, 평양성 석각명, 기와나 벽돌, 토기 등에서 확인되는 명문, 중국에서 발견되는 고구려 유민의 묘지명 등 다수의 고구려 관련 금석문 내지 묵서명 등이 있다. 또, 고구려에서 기록한 것은 아니지만 관구검기공비나 돌궐비에 고구려 관련 기록이 남아 있기도 하다.

19세기 말경에 발견된 광개토왕비와 관련해서는 현재까지 1,000여 편에 이르는 연구성과가 한중일을 중심으로 발표되었고, 집안고구려비나 충주고구려비에 대한 연구도 각각 수십 편에 달하고 있다. 이렇게 많은 연구성과가 제시된 것은 비문에 대한 논란도 많다는 사실을 보여준다. 광개토왕비에 대해서는 비의 발견 연대와 형태, 비의 탁본, 비문의 판독과 해석, 비의 위치와 성격, 비문의 내용에 대한 이해(초기 왕계, 건국신화, 신묘년조의 해석, 고대 한일 관계, 백제를 위시한 정복전쟁) 등 다양한 문제에 대해 이견이 있는 상태이다. 2000년대 이후의 연구도 이러한 문제에 대해 보다 세부적이고 정밀하게 방향을 잡고 연구가 진행된 측면이 있다. 특히 근래에 비의 가장 기초적인 형태나 위치, 텍스트 구성, 판독 등에 대한 미시적인 연구가 진행되고 있어서 광개토왕비의 이해에 대한 보다 면밀한 검토가 이루어지고 있다.

2012년 7월 29일 집안시 마선향 마선촌에 있는 마선하 강가에서 발견된 집안고구려비는 후한시기 유행한 삼각형 규형비(圭形碑)로 총 218자로 구성되었다. 비의 상단 우측 부분이 손상을 입어 9자가 결실되어 있는 상황이다. 후면은 글자가 있었으나 마모가 심한 것으로 보고되었고, 인위적인 훼손 가능성까지 제기되고 있기도 하다. 비가 공개되면서 그동안 비에 대한 학계 차원의 논의는 한국고대사학회에서 비공개 검토회의가 있었고, 고구려발해학회에서 예비적 검토가 뒤따랐으며, 판독회도 개최된 바 있다. 이후 중국 측의 공식 보고서도 간행되었다. 집안고구려비는 앞면이 10행으로 구성되어 있고, 뒷면은 거의 판독이 불가능하다. 집안고구려비의 앞면 1~2행은 고구려의 건국과 왕위계승, 3~10행은 왕릉 수묘 관련 사항 등을 기술하고 있어서 내용을 크게 두 부분으로 나누어볼 수 있다. 집안고구려비는 광개토왕비와 내용상 유사한 부분이 많은 관계로 두 비의 관련성에 대한 이해가 필요하다. 집안고구려비와 관련해서도 비의 제작연대, 판독과 해석 문제, 수묘제를 비롯한 비문 내용에 대한 이해, 비의 위치와 성격, 광개토왕비와의 관련성 등에 대해 이견이 있다.

한편, 집안고구려비의 발견으로 광개토왕비에 기재된 내용과 비교하여 고구려 수묘제에 대한 연구가 더욱 심화되기도 하였다. 왕릉 수묘제와 관련한 연구는 고구려의 대민지배나 율령 관련 내용도 상관 있기 때문에 많은 주목을 받았다. 특히 집안고구려비의 발견은 고구려 수묘제 연구에 활기를 불어넣었는데, 기존의 문헌사료나 금석문에 보이지 않던 새로운 내용이 확인되었다. 고구려 수묘제의 시행과 관련한 내용이나 수묘제를 수복하기 위해 묘상입비(墓上立碑)와 수묘연호 매매금지를 시행한 사실 등과 함께 원왕(元王), 연호두(烟戶頭) 등의 새로운 용어도 확인되었다. 이에 고구려 건국설화, 수묘제의 전개 양상, 율령제의 성격 등에 대한 연구가 많은 관심을 받고 있지만, 비문의 판독이나 건립시기 등을 둘러싸고 이견이 있다.

비의 성격과 관련해서는 광개토왕비의 '묘상입비'를 가리키는 특정 왕릉의 수묘비설(耿鐵華, 2013; 공석구, 2013; 여호규, 2013; 조법종, 2015 등)과 특정 왕릉의 '묘상입비'가 아니라 특수한 목적의 비라는 설(孫仁杰, 2013; 張福有, 2013; 정호섭, 2013; 이성제, 2013; 조우연, 2013; 김현숙, 2013; 임기환, 2014 등)이 대별된다. 수묘비설은 광개토왕 대에 세워진 선대 왕릉의 묘상입비 가운데 하나가 집안고구려비라는 것이다. 광개토왕비의 묘상입비에 관한 구절이 동일하게 나온다는 사실에 주목하고 있다. 이럴 경우에는 광개토왕이 세운 몇 개의 '묘상입비'인 비석이 앞면의 내용은 동일하고, 뒷면에 연호두의 이름을 다르게 적었다는 정황적 설명이 가능하다. 그런데 연호두도 결국 신래한예와 같은 포로집단이면서 고구려로 편입되어 수묘역에 차출된 민(民)인데, 그러한 개별 민으로 구성된 연호의 호주 이름을 비석에 각각 기재하였다는 것이 고대 사회에서 가능할 수 있는지에 대한 의문이 제기될 수 있다. 현재까지 삼국시대 비석 가운데 일반 민의 이름이 기재된 금석문은 발견된 바가 없다. 이에 반해 특정한 목적을 가진 비라는 설은 비문에 특정 왕릉과 연관시킬 만한 표현이 없고, 수묘제와 관련한 일반 법령을 기술하고 있으며, 비석의 발견 위치가 특정 왕릉과 곧바로 연결시켜 이해하기 어려운 점을 들고 있다. 이에 특정 왕릉에 세워진 것이 아니라, 여러 왕릉의 수묘제와 관련한 교령비, 율령비, 정율비, 수묘제 선포비, 수묘인 매매금지에 관한 고계비나 경고비 등으로 이해하고 있다.

고구려가 세운 석비는 광개토왕릉비와 충주고구려비 등이 전부라 할 만큼 매우 드문 상황에서 새롭게 발견된 집안고구려비는 고구려사 연구의 지평을 넓혀줄 수 있는 새로운 자료라고 할 수 있다. 특히 고구려 수묘제 운용과 관련하여 광개토왕릉비와 집안고구려비의 비교 검토를 통해 그 실제에 보다 가까이 다가갈 필요가 있다. 두 비의 비교를 통해 고구려 수묘제의 운영과 아울러 대민지배방식 등 고구려 사회사를 구명할 필요성이 있는 것이다. 향후 수묘제와 관련한 또 다른 비가 발견된다면, 보다 명확한 이해가 가능할 것으로 전망한다.

한반도에 남아 있는 유일한 고구려 석비인 충주고구려비는 과거 '중원고구려비'라는 이름으로 더 많이 알려져 있는 비이다. 이 비는 1979년 4월 충청북도 중원군 가금면 용전리 입석마을에서 발견되었다. 충주고구려비와 관련해서도 비의 제작시기와 건립시기, 비의 판독과 해석, 비문 내용에 대한 이해, 비의 성격 등에 관해 이견이 많다. 2000년대 초 고구려연구회 주도로 비의 판독작업이 있었고(고구려연구회, 2000), 여러 논의가 새로 이루어진 바 있다. 최근 한국고대사학회와 동북아역사재단이 공동으로 과학적 장비를 통한 새로운 기법의 판독작업을 실시하였는데(동북아역사재단, 2020), 제액의 문제와 판독 등 여전히 이견이 많은 상태다.

안악3호분, 덕흥리고분 묵서명, 모두루묘지 등을 토대로 한 연구(耿鐵華, 2000; 공석구, 2007; 임기환, 2007; 여호규, 2010; 정호섭, 2010; 이동훈, 2010; 안정준, 2013; 이준성, 2020 등)도 지속적으로 이루어졌다. 성이나 고분 등 유적에서 출토된 단편적인 명문자료에 대한 연구도 진행되었다(임기환, 2007; 심광주, 2009; 여호규, 2010; 고광의, 2021; 2022 등).

근래 중국 서안과 낙양 등지에서 새롭게 확인되는 고구려 유민묘지명이 다수 소개되어 이에 관한 연구가 집중적으로 이루어지기도 하였다. 유민묘지명과 유민에 대한 연구는 고구려사에 대한 이해를 증진시킨 측면이 있다. 아울러 유민묘지명을 역주한 성과가 제시되기도 하였다(신종원 외, 2015; 권덕영, 2021). 최근까지 확인된 묘지가 있는 고구려 유민은 고요묘, 고제석, 이타인, 천남생, 고영숙, 천헌성, 고모, 고족유, 고질, 고자, 고을덕, 천남산, 고연복, 천비, 고목로, 이인회, 왕경요, 고흠덕, 고원망, 두선부, 고덕, 유원정, 고씨 부인, 고진, 남단덕, 여항군 태부인 천씨 등이 있다. 이 외에도 고구려 유민 여부가 논란인 묘지명이 몇 개 더 있어 향후에도 고구려 유민묘지명은 더 발견될 가능성이 높다.

대체로 묘지명 연구의 방향은 당에서의 행적을 밝히거나 고구려 유민들의 출자의식을 비롯한 정체성 연구로 집중된 경향이 강하다. 발견된 묘지명을 소개하면서 유민의 동향을 설명하거나 묘지명에서 나타나는 단서를 토대로 고구려사와 연관지어 설명하는 연구성과도 중국과 한국 학계에서 수십 편이 제시되었다. 또한 당에 거주하는 고구려 유민의 삶과 출자 및 정체성 등을 다룬 연구와 이주사나 디아스포라로 이해하는 연구도 나왔다(김현숙, 2004; 苗威, 2011; 拜根興, 2012; 이성제, 2014; 여호규·拜根興, 2017; 김수진, 2017; 정호섭, 2017; 이동훈, 2018; 우에다 기헤이나리치카, 2019). 유민 1세대나 2세대의 경우 고구려에서 삶을 영위한 바 있기 때문에 고구려사와 연관되는 것을 부정할 수 없지만, 후속세대의 역사가 과연 고구려사의 범주인지는 연구자마다 견해가 다를 수 있다. 최근 유민사 이해에 관한 기존의 민족주의적 해석에 대해 비판적 시각에서 유민들의 상장례를 통해 접근한 연구(정호섭, 2021)도 제시되었다. 고구려 유민사가 한국사와 관련하여 어떠한 의미를 가지는지에 대해 성찰이 필요한 시점이다.

## 2. 정치사 연구

### 1) 국가 형성과 초기 정치사

고구려의 국가 형성 및 그 발전 과정이나 지배체제를 이해하는 과정은 초기 정치사 연구의 핵심이기도 하였다. 고구려 초기 정치체제에 대한 견해는 소위 '부체제론'와 '조기집권체제론'으로 이해되어 왔다. 양자는 계루부 왕권의 집권력과 나부의 자치권을 둘러싸고 견해차를 보였지만, 고구려 초기 정치사에 대한 이해의 폭을 크게 확장시켰다고 할 수 있다. 부체제론은 나부를 자치권을 지닌 단위정치체로 파악하고 왕권과 함께 중요한 정치운영의 주체로 상정하고 있고(노태돈, 2000; 여호규, 2000; 임기환, 2003; 김현숙, 2007; 조영광, 2012), 조기집권체제론은 조기부터 왕권강화와 집권화를 강조하고 나부를 정치운영의 주체로 이해하지 않는다(박경철, 2002; 금경숙, 2004; 이종욱, 2008).

이에 따라 초기 정치체제의 구조와 운영도 서로 다르게 이해하는데, 나부체제론은 왕의 집권력과 나부의 자치권을 조화시키는 방향으로 정치체제가 성립하였고, 제가회의가 중요한 기구라고 이해하고 있다. 조기집권체제론은 왕권을 중심으로 하여 행정적, 관료적 기구가 이른 시기부터 정비된 것으로 보면서 군신회의를 중요한 기구로 보고 있다. 이러한 차이에도 불구하고 나부체제론과 조기집권체제론은 계루부 왕권이 점차 강화되어가면서 왕권을 중심으로 집권화로 나아갔다는 점은 동일하게 인정하고 있다. 한편 국가 구조와 정치체제에 대한 연구가 서로 분리할 수 있는 성격의 것이 아니라서 양자를 상호 유기적인 연관하에서 고찰할 때 비로소 고구려사의 윤곽이 파악될 수 있다는 지적도 있었다(노태돈, 2000).

이러한 부체제론과 집권체제론은 모두 나름의 약점을 지니고 있는데, 이들 논의의 문제점은 비교적 명확하게 제시된 바 있다. 집권체제론은 나부의 자치권을 인정하지 않음으로써 중기 이후의 중앙집권체제와 뚜렷이 구별되는 초기 정치체제의 고유한 특징과 운영원리를 간과하게 되었다는 것이고, 부체제론은 나부의 자치권과 정치운영상의 연맹체적 특성을 강조함으로써 국가 성립 이전의 집단 간 통합원리와 초기 정치체제를 명확하게 구분하지 못하였다는 것이다(여호규, 2014). 또한 부체제론은 국가발전단계와 정치체제발전단계의 서로 다른 층위를 구분하지 않았다는 비판도 나왔다(김영하, 2000; 2012).

고구려 초기의 정치체제 이해와 관련하여 관등제의 구성과 운영, 왕권의 위상 변화와 회의체 변천, 좌·우보나 국상 등에 대한 이해도 함께 이루어져 왔다. 고구려의 성립과 당시 사회 구성을 살피는 것은 국가 형성과 정치체제를 이해하는 데 있어 중요한데, 부체제론은 이러한 문제를 이해하는 틀로 제시된 이후 지속적으로 보강된 측면이 있고, 부체제론을 바라보는 시각도 논자마다 조금씩 차이가 있다. 그러나 나부가 고구려 초기사에서 핵심적인 요소임에도 불구하고 어떠한 역사적 요인으로 등장하게 됐는지, 구성과 영역은 어떠했는지에 대해서는 불명확하다. 나부의 등장 배경이나 성격에 대한 구체적인 해명이 이루어져야만 나부체제의 대한 이해가 가능할 것으로 보인다.

고구려 초기의 국가 형성, 건국설화와 종족 기원, 정치체제의 구조와 변동, 정치집단, 관등제 등에 관한 연구도 이어졌다(여호규, 2005; 김현숙, 2007; 조영광, 2012; 김종은, 2015; 이준성, 2019; 장병진, 2019; 김성현, 2021; 이규호, 2021). 이러한 연구는 국가 형성과 지배체제나 정치체제의 변동을 보다 다각화한 입장에서 연구되었고, 세부적으로는 나부의 위치 제시 등 새로운 문제에 기반하여 논의가 진전되었다. 부체제 등과 관련한 기존 논의는 더욱 확장되었고, 부체제론이나 집권체제론을 벗어나 사료 계통성에 관한 모색을 통해 바라보고자 하는 시도도 있었다. 그러나 여전히 기존 논의의 틀을 크게 벗어나지는 못한 한계도 있어 보다 세부적인 모색과 구체적인 논증이 있어야 할 듯하다.

한편, 고구려 초기의 왕계는 문헌기록과 금석문기록 등을 통해 검토되었지만, 그 계보와 성립시기 등에 대해 이견이 있다(노태돈, 2000; 김기흥, 2005; 여호규, 2010; 임기환, 2016; 임기환, 2022). 『삼국지』 고구려전에 소노부에서 계루부로 왕실이 교대되었음을 기록하고 있는데, 『삼국사기』 고구려본기 등에 전하는 고구려 왕계에도 이러한 왕실 교체가 반영되어 있느냐에 관심을 두었다. 고구려본기에 전하는 고구려 왕계는 시조 이래 혈연적으로 단일 계보로 기술되었지만, 이는 의심스러운 면이 있고 왕실의 성씨가 해씨(解氏)와 고씨(高氏)로 다르게 나타나고 있다.

종래 이는 혈통적으로 다른 두 왕계가 교체되었을 가능성을 두고 태조대왕의 등장을 왕실이 교체된 결과로 보기도 하였고, 계루부 왕실 내부에서 방계로 왕위계승이 바뀐 것으로 보기도 하였다. 아울러 태조대왕-차대왕-신대왕으로 이어지는 왕계는 형제계승으로 되어 있지만, 이들의 나이, 재위년 등을 보면 상식적으로 납득하기 어려운 점이 있다. 또한 중국 사서에 세 왕이 부자 관계로 기록되어 있어서 고구려본기와는 차이가 있다. 아울러 광개토왕비문에 추모왕-유류왕-대주류왕 3명의 왕을 언급하고 광개토왕을 17세손이라고 기록하였는데, 17세손에 대한 해석에 따라 왕계의 구성과 복원이 달라질 수 있다. 그래서 누락된 왕의 존재를 상정하거나 혈연관계 및 재위기간이나 생몰년을 조정하기도 하였으나, 이러한 왕계 복원 방향은 적절하지 않다.

고구려 초기 왕계의 복원 문제는 여러 자료가 서로 다른 내용을 전하고 있어서 왕계의 구성이나 성립과 관련해서 제기되는 여러 문제가 복잡하게 얽혀 있으므로 합리적 해석이 필요하다.

### 2) 후기 정치사

고구려 후기 정치사는 안장왕 대부터 이어지는 정국의 혼란과 귀족연립체제에서의 정국운영에 대한 다양한 의견이 개진되고 있다. 특히 후기 정치사를 국내계 귀족주변세력과 평양계 신흥 귀족세력의 대결구도를 설정하고 있다(임기환, 2004). 안장왕 대의 고구려 정국은 내부의 불안 요소, 백제와의 대립, 물길과의 대치 상황이 고구려 내부에 불안한 기류를 형성하는 요인이 되었다(김진한, 2010). 이러한 상황에서 안장왕이 졸본에 이르러 시조묘에 친사하고 구휼을 병행하는 일련의 수습책이 주목되었다. 안장왕의 시조묘 친사를 즉위의례적 성격과 순행의 목적이 반영된 것으로 보는 견해(최광식, 2007)를 넘어, 평양 천도 이후 중앙정계에서 세력기반이 위축되어 상당한 불만을 품었던 국내계 세력과 정치적 타협을 모색했을 가능성을 지적하기도 하였다(임기환, 2004; 정원주, 2013; 최일례, 2015). 또한 강성해진 귀족세력에 비해 상대적으로 위축된 왕권의 열세를 만회하기 위한 정치적 노력의 일환으로 보는 견해(조영광, 2008), 대외정책의 기조 변화를 정당화하고 이를 대내외에 선언하기 위한 의도로 이해하기도 한다(강진원, 2018).

안장왕 대 정치세력의 동향과 관련해서는 대외정책의 전개 과정과 맞물려 검토가 이루어졌다. 안장왕과 한씨녀 이야기를 통해, 한씨녀와 연관된 인사들의 수도 5부 편입은 귀족 간 갈등이나 불만을 야기하는 요소가 되었고, 안장왕의 피살과 귀족들 사이의 분쟁으로 이어졌다고 추정하였다(노태돈, 1986). 이후 연구들은 이러한 견해를 받아들여 안장왕 대의 정국을 새로운 정치세력의 유입 및 기존세력과의 갈등 구도 속에서 이해하고 있다.

안장왕의 뒤를 이은 안원왕의 즉위를 둘러싸고는 사서마다 다른 기록이 전하고 있다. 대체로 『일본서기』 계체기25년 12월조에서는 안장왕이 시해되었다는 사실을 인정하는 바탕 위에서 안장왕의 피살이 국내계 귀족세력의 동향, 한씨녀 계통 인사들의 중앙 진출과 관련이 있으며, 기존에 억압받았던 대상들과 그에 연계된 정치세력, 그 후손들이 안장왕 시해사건에 관련되었을 것으로 추정하였다(노태돈, 1986; 임기환, 1992; 김현숙, 1999).

2000년대 이후에는 여기서 좀 더 나아가 안장왕의 왕권 회복 노력에 대한 낙랑·대방계 귀족들의 위기감에서 비롯된 시해로 보거나, 후계구도와 관련해 안원왕이 먼저 안장왕을 시해한 것으로 이해하기도 하며, 안장왕이 약화된 왕권을 일신하기 위해 적극적인 대외정책을 펼치는 과정에서 자신의 정책을 지지해 줄 세력을 규합하고 새로운 지지층을 확보하여 정계개편을 시도하다가 시해된 것으로 보는 견해도 있다(이도학, 2006; 조영광, 2008; 김진한, 2009). 『일본서기』에는 안원왕 대 정치세력으로 추군과 세군이 등장하기 때문에 두 세력의 대립에 대한 관심이 이어졌다(김현숙, 1999; 임기환, 2004; 남무희, 2007; 최일례, 2015; 이동훈, 2016; 최호원, 2020).

영류왕 대 고구려 정국에 대해서는 대외정책과 관련지어 영류왕과 연개소문의 대립축을 중심으로 논의를 해온 이후, 많은 연구자들이 양자의 대립축을 토대로 정국을 분석하였다. 보장왕 대의 정국운영과 관련해서도 연개소문 정변과 정치권력의 구조에 관심을 두고 논의가 진행되었다. 영류왕과 연개소문 간의 대립 원인에 대해서는 사료상 구체적으로 확인할 수 없다. 대체로 왕권을 강화하려던 왕의 의도에 연개소문이 장애가 되었거나, 대당외교정책에서 온건론을 중시하였던 영류왕이 강경론자였던 연개소문과 외교노선에서 차이가 있었을 것으로 이해하고 있다. 특히 정국 운영의 주도권을 가진 막리지의 성격을 둘러싼 논쟁이 이어졌다. 막리지는 연개소문 정변 이후 관등과 관직적 성격을 동시에 지닌 관제로 국왕의 근시업무를 담당하는 중리태대형(中裏太大兄)이라고 이해하였다(이문기, 2003).

한편 연개소문 정변 이후 대대로-막리지 중심의 정치운영체계에 기초하는 귀족연립정권의 기반이 무너지고, 대신 태대대로·태막리지 등의 집권적 관직을 신설하고 자신의 아들들을 요직에 등용하는 등 사적 권력을 강화해 나간 것으로 파악하기도 하였다(임기환, 1992). 이와 함께 고구려 후기의 중리관제(中裏官制)에 주목하여 그 구조와 운영에 대한 연구를 함께 진행하기도 하였다(이문기, 2003; 여호규, 2016; 이성제, 2016; 이규호, 2022). 기존에는 중리계(中裏系) 관등을 국왕의 측근세력이나 국왕 근시직으로 파악하는 경향이 강하였지만(이문기, 2003), 기본적으로 관등의 일종이므로 관등제의 운영과 연관시켜 이해하였다(여호규, 2016).

## 3. 지방통치와 관방체계 연구

### 1) 지방통치

고구려 왕의 집권력이 강화되면서 중앙과 지방의 성격이 갖추어지게 되었다. 나부체제기에는 강력한 왕권을 바탕으로 한 일원적 지방행정조직이 완비되지는 않았고, 공납을 통한 간접지배의 형태도 존재하였다. 왕권이 강화되면서 성(城), 곡(谷), 촌(村)을 중심으로 한 행정구역이 재편되어 나갔다. 성을 방어와 통치의 거점으로 삼아 활용하였고, 지방관을 파견하기도 하였다. 3세기 말에 보이는 태수, 재 등은 고구려가 성과 곡 등의 중요한 거점에 파견하였던 지방관으로 볼 수 있다. 4세기가 되면 광역 지방관으로 보이는 수사도 나타난다. 왕권을 중심으로 하여 직접적인 지배를 실현하는 방향으로 나아간 것으로 이해된다.

고구려 중기와 후기의 지방통치에 관한 연구는 1990년대 이후 본격화되었고, 2000년 이후에도 연구가 심화된 측면이 있다. 관련된 문헌 기록이 매우 적은 상황에서 중국의 고구려 유적 답사를 통해 산성 연구가 많이 이루어졌고, 이에 따른 성의 분포 양상 등을 통해 지방통치의 일면을 살펴볼 수 있게 되었다. 성을 중심으로 중앙에서 파견된 지방관이 거점지배를 하거나 나아가 영역지배 내지는 권역지배로 발전하였다고 이해하고 있으나, 문헌과 금석문이 적은 상황에서 관련된 사료의 정합성 문제로 인해 이견도 큰 상황이다.

중기 고구려의 지방지배에 대해서는 『삼국사기』 고구려본기의 태수, 재나 금석문에 나오는 수사 등의 성격과 상호관계, 역할에 따라 지방통치의 구조를 달리 이해하고 있다. 이 외에도 지방통치의 단계별 발전 과정, 낙랑과 대방 지역에 대한 지배, 군현제 실시 여부, 옥저와 동예, 말갈 등에 대한 지배방식 등에 관심을 가지고 연구가 진행되고 있다. 특히 낙랑과 대방 지역의 지배에 대한 연구가 심화되어 이루어졌다(공석구, 1998; 임기환, 2004; 여호규, 2009; 안정준, 2016; 이동훈, 2016). 고구려가 낙랑군과 대방군 고지를 장악한 이후 이 지역에 대한 행정력을 수반한 직접지배방식은 취하지 않은 것으로 보인다. 고구려는 이 지역의 특수성을 감안하여 지역의 토착세력 또는 망명인을 배치하여 간접지배하는 방식을 취했던 것으로 이해되고 있다. 5세기 덕흥리고분 단계에 가서야 비로소 좀 더 직접적인 지배의 양상을 살펴볼 수 있다.

지방통치제도로서 군현제 혹은 주현제와 관련해서는 5세기 이후 실시 여부를 두고 논란이 있다. 북한 학계에서는 정연한 주군현제를 상정하였지만, 남한 학계에서는 대체로 긍정적으로 이해하는 선에서 약간의 차이가 있다. 군현제 실시를 인정하는 견해에서도 주군현 조직체계는 인정하면서 행정단위의 명칭은 성이라고 했다고 이해하거나, 일시적으로 군현이란 명칭을 사용했을 것으로 보기도 하고, 군제가 시행된 것으로 이해하기도 하였다. 중국식 군현제나 주현제와 동일한 것은 아니지만, 지방통치단위인 성을 주, 군 등으로 명명하여 지방을 편제하였다거나 그 원리를 활용해서 행정단위를 조정했다고 이해해 온 것이다. 2000년대 들어서도 주군현에 대해 인정하는 연구성과가 지속되었다(최희수, 2009; 홍승우, 2011). 그런데 이와는 달리 고구려 주군현에 대해서는 구체적 사료가 명확하지 않고, 금석문에서도 확정할 만한 증거가 없어서 주군현이 토대가 된 지방제도를 부정하고 있기도 하다. 특히 중앙집권적 지방통치가 고구려 일부에서 진행되었을지는 모르지만 사회 전체에서는 불가능한 것으로 상정하고 있다(정호섭, 2019). 고구려에서 중앙집권적 지방통치의 실상이 어느 정도였는지는 당시 사회를 어떻게 이해하는가와 밀접한 만큼 보다 미시적 연구가 필요할 것이다.

6세기 들어 고구려는 내우외환을 겪으며 혼란이 지속되었는데, 지방도 영향을 받게 되었다. 6세기 이후 고구려의 지방통치와 관련한 사료의 이해를 둘러싼 논란도 계속되고 있다. 고구려 후기 지방통치에서 이견이 많은 부분은 몇 단계로 편제되었나 하는 것이다. 일반적으로 제대성-제성-성의 3단계로 이해하고 있지만, 세부적으로는 약간의 차이도 있다. 그렇더라도 고구려 후기에 성을 각기 달리 위상 설정을 한 후에 중앙에서 욕살, 처려근지, 가라달, 루초 등의 지방관을 파견하여 직접적으로 통치했다고 이해하고 있는 점은 동일하다.

후기 지방통치에서 각급 통치단위의 영속관계에 대해서는 정확하게 알 수 없다. 다만 멸망 당시 성과 주현의 수를 통해 추정하거나 당과 신라에서 그 조직을 계승했을 것으로 보고 양국이 설치한 행정구역을 통해 고구려의 통치단위 수와 영속관계 등을 추론하고 있다. 고구려 후기의 성 중심 지방통치 연구는 고구려 산성이 군사적 기능과 행정적 기능을 함께 수행한 것에 주목하여 이를 통해 방어체계와 지방통치조직을 파악하는 방향에서 이루어졌다(여호규, 1999; 나동욱, 2009; 임기환, 2015; 이성제, 2016; 이경미, 2017). 이를 통해 산성 간의 영속관계를 검토하고 고구려 지방통치의 일변을 추론하고 있다.

한편, 다종족국가인 고구려에는 고구려인과 성격이 다른 지역민들이 있었기에 그들에 맞는 지배방식을 적용하여 통치하고자 하였다. 대표적인 세력이 말갈, 동예, 옥저 등이다. 이들 지배에 관한 연구도 세부적인 내용 검토를 통해 제시되었다(김현숙, 2005; 김락기, 2013; 이종록, 2022). 말갈은 고구려인의 범주에 포함시켜 파악하면서 말갈과 고구려의 관계, 고구려의 말갈 지배 양상 등이 검토되었다. 그러나 이들에 대한 통치나 지배방식에 관한 연구는 아직까지 미흡한 실정인데, 이타인 묘지명의 발견으로 그 통치에 관한 약간의 단서를 얻을 수 있게 되었다(안정준, 2013; 여호규, 2017). 옥저나 동예에 관해서도 문헌과 고고학적인 자료를 통해 고구려 전기 동해안 지역 진출 과정과 지배방식, 그리고 그 지배대상인 예족사회(濊族社會)를 구성하는 남옥저·북옥저·동예와 동부여의 실체에 대해 살펴보기도 하였다(이종록, 2022). 아울러 고구려가 건설했던 한성, 남평양 등에 대한 통치에 관해서도 연구가 이루어졌다(김민수, 2003; 여호규, 2021).

## 2) 교통로와 관방체계

고구려의 자연지형을 이용한 교통로에 대한 이해는 전쟁과 관련된 사람이나 물자의 이동, 문물의 교류, 영역확장과 지방지배 등 많은 주제와 밀접하게 연관된다. 국내성시기 교통로로는 환인 방면의 졸본로, 부여 방면으로 진출하는 부여로, 북옥저 방면의 동해로 혹은 책성로, 동예나 남옥저 방면의 남해로, 평양 방면의 낙랑로 내지는 평양성로, 신성 방면의 신성로, 요동성 방면의 요동로, 서안평 방면의 서안평로 등이 상정될 수 있다. 고구려의 교통로와 관련된 연구는 전연과의 전쟁 과정에서 보이는 남도와 북도, 고구려 남진 경로, 동해안 방면으로의 진출로 등을 중심으로 이루어졌다. 특히 남도와 북도에 관해서는 2000년대 이후 새롭게 모색하는 논의가 있었다(공석구, 2007; 정원철, 2011; 기경량, 2016). 고구려의 남진과 관련해서도 진출 방향과 관련한 교통로에 대한 연구가 이어졌다(서영일, 2006; 백종오, 2006; 신광철, 2022; 박종서, 2022). 이와 함께 동해안 방면 진출로에 대한 논의도 이루어졌다(임기환, 2012; 여호규, 2017; 이종록, 2022).

교통로 주변에는 많은 고구려 성이 축조되었다. 만주 일대에만 200여 개 이상의 성이 확인되고, 북한 지역에서도 많이 확인되었으며, 근래 남한 지역에서도 성과 보루가 확인되고 있다. 고구려가 확보한 영역에 쌓은 성은 군사적 거점이자 지방지배의 거점이었다. 많은 침략을 받았던 고구려는 성을 중심으로 하는 입체적인 군사방어체계를 구축하였다. 하천이나 교통로를 중심으로 성곽이 어떻게 분포하며, 개별 성곽이 어떤 관련성을 가지고 유기적으로 배치되고 결합되었는지를 밝히는 것은 관방체계를 이해하는 중요한 지점이다. 고구려는 산성을 중심으로 하는 방어체계를 갖추고 있었으며, 그동안의 고구려 관방체계 연구는 이러한 성곽의 배치관계를 중심으로 이루어졌다고 할 수 있다. 고구려 관방체계에 대한 연구는 1990년대 중후반부터 이루어졌는데, 2000년대 이후로도 도성의 방어체계와 요동 지역의 산성을 중심으로 한 방어체계에 대해 고찰하였다(여호규, 1998; 양시은, 2013; 임기환, 2015; 정원철, 2017; 이성제, 2017; 이경미, 2017). 특히 고구려 성곽과 도성에 관한 박사학위논문(정원철, 2010; 양시은, 2013; 이경미, 2017; 이정범, 2021; 신광철, 2022) 등이 나왔다. 서북방 봉수체계가 검토되고(이성제, 2017), GIS나 위성사진을 활용한 공간분석도 시도되었다(홍밝음·강동석, 2021; 신광철, 2022; 김주형, 2023). 이와 함께 고구려 성곽축성술과 확산에 관한 연구가 이루어졌고(백종오, 2017), 중국 소재 고구려 성곽을 비롯한 유적과 유물에 대해 집대성한 자료집이 간행되어 연구기반을 크게 넓혔다(여호규 외, 2020; 2021; 2022).

고구려는 졸본, 국내성, 평양으로의 도성 변화에 따라 관방체계를 구축하였다. 요동과 국내성 지역에 구축한 성곽을 통해 군사방어체계를 구성하고 있고, 평양 천도 후 평양에 대한 도성방어체계가 재구축되기도 하였다. 특히 고구려는 평양 천도 이후 요하 유역에서 평양성에 이르는 서북 방면의 방어체계를 구축하는 데 심혈을 기울였다. 현재 확인되는 고구려의 성은 바로 이러한 노력의 결과물일 것이다.

고구려 서북 방면의 방어체계는 중국에 산재한 고구려 성의 분포를 통해 요하 부근 최전방의 전연방어선, 요동에서 압록강 구간의 제1선 종심방어체계, 압록강-청천강의 제2선 종심방어체계 등으로 분류되고 있다(여호규, 1999; 양시은, 2013). 평양성과 관련한 관방체계는 외부에서 도성으로 진입하는 적군을 차단하기 위해 도성 외곽의 방어망도 구축하였다. 이와 관련된 북한 지역의 성들은 직접 조사하기 어렵고 발굴조사 성과도 많지 않아 그 전모를 명확하게 알기 어렵다. 한반도 서북한 지역의 고구려 성곽들은 요동 지역보다 늦은 시기에 구축된 것으로 여겨지는데, 특히 황해도 일대의 성곽들은 평양성의 외곽방어선이면서 남진을 위해 축조한 것이었다. 북한에서 고구려 산성 일부에 대한 조사성과가 제시되기도 하였지만, 현시점에서 서북한 지역의 방어체계를 제대로 이해하는 것은 한계가 있다. 이러한 상황에도 불구하고 북한 지역 고구려 산성에 대한 대략적인 현황과 방어체계에 대한 연구도 이루어진 바 있다(신형식 외, 2000; 서일범, 2000; 지승철, 2005). 북한 지역의 고구려 성을 통한 고구려 관방체계에 대한 연구는 북한 지역에 있는 고구려 성곽에 대한 조사성과가 진전되어야 단계별 관방체계의 변화 양상을 구체적으로 파악할 수 있을 것이다.

고구려는 5세기에 들어서 임진강과 북한강 유역을 차지하고 475년에 백제의 한성을 함락시켜 한강 유역을 장악한 것으로 보인다. 적어도 551년경까지 고구려는 임진강과 한강 유역을 장악하였다. 고구려는 이 지역에도 방어체계를 구축하였다. 그러나 임진강과 한강 유역에서는 아직까지 대규모 산성유적이 확인되지 않았다. 이러한 남한 지역의 고구려 관방체계는 백제와 신라와의 관계에서 발생하는 영역에 대한 지배와 관련성이 있다(백종오, 2006; 심광주, 2006; 2008; 서영일, 2006; 이정범, 2015; 윤성호, 2019; 여호규, 2020; 신광철, 2022; 박종서, 2022). 한강 유역 점유에 대한 입장의 차에 따라 한반도 중부지역까지 방어체계를 구축하였는지, 아니면 임진강과 한강 유역에 한정되었는지는 논란의 여지가 있다. 남한 지역의 고구려 관방시설은 임진강-한탄강 유역, 양주분지 유역, 한강-중랑천 유역, 금강-미호천 유역 등으로 구분할 수 있다. 남한 지역의 고구려 관방시설은 사용시기가 제한적이긴 하지만, 고구려 관방시설이 초축이나 운영시기에 대해 명확한 근거가 부족하여 여러 이견이 제기되고 있어서 향후 정밀한 고고학적 연구가 더 필요하다.

고구려는 동해안과 두만강, 송화강 방면으로 진출하면서 점차 방어체계를 구축한 것으로 보인다. 평야가 넓게 발달한 두만강 유역 중심부에는 평지성을 조밀하게 축조하고, 그 주변의 교통로나 하곡평지에는 중대형 산성을 축조하였다. 말갈 지역에는 산성을 축조해 말갈을 통제하는 방어체계를 구축했다. 즉, 고구려가 두만강 유역을 중심부의 중핵지역과 주변부, 말갈이 집단적으로 거주하는 외곽지역 등으로 구분하여 군사방어체계를 구축한 것으로 이해하고 있다(여호규, 2017). 송화강 방면에도 고구려 성이 다수 보이므로, 이들 성들이 연결되어 방어체계를 형성하였을 것으로 추정되는데, 주로 유목민이나 말갈 계통의 침입을 방어하기 위한 것으로 보고 있다.

## 4. 대외관계와 영역 변천 연구

### 1) 대외관계

고구려는 한 군현과의 경쟁과 투쟁을 통해 성장하였고, 이후 중원 왕조와 북방민족, 한반도의 여러 나라와 왜, 서역에 이르기까지 다양한 대외관계를 맺었다. 고구려의 국가적 성장과 발전, 위기와 멸망이라는 역사적 전개는 대외관계의 추이와 불가분의 관계를 가지고 있다. 아울러 대외관계는 국가 간의 우호와 대립이라는 관계 이외에도 문물의 교류를 수반하게 된다. 고구려사 연구에서 국제정세의 변동과 이와 연동되는 대외교섭은 바로 고구려사를 이해하는 중요한 작업이기도 한 것이다. 2000년대 이후 고구려사 연구도 이러한 대외관계에 주목하여 세부적인 검토가 이루어졌다. 사료의 면밀한 검토를 통해 당시 동아시아 정세를 분석하고 이에 기반한 각 세력의 동향을 주목하면서 연구가 진행되었다. 대외관계 연구는 이전에 비해 보다 내용이 풍부해지고 진전이 많았던 주제이기도 하다.

고구려는 1세기부터 제2현도군을 축출하여 세력을 확장하고 4세기에는 낙랑군과 대방군을 한반도에서 완전하게 축출하였다. 이 시기 고구려의 대외관계와 관련하여 먼저 대신(對新) 관계와 후한 군현과의 대립은 주변의 흉노, 오환, 선비 세력의 추이와도 밀접하게 연관되어 있었다. 이러한 관점에서 태조왕 대 이전 선비와의 관계와 후한 말에서 삼국에 이르는 시기에 요동을 중심으로 등장했던 공손씨 세력과의 관계가 주목되었다(여호규, 2000; 박노석, 2003; 김미경, 2007; 박세이, 2012; 김효진, 2023). 위진 세력의 동방 진출에 따른 고구려와의 전쟁과 교섭에 주목한 연구(서영수, 2002; 이승호, 2012) 및 조위 관구검의 침입에 따른 대규모 타격과 손오와의 교섭에 주목한 연구(박대재, 2010; 이승호, 2015)도 있다. 서진의 동이교위부 운용에 따라 고구려의 숙신 정벌과 양맥의 귀속은 서진의 동방정책 속에서 고구려가 대응하던 모습으로 상정된다(여호규, 2000; 이정빈, 2019).

4세기에 고구려는 북중국에서 5호16국시대가 도래함에 따라 전연, 전진, 후조, 후연 등과 상쟁 또는 우호 관계를 다층적으로 맺기도 하였고, 낙랑군과 대방군을 넘어 백제와 직접 영역을 맞닿으면서 대립하기도 하였다. 전연과 백제에게 공격을 받아 상당한 국가적 위기가 있기도 하였으나, 중앙집권적 국가체제의 완비를 통해 팽창의 초석을 마련하였다. 이후 백제와의 반복되는 전투와 더불어 급변하는 동북아 국제질서 속에서 여러 국가 간의 이해관계가 얽혀 충돌하는 상황에서도 대규모 영역확장이 이루어졌고, 신라, 가야, 왜 등과도 직접적인 관계를 맺었다. 광개토왕비에 의하면, 고구려는 신라에 대해 종속적 외교관계를 수립하였고, 금관가야가 광개토왕의 남정으로 타격을 입기도 하였다. 백제 공략과 관련하여 왜와의 관계도 상세하게 보이는데, 백제와 왜가 연합하여 고구려와 갈등관계였음을 알 수 있다.

전연을 세운 모용황은 339년과 342년 두 차례 고구려를 침공하였다. 특히 342년에는 환도성을 함락시키고 고국원왕의 생모와 왕비를 붙잡아갔으며 미천왕의 무덤을 도굴해 그 시신 역시 가져갔다. 그러나 348년 그 아들 모용준 대에 전진이 발흥하자 고구려와 비교적 우호적인 관계를 유지하였다. 이와 관련하여 전연과의 갈등 및 교류 양상에 주목하였다(강선, 2003; 공석구, 2003; 김미경, 2007; 지배선, 2009; 박세이, 2012; 이정빈, 2016; 백다해, 2023). 후연과의 관계 역시 중요한 변수였는데, 고구려가 후연과의 갈등과 대립 관계 속에서도 요동을 장악해 나갔음에 주목한 연구도 있다(강선, 2002; 공석구, 2005; 이성제, 2004; 김미경, 2007; 백다해, 2023). 거란, 숙신, 동부여 방면으로의 영역확장 및 지배권의 확립에 대한 관심도 있었다(강선, 2003; 박노석, 2003; 이재성, 2005). 아울러 후조·모용선비와의 관계를 중심으로 4세기 고구려의 해양활동에 대해 고찰하기도 하였다(이정빈, 2016).

이처럼 4세기에 고구려는 주변의 각 세력과 충돌하며 영역확장을 꾀하였는데, 여기에 관해서는 큰 이견이 없다. 4세기 고구려사는 대체로

서진 실패에 따른 남진으로 설명하고 대외적 좌절을 극복하기 위해 내부체제를 정비하고 이후 대외적인 재도약을 이루었다고 이해된다. 이에 대해 4세기의 유동적인 움직임만을 대상으로 대외관계의 특성을 바라보는 데 한계가 있으므로, 3세기에서 5세기에 걸친 맥락에서 이해해야 할 필요성이 제기되었다(여호규, 2007).

광개토왕 재위 시에는 고구려가 요서 지방으로 진출하였는데, 후연의 숙군성과 연군을 공격한 것이다. 『삼국사기』에 의하면 이 시기 후연과의 대외관계는 중요한 변수이지만, 광개토왕비에 후연과의 관계는 명확히 드러나지 않는다. 따라서 광개토왕비에서 대후연 관계의 흔적을 찾으려는 노력이 있었다(공석구, 2012; 井上直樹, 2012). 이후 고구려는 북연과 우호관계를 추진하였다. 북연을 멸망시킨 북위가 등장하면서 고구려는 남연과 우호관계를 유지하였는데, 백제와 북위 등을 견제하기 위한 것으로 볼 수 있다. 고구려는 413년 동진에 사신을 파견했는데, 기존 연구에서는 왜 혹은 백제와 관련지어 설명하였으나, 고구려가 서북방 정세에 민감하였기 때문에 동진과의 관계 설정이 중요하였다고 보기도 한다(김진한, 2012).

장수왕 대에는 남북조시대의 개막과 더불어 남북조의 대립 국면을 이용하여 북위, 송 등과 외교관계를 유지하였다. 북위는 대북연 정책을 고려하면서 고구려의 독자적인 세력권을 인정하고 요해 이동 지역의 패자로 인정하였다(임기환, 2003). 북연의 유연과 우호관계를 유지했고, 송과도 교류하였다. 북연을 둘러싼 국제분쟁으로 풍홍이 고구려로 망명하기도 하였다. 북위와 고구려의 관계는 긴장 속에서도 상호 정면 대결을 피하려는 방향에서 진행된 측면이 있다. 이후 고구려가 송에 망명을 요청한 풍홍을 살해하고 송과 일전을 벌이기도 하였지만, 양국은 관계가 파탄에 이르지 않도록 타협하였던 것으로 이해된다. 유목국가였던 유연의 동향은 국경을 맞대고 있던 북위뿐만 아니라 고구려, 송과도 관련되었다. 유연은 고구려 및 송과 우호관계를 맺고 적대관계였던 북위를 견제하고자 하였다. 북위를 둘러싸고 고구려, 유연, 송의 국제관계는 공조적 성격을 가지고 있었던 것으로 이해된다. 고구려는 북위와 국경을 맞대고 있고, 남쪽으로 백제, 신라와 대결해야 하는 상황에서 북위와는 직접적인 대결을 피하는 방향에서 외교적 노력을 기울였고, 송이나 유연과의 관계도 북위를 견제하기 위한 상호의 필요가 작용한 것으로 볼 수 있다. 이러한 관점에서 북위 관계(李凭, 2002; 篠原啓方, 2009; 박승범, 2017; 井上直樹, 2021) 및 송과의 관계(백다해, 2016; 김진한, 2020; 井上直樹, 2021)에 대해 고찰하기도 하였다.

　백제와의 각축 및 신라와의 관계 변화도 있었다. 고구려의 남진정책 추진과 더불어 백제와 신라는 동맹관계를 맺었고, 고구려는 백제와 각축을 벌이다가 백제가 북위에 청병외교를 한 이후인 475년 한성을 함락하기에 이르렀다. 이러한 고구려·백제의 대북위 외교 양상과 한성 함락에 대해 살펴본 연구가 있다(김진한, 2006; 위가야, 2020). 신라는 장수왕 초반기까지의 종속적 관계를 점차 벗어나면서 고구려 세력권으로부터 점차 이탈해 나가려는 움직임을 보였다. 그 외에 5~6세기 고구려와 왜의 관계(이영식, 2006; 정효운, 2006) 및 가야와의 관계(김태식, 2006; 신가영, 2020)에 주목한 연구도 있다.

　6세기 들어 고구려 내부의 왕위계승다툼 등 혼란기를 겪었던 상황에서 남조에 새롭게 등장한 양은 국력을 팽창시켰다. 고구려는 북위, 양과의 이해관계에 따라 중시 대상이 바뀌기도 하였다. 6세기 후반에 북위가 동위와 서위로 분리되고, 유연은 이 틈을 이용하여 세력을 과시하였다. 고구려도 북위의 내란을 틈타 요서 진출을 시도하였다. 고구려는 동위와 우호적 관계를 안정적으로 유지하였고, 새로 들어선 북제가 고구려 배후에 위치한 백제, 신라에 주목하면서 이전과는 변화된 새로운 양상을 보였다. 백제는 웅진으로 천도한 이후 무령왕 때 다시 국력을 회복하여 성왕 때까지 양과 교섭하며 고구려와 대립하였다. 신라는 백제와의 동맹으로 고구려 영향력에서 완전히 벗어났고, 소백산맥 이북으로 영역을 확장하였다. 고구려는 나제동맹의 대립구도 속에서 한강 유역의 영유를 둘러싸고 공방을 벌였다. 장수왕 대부터 고구려의 세력권에서 이탈하려는 움직임을 보였던 신라는 551~553년에 걸친 전쟁을 통해 한강 유역을 점령하였다. 이러한 신라의 한강 유역 진출을 중심으로 5~6세기 고구려와 신라의 관계를 고찰하기도 하였다(주보돈, 2006; 박경철, 2007; 정운용, 2008; 장창은, 2014).

한편, 6세기 후반 북위가 동위와 서위로 양분되고, 이후 북제와 북주로 교체되었다. 막북에서는 돌궐의 공격으로 유연이 멸망하고 동북아시아의 새로운 강자로 등장하자 긴장관계가 조성되었다. 이 시기에 새롭게 흥기한 돌궐 및 고보녕(高寶寧)에 대한 고구려의 대응을 살펴본 연구가 있다(이재성, 2005; 김지영, 2008; 전상우, 2017). 북제는 동북방 방면으로 고막해와 거란을 격파하였고, 고구려에 대해 유인 송환을 요구하기도 하였다. 성장한 신라는 대북제 외교를 전개하고, 고구려는 남조의 제 및 진과도 외교관계를 맺었는데, 고구려와 양과의 관계(백다해, 2020), 남제와의 교섭(김진한, 2019)에 대해 살펴보기도 하였다. 한편 이 시기에 재개된 고구려의 대왜 외교에 대한 연구가 있으며(연민수, 2007; 이성제, 2009; 井上直樹, 2021), 거란과 말갈의 향방도 중요한 변수였기 때문에 이들에 대한 통제에 주목하기도 하였다(이재성, 2011).

오랫동안 분열되었던 중원을 통일한 수와 고구려는 갈등이 점차 심화되었다. 수가 자국 중시의 일원적인 국제질서를 수립하려고 하자, 그동안 힘의 균형 속에 독자적인 세력을 유지해왔던 동아시아 세계는 이에 직면하여 치열한 싸움을 전개하기에 이르렀다. 동아시아 세계는 수와 고구려, 돌궐이 주변의 거란, 말갈, 해, 습, 실위를 둘러싸고 각축전을 벌였다. 아울러 토욕혼, 백제, 신라, 왜도 국제관계에 있어 때로는 충돌하고 협력하는 등 국제정세가 급박하게 진행되었다. 이 시기 동아시아의 국제관계를 살핀 연구가 다수 나왔다(여호규, 2002; 김용만, 2007; 김은숙, 2007). 요해 지역의 동향을 중심으로 평원왕 대 고구려의 대외관계를 살피거나, 양원왕 대 고구려의 정국 동향과 대외관계에 주목하기도 하였으며(김진한, 2007), 영양왕 대부터 시작된 서역과의 관계에 천착한 연구도 이루어졌다(鄭守一, 2002).

이러한 상황에서 고구려와 수와의 갈등은 590년 중반 이후 표면화되었다. 수가 영주총관부를 설치하자 598년 고구려는 요서를 공격하였고, 이후 수의 침입으로 고구려와 수 사이에 전면전이 개시되었다. 고구려는 동돌궐, 백제, 왜 등과 교섭하며 외교적인 측면에서 위기를 타개하고자 하였다. 612년, 613년, 614년 세 차례에 걸쳐 수는 고구려 원정에 나섰다. 이는 당시 고구려와 수뿐만 아니라 주변세력에게도 영향을 끼쳤는데, 이에 대한 연구가 다수 이루어졌다(金子修一, 2002; 여호규, 2002; 윤용구, 2005; 김창석, 2007; 이정빈, 2013; 정동민, 2017). 전쟁 결과 고구려는 독자적인 세력을 유지하였고 국제적 위상도 회복할 수 있었다. 그러나 연이은 전쟁으로 군사력과 경제력이 쇠퇴된 측면이 있다. 수도 마찬가지였는데, 이에 전국적으로 일어난 반란과 봉기로 혼란이 가중되어 결국 멸망에 이르렀다.

수가 멸망한 후 당이 들어서고 돌궐이 흥기하면서 동아시아 정세는 다시 급변하였다. 당도 주변세력에 대한 복속을 완료하고 당 중심의 일원적 국제질서를 구축하고자 하였다. 고구려, 백제, 신라, 왜의 경우도 이러한 국제질서의 변동에 민감하게 대응하였다. 고구려, 백제, 신라의 각축전이 치열하게 전개되었고, 백제와 신라도 당과 연결하였다. 특히 고구려와 백제는 연개소문 집권 이후 연합을 이루었다고 이해되기도 하는데, 이러한 6세기 말~7세기의 고구려·백제 관계의 단계적 변화 과정을 살피거나(윤성환, 2011), 왜의 동향이나 말갈과 거란 세력의 동향도 주목되었다(김지영, 2008).

고구려는 당과의 전쟁을 피하기 위해 여러 외교적 노력을 기울이기도 하였지만, 이전부터 진행하였던 천리장성 축조에서 살펴볼 수 있듯이 당의 침입에 대비하여 전쟁 준비도 동시에 하였던 것으로 보인다. 연개소문의 정변 배경에 대해서는 대당 관계(방용철, 2011), 북방 유목민족의 동향(김지영, 2008), 신라 관계(최호원, 2020) 등 다양한 요소에 주목하였다. 연개소문 정변이 당에게 명분을 주면서 고구려와의 관계는 전쟁을 맞이하게 되었다. 고구려와 당의 관계(拜根興, 2002; 윤성환, 2011; 방용철, 2017) 및 전쟁에 대한 연구 역시 배경·전황 등 다양한 관점에서 이루어졌다(나동욱, 2009; 이민수, 2022).

고구려와 당의 전쟁 이후 당을 협공하기 위한 연합전선의 형성을 목적으로 고구려가 사마르칸트에 사신을 파견했다는 관점도 제기되었다(노태돈, 2003; 권영필 외, 2008; 지배선, 2011). 사마르칸트 아프라시아브 궁전 벽화에 보이는 고구려 사절에 대해서도 주목하였는데, 대체로 고구려가 강국에 외교적 목적으로 파견한 사절이라는 게 일반적 견해였고, 그러한 방향의 연구가 지속되었다. 이에 대해 고구려인의 모습은 맞지만 실제로 파견된 사절이 아니라 강국의 세계관에 의해 표현된 고구려인의 이미지로, 당이나 돈황벽화 등에 보이는 전형적인 도상의 차용이거나, 혹은 강국의 입장에서 어딘가에서 접촉한 동쪽의 끝 나라인 고구려인의 이미지에 대한 표현이라는 견해도 새롭게 제기되었다(정호섭, 2013). 아울러 표현된 고구려 이미지는 실제 파견된 사절이 아니라 서돌궐로부터 유래된 것으로 보는 시각도 있다(이성제, 2019). 반면, 이러한 논의에 대한 비판도 있다(서길수, 2020).

한편, 돌궐이 세운 돌궐비에 표현된 고구려 관련 내용과 유연과의 관계를 비롯한 북아시아 유목민에 대한 연구도 진행되었다. 몽골공화국 오르혼강 기슭에 있는 8세기 중엽에 세운 돌궐 제2제국의 시조 빌게가한과 그의 동생 퀼테킨을 기린 두 돌궐비에서 고구려를 지칭하여 '배크리'라 기술한 것을 돌궐인이 맥구려(貊句麗)를 기술했다고 보았다. 이와 관련하여 동로마의 역사가 테오필락트 시모카타(Theophylact Simocatta)가 쓴 기록에서 아바르(Avar, 柔然)의 잔여 무리가 북제에 패배한 이후 동쪽 'Mukli'로 달아났다고 한 기록이나 돈황문서 'pelliot-tibetan 1283'에서 고구려와 발해를 'Mug-lig'라 기술한 예, 8세기 말~9세기 초에 편찬된 『범어잡명(梵語雜名)』에서 무구리(畝句理)를 고려(高麗)라 한 예를 통해 내륙아시아 튀르크계 사람들이 고구려를 '무크리'로, 즉 맥구려로 불렀음을 증명하였다(노태돈, 2003).

### 2) 전쟁과 영역 변천

대외관계사 연구는 전쟁 및 영역 연구와 궤를 같이한다. 외교관계가 잘 유지되면 평화를 유지하겠지만, 그렇지 않은 경우는 전쟁으로 이어지는 경우가 허다하기 때문이다. 고구려는 중원뿐만 아니라 주변의 다양한 세력과 치열하게 각축하였기 때문에 전쟁이 끊임없이 일어났고, 이에 따른 영역의 변천도 수반되었다. 고구려는 초기부터 멸망할 때까지 주변세력과 크고 작은 전쟁을 겪었다. 주요 전쟁만 살펴보더라도 한군현과의 전쟁, 조위와의 전쟁, 전연과 후연 등 선비와의 전쟁, 신라 및 백제와의 전쟁, 돌궐과의 전쟁, 수·당과의 전쟁 등 고구려사 전 시기를 통해 생존을 위한 수많은 전쟁을 치렀다. 고구려는 이러한 전쟁을 통해 많은 부침을 겪었는데, 비약적으로 성장하기도 하고 때로는 국가적 위기를 맞이하기도 하였으며, 수·당과는 70년간 전쟁을 치르고 결국 멸망하기에 이르렀다.

 2000년대 이전 뿐만 아니라 이후에도 전쟁 관련 연구는 비교적 활발하게 진행된 편이라 할 수 있다. 고구려 초기 또는 전기의 전쟁과 영역 변천(박노석, 2003; 김효진, 2018), 광개토왕에서 보장왕 대까지 요서 진출에 한정해서 살펴보기도 하였다(윤병모, 2009). 아울러 보다 집중적으로 고구려의 대수·당전쟁이 연구되어 보다 입체적으로 전쟁을 바라볼 수 있게 되었다(이정빈, 2013; 2018; 정원주, 2013; 정동민, 2017; 이민수, 2018; 임기환, 2022). 고구려의 대수·당전쟁 연구에서는 전쟁의 배경이나 원인이 상당한 비중을 차지하고 있다. 이 밖에 전쟁의 경과 및 결과, 전략과 전술, 무기체계, 방어체계 등 군사와 관련한 연구도 있다. 아울러 고구려의 부흥운동이나 보덕국 등을 다룬 연구성과도 나왔다(임기환, 2003; 강경구, 2005; 이정빈, 2009; 조법종, 2015; 장병진, 2016; 김강훈, 2018; 방용철, 2018; 정원주, 2019; 김수진, 2020). 645년 안시성전투만을 다룬 성과도 최근 간행되었다(김정배 외, 2023). 중국 학계에서도 고구려 전쟁사를 다룬 연구가 이전에 비해 많이 제시되었다. 특히 고구려와 당과의 전쟁에 주목한 논고가 다수를 차지하고 있다.

전쟁 등을 통해 영역이 변화되었기 때문에 고구려의 영역과 관련한 연구도 이어졌다. 특히 고구려 유적 발굴 등을 통해 유적과 유물에 대한 고고학적 연구성과가 축적되면서 강역 연구도 새로운 단계에 들어섰다고 할 수 있다. 이를 통해 고구려의 강역을 어느 정도 구분할 수 있는 토대가 마련된 것으로 평가할 수 있다. 고구려의 강역을 구분할 수 있는 명확한 근거가 축적되고 있다 하더라도 강역을 명확하게 선으로 획정할 수 있느냐 하는 점은 여전히 문제로 남는다.

시기별 고구려 영역에 대한 논쟁도 있었는데, 특히 고구려의 북변, 서변, 동변, 남변에 대한 논의가 비교적 활발하게 진행되었다. 고구려의 서변과 북변을 이해하기 위해 가장 중요하다고 판단되는 천리장성에 대해 주목했는데, 노변강장성설(여호규, 2000)과 산성연계방어선설(이성제, 2014) 등이 제시되었다. 천리장성과 관련해서는 많은 논란이 있고, 모든 견해가 충분히 설득력을 가졌다고 할 수는 없으며, 아직까지 확정할 수 있는 견해가 없다. 이 지역에 대한 정밀한 고고학적 조사가 선행되어야 하며, 향후 학계의 논의를 거쳐서 천리장성의 기능과 성격 등에 대해서 어떠한 방식으로 인식해야 할 것인지를 고민할 필요성이 있다. 서변과 관련해서, 요하로 한정하느냐, 아니면 서쪽 경계를 요서 일대까지 확장할 수 있느냐 하는 점(이성제, 2013; 정원주, 2014)도 논란의 여지가 있다.

고구려의 요동 진출과 이곳에 대한 지배권을 완전하게 확보하기까지, 요동 지역의 정세와 고구려의 진출 과정 및 후연과 고구려의 관계를 통해 살펴본 논의에서도, 그 시점을 두고 견해 차를 보이고 있다. 전통적인 입장에서 395년 이전에 요동 지역을 장악하였다고 보는 견해

(공석구, 2012; 임기환, 2013)와 400~402년 무렵에야 요동 지역을 확보하였다는 견해(여호규, 2012; 이성제, 2012)로 나뉜다. 통설적인 입장에서는 『삼국사기』에 요동을 장악한 직접적인 기록이 있고, 당대 금석문인 광개토왕비 영락 5년조의 기사를 중요시하며, 모용보에 의한 광개토왕의 책봉 기사를 주목한다. 반면, 『자치통감』 기록에 따라 400년까지 후연이 요동 지역인 평주를 장악하고 있다고 보는 입장에서는 그 이후에야 요동에 대한 지배권을 확보했다고 이해한다.

고구려의 동쪽 경계와 관련해서는 현재의 연변 지역에 해당하는 동쪽지역을 지배하고 경영하는 주요 거점으로 거론되는 책성(柵城)과 신성(新城)의 위치가 어디인지가 핵심적 사항이라고 할 수 있다. 신성, 책성 등 주요 거점성에 대해서는 대체로 학계의 의견이 모아져서 일치되는 방향으로 나아가고 있는 듯하다. 다만 연변장성유적에 대해서는 이견이 있어서 검토해 볼 여지가 남아 있다(김현숙, 2000; 이성제, 2009; 임기환, 2012; 박경철, 2012).

고구려 남변과 관련해서는 고구려의 한강 유역 영유권에 대한 다양한 논의가 진행되었다(서영일, 2001; 심광주, 2001; 임기환, 2002; 김현숙, 2008; 최종택, 2008; 안신원, 2010; 신광철, 2010; 양시은, 2010; 여호규, 2013; 장창은, 2014; 이정범, 2015). 고구려가 475년에서 551년 동안 한강 이남과 경기 남부 지역을 장악하여 직접적으로 영역지배를 하였는지에 대해서는 그간 논란의 여지가 있었다. 이 시기 한강 유역 영유국에 관한 논란은 해당 지역을 고구려가 영유했는가, 아니면 백제가 영유했는가에 초점이 맞추어져 있다. 세부적으로는 고구려가 영유했다면 공고한 지배체제가 구축된 직접적인 영역지배인가, 아니면 교두보 내지는 요충지 확보 차원에서의 일시적 점유인가이다.

대체로 통설적인 입장에서는 고구려가 한성을 함락시킨 이후 이 지역을 포함한 한강 이남 지역에 대한 영역지배가 가능하였다고 보아왔다. 그러나 이에 대한 반론도 적지 않은데, 한강 유역에 대한 고구려의 점유를 부정하면서 오히려 백제의 점유를 주장하기도 하였다. 『삼국사기』 지리지 고구려조는 대체로 5세기 상황의 반영이고, 475년경부터 고구려의 직접적인 영역지배가 가능한 곳이었다고 파악하는 것에 회의적이며, 『삼국사기』 백제본기에는 고구려의 한성 점령 이후 대체로 동성왕에서 무령왕에 이르는 시기에는 한강 유역이 회복되기도 하였다는 것이다. 이 시기 백제본기에는 한강 이북 일대로 비정할 수 있는 지명이 등장하는데, 475년에서 551년 사이에 고구려와 백제의 접전지는 475년 이전 상황과 별반 차이가 없다고 인식하고 있거나, 동성왕과 무령왕 대에 한강 유역을 일시적으로 수복하였다고 보는 것이다.

이러한 학계의 분위기에서 475년 이후 이 지역에 고구려가 군(郡)을 설치하고 직접적으로 지배를 실시했다고 이해하기도 하였다. 이후에도 여러 연구자가 통설적 입장에서 한강 유역과 그 이남 지역에서 고구려의 영역지배를 재확인하였는데, 한강 이남에서도 고구려 산성과 고분 등 유적이 계속 확인되고 있기 때문이다. 물론 일부 연구자의 경우에는 통설에 가깝지만 다소 세부적인 입장 차이가 있는 부분도 있다. 즉 공고한 지배체제의 구축이라기보다는 군사적 요충지의 확보로 이해하거나(김영심, 2003; 문안식, 2010), 동성왕·무령왕 대 한강 유역에서의 전쟁 및 한성 영유 기사는 아마도 원래 진사왕·개로왕 대의 기사였을 것으로 짐작하기도 한다(임기환, 2002).

한편, 최근 고고학적인 발굴성과로 한강 이남 지역에서 고구려 성곽이나 고분 유적이 확인되고 있는데, 이 유적에 대한 해석에도 차이를 보이고 있다. 고구려 성곽이나 고분 유적이 고구려 직접지배를 인정하는 근거라는 것이 통설적 입장이라면, 이와 달리 전체 유적의 빈도나 규모, 문화적 양상이 미미한 점 등으로 보아 고구려에 의한 영역지배를 인정할 정도는 아니고 일시적인 점유라고 보는 입장도 있다(백종오, 2009; 안신원, 2010). 특히 충주고구려비가 있는 중원 지역의 경우만 하더라도 고구려 관계 유적과 유물의 편년은 대체로 5세기 후반에서 6세기 전반경의 짧은 시기에 해당한다. 고구려가 남한강의 교통로를 이용하여 충주 지역에 안정적인 배후거점을 마련하였고, 고구려 남진에서 중추적인 역할을 수행할 수 있는 핵심거점으로 인식하였고, 짧은 기간이었으나 고구려식의 묘제가 축조될 수 있었다고 이해하고 있다. 이처럼 고구려 고분과 산성이 한강 이남 지역에서 발굴조사되면서 논의가 더욱 활발해졌다.

고구려와 신라의 각축 양상에 따른 고구려의 강역은 대체로 4세기대에 이루어진 광개토왕의 군사활동, 5세기 장수왕의 국원 진출, 신라의 한강 유역 진출로 대표되는 북방 진출, 6세기 후반~7세기 전반의 고구려 남한강 유역 진출과 북한강 지역에서의 공방전, 7세기 신라의 북진과 임진강 유역을 둘러싼 각축전 등으로 요약할 수 있다. 이러한 고구려와 신라의 각축과 경계가 대해서는 많은 연구가 축적되어 왔다(김현숙, 2002; 김락기, 2005; 장창은, 2014).

고구려가 소백산맥 이남의 경상도 지역까지 장악하고 있었다는 견해는 『삼국사기』, 『일본서기』 등의 문헌자료와 광개토왕비 및 충주고구려비 등 고구려의 금석문과 영주 순흥벽화고분 등 고고자료들이 확인되면서 통설의 위치를 차지하고 있다. 그러나 한편으로는 『삼국사기』 지리지 기록에 대한 회의적 시각도 존재하는데, 고구려 고지는 고구려가 실제로 이 지역을 영역지배한 것이라기보다는 신라가 북진하는 과정에서 신라의 군현제를 기준으로 고구려의 군현명을 대응시킨 결과로 해석한다(임기환, 2008). 또 지리지 기사를 사료비판하면서 동해안 일대에서 지속적으로 확인되는 신라계 유물에 근거하여 5세기 중반 이후로 신라가 소백산맥을 기점으로 해서 그 이남 지역을 안정적으로 영역지배하였으며, 고구려와 신라의 경계를 강릉 이북 지역으로 설정하였다(강종훈, 2008). 이 문제에 대한 논의의 초점은 『삼국사기』 지리지에 대한 이해와 함께 근래 확인되고 있는 고고자료의 해석을 토대로 고구려가 신라를 지배한 기간과 형태에 대한 것이라 할 수 있겠다. 특히 고고학적으로 신라 지역에서 보이는 고구려의 영향을 바로 고구려의 영역과 직결시켜 이해하기에는 해결할 문제가 아직 많이 남아 있다.

## 5. 도성과 왕릉 연구

### 1) 도성

도성은 역사학의 한 축인 공간에 대한 관심을 반영하고 있다고 할 수 있다. 2000년대 들어서 도성과 관련한 논의는 문헌기록이나 금석문의 기록을 재해석하기도 하고, 오녀산성, 국내성과 환도산성, 안학궁성 등의 발굴성과를 토대로 연구성과가 지속적으로 나왔다. 초기 도성과 관련하여 졸본과 흘승골성, 유리왕 대 천도 기록이 전하고 있는 국내 위나암의 위치와 성격 등에 대한 논의가 있었다.

졸본 혹은 홀본은 현재 중국 요령성 환인으로 비정되는 데 이견이 없고, 흘승골성도 대체로 오녀산성으로 보고 있다. 그러나 홀본과 흘승골성, 둘의 관계를 동일한 곳으로 보기도 하고, 다른 곳으로 이해하기도 한다. 이와 함께 국내 위나암성의 위치에 대해서는 후대에 각색하여 건도지로 재설정한 것으로 이해하면서 오녀산성으로 보거나(노태돈, 2012; 이도학, 2015; 권순홍, 2019; 강진원, 2020), 환인 지역이 아닌 다른 지역으로 보기도 하는데, 산성자산성(강현숙, 2015)과 패왕조산성(김현숙, 2017) 등이 제기된 바 있다.

또한 졸본의 평지 중심지를 둘러싼 논쟁이 있는데, 나합성(田中俊明, 2005; 노태돈, 2012; 이도학, 2015), 하고성자성(王綿厚, 2003; 박순발, 2012), 평지성의 존재를 인정하지 않는 견해(기경량, 2017; 강진원, 2020) 등이 거론된 바 있다. 평지 중심지나 거점에 대한 의견도 제시되었는데, 고려묘자촌(조법종, 2007; 여호규, 2012; 김현숙, 2017; 권순홍 2019)으로 보기도 한다. 방위상의 약점이나 거리상의 약점이 있고, 고고학적인 실체 확인이나 연대 문제 등에 약점이 있다.

집안 지역에 대한 발굴 결과 평지성인 국내성과 산성자산성에서 4세기 이전의 유물이 확인되지 않았고 4세기 전반경의 권운문와당과 성벽 안쪽 토축의 기초 부분에서 4세기 초로 편년되는 토기편이 확인됨에 따라 고구려 천도시점에 대한 논의가 지속되었다. 『삼국사기』에 전하는 유리왕 22년 집안 지역으로의 천도는 인정할 수 없다는 시각이 점차 강해졌고, 이에 천도를 태조왕 대(김종은, 2003; 여호규, 2005), 신대왕 대(임기환, 2018; 기경량, 2020; 강진원, 2020), 산상왕 대(노태돈, 2012)로 보는 견해가 나왔다.

고구려가 졸본에서 국내 지역으로 천도한 직후에는 건강유적 등을 근거로 마선구 지역을 평상시 거점으로 하였다는 견해(여호규, 2005)가 있지만, 넓은 평지를 두고 굳이 좁은 곳에 자리 잡았다는 것이 설득력이 떨어진다는 지적이 있어(노태돈, 2012; 임기환, 2012) 대체로 지금의 국내성 일대를 중심지로 이해하고 있다. 방위부가 등장하는 이후에는 국내성의 6구역과 7구역에 왕궁이 있었을 것을 추정하면서 5부의 중심이 국내성 내에 있을 것으로 보았다(임기환, 2007; 여호규, 2012). 그러나 이와는 달리 국내성 내부는 중부, 나머지 4부는 성 바깥에 존재했다고 보거나, 국내 지역 전체가 5부로 편성되었다는 견해도 제시되었다(노태돈, 2012; 정호섭, 2015; 조영광, 2016). 아울러 하천 등 지형을 따라 5부가 구분되었다거나, 국내성 성벽 축조 이전에는 5부가 집안 분지에 존재하다가 성벽 축조 이후 성내에 편성되었다고 보기도 한다(임기환, 2015; 기경량, 2017).

국내성의 초축 시기는 고고학적으로 3세기 중반에서 4세기 중반 사이로 상정되고 있다. 적어도 이 시기까지 국내성은 존재하지 않았다는 것이다. 환도산성의 경우 비교적 이른 시기부터 문헌에서 확인되는데, 발굴 결과 출토되는 유물의 연대와는 상당한 괴리가 발생한다. 비록 여러 차례 개축의 가능성이 있고, 일부 지점에서만 발굴하였다는 한계가 있다 하더라도 현재까지는 기와 등의 편년으로 볼 때 5세기 중반 이후의 성으로 보인다. 도성과 천도 등과 같은 논쟁은 문헌사료의 해석과 고고자료 해석상의 괴리에서 비롯되고 있는 것이다. 문헌자료의 기록이 고고자료와 일치하지 않는다고 해서 부정할 수는 없으므로, 고고자료가 비록 물질자료로서 증거가 되지만, 이것 역시 제한된 자료라는 점을 유의할 필요가 있다. 아울러 국내성과 환도성이 하나의 세트로 기능한다는 점에서 고구려 도성이 산지성과 평지성의 조합으로 이루어졌을 것이라는 점에 대해서는 근래 부정적 의견이 나오고 있다(기경량, 2017).

한편, 『삼국사기』 동천왕 대 기록에 등장하는 평양성은 집안 일대 평지성으로 보거나 북한의 강계 지역, 집안 양민 지역 등이 제기되었지만, 그 실체에 대해서는 명확하게 확인하기 어렵다. 대체로 집안분지 일대 평지성으로 보는 의견이 우세한 편이다. 고국원왕 대 등장하는 평양 동황성에 대해서도 과거 여러 후보지에 대한 의견이 있었지만, 청호동토성(손영종, 2000), 청암동토성(장효정, 2000), 임강 지역(張福有, 2005), 안학궁지(임기환, 2007), 의암동토성(기경량, 2020) 등이 다시 제기되기도 하였다.

427년 천도와 함께 평양시기의 도성에 대해서도 논쟁도 이어졌다. 고구려가 427년 국내 지역에서 평양으로 천도함에 따라 조영한 것으로 여기는 도성이 있을 수 있고, 장안성이 축조됨으로써 후기 도성으로서 멸망할 때까지 기능을 한 것으로 보인다. 과거에는 고구려 도성이 산성과 평지성의 조합으로 이루어진 것으로 이해하고, 대성산성과 안학궁성, 대성산성과 청암동토성을 주목하였다. 청암동토성에서는 왕궁유적이 확인되지 않았고, 안학궁성의 조영시기에 대해서는 여러 이견이 있다. 북한 학계에서는 안학궁성을 평지성유적으로 이해하면서 약수리고분벽화의 성곽도를 안학궁성으로 이해하기도 하였다. 안학궁성에서 출토되는 유물은 고구려 기와를 비롯하여 고려시대 기와까지 출토되고 있다. 전형적인 고구려 기와도 출토되므로 개와의 가능성을 지적하면서 고구려 때의 유적으로 이해하기도 한다(고구려연구재단 보고서, 2006). 반면 대부분의 기와가 고려시대의 것이므로 고구려 석실묘를 파괴하면서 고려시대 안학궁이 조영된 것으로 보고 고려시대 축조설이 제기되기도 하였다(田中俊明, 2005; 박순발, 2012; 기경량, 2017). 아울러 장수왕 천도 때 청암리토성이 궁성이었다가 안학궁성 축조 이후 왕궁으로 삼았다는 이해도 있고(임기환, 2021), 건축군 배치를 통해 북위식의 영향이 확인되므로 6세기 이전의 건축물로 이해하기도 한다(양정석, 2008). 이와는 전혀 다른 시각에서 평양 천도 직후 평지성의 존재를 부정하기도 한다(기경량, 2017; 권순홍, 2019). 대성산성이 왕성으로 기능하였고, 평지성은 존재하지 않고 청호동과 임흥동, 안학궁의 서쪽지역에서 확인된 도시유적을 중심지로 이해하는 것이다. 이 도시유적이 중심지로 기능하다가 장안성 축조 이후에서야 현재의 평양성이 도성으로 기능하였다는 것이다.

장안성은 북성, 내성, 중성, 외성으로 구성되어 있는 고구려 후기 도성인 평양성이다. 산성과 평지성의 이점이 결합된 형태의 장안성과 관련해서는 양원왕 8년 장안성을 축조하고 평원왕 28년 장안성으로 이도하였다는 기록이 전하고 있다. 장안성의 축조는 양원왕 대의 정국 전환용으로 진행되었을 가능성이 지적되었고, 불안한 정국 상황으로 인해 축성공사를 진행하지 못한 것으로 보고 있다(김희선, 2008). 양원왕 대의 장안성 축조와 달리 평원왕 대의 천도는 장안성의 초축 시기와 내성 축조 시기 사이의 시간적 간극이 있었다는 사실을 보여준다. 평원왕 대는 정국이 안정되면서 축성사업이 본격화된 것으로 볼 수 있다. 평원왕 대 장안성으로의 이도는 신라의 북상, 돌궐의 위협에 대한 대비, 수와의 대결 대비 등 대외적인 정세 변화도 지적되었다(임기환, 2007). 평양성 각자성석을 통해 장안성이 552년부터 593년까지 축조된 것으로 보이므로, 이도한 이후에도 축성은 계속한 것으로 볼 수 있다.

장안성 축성 과정에 대해서는 내성과 외성, 중성과 북성의 축조에 있어 선후관계에 대한 이견이 있다. 가로 구획에 대해서도 여러 이견이 존재하고, 그 영향관계도 북위 낙양성과 수의 대흥성 등으로 달리 이해하고 있다(기경량, 2017; 권순홍, 2019). 이러한 국내외적 상황만으로 이 도를 완벽하게 설명하기는 어렵다. 최근 평양 지역 고지형에 대한 구체적인 분석작업(허의행, 2022; 양정석·허의행, 2023)도 이러한 문제에 새로운 인식을 가능하게 해 줄 수 있을 것으로 보인다.

이처럼 도성과 관련한 문헌사료와 고고자료와의 괴리, 고구려 도성을 바라보는 다양한 시각차로 인해 고구려 도성의 실상에 접근하는 것은 대단히 어렵다. 보다 정밀한 발굴조사를 통해 유적의 전체 모습을 확인하는 작업이 선행되어야 한다.

### 2) 왕릉과 제의

고구려 왕릉에 대한 실측조사나 발굴조사가 이루어져 새로운 사실이 알려지면서 이에 관한 연구가 본격화되었다. 중국 측의 조사보고서에 대한 분석을 토대로 문헌사료와 고고자료를 결합하여 고구려 왕릉과 제의를 세부적으로 살펴볼 수 있게 된 것이다.

그동안 문헌사적으로 피장자 문제에 대해서 검토가 충분하지 못하였다는 사실에 입각해서 『삼국사기』, 『삼국유사』, 일본 측 기록 등 문헌자료를 기본으로 하여 기타 금석문 자료에 보이는 고구려 왕호와 장지를 좀 더 면밀하게 재검토하였다. 그리고 지리적인 위치와 함께 고고학적으로 묘제의 변화와 발전이라는 맥락과 연결시켜 왕릉의 위치와 피장자 문제를 재검토해나가는 과정에서 왕릉에 대한 추정이 이루어졌다. 왕릉 축조와 관련하여 수릉이나 귀장에 대한 인식에 따라 왕릉 비정도 차이가 있었다. 근래에는 수릉이나 귀장에 대한 부정적 견해가 다수 나왔다(이희준, 2006; 정호섭, 2008; 공석구, 2008).

표1  적석총 단계의 왕릉 비정

| 구분 | 연구자 | 왕릉 비정 |
| --- | --- | --- |
| 마선구626호분 | 張福有, 孫仁杰, 遲勇 | 대무신왕 |
|  | 임기환, 桃崎祐輔 | 산상왕 |
|  | 정호섭 | 태조왕 |
|  | 기경량 | 신대왕 |
| 칠성산871호분 | 張福有, 孫仁杰, 遲勇 | 태조왕 |
|  | 魏存成, 정호섭, 기경량 | 산상왕 |
|  | 임기환 | 신대왕 혹은 고국천왕 |
| 임강묘 | 여호규, 임기환, 魏存成, 이도학, 박진욱, 손수호, 정호섭, 기경량, 강진원 | 동천왕 |
|  | 張福有, 孫仁杰, 遲勇 | 산상왕 |
|  | 桃崎祐輔 | 중천왕 |
| 우산하2110호분 | 손수호 | 대무신왕 |
|  | 張福有, 孫仁杰, 遲勇 | 고국천왕 |
|  | 魏存成, 임기환, 정호섭, 기경량, 강진원 | 중천왕 |
|  | 桃崎祐輔 | 동천왕 |
| 칠성산211호분 | 왕릉보고서, 張福有, 孫仁杰, 遲勇, 임기환, 桃崎祐輔, 정호섭, 기경량, 강진원 | 서천왕 |
|  | 魏存成 | 서천왕 혹은 미천왕 |
|  | 손수호 | 중천왕 |
| 서대묘 | 손수호, 이도학 | 서천왕 |
|  | 기타 대부분 연구자 | 미천왕 |
| 우산하992호분 | 손수호 | 소수림왕 |
|  | 이도학, 정호섭 | 비왕릉 |
|  | 강진원 | 미천왕릉 |
|  | 기경량 | 미천왕 2차릉 |
|  | 기타 대부분 연구자 | 고국원왕 |
| 마선구2100호분 | 왕릉보고서, 魏存成, 桃崎祐輔 | 소수림왕 |
|  | 東潮, 정호섭 | 미천왕(2차왕릉) |
|  | 張福有, 孫仁杰, 遲勇 | 봉상왕 |
|  | 기경량, 강진원 | 고국원왕 |
|  | 이도학 | 미천왕 |

| 구분 | 연구자 | 왕릉 비정 |
|---|---|---|
| 천추묘 | 浜田耕策 | 미천왕 |
| | 여호규 | 고국원왕 |
| | 왕릉보고서, 東潮, 魏存成, 桃崎祐輔, 손수호, 方起東 | 고국양왕 |
| | 張福有, 孫仁杰, 遲勇, 임기환, 정호섭, 이도학, 기경량, 강진원 | 소수림왕 |
| 태왕릉 | 東潮 | 소수림왕 |
| | 이도학 | 고국원왕 |
| | 여호규, 임기환, 정호섭, 기경량, 공석구, 강진원 | 고국양왕 |
| | 기타 대부분 연구자 | 광개토왕 |
| 장군총 | 손수호 | 산상왕 |
| | 關野貞, 永島暉臣愼, 田村晃一, 이도학, 여호규, 백승옥, 임기환, 정호섭, 기경량, 공석구, 강진원 | 광개토왕 |
| | 초기 대부분 연구자, 중국 연구자, 浜田耕策, 조법종, 東潮, 桃崎祐輔 | 장수왕 |
| 우산하3319호분 | 李展福 | 고국원왕 |
| | 耿鐵華 | 소수림왕 |
| | 張福有 | 전연(前燕) 왕우(王禹) 혹은 한수(韓壽) |
| | 孫仁杰, 違勇 | 최비(崔毖) |
| | 桃崎祐輔, 정호섭 | 한인관요(漢人官僚) 중랑(中郞) |
| 마선구2378호묘 | 張福有, 孫仁杰, 遲勇, 정호섭 | 차대왕 |
| | 기경량 | 고국천왕 |
| 우산하0540호분 | 張福有, 孫仁杰, 遲勇 | 고국양왕 |
| | 정호섭 | 고국원왕 |
| 환인 용산4호묘 | 張福有, 孫仁杰, 遲勇 | 동명성왕 |
| 우산하0호분 | | 유리명왕 |
| 마선구 노호취 | | 민중왕 |
| 마선구2381호분 | | 모본왕 |
| 산성하36호분 | | 신대왕 |
| 호자구1호묘 | | 동천왕 |
| 산성하1호분 | | 중천왕 |

표2 석실봉토묘 단계의 왕릉 비정

| 구분 | 연구자 | 왕릉 비정 |
|---|---|---|
| 전동명왕릉 | 東潮, 최택선, 강인구 | 동명왕 |
| | 강현숙 | 동명왕(허묘) |
| | 永島暉臣愼, 魏存成, 조영현, 정호섭, 趙俊杰, 門田誠一, 강진원 | 장수왕 |
| | 기경량 | 문자명왕 |
| 경신리1호분 | 東潮, 강인구, 주홍규, 기경량 | 장수왕 |
| | 趙俊杰, 강진원 | 문자명왕 |
| 진파리1호분 (동명왕릉9호) | 정호섭 | 안장왕 |
| | 기경량 | 평원왕 |
| 진파리4호분 (동명왕릉1호) | 永島暉臣愼, 정호섭 | 문자명왕 |
| | 趙俊杰 | 조다 |
| | 기경량 | 양원왕 |
| 진파리7호분 (동명왕릉4호) | 정호섭, 강진원 | 조다 |
| 토포리대총 | 東潮 | 문자명왕 |
| | 趙俊杰, 기경량 | 안장왕 |
| | 강인구 | 문자명왕 혹은 안장왕 |
| | 강진원 | 안원왕 혹은 양원왕 |
| 호남리사신총 | 정호섭, 趙俊杰, 기경량 | 안원왕 |
| | 東潮 | 양원왕 |
| | 강인구, 강진원 | 안원왕 혹은 양원왕 |
| 내리1호분 | 이도학 | 영류왕 |
| 강서대묘 | 關野貞, 이병도, 東潮, 정호섭, 강진원 | 평원왕 |
| | 內藤湖男, 최택선, 趙俊杰, 강인구, 기경량 | 영양왕 |
| 강서중묘 | 趙俊杰 | 평원왕 |
| | 이병도, 東潮, 강진원, 기경량 | 영양왕 |
| | 內藤湖南 | 영류왕 |
| | 강인구 | 양원왕 혹은 평원왕 |
| | 최택선, 기경량 | 대양왕 |
| | 정호섭 | 비왕릉 |
| 강서소묘 | 趙俊杰 | 양원왕 |
| | 최택선, 기경량 | 영류왕 |
| | 강진원 | 대양왕 |
| | 정호섭 | 비왕릉 |

환인 지역 왕릉의 경우, 남아있는 왕릉급 무덤이 부재한 상황이고 특별한 기록이나 지리적 특성이 없어서 비정이 거의 불가능한 상황이다. 집안 지역의 왕릉에 대해서는 많은 의견이 개진된 바 있으나, 합의점에 도달하기 어려운 실정이다.

평양권 고구려 왕릉은 대체로 대형 석실봉토묘나 벽화묘를 중심으로 비정이 이루어졌다. 중국 학계는 집안에 있는 대형 벽화묘들을 평양시기 고구려 왕릉으로 비정하기도 하지만, 이것은 다소 납득하기 어렵다. 평양 지역에 위치한 대형 고분인 전동명왕릉, 경신리1호분, 토포리대총, 진파리1호분, 진파리4호분, 호남리사신총, 강서대묘 등은 왕릉급으로 비정되고 있는 실정이다. 이들 고분에 대한 왕릉 비정도 명확한 근거에 의한 것이 아니라 무덤의 위상, 벽화 내용, 장지와 입지, 기와 비교 등에 의해 추정하는 것이다(정호섭, 2008; 강진원, 2014; 기경량, 2017; 주홍규, 2017).

왕릉과 관련한 제의시설로는 묘상건축, 제대, 배총, 수목, 능묘, 능사 등이 검토되었다(강현숙, 2009; 정호섭, 2009; 강진원, 2015). 아울러 왕릉 등에서 확인된 제의 관련 자료를 토대로 한 연구도 진행되었다(정호섭, 2009; 강진원, 2015; 조우연, 2019).

국가제사와 관련해서도 동맹 등의 제천대회, 사직과 영성, 시조묘 제사를 비롯하여 종묘제에 대한 연구가 이루어졌다. 특히 새로 조사된 고분이나 고분벽화, 새롭게 발견된 집안고구려비의 내용을 토대로 한 제의 연구가 두드러지고 있다(박승범, 2001; 서영대, 2005; 윤성용, 2005; 이정빈, 2006; 조우연, 2010; 강진원, 2015; 최일례, 2015; 이승호, 2016).

## 6. 종교와 문화 연구

### 1) 불교와 도교

고구려 불교는 전래 이후부터 왕실 및 귀족세력과 밀접한 관계 속에서 발전하였는데, 정치적·사회적 상황이 변화하고 지배세력들의 불교에 대한 후원과 인식이 달라지면서 불교의 사회적 위치와 영향력이 약화되었다고 이해되고 있다. 이러한 고구려 불교사의 전반적 추이를 4세기부터 7세기까지로 한정해볼 때, 대체로 4~5세기는 불교의 수용과 전개, 6세기에서 7세기 전반기까지는 불교의 발전과 확산, 7세기 중반대는 불교정책의 변화와 쇠퇴로 구분해볼 수 있다. 이러한 차원에서 고구려 불교사를 통시적으로 연구한 성과가 나왔다(정선여, 2007). 특히 6세기대 불교 교단의 정비를 다루었다는 점은 불교사 연구의 심화라는 측면에서 이해할 수 있다.

고구려 불교 전래에 대해서는 사료상 차이가 있어서 다양한 이견이 존재한다(박윤선, 2004; 신종원, 2006; 정선여, 2007; 표영관, 2008 등). 불교 전래와 관련하여 순도, 아도, 담시 등 다른 기록이 나타나고 있고, 그 이전 시기에 동진의 지둔도림과 편지를 주고받은 고려도인(高麗道人)의 존재도 확인되고 있으며, 안악3호분에도 불교 관련 문양이 있기도 하여 공식 전래 이전부터 불교가 유입된 상황이라는 것은 주지의 사실이다.

고구려의 불교 수용과 관련해서는 대체로 왕권강화나 중앙집권화의 이론체계라는 성격에 주목해왔다. 고구려에서 국가통치에 불교를 이용할 필요성이 있었다는 것은 전진의 부견이 불교를 국가통치의 방편으로 보호하였다는 사실과 연결해볼 수 있다. 하지만 고구려 불교 전래를 설명할 때, 국가나 왕실이 주도하거나 적극적으로 수용할 준비가 된 상태에서 고등종교로서의 불교를 통해 중앙집권적 귀족국가로 정비할 필요성에서였다고 평가하는 것은 결과론적 해석으로 볼 여지도 있다. 특히 불교가 왕권 정당화 내지는 중앙집권화의 이론장치로 역할을 했다거나, 평양 지역의 중국계 집단을 효과적으로 통제하기 위해서라는 등 불교의 정치적 기능을 강조한 것에 대해서는 비판적 의견이 개진되기도 하였다. 고구려의 불교 수용은 사회 전반에 걸친 일반민과 지배세력 다수의 공감을 전제로 한 새로운 종교 내지는 문화의 수입이지, 왕권강화 목적으로 받아들이지 않았을 수도 있다는 것이다(조우연, 2011). 아울러 고구려 불교 전래 및 수용 문제와 관련해 왕권의 역할이 지나치게 강조되었음을 비판하고, 이른바 국가적 공인 이전 불교 사전의 중요성과 의미에 대해 강조한 견해도 있다(최광식, 2007).

초기 불교의 성격과 관련한 논의(門田誠一, 2001), 요동성 육왕탑과 관련한 논의(김선숙, 2004; 윤세원, 2014), 말기의 불교계와 보덕의 백제 이주에 관한 논의(김주성, 2003), 미륵신앙 연구(김상현, 2005), 승랑 연구(남무희, 2011), 고구려의 불교와 문화 등에 대한 전반적 검토(김상현, 2007), 중국 문헌 소재 고구려 불교사 기록에 대한 검토(김상현, 2005), 『삼국유사』의 고구려 불교사 서술과 그 한계에 대한 검토(정호섭, 2018)도 이루어졌다. 한편 고구려의 도교에 대한 논의(김수진, 2010; 장인성, 2015; 박승범, 2019; 강진원, 2022)도 있었다.

이러한 연구를 통해 고구려 불교사에 대한 대략적인 이해는 가능하게 되었지만, 상대적으로 고구려 불교 관련 자료가 적은 관계로 불교사 연구가 활발하게 진행되지는 못하였다. 많은 고구려의 승려들이 중국,

일본, 신라, 백제 등에서 활동한 내용이 여러 문헌에서 확인되는데, 이들은 동아시아 불교 발전에 참여하고 일정 부분 공헌하기도 하였다. 비록 자료는 불충분하지만, 향후에는 고구려 불교사의 흐름을 체계적으로 살펴보고, 아울러 고구려 불교가 가지는 동아시아에서의 위상을 좀 더 명확하게 구명할 필요성이 있다.

고구려 도교와 관련해서는 말기 연개소문의 도교 수용 및 진흥과 연계하여 주로 연구가 진행되었다(김주성, 2003; 김수진, 2010; 강진원, 2022). 도교 진흥으로 인한 불교계와의 갈등과 보덕의 이주 등과 연관하여 살펴보고 있다.

### 2) 고분벽화와 문화사

고구려 벽화고분은 중국에 38기, 북한에 80여 기가 존재하는 것으로 보아, 현재 120여 기가 넘는다고 알려져 있다. 벽화고분은 최근까지도 지속적으로 발굴보고되고 있어서 향후에 더 늘어날 것으로 보인다. 고분벽화는 역사자료이면서 장의예술로 고구려인의 내세관을 보여주고 있다. 고구려 고분벽화는 동아시아의 보편성과 독자성, 개별성과 국제성이 조화된 흔적을 보여주는 자료이고, 고구려 역사의 전개 과정과 관련성을 가지고 변화하고 발전하였다. 중원적 요소와 북방적 요소를 혼합하고 그것을 독자적으로 발전시켜 삼국과 일본 문화에 영향을 주었기 때문에 동아시아에서 고구려 고분벽화의 위치는 매우 중요하다고 할 수 있다.

고구려 고분벽화 연구는 김용준에 의해 토대가 마련된 이후에 고고학, 미술사 분야에서 연구되다가 이후 묘실 구조와 벽화 내용을 종합하여 각각의 특점을 단순화시키고 내세관에 의한 고분벽화의 변화가 설명되었다(전호태, 2000). 2000년대 이후 고분벽화 연구는 고구려뿐만 아니라 동아시아 내지는 유라시아로 보다 연구가 확장되었고, 개별 고분벽화에 대한 이해뿐만 아니라 주변 벽화와의 비교연구, 벽화의 분포 현황이나 벽화를 통한 신앙과 제의 연구, 벽화에 나타난 기물이나 도상 연구, 별자리에 관한 연구, 생사관 연구 등이 수반되었다(공석구, 2000; 김일권, 2003; 전호태, 2004; 서영교, 2004; 강현숙, 2005; 이송란, 2005; 나희라, 2005; 박아림, 2009; 김진순, 2009; 김주미, 2009; 門田誠一, 2011; 정호섭, 2011; 고광의, 2011; 김수민, 2011; 조우연, 2012; 東潮, 2015). 아울러 미의식이나 건축, 주거, 음악, 놀이 등 다양한 문화에 대한 연구를 통해 고구려 생활문화사가 정리되기도 하였다(전호태, 2016). 고분벽화에 나타나는 묵서를 통해 묵서문화의 수용과 변용, 그리고 묵서의 기능을 밝히는 연구도 있었다(김근식, 2020).

고구려 고분벽화 연구에서 뚜렷한 한계점도 존재하는데, 120여 기가 넘는 벽화고분 가운데 전체 벽화 내용을 어느 정도 구체적으로 알 수 있는 경우는 30여 기 내외로 한정된다. 대부분의 고분벽화는 일부 내용만 확인되고 있어서 전모를 이해하기 어려운 경우가 대다수를 차지하고 있다. 특히 벽화고분은 실견이 어려운 관계로 고분벽화에 대한 정확한 정보도 부족한 편이다. 남북 관계가 원만했을 때 북한에 있는 고분벽화를 3회에 걸쳐 조사한 경험과 거기에서 확보한 자료들은 벽화 연구에 있어 소중한 자산이 되기도 하였다(고구려연구재단, 2005; 남북역사학자협의회·국립문화재연구소, 2006; 2007). 따라서 벽화 연구의 활성화를 위해서는 각 벽화고분에 대한 정확한 정보를 세부적으로 확인할 수 있는 종합적인 데이터베이스 구축이 필요할 것으로 보인다.

문화사적인 측면에서의 연구도 이어졌는데, 복식이나 음식과 관련한 연구도 제시되었다. 복식에 대한 연구는 주로 문헌기록과 고분벽화를 통해 이루어졌고(김정선, 2000; 정완진, 2003; 이경희, 2012), 고구려 음식문화에 대한 연구가 진행되기도 하였다(전호태, 2013; 박유미, 2017).

## 7. 천하관과 기타 연구

천하에 대한 인식을 나타내는 천하관은 현실적으로 구성되어 있는 세상 속에서 자국의 위상이 어떠한지에 대한 것이다. 따라서 천하관은 국내외의 현실적인 정치질서와 현상에 대한 인식을 담고 있다. 이러한 천하에 대한 인식은 중국으로부터 동아시아의 여러 나라에 전파되었고, 당시 동북아시아에 위치한 고구려에도 이러한 천하관이 수용되었다.

고구려의 천하관은 5세기에 작성된 광개토왕비, 모두루묘지명, 충주고구려비 등의 비문과 묘지명에 잘 나타나 있다. 이를 통해 고구려의 독자적인 천하관에 대해 구명된 바 있는데(양기석, 1983; 노태돈, 1988), 고구려는 5세기에 중국 대륙의 분열상황을 활용하여 중국의 여러 왕조와 대등한 외교관계를 펼치며 독자 세력권을 구축하고 고구려 중심의 천하관을 확립한 것으로 이해하였다. 2000년대 이후의 연구에서도 주변세력과의 관계 속에서 고구려의 위상을 자리매김하고자 하는 천하관에 대한 연구가 지속되었다. 기존 천하관의 개념을 문제로 보고 천하의 개념을 엄밀하게 따져보면서 현실공간 속에서 천하질서 내지는 국제질서 인식의 전개를 살펴보기도 하였고, 고구려 천하관의 실체를 더욱 구체적으로 파악하는 시도도 있었다. 아울러 4~5세기에 집중되었던 천하관 연구를 넘어 고구려 초기부터 5세기에 걸친 천하관의 형성 배경 등을 통시적으로 짚어보기도 하였다(篠原啓方, 2006; 여호규, 2009; 윤상열, 2010; 정효운, 2012; 이희진, 2014; 방용철, 2021).

세계적으로 빅히스토리가 유행하면서 고구려사 연구에도 새로운 분야가 개척되기도 하였다. 해양, 환경, 질병, 생태 등에 대한 세계적인 관심 속에서 새로운 연구경향도 나타났다. 고구려와 관련한 해양사 연구(윤명철, 2003), 전염병에 관한 연구도 등장하였고(이정빈, 2021), 의약이나 의약기술 교류 등과 관련한 연구도 나왔으며(이현숙, 2021; 박준형, 2021), 중요 물자의 생산·유통·소비 등과 관련한 연구도 나오고 있다(여호규, 2014; 양인호, 2021; 2022).

신채호와 박은식의 고구려사 인식이나 문학적 서사가 역사화되는 과정과 기억의 전승에 대한 고찰도 있었고(조인성, 2009; 조법종, 2017; 정호섭, 2014; 2020; 2022), 중국 정사의 고구려 인식을 살펴보기도 하였다(이정자, 2008). 특정한 지명에 대해 관심을 가지고 고증하고 연구도 다수 확인된다(김민수, 2003; 박종서, 2010; 윤경진, 2017; 윤성호, 2017; 여호규, 2021; 정호섭, 2020; 문영철, 2021).

상대적으로 자료가 거의 없다시피 한 사회경제사와 관련하여 고구려척과 관련한 검토도 있었다(유태용, 2001; 윤선태, 2002; 박찬흥, 2005; 이우태, 2007). 단편적인 기록만 확인되는 고구려 유인(遊人)이나 유녀(遊女) 등에 관해서도 연구를 통해 그 성격을 다양하게 구명하고자 했으나, 각양각색의 가설만 난무한 상황이다(권주현, 2000; 김락기, 2000; 김선주, 2000; 조상현, 2003; 김현정, 2006; 안정준, 2015; 나유정, 2020). 근대 일본의 만선사와 관련한 고구려사 연구를 되돌아보기도 하였다(井上直樹, 2004; 박찬홍, 2005; 이준성, 2014).

아울러 고구려 교육제도나 역사 편찬과 관련한 연구도 나왔다(이정빈, 2012; 조범환, 2015; 이재석, 2021; 전덕재, 2022; 김준형, 2022). 또한 고구려에 이주한 외래인이나 고구려로부터 북위 등에 이주한 사람들에 대해 주목하기도 하였다(공석구, 2003; 정호섭, 2017; 이동훈, 2018; 이성제, 2020; 윤용구, 2021).

## 8. 동북공정과 고구려사 인식 논쟁

### 1) 중국의 동북공정 관련 연구

동북공정은 중국 사회과학원 내에 설치한 변강사지연구중심이 동북지역의 요령성, 길림성, 흑룡강성과 더불어 2002~2007년까지 5개년에 걸쳐 진행한 프로젝트이다. 동북공정은 '동북변강역사여현상계열연구공정(東北邊疆歷史與現狀系列研究工程)'의 줄임말로 통일적 다민족국가인 중국의 변경지역을 안정시키고 민족들을 단결시켜 사회주의 중국의 통일을 강화하기 위한 일환으로 추진된 것이라고 할 수 있다. 이를 통해 중국은 장기적인 국가전략과 관련하여 국가의 안전 특히 동북변경 안정과 아울러 낙후된 동북지역을 개발하여 지역 안정을 도모하고자 하였다. 이는 비단 역사 문제를 떠나 중국의 소수민족정책과 더불어 향후 남북 관계와 영토문제에도 영향력을 가질 수 있는 문제이기도 하다. 즉 만주 지역 및 한반도와 연관된 역사 문제뿐만 아니라 영토문제와 같은 현실적인 문제와도 관련이 있다. 비록 2007년 들어 5년간의 동북공정은 끝났지만, 소위 '포스트 동북공정'을 통해 그동안 개발된 논리를 구체화하는 작업이 동북 3성에 의해 계속 추진되고 있다. 중국 사회과학원의 제11차 5개년 사업(2006~2010)에 포함된 역사·영토 연구사업과 함께 길림성사회과학원에서도 고구려·발해 관련 연구비를 조성하면서 동북 3성 등 각급 학술기관에 의한 동북 변강사 연구는 양적으로 증가하고 질적으로 수준이 향상되고 있다.

중국의 동북공정을 둘러싼 한중 간 역사갈등은 기본적으로 역사관의 차이에 기인한다. 중국은 통일적 다민족국가론에 입각하여 중국의 현재 영토 내에 있는 모든 민족의 역사가 중국사에 귀속된다는 영토주권론에 입각하여 바라보고 있어서, 고구려사에 대한 인식도 여기에 기인한다. 고구려를 중국의 소수민족 지방정권으로 파악하여 고구려사를 중국사로 편입시키려는 의도가 있다는 것은 이미 잘 알려진 사실이다. 또한 일사양용론(一史兩用論)에 입각해 역사를 바라보기도 한다.

중국은 2002년 동북공정을 시작한 시점부터 2007년 이전까지 수많은 논문과 저서의 간행을 통해 고구려사를 중국 소수민족의 지방정권으로 설정하였다. 2007년 이후에도 중국 학계는 주요 몇몇 학술지를 통해 매년 수십 편에 달하는 저서와 논문 등 연구성과를 발표하고 있다. 고구려사 연구가 동북 3성의 연구기관을 중심으로 지속적으로 진행되고 있고, 이러한 연구들은 대부분 동북공정의 연구 내용과 맥을 같이하고 있다.

동북공정과 관련된 중국의 연구는 중국 강역이론 연구, 동북 지방사 연구, 동북 민족사 연구, 고구려·발해국 문제 연구, 중·조 관계사 연구, 중국 동북 변강과 러시아 원동지역 정치·경제관계사 연구 등이다.

이 중 고구려사와 관련되는 연구로는 중국 강역이론 연구에서 고대 중국과 주변민족, 봉건시기 번속과 속국, 조공제도 연구 등이 이루어졌다. 동북 지방사 연구에서는 동북 변강역사 형성과 변천 연구, 동북 변강 영토, 역대 동북 변강민족 이민 및 정책 연구 등이 이루어졌다. 동북 민족사 연구에서는 족원, 문화 연구가 이루어졌다. 고구려·발해국 문제 연구에서는 고구려족 족원과 유향 연구, 고구려국 귀속 문제 연구가 이루어졌다. 중·조 관계사 연구에서는 조선반도 고문명 기원 연구와 조선반도의 국가·종족 연구가 이루어졌다.

이러한 연구를 통해 중국은 고구려는 중국 땅에 세워졌고, 고구려 민족은 중국 고대의 한 민족이고, 고구려는 독립국가가 아니라 지방정권임을 주장하였다. 아울러 고구려는 중국에 조공하고 책봉을 받은 속국이라는 주장과 함께 수·당과 고구려의 전쟁은 내전이었고, 고려는 고구려를 계승한 국가가 아니고 고구려인 대부분은 중국으로 이주하여 중국인화되었다고 하였다. 이러한 동북공정과 관련한 연구동향 분석은 수차례 이루어졌기 때문에 세부적인 내용을 다루는 것은 부언하는 측면이 있어 큰 의미가 없다. 다만 여기서는 중국의 대체적인 연구경향에 대해 서술하고자 한다.

첫째, 고구려사 관련 연구물의 양적 팽창과 이를 주도한 연구자의 수적 확대를 살펴볼 수 있다. 기존의 연구자 외에도 상당수의 연구자들이 학술지를 통해 논문을 발표하고 있을 정도로 연구자의 폭이 넓어졌음을 살필 수 있다. 최근 박사학위논문을 제출한 신진 연구자도 지속적으로 배출되고 있다.

둘째, 연구분야의 다양화가 주목된다. 종족 문제나 민족 문제, 중국의 동북 역사에 대한 외교관계 및 문화적 영향관계 등과 같은 전통적인 연구 이외에도 정치사, 문화 및 종교, 대외관계사, 역사지리, 사료 및 원전, 종족 기원 및 민족 문제, 신화 및 전설, 유민사, 금석문, 군사 및 전쟁사, 고구려사 귀속 문제, 복식 등에 관한 연구가 있다. 고구려사 관련 기존 연구성과에 대한 연구사 검토 논문이나 저서, 관련 분야 논저 목록 등도 출간되었다.

셋째, 동북공정 이후 중국은 기본적인 연구시스템을 마련하여 동북공정 논리를 변함없이 견지하면서 보완, 심화해가고 있음을 확인할 수 있다. 중국의 고구려 연구는 동북공정 종료 후에도 양적으로 증가하였고 질적으로도 향상되고 있다. 논리적 타당성이 부족한 주장은 도태되고 보완이 필요한 주제에는 중견학자들이 전략적으로 포진하여 공동연구를 진행하고 있다.

넷째, 비교적 짧은 기간에 고구려 고고유적에 대한 고고학적 조사와 정비가 상당수 진행되고 있는 것에서 보이듯이 고구려사 관련 고고자료 정리가 체계적이고 지속적으로 이루어지고 있다. 특히 주요 고구려 고분, 산성 등에 대한 발굴조사가 지속적으로 진행되어 그에 관한 성과가 학술지를 통해 발표되고 있다.

동북공정과 이후 포스트 동북공정은 중국의 현안인 동북 변강정책이나 다민족통일국가정책 등과 긴밀하게 연관된다. 반면 한국 측 입장은 역사귀속 문제나 역사왜곡 문제에 초점이 맞추어져 있다. 이러한 양측의 입장 차를 고려하면 조정하거나 합의할 가능성은 별로 없다. 동북공정과 관련하여 역사분쟁의 본질적 성격은 바뀌지 않았다. 향후에도 중국 학계의 고구려사 연구는 동북공정의 연장선상에서 계속될 것으로 보인다. 특히 동북 3성 지역에서의 연구가 중심적인 위치를 차지할 것으로 예상되며, 학술지나 저서, 보고서 등을 통해 연구성과가 계속 발표될 것이다. 중국 측의 고구려 유적 조사나 복원 정비도 지속적으로 이루어질 가능성이 높다(정호섭, 2013). 중국은 향후 역사연구에 있어서 논리 보강과 한국 학계에 대한 연구비판이 더 강화되고, 제3국에 동북공정식 역사인식을 알리고 자국 국민에게 애국주의적 역사관을 교육하는 데 더 매진할 가능성이 농후하다. 고구려와 발해, 고구려와 부여, 고구려와 고조선의 역사적 맥락을 자국사 안에서 연결하는 논리 개발에 보다 힘을 기울일 것으로 보인다(김현숙, 2016).

### 2) 동북공정에 대한 비판적 연구

한국 학계는 2003년부터 동북공정이 고구려사를 비롯해 한국의 고대사를 빼앗고 백두산과 간도를 영원히 장악하려는 국가프로젝트라고 비판하였다. 전통적으로 한국은 꾸준히 고구려를 한국사로 인식했지만, 중국은 고구려를 자국의 역사로 편찬한 적이 전혀 없었으며, 심지어 옛 중국인들은 한반도와 만주에 사는 사람들을 동이라고 비하하여 불렀다는 사실에 주목하였다. 특히 한국은 지형적, 문화적 영속성을 근거로 한민족 형성의 한 흐름 속에서 족적 계통론에 입각하여 고구려사를 파악하고 있기 때문에 역사적 계승성을 강조하고 있다. 전통시대의 중국은 공간적, 종족적, 문화적으로 단일한 공간이 아니었고, 현재의 중국과 명백히 달랐기에 그것을 동일시하는 역사인식은 문제가 있다는 점이 지적되었다.

이러한 동북공정의 역사왜곡에 대한 한국 학계의 비판은 중국이 주변으로부터 중국 자신의 역사인식에 대해 비판적 문제 제기를 받은 최초의 사례다. 중화주의에 입각한 패권주의적 역사인식 내지는 영토주의에 입각한 팽창주의적 인식이라는 비판을 받은 것이다. 2004년 8월 한국과 중국의 외교 관계자가 만나 고구려사 문제의 공정한 해결을 도모하고 필요한 조치를 취해 정치 문제화하는 것을 방지, 중국 측은 중앙 및 지방 정부 차원에서 고구려사 관련 기술에 대한 한국 측의 관심에 이해를 표명하고 필요한 조치를 취해 나감으로써 문제가 복잡해지는 것을 방지, 학술교류의 조속한 개최를 통해 해결 등 5개 항목의 양해사항을 구두로 합의하기도 하였다. 그러나 동북공정과 관련한 연구결과는 지속적으로 이어졌고, 한중 학계의 합의점은 쉽게 도출되지 못하였다.

중국의 동북공정은 중국에서 고구려 연구의 성장뿐만 아니라 한국 학계에도 큰 영향을 끼쳤다. 특히 중국의 동북공정에 대한 한국 학계의 비판은 2003년부터 지속적으로 이루어졌다. 이러한 비판은 몇 갈래로 진행된 측면이 있다. 첫째 중국 동북공정의 배경이나 내용과 이에 대한 비판을 다룬 것이다(윤휘탁, 2003; 여호규, 2004; 이성제, 2004; 최광식, 2004; 박장배, 2005; 김정배, 2006; 조인성 외, 2010; 이석현 외, 2010 등). 둘째, 동북공정의 세부내용을 비판하고 한국사로서 고구려의 정체성을 발견하고자 하는 것이다(서영대, 2004; 김현숙, 2004; 박경철, 2004; 조희승, 2006; 이인철, 2010; 정병준, 2007 등). 셋째, 고려나 발해의 고구려 계승성을 구명하고자 하는 것이다(박용운, 2004; 안병우, 2004; 최규성, 2004; 박한설, 2004; 한규철, 2004 등). 넷째, 고구려사를 요동사 내지는 요동 역사공동체의 범주로 이해하는 것과 관련한 논쟁이나 한국 학계의 대응논리에 대해 다룬 것이다(김한규, 2004; 박원호, 2007; 조법종, 2007; 임기환, 2006; 김영심, 2011 등). 다섯째, 동북공정 이후 소위 포스트 동북공정에 주목하는 것이다(윤휘탁, 2003; 임기환, 2006; 최광식,

2008; 정호섭, 2013; 김현숙 외, 2016; 김현숙, 2022).

이러한 연구를 통해 중국 측의 주장을 반박하면서 고구려는 종족의 기원과 역사계승의식에서 한국사이고, 중국세력을 몰아내는 과정에서 건국, 발전한 독립국이었으며, 중국과의 조공·책봉은 고대의 외교형식으로 속국임을 판단하는 기준이 될 수 없음을 강조하였다. 아울러 고구려와 수·당의 전쟁은 국가 간에 발생한 국제전쟁이었고, 고려나 발해는 고구려의 계승국임을 역사적으로 밝혔다. 이러한 동북공정과 관련하여 한국 학계가 제시한 중국 학계에 대한 비판적 검토는 동북공정의 배경을 이해하고 한중 역사갈등의 현황과 과제를 짚어보고, 고구려사를 자국의 역사에 편입하려는 중국에 대항하여 왜곡된 정보를 바로잡으려 했다는 것에서 의미를 찾을 수 있다. 아울러 한국 사학계의 역사인식에 대한 반성을 토대로 한 새로운 관점이나 과제 제시, 동북공정 종료 후에도 이어지고 있는 포스트 동북공정에 대해서도 주목하고 있다는 점에서 의의가 있다.

한편, 북한 학계의 동북공정과 관련한 연구동향이 분석되기도 하였다(김현숙, 2012). 일본 학계에서도 동북공정과 관련한 역사 귀속 문제를 다룬 논고가 2004년경부터 2010년까지에 걸쳐 제출되었다(下條正男, 2004; 澤喜司郎, 2004; 山本勇二, 2004; 金光林, 2004; 井上直樹, 2005; 徐勝, 2005; 坂井臣之助, 2005; キムジョンウン·戸澤健次, 2005; 李成市, 2008; 古畑徹, 2008).

중국이 동북공정 이후 장성보호공정, 장백산문화론, 요하문명론, 청사공정 등 역사공정이나 다양한 이론을 연결하는 것은 고조선에서 발해까지의 역사를 중국 역사화하려는 의도라고 보인다. 이러한 중국 측의 움직임은 고구려가 중국 소수민족의 지방정권이라는 전제하에 진행된 동북공정이 점차 확대, 재생산되고 있는 측면을 반영한다.

한중 두 나라의 역사 문제에 대한 갈등은 양국을 위해서도 바람직하지 않다. 동북아시아의 평화와 안정을 위해 양국은 화해와 협력의 길로 나아가야 한다. 그러기 위해서는 여러 방면에서 노력이 필요하겠지만, 역사 문제로 인한 갈등은 비학문적인 영역인 정치나 다른 영역으로 확대되지 말아야 하고, 학문적인 측면에서 해결방안을 찾아야 할 것이다. 역사갈등 해결에 대한 감정적이고 비상식적인 자세가 아닌 보다 열린 자세가 양국에게 요구된다. 동북아시아 역사갈등은 국가, 민족을 기반으로 하는 근대 국민국가의 틀에 의해 역사인식이 이루어지고 있기 때문이다. 이러한 역사인식을 토대로 하는 상황에서 역사갈등은 해결될 여지가 거의 없다. 그렇기 때문에 근대 국민국가의 유산인 국가, 민족 중심의 역사인식에 대해 성찰할 필요성도 있다.

# 참고문헌

\* 분량상 본문 주석 가운데 일부만 수록함.

## 문헌사료

동북아역사재단, 2018, 『역주 한원』.
_____, 2018, 『중국정사 동이전 교감』.
_____, 2018, 『중국정사 외국전 역주』.
임기환, 2006, 「고구려본기 전거 자료의 계통과 성격」, 『韓國古代史硏究』 42.
\_\_\_\_\_, 2007, 「웅진시기 백제와 고구려 대외관계 기사의 재검토」, 『百濟文化』 37.
전덕재, 2016, 「三國史記 高句麗本紀의 原典과 完成」, 『동양학』 64.
\_\_\_\_\_, 2016, 「三國史記 高句麗本紀의 原典과 撰述」, 『백산학보』 105.
정호섭, 2011, 「삼국사기 고구려본기 4~5세기의 기록에 대한 검토」, 『新羅文化』 38.

## 금석문

高句麗硏究會, 2000, 『中原高句麗碑 硏究』, 學硏文化社.
권덕영, 2021, 『재당 한인 묘지명 연구: 역주편』, 한국학중앙연구원출판부.
동북아역사재단, 2020, 『충주고구려비 연구』.
신종원 외, 2015, 『중국 소재 한국 고대 금석문』, 한국학중앙연구원출판부.
耿鐵華, 2013, 「중국 지안에서 출토된 고구려비의 진위(眞僞) 문제」, 『韓國古代史硏究』 70.
공석구, 2007, 「안악 3호분의 주인공과 고구려」, 『白山學報』 78.
\_\_\_\_\_, 2013, 「集安高句麗碑의 발견과 내용에 대한 考察」, 『高句麗渤海硏究』 45.
김근식, 2020, 「고구려 벽화고분의 묵서 연구」, 동국대학교 박사학위논문.

김수진, 2017, 「唐京 高句麗 遺民 硏究」, 서울대학교 박사학위논문.
김현숙, 2004, 「고구려 붕괴 후 그 유민의 거취 문제」, 『韓國古代史硏究』 33.
_____, 2013, 「集安高句麗碑의 건립시기와 성격」, 『韓國古代史硏究』 72.
孫仁杰, 2013, 「집안 고구려비의 판독과 문자 비교」, 『韓國古代史硏究』 70.
여호규, 2009, 「4세기 高句麗의 樂浪, 帶方 경영과 中國系 亡命人의 정체성 인식」, 『韓國古代史硏究』 53.
_____, 2013, 「신발견 集安高句麗碑의 구성과 내용 고찰」, 『韓國古代史硏究』 70.
우에다 기헤이나리치카, 2019, 「'內臣之番'으로서의 百濟·高句麗遺民」, 『高句麗渤海硏究』 64.
이성제, 2013, 「集安 高句麗碑로 본 守墓制」, 『韓國古代史硏究』 70.
_____, 2014, 「高句麗·百濟遺民 墓誌의 出自 기록과 그 의미」, 『韓國古代史硏究』 75.
임기환, 2007, 「고구려 文字, 言語 자료의 현황과 과제」, 『대동한문학』 26.
_____, 2014, 「집안고구려비와 광개토왕비를 통해 본 고구려 守墓制의 변천」, 『韓國史學報』 54.
정호섭, 2013, 「集安 高句麗碑의 性格과 주변의 高句麗 古墳」, 『韓國古代史硏究』 70.
_____, 2021, 「唐의 喪葬令을 통해 본 고구려·백제 遺民의 喪葬禮」, 『韓國古代史硏究』 104.
趙宇然, 2013, 「集安 高句麗碑에 나타난 왕릉제사와 조상인식」, 『韓國古代史硏究』 70.

苗威, 2011, 『高句麗移民硏究』, 吉林大學出版社.
拜根興, 2012, 『唐代高麗百濟移民硏究』, 中國社會科學出版社.
井上直樹, 2021, 『高句麗の史的展開過程と東アジア』, 塙書房.

**국가 형성과 초기 정치사**

금경숙, 2004, 『고구려 전기 정치사 연구』, 고려대학교 민족문화연구원.
김영하, 2012, 『한국고대사의 인식과 논리』, 성균관대학교출판부.
여호규, 2014, 『고구려 초기 정치사 연구』, 신서원.
이종욱, 2008, 『주몽에서 태조대왕까지』, 서강대학교출판부.
임기환, 2004, 『고구려 정치사 연구』, 한나래.
김기흥, 2005, 「고구려 국가형성기의 왕계」, 『고구려의 국가형성』, 고구려연구재단.
김성현, 2021, 「高句麗 初期 支配勢力의 再編과 政治體制의 變動」, 서울대학교 박사학위논문.
김영하, 2000, 「한국 고대 국가의 정치 체제 발전론」, 『韓國古代史硏究』 17.
김종은, 2003, 「고구려초기 천도기사로 살펴본 왕실교체」, 『숙명사론』 3.
_____, 2015, 「고구려 초기 정치집단 연구」, 숙명여자대학교 박사학위논문.
김현숙, 2007, 「고구려의 종족기원과 국가형성과정」, 『大丘史學』 89.
노태돈, 2000, 「초기 고대국가의 국가구조와 정치운영 – 부체제론을 중심으로 –」, 『韓國古代史硏究』 17.
朴京哲, 2002, 「高句麗人의 '國家形成' 認識 試論」, 『韓國古代史硏究』 28.
여호규, 2000, 「고구려 초기 정치체제의 성격과 성립기반」, 『韓國古代史硏究』 17.
_____, 2005, 「高句麗의 國家形成과 漢의 對外政策」, 『軍史』 54.
_____, 2010, 「고구려 초기의 왕위계승원리와 古鄒加」, 『동방학지』 150.
이규호, 2021, 「高句麗 官制 硏究」, 동국대학교 박사학위논문.
이정빈, 2006, 「3世紀 高句麗 諸加會議와 國政運營」, 『震檀學報』 102.
이준성, 2019, 「고구려의 형성과 정치체제 변동」, 연세대학교 박사학위논문.
임기환, 2003, 「고구려 정치사의 연구 현황과 과제」, 『韓國古代史硏究』 31.
_____, 2016, 「고구려 王系의 성립과정과 시기」, 『韓國古代史硏究』 83.
장병진, 2019, 「고구려의 성립과 전기 지배체제 연구」, 연세대학교 박사학위논문.
조영광, 2012, 「高句麗 初期의 國家 形成」, 경북대학교 박사학위논문.

## 후기 정치사

노태돈, 2009, 『삼국통일전쟁사』, 서울대학교출판부.
임기환, 2004, 『고구려 정치사 연구』, 한나래.
김강훈, 2018, 「淵蓋蘇文 집권기 고구려의 정치 운영」, 경북대학교 박사학위논문.
김영하, 2000, 「高句麗 內紛의 국제적 배경」, 『韓國史研究』 110.
김진한, 2010, 「고구려 후기 대외관계사 연구」, 한국학중앙연구원 박사학위논문.
_____, 2016, 「高句麗 滅亡과 淵蓋蘇文의 아들들」, 『한국고대사탐구』 22.
방용철, 2017, 「연개소문 집권기 고구려의 정치 운영」, 경북대학교 박사학위논문.
여호규, 2016, 「新發見 高乙德墓誌銘을 통해 본 高句麗 末期 中裏制와 中央官制」, 『百濟文化』 54.
이규호, 2022, 「6~7세기 고구려 中裏制의 운영과 人事」, 『동국사학』 74.
이도학, 2006, 「高句麗의 內紛과 內戰」, 『高句麗渤海研究』 24.
이동훈, 2016, 「고구려 중·후기 지배체제 연구」, 고려대학교 박사학위논문.
이문기, 2003, 「고구려 중리제의 구조와 그 변화」, 『대구사학』 71.
_____, 2008, 「高句麗 滅亡期 政治運營의 變化와 滅亡의 內因」, 『韓國古代史研究』 50.
李成制, 2016, 「遺民 墓誌를 통해 본 高句麗의 中裏小兄」, 『중국고중세사연구』 42.
정원주, 2013, 「高句麗 滅亡 硏究」, 한국학중앙연구원 박사학위논문.
최호원, 2020, 「고구려 후기 국내정세와 신라관계」, 고려대학교 박사학위논문.

## 지방통치

김현숙, 2005, 『고구려의 영역지배방식 연구』, 모시는사람들.
김락기, 2007, 「5~7世紀 高句麗의 東北方 境域과 勿吉·靺鞨」, 인하대학교 박사학위논문.
안정준, 2013, 「李他仁墓誌銘에 나타난 李他仁의 生涯와 族源」, 『목간과 문자』 11.
_____, 2016, 「高句麗의 樂浪·帶方郡 故地 지배 연구」, 연세대학교 박사학위논문.
여호규, 2009, 「4세기 高句麗의 樂浪, 帶方 경영과 中國系 亡命人의 정체성 인

식」,『韓國古代史硏究』53.

_____, 2017,「高句麗 遺民 李他仁墓誌銘의 재판독 및 주요 쟁점 검토」,『한국고대사연구』85.

_____, 2020,「고구려의 韓半島 中部地域 지배와 漢城 別都의 건설」,『韓國古代史硏究』99.

이경미, 2017,「鴨綠江~遼河 유역 고구려 성곽과 지방통치 연구」, 한국외국어대학교 박사학위논문.

이동훈, 2016,「고구려 중·후기 지배체제 연구」, 고려대학교 박사학위논문.

이종록, 2022,「高句麗 前期 동해안지역 복속과 濊族社會 연구」, 고려대학교 박사학위논문.

임기환, 2015,「요동반도 고구려성 현황과 지방지배의 구성」,『韓國古代史硏究』77.

정호섭, 2019,「고구려의 州·郡·縣에 대한 재검토」,『사학연구』133.

최희수, 2009,「高句麗 地方統治 運營 硏究」, 서강대학교 박사학위논문.

**교통로와 관방체계**

서일범, 2001,『조선 경내의 고구려 산성연구』, 길림인민출판사.

정원철, 2017,『고구려 산성 연구』, 동북아역사재단.

공석구, 2007,「고구려와 모용 '연'의 전쟁과 그 의미」,『동북아역사논총』15.

박종서, 2022,「高句麗 南進 硏究」, 단국대학교 박사학위논문.

백종오, 2007,「南韓地域 高句麗 關防體系-臨津江流域을 중심으로-」,『先史와 古代』26.

_____, 2017,「高句麗 城郭 築城術의 擴散에 대한 豫備的 檢討」,『高句麗渤海硏究』59.

신광철, 2022,「관방체계를 통해 본 고구려의 국가전략 연구」, 고려대학교 박사학위논문.

심광주, 2006,「南韓地域 高句麗 城郭硏究」, 상명대학교 박사학위논문.

_____, 2008,「고구려 관방체계와 경기지역의 고구려 성곽」,『경기도 고구려유적』, 경기도문화재단.

양시은, 2013, 「고구려 성 연구」, 서울대학교 박사학위논문.
이경미, 2017, 「鴨綠江~遼河 유역 고구려 성곽과 지방통치 연구」, 한국외국어대학교 박사학위논문.
이성제, 2016, 「최근 조사자료를 통해 본 중국 소재 고구려 성곽의 운용양상」, 『東北亞歷史論叢』 53.
이정범, 2021, 「아차산 일대 고구려 보루의 구조와 축조수법 연구」, 고려대학교 박사학위논문.
이종록, 2022, 「高句麗 前期 동해안지역 복속과 濊族社會 연구」, 고려대학교 박사학위논문.
임기환, 2012, 「고구려의 연변 지역 경영」, 『동북아역사논총』 38.
_____, 2015, 「요동반도 고구려성 현황과 지방지배의 구성」, 『韓國古代史研究』 77.
정원철, 2010, 「高句麗山城研究」, 吉林大學 博士學位論文.
조법종, 2011, 「高句麗의 郵驛制와 交通路: 國內城 시기를 중심으로」, 『韓國古代史研究』 63.

王禹浪·王文軼, 2008, 『遼東半島地區的高句麗山城』, 哈爾濱出版社.

### 대외관계

권영필 외, 2008, 『중앙아시아 속의 고구려인 발자취』, 동북아역사재단.
노태돈, 2003, 『예빈도에 보인 고구려』, 서울대학교출판부.
이재성, 2018, 『고구려와 유목 민족의 관계사 연구』, 소나무.
장창은, 2014, 『고구려 남방 진출사』, 경인문화사.
강선, 2003, 「고구려와 북방민족의 관계 연구」, 숙명여자대학교 박사학위논문.
공석구, 2003, 「高句麗와 慕容'燕'의 갈등 그리고 교류」, 『강좌한국고대사』 4, 가락국사적개발연구원.
김미경, 2007, 「고구려 전기의 대외관계 연구」, 연세대학교 박사학위논문.
김은숙, 2007, 「7세기 동아시아의 국제 관계」, 『韓日關係史研究』 26.
김지영, 2014, 「7세기 고구려의 대외관계 연구」, 숙명여자대학교 박사학위논문.

김진한, 2010, 「고구려 후기 대외관계사 연구」, 한국학중앙연구원 박사학위논문.
김효진, 2023, 「高句麗 初期 對中 관계와 胡族 세력의 동향」, 고려대학교 박사학위 논문.
노태돈, 2015, 「고구려의 대외관계와 북아시아 유목민 국가」, 『동양학』 58.
朴京哲, 2007, 「麗羅戰爭史의 再檢討」, 『韓國史學報』 26.
박노석, 2003, 「고구려 초기의 영토 변천 연구」, 전북대학교 박사학위논문.
박세이, 2014, 「4세기 慕容鮮卑 前燕의 성장과 고구려의 대응」, 『韓國古代史硏究』 73.
방용철, 2018, 「淵蓋蘇文 집권기 고구려의 정치 운영」, 경북대학교 박사학위논문.
백다해, 2016, 「5세기 국제정세와 장수왕대 대송관계의 성격」, 『역사와 현실』 102.
_____, 2023, 「4~6세기 高句麗 국제관계의 전개와 遼東」, 이화여자대학교 박사학위논문.
신가영, 2020, 「가야 諸國과 고구려의 관계」, 『韓國古代史硏究』 98.
여호규, 2000, 「4세기 동아시아 국제질서와 고구려 대외정책의 변화」, 『역사와 현실』 36.
_____, 2002, 「6세기말~7세기 초 동아시아 국제질서와 고구려 대외정책의 변화」, 『역사와 현실』 46.
_____, 2005, 「高句麗의 國家形成과 漢의 對外政策」, 『軍史』 54.
_____, 2007, 「3세기 전반 동아시아 국제정세와 고구려 대외정책」, 『歷史學報』 194.
_____, 2012, 「4세기~5세기 초 高句麗와 慕容'燕'의 영역확장과 지배방식 비교」, 『한국고대사연구』 67.
_____, 2018, 「7세기 중엽 국제정세 변동과 고구려 대외관계의 추이」, 『大丘史學』 133.
이성제, 2003, 「5~6세기 高句麗의 西方政策 硏究」, 서강대학교 박사학위논문.
_____, 2009, 「570年代 高句麗의 對倭交涉과 그 意味」, 『韓國古代史探究』 2.
_____, 2012, 「4世紀 末 高句麗와 後燕의 關係」, 『韓國古代史硏究』 68.
_____, 2019, 「650년대 전반기 투르크계 북방세력의 동향과 고구려」, 『東北亞歷史論叢』 65.

이재성, 2013, 「아프라시압 궁전지 벽화의 '조우관사절'에 관한 고찰」, 『중앙아시아 연구』 18-2.
이정빈, 2013, 「고구려-수 전쟁의 배경 연구」, 경희대학교 박사학위논문.
임기환, 2003, 「南北朝期 韓中 冊封·朝貢 관계의 성격」, 『韓國古代史硏究』 32.
_____, 2013, 「고구려의 요동 진출과 영역」, 『고구려발해연구』 45.
井上直樹, 2012, 「廣開土王의 對外關係와 永樂 5年의 對契丹戰」, 『韓國古代史硏究』 67.
정호섭, 2013, 「조우관을 쓴 인물도의 유형과 성격」, 『영남학』 24.
최호원, 2020, 「고구려 후기 국내정세와 신라관계」, 고려대학교 박사학위논문.

井上直樹, 2021, 『高句麗の史的展開過程と東アジア』, 塙書房.

### 전쟁과 영역 변천

장창은, 2014, 『고구려 남방 진출사』, 경인문화사.
공석구, 2012, 「廣開土王의 遼西地方 進出에 대한 고찰」, 『韓國古代史硏究』 67.
김강훈, 2018, 「高句麗復興運動 硏究」, 경북대학교 박사학위논문.
金賢淑, 2002, 「4~6세기경 小白山脈 以東地域의 領域向方」, 『韓國古代史硏究』 26.
_____, 2008, 「고구려의 한강 유역 영유와 지배」, 『百濟硏究』 50.
박경철, 2012, 「延邊地域으로의 高句麗 勢力 浸透 및 支配의 實相」, 『동북아역사논총』 38.
박노석, 2003, 「고구려 초기의 영토 변천 연구」, 전북대학교 박사학위논문.
박진석, 2008, 「高句麗 柵城 遺址 三考」, 『東北亞歷史論叢』 20.
방용철, 2018, 「고구려 부흥전쟁의 발발과 그 성격」, 『大丘史學』 133.
백종오, 2009, 「남한내 고구려고분 검토」, 『高句麗渤海硏究』 35.
여호규, 2000, 「高句麗 千里長城의 經路와 築城背景」, 『國史館論叢』 91.
_____, 2005, 「광개토왕릉비에 나타난 고구려의 對中認識과 대외정책」, 『역사와 현실』 55.
윤병모, 2009, 「高句麗의 戰爭과 遼西進出硏究」, 성신여자대학교 박사학위논문.

이성제, 2012, 「4세기말 高句麗와 後燕의 관계」, 『韓國古代史硏究』 68.
_____, 2013, 「高句麗의 西部 國境線과 武麗邏」, 『대구사학』 113.
_____, 2014, 「고구려 천리장성에 대한 기초적 검토」, 『영남학』 25.
이정빈, 2009, 「고연무의 고구려 부흥군과 부흥운동의 전개」, 『역사와 현실』 72.
_____, 2013, 「고구려-수 전쟁의 배경 연구」, 경희대학교 박사학위논문.
이종록, 2020, 「1~3세기 고구려의 두만강 유역 지배방식과 책성」, 『역사와 현실』 116.
임기환, 2008, 「삼국사기 지리지에 나타난 고구려 군현의 성격」, 『한성백제사』 2, 서울특별시사편찬위원회.
_____, 2012, 「고구려의 연변 지역 경영」, 『동북아역사논총』 38.
_____, 2013, 「고구려의 요동 진출과 영역」, 『高句麗渤海硏究』 45.
_____, 2022, 「고구려와 당 최후의 전쟁 과정 복원 시론」, 『韓國史學報』 86.
장병진, 2016, 「당의 고구려 고지(故地) 지배 방식과 유민(遺民)의 대응」, 『역사와 현실』 101.
정동민, 2017, 「高句麗와 隋 전쟁 연구」, 한국외국어대학교 박사학위논문.
정원주, 2013, 「高句麗 滅亡 硏究」, 한국학중앙연구원 박사학위논문.
_____, 2019, 「안승(安勝)의 향방(向方)과 고구려 부흥운동」, 『軍史』 110.
정호섭, 2020, 「고구려 안시성의 위치와 안시성주 전승의 추이」, 『高句麗渤海硏究』 67.
조법종, 2015, 「고구려 유민의 백제 金馬渚 배치와 報德國」, 『韓國古代史硏究』 78.
최종택, 2008, 「고고자료를 통해 본 백제 웅진도읍기 한강 유역 영유설 재고」, 『百濟研究』 47.

## 도성

고구려연구재단, 2006, 『고구려 안학궁조사보고서』.
강진원, 2020, 「고구려 졸본도읍기 王城의 추이와 전승의 정비」, 『사림』 73.
권순홍, 2019, 「고구려 도성 연구」, 성균관대학교 박사학위논문.
기경량, 2017, 「高句麗 王都 硏究」, 서울대학교 박사학위논문.
김종은, 2003, 「고구려 초기 천도기사로 살펴본 왕실교체」, 『숙명한국사론』 3.

김현숙, 2017, 「고구려 초기 王城의 위치와 國內 遷都」, 『先史와 古代』 54.
김희선, 2008, 「6~8세기 東아시아 都城制와 高句麗 長安城」, 한국학중앙연구원 박사학위논문.
노태돈, 2012, 「고구려 초기의 천도에 관한 약간의 논의」, 『韓國古代史硏究』 68.
문은순, 2008, 「고구려의 평양천도 연구」, 한국학중앙연구원 박사학위논문.
양정석, 2008, 「高句麗 安鶴宮 中央 建築群에 대한 考察」, 『중국사연구』 56.
余昊奎, 2005, 「高句麗 國內 遷都의 시기와 배경」, 『韓國古代史硏究』 38.
_____, 2012, 「고구려 국내성 지역의 건물유적과 도성의 공간구조」, 『韓國古代史硏究』 66.
임기환, 2007, 「고구려 평양 도성의 정치적 성격」, 『韓國史硏究』 137.
_____, 2015, 「고구려 國內都城의 형성과 공간구성」, 『韓國史學報』 59.
_____, 2018, 「고구려 國內 遷都 시기 再論」, 『사학연구』 132.
_____, 2021, 「고구려 평양도성 논의에 대한 재검토」, 『高句麗渤海硏究』 70.
張福有, 2005, 「고구려의 평양, 신성과 황성」, 『고구려 역사문제 연구논문집』.
田中俊明, 2005, 「高句麗 長安城의 規模와 特徵 -條坊制를 中心으로-」, 『白山學報』 72.
정호섭, 2015, 「고구려사의 전개와 고분의 변천」, 『韓國史學報』 59.
조법종, 2007, 「고구려 초기도읍과 비류국성 연구」, 『白山學報』 77.
조영광, 2016, 「고구려 王都, 王畿의 형성 과정과 성격」, 『韓國古代史硏究』 81.

## 왕릉과 제의

강진원, 2014, 「평양도읍기 고구려 왕릉의 선정과 묘주(墓主) 비정」, 『한국 고대사 연구의 자료와 해석』, 사계절.
_____, 2015, 「高句麗 國家祭祀 硏究」, 서울대학교 박사학위논문.
공석구, 2008, 「집안지역 고구려 왕릉의 조영」, 『高句麗渤海硏究』 31.
기경량, 2010, 「고구려 국내성 시기의 왕릉과 수묘제」, 『韓國史論』 56.
_____, 2017, 「평양 지역 고구려 왕릉의 위치와 피장자」, 『한국고대사연구』 88.
박승범, 2002, 「고대 한국의 국가제의 연구」, 단국대학교 박사학위논문.

백승옥, 2006, 「광개토왕릉비의 성격과 장군총의 주인공」, 『韓國古代史硏究』 41.
徐永大, 2003, 「高句麗의 國家祭禮-東盟을 중심으로-」, 『韓國史硏究』 120.
余昊奎, 2006, 「集安地域 고구려 超大型積石墓의 전개과정과 被葬者 문제」, 『韓國古代史硏究』 41.
이도학, 2005, 「태왕릉과 장군총의 피장자 문제 재론」, 『고구려연구』 19.
이정빈, 2006, 「고구려 東盟의 정치의례적 성격과 기능」, 『韓國古代史硏究』 41.
임기환, 2002, 「고구려 왕호의 변천과 성격」, 『韓國古代史硏究』 28.
임기환·아즈마 우시오·모모자키 유스케·강현숙·바이건싱, 2009, 『고구려 왕릉 연구』, 동북아역사재단.
정호섭, 2008, 「고구려 적석총 단계의 祭儀 양상」, 『先史와 古代』 29.
_____, 2008, 「고구려 적석총의 被葬者에 대한 재검토」, 『한국사연구』 143.
조법종, 2004, 「중국 집안박물관 호태왕명문 방울」, 『韓國古代史硏究』 33.
_____, 2005, 「광개토왕릉 수묘인구성과 능원체계」, 『고구려의 사상과 문화』, 고구려연구재단.
조우연, 2010, 「4~5세기 高句麗 國家祭祀와 佛敎信仰 硏究」, 인하대학교 박사학위논문.
주홍규, 2017, 「고구려 기와로 본 경신리 1호분(소위 "한왕묘")의 조영연대와 피장자 검토」, 『한국사학보』 68.
최일례, 2015, 「고구려 시조묘 제사의 정치성 연구」, 전남대학교 박사학위논문.

魏存成, 2007, 「集安高句麗大形積石墓王陵硏究」, 『社會科學戰線』 2007-4.
張福有, 2005, 「集安禹山3319號墓卷雲文瓦當銘文認識與考證」, 『中國歷史文物』 2005-3.
張福有·孫仁杰·遲勇, 2007, 「高句麗王陵通考要報」, 『東北史地』 2007-4.

東潮, 2006, 「高句麗王陵と巨大赤石冢-國內城時代の陵園制」, 『朝鮮學報』 199·200.

**불교와 도교**

정선여, 2007, 『고구려 불교사 연구』, 서경문화사.
강진원, 2022, 「7세기 고구려 도교의 실상과 배경」, 『韓國古代史探究』 40.
김두진, 2011, 「고구려 초전불교의 공인과 그 의미」, 『한국학논총』 36.
김상현, 2005, 「중국문헌소재 고구려 불교사 기록의 검토」, 『고구려의 사상과 문화』, 고구려연구재단.
김수진, 2010, 「7세기 고구려의 도교 수용 배경」, 『韓國古代史硏究』 59.
김주성, 2003, 「보덕전의 검토와 보덕의 고달산 이주」, 『한국사연구』 121.
박윤선, 2004, 「고구려의 불교 수용」, 『韓國古代史硏究』 35.
신종원, 2006, 「삼국의 불교초전자와 초기불교의 성격」, 『韓國古代史硏究』 44.
장인성, 2015, 「한국 고대 도교의 특징」, 『백제문화』 52.
조우연, 2011, 「4-5세기 고구려의 불교 수용과 그 성격」, 『한국고대사탐구』 7.

**고분벽화와 문화사**

강현숙, 2005, 『고구려와 비교해본 중국 한·위·진의 벽화분』, 지식산업사.
박아림, 2020, 『고구려 고분벽화』, 동북아역사재단.
_____, 2020, 『유라시아를 품은 고구려 고분벽화』, 동북아역사재단.
전호태, 2000, 『고구려 고분벽화 연구』, 사계절.
_____, 2004, 『고구려 고분벽화의 세계』, 서울대학교출판부.
_____, 2007, 『중국 화상석과 고분벽화 연구』, 솔.
_____, 2016, 『고구려 생활문화사 연구』, 서울대학교출판문화원.
고광의, 2011, 「옥도리 고구려 고분벽화에 대한 고찰」, 『高句麗渤海硏究』 41.
공석구, 2000, 「高句麗의 南進과 壁畵古墳」, 『韓國古代史硏究』 20.
김근식, 2020, 「고구려 벽화고분의 묵서 연구」, 동국대학교 박사학위논문.
김진순, 2008, 「5세기 고구려 고분벽화의 불교적 요소와 그 연원」, 『미술사학연구』 258.
_____, 2009, 「高句麗 後期 四神圖 고분벽화와 古代 韓·中 문화 교류」, 『先史와 古代』 30.

박유미, 2014, 「高句麗 飮食文化史 硏究」, 인하대학교 박사학위논문.
이경희, 2012, 「4~5세기 고구려 官服 연구」, 인하대학교 박사학위논문.
정완진, 2003, 「고구려 고분벽화 복식의 지역적 특성과 변천」, 서울대학교 박사학위논문.
정호섭, 2010, 「高句麗 壁畫古墳의 편년에 관한 검토」, 『선사와 고대』 33.

耿鐵華, 2008, 『高句麗古墓壁畫硏究』, 吉林大學出版社.
鄭春穎, 2015, 『高句麗服飾硏究』, 中國社會科學出版社.

東潮, 2003, 「魏晋·北朝·隋·唐과 高句麗壁畫」, 『高句麗硏究』 16.
門田誠一, 2011, 『高句麗壁畫古墳と東アジア』, 思文閣.

### 천하관과 기타

윤명철, 2003, 『고구려 해양사 연구』, 사계절.
孔錫龜, 2003, 「4~5세기 고구려에 유입된 중국계 인물의 동향」, 『韓國古代史硏究』 32.
金樂起, 2000, 「高句麗의 '遊人'에 대하여」, 『白山學報』 56.
나유정, 2020, 「고구려 후기의 부세체계와 遊人의 성격」, 『역사와 현실』 117.
노태돈, 2012, 「광개토왕대의 정복활동과 고구려 세력권의 구성」, 『韓國古代史硏究』 67.
박준형, 2021, 「한국 고대 의약기술 교류」, 『韓國古代史硏究』 102.
박찬흥, 2005, 「滿鮮史觀에서의 고구려사 인식 연구」, 『北方史論叢』 8.
방용철, 2021, 「6~7세기 고구려 天下觀의 변천」, 『民族文化論叢』 79.
篠原啓方, 2006, 「高句麗의 國際秩序認識의 成立과 展開」, 고려대학교 박사학위논문.
여호규, 2005, 「광개토왕릉비에 나타난 고구려의 對中認識과 대외정책」, 『역사와 현실』 55.
_____, 2014, 「高句麗 國內 都城의 구성요소와 수공업 생산체계」, 『역사문화연

究』52.
_____, 2021, 「고구려의 '남평양(南平壤)' 건설과 운영」, 『역사문화연구』 79.
兪泰勇, 2001, 「高句麗尺에 대한 文獻史料와 考古學的 遺物의 再檢討」, 『高句麗 　　　研究』 11.
윤상열, 2010, 「高句麗 天下觀의 형성배경 연구」, 연세대학교 박사학위논문.
李成制, 2020, 「중국계 流移民의 來投와 高句麗의 대응방식」, 『中國古中世史硏　　　究』 55.
이우태, 2007, 「高句麗尺 再論」, 『東北亞歷史論叢』 17.
이정빈, 2012, 「고구려 扃堂의 설립과 의의」, 『韓國古代史硏究』 67.
_____, 2014, 「고구려 태학 설립의 배경과 성격」, 『한국교육사학』 36-4.
_____, 2021, 「고구려-수 전쟁과 전염병」, 『韓國古代史硏究』 102.
이준성, 2014, 「만주역사지리의 한사군 연구와 '만선사'의 성격」, 『인문과학』 54.
이현숙, 2013, 「고구려의 의약 교류」, 『韓國古代史硏究』 69.
井上直樹, 2004, 「近代 日本의 高句麗史 硏究」, 『高句麗研究』 18.
정호섭, 2017, 「高句麗史에 있어서의 이주와 디아스포라」, 『先史와 古代』 53.
정효운, 2012, 「'羅·唐연합군' 용어와 고구려의 천하관」, 『한일관계사연구』 43.
조법종, 2017, 「滿洲지역 地方志에 나타난 한국고대사」, 『韓國古代史硏究』 88.
曹祥鉉, 2003, 「고구려 '遊人'의 성격 검토」, 『韓國古代史硏究』 32.
조인성, 2009, 「신채호의 고구려사 인식」, 『東北亞歷史論叢』 23.

井上直樹, 2021, 『高句麗の史的展開過程と東アジア』, 塙書房.

**동북공정과 고구려사 인식 논쟁**

고구려연구재단, 2006, 『한국 고대국가와 중국왕조의 조공·책봉관계』.
김한규, 2004, 『요동사』, 문학과지성사.
김현숙 외, 2016, 『동북공정 이후 중국의 고구려사 연구동향』, 역사공간.
이석현 외, 2010, 『중국 번속이론과 허상』, 동북아역사재단.
조인성 외, 2010, 『중국 '동북공정' 고구려사 연구논저 분석』, 동북아역사재단.

김영심, 2011, 「남한 학계의 동북공정 대응논리에 대한 비판적 검토」, 『역사문화연구』 39.
김정배, 2006, 「고구려 역사의 一史兩用論 비판」, 『北方史論叢』 12.
김현숙, 2004, 「고구려 붕괴 후 그 유민의 거취 문제」, 『韓國古代史研究』 33.
_____, 2022, 「한중 역사 갈등의 현황과 과제」, 『동북아역사논총』 77.
朴京哲, 2004, 「中國學界의 高句麗 對隋·唐 70年戰爭 認識의 批判的 檢討」, 『韓國古代史研究』 33.
徐永大, 2004, 「韓國 史書에 나타난 高句麗의 正體性」, 『高句麗渤海研究』 18.
孫進己, 2003, 「고구려의 귀속문제에 관한 몇 가지 논쟁의 초점」, 『高句麗研究』 15.
余昊奎, 2004, 「중국의 東北工程과 高句麗史 인식체계의 변화」, 『한국사연구』 126.
尹輝鐸, 2008, 「'포스트(Post) 동북공정': 중국 東北邊疆戰略의 새로운 패러다임」, 『역사학보』 197.
李成制, 2004, 「中國의 東北工程과 高句麗史 歪曲」, 『군사지』 53.
임기환, 2006, 「중국의 동북공정과 한국역사학계의 대응」, 『史林』 26.
_____, 2006, 「중국의 동북공정이 남긴 것」, 『역사와 현실』 62.
정호섭, 2013, 「중국의 POST 東北工程과 고구려사 관련 동향 분석」, 『한국사학보』 51.
최광식, 2004, 「'東北工程'의 배경과 내용 및 대응방안」, 『韓國古代史研究』 33.

耿鐵華, 2002, 『中國高句麗史』, 吉林人民出版社.
馬大正·楊保隆, 2001, 『古代中國高句麗歷史叢論』, 黑龍江教育出版社.
馬大正·李大龍·耿鐵華·權赫秀, 2003, 『古代中國高句麗歷史續論』, 中國社會科學出版社.
李國强·李宗勳, 2006, 『高句麗史新研究』, 延邊大學出版社.

古畑徹, 2008, 「中韓高句麗歷史論争のゆくえ」, 『東アジア共生の歴史的基礎-日本·中國·南北コリアの對話』, 御茶の水書房.
李成市, 2008, 「東アジア共通の歴史認識に向けて-高句麗史の帰属問題を中心に」, 『史海』 55.
井上直樹, 2005, 「高句麗史研究と「國史」-その歸屬をめぐって-(上)」, 『東アジ

アの古代文化』122.

_____, 2005,「高句麗史研究と「國史」-その歸屬をめぐって-(下)」,『東アジアの古代文化』123.

# 고구려사 연구자료

3

5장 국내 문헌사료
6장 국외 문헌사료
7장 금석문과 문자자료
8장 고고·미술자료

## 5장

# 국내 문헌사료

임기환 | 서울교육대학교 명예교수

　고구려사를 이해하는 기본자료로는 고구려인에 의해 남겨진 문자자료가 1순위가 될 것이다. 고구려의 문자자료는 크게 고구려 당대의 문자자료인 금석문과 후대의 사서 편찬을 통하여 전해지는 문헌자료로 나누어 볼 수 있다. 금석문 자료가 당대성이라는 점에서 역사기록물로서의 가치가 매우 높지만, 현존하는 자료가 극히 제한되어 있기 때문에 이를 사료로 하여 고구려사를 체계적으로 구성하기는 거의 불가능하다. 금석문 자료 현황에 대해서는 이 책 7장을 참고하기 바란다.

　따라서 고구려인의 문자자료가 후대에 전해지고 이에 입각하여 만들어진 후대 역사서에 기록된 자료를 주된 연구대상으로 삼을 수밖에 없다. 고구려사 연구의 주요 문헌자료로서는 『삼국사기(三國史記)』 고구려본기 및 지(志)와 열전(列傳)의 일부, 『삼국유사(三國遺事)』의 일부 기사, 그 외 『동명왕편(東明王篇)』에 인용된 『구삼국사(舊三國史)』 기사, 『해동고승전(海東高僧傳)』의 고구려 불교사 관련 기사, 『제왕운기(帝王韻紀)』 기사 등이 있다. 물론 각 사서들의 편찬 기술 태도 및 자료의 구성 과정에서부터 일정한 차이가 있어서 서로 대교하는 사료비판의 과정을 거쳐야 한다. 예컨대 『삼국유사』의 고구려 건국 전승 관련 기사와 『동명왕편』에서 전하는 『구삼국사』의 건국 전승은 고구려본기에 실려 있는 건국 전승의 대교 자료가 된다는 사료적 가치를 갖고 있다. 그리고 『삼국유사』와 『해동고승전』의 고구려 불교 관련 기사 역시 고구려본기에 전하지 않는 사료라는 가치를 갖고 있다. 『제왕운기』에 전하는 기사 역시 관련 내용의 대교 자료로서 활용할 수 있다.

한편 조선시대 저작물인 『삼국사절요(三國史節要)』는 『삼국사기』의 본기를 기본자료로 하면서 『삼국사기』의 지와 열전, 『삼국유사』 등에서 해당 기사를 본문 및 세주(細註)로 인용하고 있다. 물론 고구려사 관련 기사의 경우 『삼국사기』 등에서 이미 확인된 기사이기 때문에 사료로서 가치를 특별히 갖지는 않는다. 다만 현재 연구자료로 가장 널리 활용되고 있는 1512년에 발간된 『삼국사기』 정덕본(正德本) 판본에는 오자가 다수 있는데, 『삼국사절요』에서 이용한 자료는 고려 아니면 조선 초 1394년(태조3)에 찍은 판본을 대본으로 이용한 것이므로, 정덕본 『삼국사기』의 교감에 주요 자료로 활용되고 있음이 유의된다. 그 외 『고려사(高麗史)』, 『세종실록지리지(世宗實錄地理志)』, 『신증동국여지승람(新增東國輿地勝覽)』 등에도 고구려사 관련 서술이 약간 전하고 있지만, 사료로서의 활용 가치가 적기 때문에 이에 대해서는 별도로 다루지 않겠다.

앞에서 언급한 각 역사서가 전하는 역사적 반영 시기 및 주제 내용 역시 매우 다르다는 점이 유의된다. 가장 기본이 되고 있는 고구려본기는 4세기까지의 상황을 국내 전승자료에 의거해 정리되고 있어, 이 시기는 다른 시기에 비해 상대적으로 고구려 내부의 정치·사회상을 구성할 수 있는 편이다. 그런데 4세기 이후 본기의 기년 기사는 많은 부분이 중국 측 자료를 토대로 구성되어 있어 독자적인 전승자료는 드문 편이다. 이런 점에서 현재의 연구동향에서 고구려사 구성의 시대별 불균형이 나타날 수밖에 없는 사정이 있다.

한편, 고구려사 관련 기록을 포함하고 있는 이 역사서들은 후대에 편찬된 것으로, 고구려시기의 기록과 문자자료가 전승되는 과정 및 변개의 양상에 대한 이해가 중요하다. 이런 면이 문헌자료에 대한 사료비판의 주요 요소가 된다. 이 글은 고구려사 연구의 기초자료가 되는 국내 문헌의 상황 및 이들 자료에 대한 사료비판의 방향, 그리고 관련 자료를 구성하는 원전 탐색과 관련된 연구현황을 중심으로 살펴보도록 하겠다.

## 1. 『삼국사기』 고구려 관련 기사

### 1) 『삼국사기』 고구려 관련 기사 개요

#### (1) 『삼국사기』 개요

『삼국사기』는 1145년경에 김부식 등이 고려 인종의 명을 받아 편찬한 삼국시대의 역사서다. 편찬체제는 기전체(紀傳體)이며, 본기 28권(고구려 10권, 백제 6권, 신라 12권), 지(志) 9권, 표(表) 3권, 열전(列傳) 10권으로 이루어져 있다. 본기의 권수만으로 보면 삼국시대 신라는

5권에 불과하여 전체적으로는 고구려본기가 가장 큰 비중을 차지하고 있다. 『삼국사기』에는 잡지(雜志)라 하였으나, 그 내용은 지(志)이다. 1권은 제사(祭祀)와 악(樂), 2권은 색복(色服)·거기(車騎)·기용(器用)·옥사(屋舍), 3~6권은 지리지(地理志), 7~9권은 직관지(職官志)인데, 지리지가 4권으로 큰 비중을 갖고 있다.

지, 표, 열전은 중국 사서와 비교할 때 그 내용이 빈약하고 간소한데, 삼국에서 전승되는 자료의 한계 때문일 것이다. 지의 내용은 전체적으로 신라 관련 기사가 가장 큰 비중을 차지하고 있으며, 각 지에서 고구려와 관련된 내용을 간략하게 정리하고 있다. 표는 박혁거세 즉위년(기원전 57)부터 경순왕 9년(935)까지를 연표 3권으로 나누고 있다. 열전 10권 중 김유신열전이 3권을 차지하며, 나머지 68명의 열전을 7권에 포함시키고 있다. 열전 중 고구려의 인물로는 4권의 을지문덕, 5권의 을파소, 온달, 9권의 창조리와 연개소문이다.

『삼국사기』는 인종의 명에 따라 김부식의 주도 아래 8명의 참고(參考)와 2명의 관구(管句) 등 11명의 편사관에 의해서 편찬되었다. 이들 10명의 편찬 보조자들은 어느 정도 독자적으로 자료를 수집하고 정리했을 것으로 보인다. 책임편찬자인 김부식은 「진삼국사기표(進三國史記表)」, 논찬(論贊), 사료의 취사선택, 편목의 작성, 인물의 평가 등을 직접 담당했던 것으로 보인다.

『삼국사기』의 편찬자들은 '서술하되 짓지는 않는다(述而不作)'라는 전통적인 역사서 편찬태도를 견지하였다고 짐작된다. 따라서 일단 고구려본기의 기사도 편찬자들이 참고한 저본자료가 상당 부분 그대로 반영되었을 것으로 추정된다. 다만 저본자료인 고기(古記)에 대해 "고기는 표현이 거칠고 졸렬하며 사건기록이 빠진 것이 있다(其古記, 文字

蕪拙, 事迹闕亡)"라고 하였기에, 내용을 훼손하지 않는 범위 내에서 찬술자가 고기의 문장을 세련된 문장으로 개변하였을 가능성을 배제할 수 없다.『삼국사기』기사에 대한 사료비판 시에 유의해야 할 점이다.

### (2) 『삼국사기』 초기 기사의 신빙성 문제

『삼국사기』권13~권22까지 10권으로 편찬된 고구려본기 기사는 고구려사 이해의 가장 기초적 자료이다. 다만 고구려본기 기사가 갖는 사료적 가치 및 기사의 신빙성에 대한 이해, 사료비판의 방법론 등에 대해서는 기존 연구에서 다양한 견해와 상이한 관점을 드러내고 있다.

우선『삼국사기』초기 기사의 사료적 가치 내지는 신빙성에 대한 의문에서 고구려본기도 자유롭지 않다. 이에 대한 논의는 일제시기 소위 관학파 역사학자들에 의해 시작되었는데, 그들은 대체로『삼국사기』초기 기록에 대하여 불신론을 전개하고 있었다(津田左右吉, 1921; 1922). 그것은 소위 실증적인 방법에 의한다고는 하지만 기본적으로는 삼국의 국가 형성 시기를 낮추기 위한 의도가 전제되어 있다고 보겠다. 그 이후에도『삼국사기』초기 기사의 신빙성 문제는 사료비판의 형태로 제기되었으며, 불신론과 부정론, 신빙론과 긍정론, 절충론 등 다양한 논의가 이루어져 왔다(노태돈, 1987).

초기 기사에 대한 불신론, 부정론의 입장에서『삼국사기』기사의 신빙성 정도를 설정하는 방법으로 널리 행해졌던 것은 일정한 시기를 획정하여 그 이전 시기의 기사를 취신(取信)하지 않는 입장이다. 그 기준으로 많이 사용하는 방법의 하나가 외국 문헌에 어느 왕이 처음으로 등장하느냐를 따져보는 것이다. 두 번째로는 개개 기사를 살펴 허구적인 것을 밝혀내어 그러한 기사가 많이 보이는 시기 전체를 불신하는 경우이다. 개개 기사의 신빙성 검증에서는 기사 내용과 표현에서 중국 고전의 문장을 삽입하거나 번안한 것을 가려내는 출전론(出典論)의 방법도 있으며, 대세론(大勢論)의 관점에서 기사의 신빙성을 검토하는 방법도 그동안 행해졌다. 이러한 방법으로 개별 기사의 취신 여부를 판단할 수 있지만, 초기 기사 전체를 일괄적으로 부정하는 것은 합리적이지 않다(노태돈, 1987).

부정론을 비판하면서 1970년대에 들어서 초기 기사에 대한 긍정적인 입장이 크게 대두하였다. 주로 고고학적인 연구성과의 축적, 인류학 등 인접 학문의 수용에 따른 상고(上古)사회에 대한 이해 등을 통해 초기 기사를 어느 정도 취신할 수 있다는 입장이다. 그중 초기 기사에 대한 전면적 긍정론, 즉 신빙론의 입장은 불신론을 극복하기 위한 합리적인 노력이었다는 점에서 평가되지만, 그렇다고 초기 기사 전체를 그대로 취신하기에는 여전히 사료비판의 측면이나 역사상 구성에서 적지 않은 모순이 나타난다. 특히 백제본기와 신라본기의 경우에는 같은 시기를 다루고 있는 『삼국지』 동이전의 내용과 상당한 차이가 나타나고 있기 때문에 더욱더 조심스럽게 접근하지 않으면 안 된다. 그런 점에서 절충론이 등장하였다. 절충론은 3세기 중엽 무렵까지의 만주와 한반도의 상황은 동이전에서 살펴보고, 초기 기록에 나오는 사건들의 기년은 재조정해 보아야 한다는 입장이다. 즉 『삼국사기』 초기 기사 분해론의 입장이다(노중국, 2007).

그런데 백제본기 및 신라본기와 달리 고구려본기의 초기 기사와 『삼국지』 동이전 기사는 서로 보완할 수 있는 측면도 적지 않다. 대표적으로 4나부(那部)와 5노부(奴部) 기사가 그러하다. 물론 양 기사 사이에 차이가 나는 내용도 적지 않지만, 그렇다고 고구려본기의 초기 기사를 마냥 부정할 수 없다. 오히려 『삼국지』 동이전 기사와의 대교를 통해 고구려본기 국내 전승기록의 신뢰성을 검증하고, 이를 통해 초기 기사가 갖는 성격과 이들 기사를 구성하는 원전 계통을 파악하는 연구 방법이 중요하다.

1980년대 이후 『삼국사기』 초기 기사에 대한 재검토가 이루어지면서 『삼국사기』 고구려본기 기사에 근거한 연구가 활성화되었다. 다만 고구려본기 기사에 대한 합리적인 이해를 보완해 가기보다는 연구자마다 상이한 입장을 분명히 드러내는 식으로 진행되고 있어, 사료에 대한 입장 차가 초기 고구려사 이해의 기준을 다르게 만드는 측면도 있다. 이른바 신빙론과 절충론의 입장 차가 고구려본기 기사에 대한 해석과 연결되어 있기 때문이다.

대표적인 연구동향이 초기 고구려 정치사 논의에서 '부(部)체제론'과 '조기(早期)집권체제론'의 논쟁이다.[1] 이는 고구려 국가 형성 과정에 대한 이론적인 이해의 차이에서 비롯하는 것이지만, 한편으로는 『삼국사기』 고구려본기 기사의 해석 차이에서 비롯하는 측면도 적지 않다. 또한 이러한 사료 해석의 입장 차이는 북한 학계의 경우에는 봉건적인 영주제론과 중앙집권적 통치체제론으로 나뉜 바 있다. 이러한 연구현황은 고구려사를 구성하는 실증적 방법론으로서 사료의 해석기준을 마련하는 작업이 무엇보다 중요한 과제임을 잘 보여준다. 따라서 현단계에서는 고구려본기 기사의 형성 과정 및 사료 성격을 이해하는 연구가 선행되어야 한다고 생각한다(임기환, 2004).

---

1  이러한 논쟁에 대해서는 『고구려 초기 국가체제와 대외관계』(고구려통사 2) 1장, 5장을 참고하기 바란다.

이렇듯 고구려본기 기사의 사료 성격이나 신뢰성을 둘러싸고 벌어지는 논의가 여전히 평행선을 걷고 있는데, 이에 대해 보다 합리적인 해답을 얻기 위한 방법의 하나로 현 고구려본기를 구성하고 있는 기사의 원전자료를 추적할 필요가 있다. 물론 고구려본기의 원전자료에 대한 탐색이 직접적으로 기사의 신뢰성을 보장해 주는 것은 아니지만, 고구려본기의 형성 과정에 대한 이해를 심화하거나, 고구려본기 기사의 계통성을 파악하게 되면 각 기사에 대한 보다 합리적인 이해와 해석이 가능하다고 생각한다.

### (3) 『삼국사기』 이전의 삼국사 편찬

『삼국사기』 편찬 이전에도 삼국의 역사를 다룬 사서 편찬이 이루어졌다. 이들 사서에 대한 기록을 보면 『대각국사문집(大覺國師文集)』 권17에는 '해동삼국사(海東三國史)'라는 서명이, 이규보의 『동명왕편(東明王篇)』에는 '구삼국사(舊三國史)'라는 서명이, 일연의 『삼국유사』 권5 피은(避隱)8 신충괘관(信忠掛冠)조에는 '전삼국사(前三國史)'라는 서명이 등장하고 있다. 이들 세 사서가 모두 '삼국사'라는 동일한 사서를 지칭하는 것으로 추정하고 있다. 이 책은 고려 전기에 편찬된 삼국사 관련 사서로서 후일 『삼국사기』를 편찬하는 데 많이 이용되었고, 일연이 『삼국유사』를 편찬함에도 중대한 영향을 주었다고 판단된다(정구복, 1993). 이 책의 본래 명칭은 '삼국사'일 텐데 통상 학계에서 '구삼국사'로 부르기 때문에 이 글에서도 『구삼국사』로 통칭하기로 한다.

『삼국사기』에는 『구삼국사』에 대하여 직접적으로 언급하지 않았으나 '고기(古記)'라고 칭한 자료는 『구삼국사』를 염두에 두고 쓴 것으로 보고, 『삼국사기』는 『구삼국사』를 기초자료로 삼아 보완, 수정하였다고 판단하는 견해가 통설이다(정구복, 1993; 전덕재, 2018). 김부식이 『삼국사기』를 편찬한 기간이 짧았을 뿐만 아니라 사료의 수집에 많은 노력을 들인 근거를 찾을 수 없는 점을 논거의 하나로 들고 있다. 그러나 『구삼국사』와는 다른 고기류, 지리지 고구려조에 언급된 '본국고기(本國古記)'가 주요 저본자료였다는 견해도 있다. 그리고 『삼국사기』 이전에 『구삼국사』와는 또 다른 삼국사 편찬이 있었다고 추정하였다(임기환, 2006).

그러면 통설에 따라 『삼국사기』의 주 저본자료인 『구삼국사』에 대해 살펴보자. 현전하는 유일한 『구삼국사』의 기사는 이규보가 지은 『동명왕편』의 세주 기록이다. 그런데 앞서 언급한 '삼국사' 관련 내용을 검토하면서 『구삼국사』의 성격을 어느 정도 추정할 수 있다. 스에마쓰 야스카즈는 『구삼국사』가 본기만을 갖추고 즉위년 연대 표기와 간지(干支)가 사용되었음을 지적하였다(末松保和, 1966). 다나카 도시아키는 『삼국사기』의 동명왕 기록은 『위서(魏書)』의 기록을 기본으로 하면서 『구삼국사』의 동명왕본기 자료를 이용하였음을 밝히고, 『삼국사기』 지리지4의 삼국유명미상지분(三國有名未詳地分)조에서 보이는 '본국고기', 직관지의 '본국고기'를 『구삼국사』로 추정하였다(田中俊明, 1977). 그리고 『구삼국사』는 본기와 열전을 갖춘 기전체의 역사서로 추정하였다. 김석형은 『삼국사기』 진성왕 원년조의 주 및 김유신열전에 언급된 '본기'는 『구삼국사』의 본기를 지칭한다고 보고, 『구삼국사』는 본기와 열전, 표와 지를 갖춘 사서로 추론하였다(김석형, 1981).

한편, 『구삼국사』를 포함하여 삼국사를 편찬하는 데 저본자료가 되는 것에는 고구려본기의 경우 고구려시대부터 남겨진 자료, 즉 고구려인들에 의한 편찬된 사서도 포함되었을 가능성이 있다. 『삼국사기』 고구려본기에는 고구려인들이 편찬한 사서명이 전한다.

> 대학박사(大學博士) 이문진(李文眞)에게 명하여 옛 역사책을 요약하여 신집(新集) 5권을 만들었다. 국초에 처음으로 문자를 사용할 때 어떤 사람이 사실을 100권으로 기록하여 이름을 유기(留記)라고 하였는데, 이때에 와서 깎고 고친 것이다.[2]

이 기사는 '유기(留記)' 100권이 전하고 있었으며, 영양왕 대 태학박사 이문진에게 명하여 고사(古史)를 축약하여 '신집(新集)' 5권을 새로 편찬하였음을 전한다. 그런데 유기 100권의 편찬 시점에 대해서는 대략 고구려 국가체제가 정비되는 소수림왕 대 무렵으로 보는 것이 통설이다. 이 점은 현재 『삼국사기』 고구려본기의 기사가 봉상왕·미천왕 초년 기사를 경계로 하여 그 이전의 기사와 그 이후의 기사 성격이 크게 달라지는 점에서도 대략 짐작해볼 수 있다. 왜냐하면 이들 신집 등의 사서가 어떠한 형태로든지 통일신라나 고려 초까지 전해지면서 당시에 편찬되었던 삼국사 관련 사서에 반영되었을 것이기 때문에 그런 추정이 가능하다.

한편 고구려 당대의 사서 편찬과 관련해서는 고구려본기에 전하는 왕호(王號)도 적극적으로 검토할 필요가 있다. 고구려본기에는 2종의 왕호가 전하고 있는데, 본문 왕호와 분주 왕호이다. 분주 왕호가 고구려 전기부터 사용한 왕호라면, 본문 왕호는 6세기 중반 영양왕 대에 '신

---

[2] 『삼국사기』 권20 고구려본기8 영양왕11 춘정월조, "詔大學博士李文眞, 約古史爲新集五卷, 國初始用文字時, 有人記事一百卷, 名曰留記 至是刪修."

집'을 편찬하면서 분주 왕호를 개명하여 성립한 왕호일 가능성이 크다(고관민, 1996; 임기환, 2002). 즉 고구려에서 사서 편찬의 과정에 대한 이해는 고구려본기의 원전자료에 대한 탐색과 깊이 연관되어 있다.

한편 고구려의 건국 전승과 관련된 자료가 다수 남아 있는데, 이에 대한 비교 검토 역시 고구려 당대의 사서 편찬 및 건국 전승기록의 전승 과정, 그리고 그 이후 전승자료의 사서 편찬과 관련하여 중요한 연구방법이다. 현재 고구려의 건국 전승을 담고 있는 자료로는 고구려본기의 건국 전승, 지리지의 건국 전승, 『삼국유사』의 건국 전승, 이규보의 『동명왕편』에 인용된 『구삼국사』의 건국 전승 등이 있다. 여기에 백제본기 등에 전하는 백제 건국 전승의 내용도 주몽 전승과 관련하여 검토되어야 한다. 그리고 고구려 관련 사료가 형성되는 과정과 그 과정에서 일어났을 문장의 변개 가능성에 대해 탐색해보는 작업도 함께 진행되어야 한다.

## 2) 고구려본기 기사의 구성

고구려본기 기사를 전거자료의 출전 계통 국가를 기준으로 살펴보면 첫째, 중국 사서를 전거로 하는 기사, 둘째, 백제·신라 측 전승자료에 전거를 둔 공유 기사, 셋째 고구려 독자의 전승자료에 의거한 기사로 나누어 볼 수 있다.

### (1) 중국 사서를 저본으로 하는 기사

중국 사서를 전거로 하는 기사는 다시 두 형태로 나누어볼 수 있는데, 하나는 중국 사서명을 밝히고 있는 기사이고, 다른 하나는 중국 사서명을 밝히지 않으나 현존하는 중국 사서와 대교를 통해 중국 사서의 기사를 전거로 하고 있음을 확인할 수 있는 기사로 나누어진다. 사서명이 밝혀져 있는 자료는 『한서(漢書)』・『후한서(後漢書)』・『위서(魏書)』・『양서(梁書)』・『구당서(舊唐書)』・『신당서(新唐書)』・『북사(北史)』・『자치통감(資治通鑑)』・『괄지지(括地志)』 등으로, 주로 세주에서 고구려본기 본문 기사를 대교하는 자료로 이용되고 있다. 이 기사들은 고구려본기 편찬 때에 혹은 그 뒤에 기술되었다.

그리고 『위서』를 제외하고는 중국 사서명이 밝혀져 있지 않지만 고구려본기 본문 기사에도 다수의 중국 사서에서 비롯한 기사가 인용되고 있다(田中俊明, 1982). 그 중 고구려본기 찬술의 전거자료로 주되게 사용된 중국 사서는 『후한서』・『자치통감』・『위서』 등이다. 특히 『자치통감』이라는 새로운 역사서의 도입이 새로운 삼국사로서 『삼국사기』를 편찬하게 된 동기가 되었음을 짐작할 수 있다(田中俊明, 1982). 물론 전적으로 『자치통감』 기사에 의존하는 것은 아니다. 『삼국사기』 편찬자들이 나름의 기준에 따라 기사의 풍부성, 사실의 정확성 등을 고려하였음을 부정할 수 없다. 예컨대 기년을 확정하는 기준으로 『자치통감』에 대한 신뢰도가 높은 것은 사실이지만, 『자치통감』 이외의 사서를 전거자료로 활용한 경우를 보면, 대체로 『자치통감』에는 해당 기사가 없거나, 이들 사서의 기사가 『자치통감』 기사보다 내용이 풍부한 경우가 많음을 알 수 있다(신동하, 1995a). 그리고 본래 중국 사서 문장의 주체와 객체인 중국 왕조와 고구려(我)를 뒤바꾸는 개서(改書)가 있는데, 이는 고구려본기 기사를 편찬하는 입장에서는 당연한 결과이다. 긴 문장의 경우에는 문장을 축약하기도 하였는데, 문장을 새로 작성한 것이 아니라 기존 문장의 일부를 탈락시키는 방식을 취하였다.

그런데 동천왕 이전의 기사 중 『한서』, 『후한서』에서 인용한 기사 중에는 『삼국사기』 편찬 시에 인용되었다기보다는 편찬 이전 모종의 사서를 편찬할 때에 『한서』, 『후한서』의 기사를 저본자료로 채택하였고, 이 모종의 사서를 『삼국사기』 편찬 시에 저본자료로 삼은 경우도 발견된다(田中俊明, 1982; 임기환, 2006). 이런 기사는 『삼국사기』 편찬 및 그 이전 삼국사 관련 사서의 편찬 과정을 추적할 수 있는 단서를 제공하고 있다(임기환, 2006).

### (2) 백제본기, 신라본기와의 공유 기사

고구려와 백제, 고구려와 신라가 맺는 대외관계 기사는 거의 대부분 각 본기에 동일 사건 기사가 있다. 이를 통상대로 '공유 기사'라고 하자. 이 공유 기사의 경우 각 국가별로 관련 전승자료가 있는 경우가 있거나, 어느 한 국가의 전승자료를 기초로 각 본기에서 동일 사건으로 작성한 경우가 있다. 후자의 경우가 더 큰 비중을 갖고 있다. 그런데 고구려본기와 백제본기, 신라본기와의 공유 기사 경우 고구려본기 기사가 원전자료인 경우는 상당히 드물다고 판단된다.

우선 각 본기에 보이는 동일한 내용 기사에서 어느 본기 기사가 원전자료에 의거해 찬술된 것인지를 판단하는 기준은 다음과 같다. 즉 각 본기의 동일 기사는 계통이 다른 양국의 전승자료가 각각 별개 원전이 될 가능성도 있지만, 대개의 경우는 한 본기를 구성하는 자료를 원전으로 해서, 다른 본기에는 주어와 객어만 바꾸어 기사의 내용을 그대로 혹은 약술하는 예가 일반적이다. 어느 기사가 원전자료에 입각한 것인지의 여부는 기사 내용의 상세함으로 판단하는 방법이 적절하다. 그리고 동일한 내용이라고 하더라고 구체적인 기사 내용에 약간의 차이가 있는 경우에는 두 본기를 모두 서로 다른 계통의 원전에 의한 것으로 볼 수 있다. 다만 기사 내용이 동일한 경우에는 원전의 귀속을 판단하기는 어렵다(이강래, 1997).

삼국 간의 공유 기사 경우에도 마찬가지다. 주로 삼국 간 대외관계 기사가 대부분인데, 백제본기나 신라본기를 구성한 백제 계통 혹은 신라 계통의 전승자료를 이용한 것이다. 이런 공유 기사의 경우에는 기사의 내용이 짧고 간단한 경우에는 그대로 인용하였으나, 내용이 긴 경우에는 핵심적인 내용만 간결하게 축약하여 기술하였다. 그런데 이 삼국 간 공유 기사의 경우는 몇 예를 제외하고는 대부분 백제나 신라 측 전승자료에 입각한 기사로 추정되기에 이를 고구려의 전승 자료로 보기는 어렵다(임기환, 2005; 정호섭, 2011).

### (3) 국내 전승자료와 원전의 탐색

고구려본기를 구성하는 기사 중 특히 광개토왕 대 이전 기사의 경우 고구려 국내 전승자료를 저본으로 하는 기사의 비중이 가장 높다. 따라서 이들 기사의 전거 계통성을 추적하는 것이 초기 기사의 신빙성이나 기사의 해석 등에서 중요한 전제가 된다. 즉 고구려본기의 원전에 대한 탐색이다. 이에 대한 연구도 근래에 많이 축적되어 가고 다양한 논의가 이루어지고 있다.

『삼국사기』 원전 문제에 대한 본격적인 연구는 이노우에 히데오(井上秀雄)의 연구에서 시작한다. 그는 『삼국사기』 지리지 삼국유명미상 지분조에 실려 있는 지명들의 배열 순서에 주목하였는데, 특히 고구려 후기 중국 사서에 보이는 요동 지역의 성곽 지명들이 여러 그룹으로 나누어 기술되고 있음에 착안하여 이 조의 원전은 적어도 3개 이상의 원전자료가 있다고 추정하였다. 이는 고구려본기의 원전 또한 여러 계통이었음을 시사한다고 이해하였다(井上秀雄, 1968). 이러한 연구방법은 매우 참신한 시도로서 그 타당성을 떠나 고구려본기 원전 연구에 있어서 새로운 전환점이 되었다고 평가할 수 있다.

그 뒤 이러한 방법론에 공감하여 다나카 도시아키는 이 삼국유명미상지분조 자료를 토대로 검토하면서 지리지에 보이는 '본국고기'가 『구삼국사』라고 주장하였다(田中俊明, 1977). 이어서 고구려본기 기사 중 중국 사서에서 인용된 기사를 검토하여 고구려본기 편찬의 전거가 된 중국 사서의 다양한 계통을 밝히고, 무엇보다 『자치통감』이 중요한 전거사서가 되었음을 해명하였다(田中俊明, 1982). 이후 삼국유명미상지분조 자료에 근거하여 고구려본기의 원전 연구를 시도한 학자가 고관민이다. 그는 삼국유명미상지분조의 전거자료로서 편년기사체제를 갖춘 사서를 설정하고 이를 통해 고구려본기의 원전을 추구해가는 연구방법을 시도하고 있으며, 그 편년체 사서가 '신집'이라고 주장하였다(高寬敏, 1996).

이러한 일본 학계의 『삼국사기』의 원전에 대한 연구에 자극을 받아 한국 학계에서도 『삼국사기』의 여러 영역에 걸쳐 기초적인 원전 연구가 진행되어 그 성과가 『삼국사기의 원전 검토』(1995, 한국정신문화연구원)로 출간되었다. 그 책에서 신동하는 고구려본기의 인용자료에 대해 검토하였고, 김태식은 『삼국사기』 지리지 고구려조의 자료 계통성에 대해 검토하였다. 이후 신동하, 이강래에 의해 고구려본기의 분주에 대한 검토도 이어졌다(신동하, 1995; 이강래, 2004). 임기환은 고관민이 제기한 삼국유명미상지분조의 전거자료가 편년기사체제를 갖춘 사서라는 주장에 동의하면서, 고구려본기의 초출 기사와 삼국유명미상지분조 지명 사이의 기년상 불일치에 대한 해석을 통해 그 편년체적 사서의 성격에 대해 접근하였다. 이 편년체 사서는 고구려본기 편찬의 저본자료였을 뿐만 아니라, 직관지·제사지의 고구려조를 편찬하는 저본자료였으며, 『구삼국사』와는 다른 사서로 추정하였다(임기환, 2006).

『삼국사기』 고구려본기 및 각 지의 고구려조에는 '본국고기', '해동고기' 등 『삼국사기』 편찬의 전거자료가 되었을 여러 고기류의 이름이 나타나고 있는데, 이 고기류에 대해서는 여러 견해가 제기되고 있다. 예를 들어 『삼국사기』 직관지 고구려조 '본국고기'의 성격에 대해서는 『구삼국사』로 보기도 하고, '해동고기'로 보기도 하며, 또는 고기(古記) 범칭의 하나라고 보기도 한다. 다나카 도시아키는 『구삼국사』로 보았으나(田中俊明, 1977), 뒤에 『구삼국사』의 일부로 수정하였고(田中俊明, 1982), 신동하는 '해동고기'로 보며(신동하, 1995), 이강래는 각국의 '고기'를 가르키는 범칭으로 본다(이강래, 1997). 임기환은 '본국고기'는 『구삼국사』와는 다른 사서이고, 오히려 '해동고기'가 『구삼국사』와 동일한 실체일 가능성을 지적하면서, 고구려본기 및 각종 지 편찬의 기본적인 저본자료가 특정 사서로서 '본국고기'라고 추정하였다(임기환, 2006). 전덕재는 '본국고기'는 특정한 서명이 아니라 본국 즉 우리나라에서 간행된 전승자료로서 여기에는 『구삼국사』도 포함되어 있다고 파악하였다. 그리고 '해동고기'는 『삼국사기』 본기의 기본원전인 『구삼국사』와는 다른 전적이었다고 추정하였다. 또한 삼국유명미상지분조 고구려 지명의 경우 지리지 찬자가 『구삼국사』 이외에 '신집'을 기본원전으로 하는 어떤 전승자료를 참조하였다고 파악하였다(전덕재, 2018; 2021).

고구려본기에 보이는 국내 전승 기사는 대부분 고기 기사를 인용하여 편찬하고 있다. 그러나 산재된 여러 '고기' 자료를 재구성하였다기보다는 편찬의 주된 저본자료가 있으며, 이를 중심으로 나머지 고기류를 보완하여 편찬한 것이다.『삼국사기』편찬의 기본 저본자료를『구삼국사』로 판단하고 있음은 통설이다. 고구려본기의 경우에도『구삼국사』가 기본 저본자료라고 보고 있다(정구복, 1993; 전덕재, 2018).

한편 고구려본기 기사 중에서 수사적(修辭的) 표현을 검토하여 고구려본기 기사의 성격을 동명왕조, 유리왕조~봉상왕조, 미천왕조 이후 등 세 시기로 나누어본 견해가 있다(조우연, 2019). 이러한 견해에 대한 동의 여부를 떠나서 고구려본기 기사 자체에 대한 문장 분석 등이 이루어져야 한다. 그동안 고구려본기나 열전에 실려 있는 문헌자료는 주로 역사학의 입장에서 고구려사를 해명하는 자료로 활용되어 왔다. 앞으로는 한문학의 입장에서『삼국사기』에 전하는 기사들이 고구려 당대의 문자자료로서 어느 정도의 원형을 갖고 있는지에 대한 연구가 진행될 필요가 있다.

예를 들어 고구려본기 신대왕2년조에 보이는 신대왕의 하령(下令) 문장은 당대 문장으로 보기 어려운 면이 있다. 이 문장은 한문 문장 구사나 고사의 인용에서 매우 세련되어 있다. 그래서 이 문장이 김부식 등에 의해 저작되었을 가능성을 지적하는 견해도 있다(佐立春人, 1992). 하지만 고구려본기나 열전의 편찬 과정에서 기본적으로 저본자료를 충실히 인용하고 있는 태도를 볼 수 있으며, 부분적으로 저본자료의 개변이 있다고 하더라도 이는 단순한 내용 요약 등 매우 제한된 범위 내에서 이루어졌음을 알 수 있다. 고구려인이 남긴 본래 문자자료의 성격을 추적하기 위해서는 무엇보다 고구려시대의 사서 편찬으로부터 시작하여 통일신라와 고려 전기를 거쳐 최종적으로『삼국사기』고구려본기가 찬술되기까지 자료의 형성 과정에 대한 이해가 필요할 것이다.

## 3) 지 및 열전의 고구려 관련 기사

### (1) 지

『삼국사기』 권32~권40 잡지에는 각 지(志)의 주제별로 고구려 관련 내용이 기술되어 있다. 주로 고구려본기의 해당 내용 기사나 중국 사서에서 해당 내용을 발췌하여 정리한 기사가 대부분이다. 다만 제사지의 고구려 제사 관련 기록에서 보듯이 고구려본기의 내용과 다소 다른 부분이 있으며, 여러 고기에 의거하여 고구려본기에 전하지 않는 사실을 전하는 잡지도 있기에 사료적 가치가 적지 않다. 각 지 별로 살펴보자.

먼저 제사지 고구려조의 경우 고기를 저본자료로 하는 일부 기사에서 고구려본기의 기사와 비교할 때 다소 출입은 있지만 기본적으로 고구려본기의 저본자료와는 동일할 가능성이 크다고 판단된다. 제사지 고구려조에서 인용한 중국 측 사서를 보면 『후한서』·『북사』·『양서』·『신당서』 등 특정 사서가 선택되었다. 제사지 고구려조 찬자는 비슷한 내용을 전하는 중국 측 사서가 여럿인 경우, 상대적으로 편찬 시기가 늦은 쪽의 기록을 선택하여 전재하였고, 유교적인 관점에서 받아들이기 어려운 사례를 배제한 것으로 추정된다(강진원, 2015).

지리지 고구려조 기사를 살펴보자. 서문에 해당되는 기사에는 고구려 천도와 관련하여 그 변화 과정을 요약한 내용이 실려 있는데, 이 기사의 내용은 고구려본기에 보이는 천도(이거, 이도)의 양상과는 상당한 차이가 있다. 따라서 이 지리지 기사와 본기 기사의 차이를 분석하여 여러 천도 기사의 전거자료의 계통성을 대략 파악할 수 있는 자료가 된다. 이 지리지 기사에 보이는 '고인기록(古人記錄)'은 저본자료로 추정되는 어느 특정 고기나 사서를 가리키고 있다고 추정되는데, 그것은 고구려본기 그 자체도 아니고, 또 고구려본기를 작성하는 주된 저본 자료와도 달랐음을 시사한다. 지리지의 저본자료인 '고인기록'과 고구려본기 찬자가 참고한 저본자료가 다른 자료였음은 평양성 도읍 기간 기록에 차이가 있음에서도 확인된다. 전체적으로 고구려본기나 지리지 편찬 시에 최소한 4종의 고기류가 전거로 활용되었음을 추정할 수 있다(임기환, 2018).

지리지에 보이는 고구려 지명 관련 자료는 영역이나 지방통치, 언어 등을 추적하는 자료로도 활용되고 있다. 지리지에서 찾아지는 고구려 지명은 두 계통의 자료가 있다. 하나는 권35 지리지2 신라조에 보이는 지명으로서 한주, 삭주, 명주의 3주가 본래 고구려 지역이라고 하면서 고구려의 지명과 이에 대응하는 신라 경덕왕 때 개명한 지명을 전하고 있다. 다른 하나는 권37 지리지4 고구려조에 보이는 지명으로, 고구려의 본래 지명인데 여기에는 이명(異名)이 전하고 있다. 양 기사는 상당 부분이 일치하지만 일부 지명이나 읍격, 그리고 지명의 배열이나 영속 관계에서 약간의 차이가 있다.

이는 양 자료의 원전이 다른 데 기인한 것이다. 권35 신라조의 기사는 통일신라 문성왕 대 이후 신라 말기까지의 상황을 반영하는 자료이다. 이와 달리 권37 고구려조 기사와 관련된 원전의 성립 시기를 살펴보면 그 상한을 경덕왕 7년(748)으로, 하한을 홍덕왕 대로 볼 수 있다(김태식, 1997). 즉 이 두 자료는 모두 8세기 중반~9세기 중반인 통일신라시대에 작성된 것이다. 따라서 양 자료가 어느 정도 고구려 당대의 지명을 반영하는지 의문을 갖게 된다.

그러나 지리지의 고구려 관련 군현 기사를 통일신라시대에 가상으로 만들어진 결과물로 볼 수는 없다. 예컨대 통일신라시대의 유물이지만 한강 유역 일대에서 발견된 금석문 자료에는 이 지리지에 기록된 고구려 군현명의 존재를 뒷받침하는 자료가 발견되기 때문이다. 하남시 선리(船里)에서 수습된 '매소홀(買召忽)'·'율목(栗木)'·'매성(買省)'명 기와, 포천 반월산성의 '마홀(馬忽)'명 기와, 호암산성 출토 '잉벌내(仍伐內)'명 청동숟가락 등이 그것이다. 이런 유물로 보아 지리지의 고구려 군현명은 사실성을 갖는다고 볼 수 있다. 따라서 지리지의 고구려 군현 관련 두 자료 중에서 그 원전이 성립한 시기 또는 고구려 당시의 지명을 전하는 내용의 양 등에서 볼 때, 이 두 자료 중에서 권37 고구려조에 보이는 지명이 고구려 본래의 지명에 가까운 자료로 이해하고 있다(임기환, 2007).

고구려 지명이나 지방통치구조를 파악할 수 있는 또 다른 지명 자료로는 권37 지리지4에 실려 있는 '목록(目錄)'에 기록된 압록수 이북의 31개 성명(城名)이 있다. 이 목록은 667년에 당군에 의하여 작성된 것으로 각 성명에 "본(本)-"이라고 하여 고구려어의 명칭이 부기되어 있는 것으로 보아 당시 당군의 향도가 되었던 남생(男生) 측이 목록 작성에 참여하였던 것으로 추정하고 있다(노태돈, 1996). 그러나 이를 669년 이후 당이 고구려 지역에 기미지배체제를 설정할 때 작성된 자료로 보는 견해도 있다. 이러한 입장에서는 이 목록에 보이는 '미항성(未降城)' 등을 고구려 유민들에 의해 반당저항운동이 전개된 것으로 파악하면서, 이 자료를 고구려 부흥운동 사료로 활용하고 있다(김강훈, 2016; 2018; 방용철, 2018).

### (2) 열전

『삼국사기』 열전에는 고구려 인물로서, 권44 을지문덕, 권45 을파소, 명립답부, 온달, 권49 창조리, 연개소문 등이 있다. 그리고 신라와 백제 인물열전 중 전쟁 관련 기사 중에 고구려와 관련된 내용이 포함되어 있는 경우가 있다. 그 외 도미열전의 '천성도(泉城島)' 지명처럼 고구려사와 연관하여 희소하지만 놓칠 수 없는 자료도 찾아볼 수 있다.

먼저 고구려 인물들의 열전을 편찬하는 방식에 대해 살펴볼 필요가 있다. 예를 들어 을지문덕전, 을파소전, 명림답부전, 창조리전 등은 그 내용이 고구려본기 내의 관련 기사와 거의 동일하거나 유사하다. 아마도 이들 열전은 고구려본기를 완성한 후 열전으로 편찬한 인물을 선정하고 관련 기사를 발췌하여 구성, 편찬하였을 가능성이 있다. 아니면 고구려본기를 편찬하는 저본자료와 열전을 편찬하는 저본자료가 동일하거나 서로 공유한 자료일 가능성도 생각해볼 수 있다.

좋은 예로 『삼국사기』 권45 명림답부전의 내용은 고구려본기 신대왕8년조와 거의 동일하지만 앞 문장에 차이가 있는데, 이는 고구려본기 편찬이 완료된 후 이에 근거하여 열전이 편찬된 것이 아니라 고구려본기 편찬에 사용된 저본자료에 근거했기 때문으로 파악된다(임기환, 2006).

이와는 달리 고구려본기를 저본자료로 편찬된 열전도 상정할 수 있다. 『삼국사기』 권49 창조리전을 보면, 그 내용이 고구려본기의 봉상왕9년 8월조와 거의 동일하다. 그런데 고구려본기의 미천왕 즉위년조 기사가 창조리전에는 거의 반영되어 있지 않다. 그렇다면 창조리전의 편찬은 고구려본기에 의거하였음을 알 수 있다(임기환, 2006). 즉 『삼국사기』 열전의 편찬 과정에는 일정한 시차가 있었음을 알 수 있다. 창조리전과 같은 권으로 묶여 있는 개소문전에는 "(당) 태종의 거병과 친정의 일은 고구려본기에 갖추어져 있다"란 문장이 있는데, 이는 고구려본기 편찬 이후에 이를 참고하면서 개소문전이 찬술되었음을 보여준다. 따라서 같은 권으로 묶여 있는 창조리전 역시 고구려본기 편찬 이후 본기를 저본으로 편찬되었음을 짐작할 수 있으며, 창조리전과 개소문전으로 구성된 권49는 일종의 반역열전 성격을 띠는 것으로 본기와 열전을 모두 편찬한 이후에 새로 추가된 열전으로 이해된다(임기환, 2006).

이와는 전혀 달리 고구려본기 혹은 고구려본기의 저본자료와 무관한 열전도 있다. 온달전의 경우다. 온달전에는 고구려본기에 관련 기사가 없다. 즉 고구려본기를 편찬하는 저본자료에 온달전의 저본자료가 포함되지 않았던 것이다. 이는 온달전의 '평강왕(平岡王)', '양강왕(陽岡王)'이라는 왕명이 고구려본기의 왕명과는 다른 표기라는 점에서도 짐작할 수 있다. 온달전의 원전에 대해서는 신라 김대문(金大問)이 지은 '한산기(漢山記)'일 가능성을 지적한 견해가 있다(이도학, 2017). 온달전의 문장에 대해서는 일찍이 한말의 한학자 김택영(金澤榮)이 "조선 5,000년 이래 최고의 명문"이라고 평한 바 있다.

## 2. 『삼국유사』 고구려 관련 기사

### 1) 『삼국유사』 개요

『삼국유사』는 고려 후기 승려 일연이 고조선부터 후삼국까지의 역사자료를 모아 편찬한 역사서이다. 『삼국유사』에서 '인각사 주지 일연'이라고 찬자의 이름을 밝혀 놓은 곳은 권제5 신주 제6의 첫머리뿐이다. 또 권3, 권4의 본문 말미에는 '무극기(無極記)'라고 덧붙인 구절이 있다.

무극은 일연의 제자였다. 이로 인하여 찬술 주체에 대해 여러 견해가 있지만, 일연이 평생 모은 자료를 모아 엮은 것이 『삼국유사』이며, 뒤에 그 제자 무극이 덧붙인 구절이 포함되어 책자로 제작되었다고 이해하는 것이 통설이다(하일식, 2016).

　『삼국유사』의 구성을 보면, 총 5권 2책인데, 권의 구분과는 별도로 왕력(王歷), 기이(紀異), 흥법(興法), 탑상(塔像), 의해(義解), 신주(神呪), 감통(感通), 피은(避隱), 효선(孝善) 등 9편목으로 구성되어 있다. 이러한 체제는 '사(史)'가 갖는 체제와 형식의 제약을 벗어나 다양한 자료를 수집하고 분류한 자유로운 형식의 역사서를 의도한 결과이다. 그런 점에서 '유사(遺事)'라는 책이름은 일연이 의식적으로 붙인 것임을 짐작할 수 있다.

　『삼국유사』의 항목 중 왕력은 삼국·가락국·후고구려·후백제 등의 간략한 연표이다. 그런데 왕력과 본문을 합쳐 순차적으로 권 번호가 붙어 있지 않을 뿐더러, 왕력에는 본문과 일치하지 않는 내용도 더러 있다. 그래서 일연이 왕력을 직접 작성했다고 보기 어렵다는 판단이 널리 공감을 얻고 있다(하일식, 2016). 기이 편은 고조선부터 후삼국까지의 단편적인 역사를 57항목으로 서술하였는데, 권1, 권2에 계속된다. 기이 편의 서두에는 이 편을 설정하는 연유를 밝힌 서(敍)가 붙어 있다. 흥법 편에서 효선 편까지는 대부분 불교와 관련된 내용이다.

　여기서 『삼국유사』 판본을 잠시 언급하고자 한다. 그동안 『삼국유사』를 문헌자료로 활용할 때, 주로 1512년(중종7) 경주부에서 『삼국사기』와 함께 간행한 5권 2책 임신본(壬申本)에 의거하였다. 이보다 앞서 조선 초기에 간행된 판본이 있지만, 완질이 없이 일부씩 흩어져 전하고 있으며, 그 대부분이 아직 공개되어 있지 않기 때문이다. 그런데 최근 공개된 파른본 『삼국유사』는 국보 제306호로 지정되어 있는 학산본 『삼국유사』(3~5권)의 전반에 해당하며, 왕력부터 권2 끝까지 낙장 없이 온전하게 남아 있다. 파른본은 임신본보다 앞서 간행된 조선 초기본이다. 특히 파른본은 그동안 임신본에서 판독하기 어려웠던 글자나 착오와 혼란을 교정할 수 있는 정확한 내용이 많아 학술적 가치가 매우 높은 희귀한 자료이다. 임신본 왕력이 파른본 왕력과 전혀 다른 판본으로 양자 사이에 적지 않은 차이가 있으므로, 앞으로는 왕력의 활용에 파른본에 의한 연구가 진행되어야 한다(하일식, 2016).

### 2) 고구려 관련 기사 개요

『삼국유사』에서 고구려 관련 기사는 여러 형태로 기술되고 있는데, 먼저 이에 대한 기술 내용이나 양식부터 살펴보자. 첫째, 고구려사 관련 내용의 주제 및 분량의 비중을 고려하면 대략 다음과 같이 두 형태로 나눌 수 있다. 고구려와 관련된 내용이 본격적으로 하나의 편목을 이루고 있는 기사인가, 아니면 관련 내용이 일부 포함되어 있는 기사인가로 나누어볼 수 있다. 둘째, 고구려 관련 기사가 『삼국유사』의 본문에 기술되고 있는가, 분주에 기술되고 있는가로 나누어볼 수 있다. 셋째, 인용 전거를 제시하고 있는 기사인가, 아니면 인용 전거가 밝혀져 있지 않은 기사인가로 나누어볼 수 있다(하정용, 2009). 이러한 구분은 고구려 관련 기사가 『삼국유사』에서 어떻게 취급되고 있는지, 혹은 관련 기사의 원전 계통을 파악할 수 있는지의 여부, 그리고 『삼국사기』 등 선행 역사서와 대교할 때 유효한 기준을 제공할 수 있다.

고구려 관련 기사가 『삼국유사』에서 어느 정도 비중을 차지하는지

계량적으로 살펴보면, 일단 5권 모두에서 관련 기사가 등장하고 있다. 그리고 권1 왕력이라는 편목을 제외한 나머지 편목의 138조목 가운데 28조목, 즉 대략 전체의 5분의 1에 해당하는 조목에 고구려 관련 기사가 실려 있다. 그런데 『삼국유사』가 통일신라시기까지 포함하고 있기에 고구려 존속 시기만을 고려하면 해당 조목은 69개 혹은 74개 조목이 되고, 이 중 고구려 관련 기사가 31개 조목에 등장하고 있어서 대략 42~45%에 이른다(하정용, 2009). 이러한 측면에서 『삼국유사』는 신라사 못지 않게 고구려사에 비중을 두고 관련 주요 사료를 포함하고 있다고 판단할 수 있다.

『삼국유사』에서 전거가 인용된 경우를 살펴보면 '국사(國史)'가 7회 인용되었는데, 이 외에 2회 인용된 '삼국사(三國史)', 1회 인용된 '삼국본사(三國本史)'가 모두 동일 사서라면 총 10회에 이른다. 이 '국사'의 실체에 대해서는 여러 논의가 있다. 『삼국사기』로 추정하는 견해(이강래, 1997), 혹은 고구려본기와 다소 다른 면이 있어서 『구삼국사』로 보는 견해가 있다. 그러나 또 다른 삼국 관련 사서로 보는 견해가 있다. 즉 '국사'에는 『삼국사기』의 김부식이 쓴 사론을 이용한 사론이 보이고 있으며, 『구삼국사』에서는 '동명왕(東明王)'으로, 『삼국사기』에서는 '동명성왕(東明聖王)'으로 표현되었는데, '국사'에서는 '동명성제(東明聖帝)'로 표현된 점, 그리고 『삼국사기』에서는 거의 찾을 수 없는 고구려 국호를 '고려(高麗)'로 칭한 점 등에서 『삼국사기』 편찬 이후에 『구삼국사』와 『삼국사기』를 절충하여 편찬한 사서로 보고 있다. 이 '국사'는 원에 바칠 목적으로 충렬왕 12년에 직사관(直史館) 오량우(吳良遇)에 의하여 편찬된 책으로 추정하였다(정구복, 1993). 『삼국유사』에 인용된 '국사'의 실체에 대해서는 앞으로도 논의가 필요하다.

고구려계 원전으로 보이는 자료로는 단지 '고려고기(高麗古記)'가 있는데, 아마도 『삼국유사』 편찬 시기에는 고구려계 원전이 거의 남아 있지 않았기 때문일 것이다. 신라계 원전이 중심을 이루고 있는 현상을 『삼국유사』에 소재한 고구려 관련 기사의 사료적 한계점으로 보기도 한다(하종용, 2009).

### 3) 항목별 검토

이상 『삼국유사』 고구려 관련 기사의 기본적인 내용을 살펴보았는데, 여기서 고구려 관련 기사가 일부 포함되는 편목을 모두 검토할 수는 없기 때문에, 본격적인 하나의 주제를 이루며 고구려 관련 기사가 집중적으로 기술되어 있는 조목만 살펴본다. 그 조목은 다음과 같다.

권1 왕력(王曆)
권2 기이(紀異) : 북부여(北扶餘), 동부여(東扶餘), 고구려(高句麗)
권3 흥법(興法) : 순도조려(順道肇麗) 아도기라(阿道基羅), 보장봉로(寶藏奉老) 보덕이암(普德移庵)
권4 탑상(塔像) : 요동성육왕탑(遼東城育王塔), 고려영탑사(高麗靈塔寺)

### (1) 왕력

왕력은 중국의 연표와 함께 고구려·백제·신라·가락국의 왕실 세계(世系)와 기년(紀年) 및 간략한 치적이나 역사적인 사건을 제시하고 있다. 찬술의 형태를 보면 신라(羅), 고려(麗), 백제(濟), 가락(洛)으로 칸을 나누어, 역대 왕에 관한 내용을 간략하게 기술하고 있으며, 후반부에서는 궁예의 후고려와 견훤의 후백제에 관한 내용도 간략하게 소개하였다. 그런데 이 왕력의 내용은 『삼국유사』의 다른 편목과 여러 측면에서 차이점이 나타나고 있어, 일연의 찬술이 아닐 가능성이 제기되었다. 왕력의 내용에서 보면 일반적인 사서의 연표와 같은 성격을 갖고 있는데, 왕력이라는 편명 자체는 독창적인 표현으로 볼 수 있다. 게다가 왕력은 『삼국유사』의 첫머리에 "왕력 제1(王曆 第一)"이라는 이름으로 제시되고 있다는 점에서 통상 역사서의 연표와 그 성격을 달리하고 있다.

이 왕력에서 고구려 관련 기사는 고구려 왕 계보 및 해당 왕의 간략한 내력 서술이다. 왕호의 경우를 보면, 고구려본기의 왕호가 본문계 왕호와 분주계 왕호로 나누어진다고 보면, 왕력의 고구려 왕호는 대체로 본문계 왕호인데, 산상왕, 중천왕 두 왕호가 탈락되어 있고, 몇몇 왕호의 경우 글자에 출입이 있다(고관민, 1996; 임기환, 2003). 왕력을 찬술할 때 주요 저본자료가 고구려본기라고 확정하기 어려운 이유이다. 고구려본기가 아니라면, 최소한 고구려 전체 왕계와 왕호, 즉위와 사망 관련 내용이 정리된 모종의 역사서가 존재하였음을 짐작하게 한다.

### (2) 기이

기이에 실려 있는 북부여, 동부여, 고구려조의 주요 내용은 주몽 전승이다. 즉 『삼국유사』에는 주몽 전승 관련 자료가 북부여, 동부여, 고구려조로 나뉘어 기술되어 있다. 이 기사들은 내용상으로 보면 『구삼국사』 및 『삼국사기』 고구려본기에 전하는 주몽설화와 그리 다르지 않지만, 구체적으로는 일정한 차이점도 나타나고 있어, 또 다른 주몽 전승 관련 자료의 존재를 시사한다.

『삼국유사』 고구려조에 보이는 '국사고려본기(國史高麗本記)'는 곧 『삼국사기』 고구려본기를 가르키는 것으로, 그 문장과 내용이 전체적으로 거의 동일하다. 다만 첫머리 기사는 고구려본기와 다른 계통의 자료를 전하고 있다. 『삼국유사』 동부여조의 기사도 고구려본기에 의거한 것이 분명하다. 그리고 북부여조에 보이는 '고기'가 어떤 사서를 가르키는지는 불분명한데, 고구려본기나 『구삼국사』 전승과는 내용상 일정한 차이가 있다. 이 두 사서와는 또다른 저본자료에 근거하였을 가능성이 높다. 그리고 『삼국유사』 고구려조의 세주에 보이는 '단군기(壇君記)' 및 그 내용 역시 고구려본기와는 다른 내용을 전하고 있다.

다만 『삼국유사』 기사에서 공통점으로 나타나는 것은 북부여 인식이다. 즉 고구려본기에 의거한 기사인데, 고구려본기에 "부여왕 해부루(扶餘王解夫婁)"라고 되어 있음에도 『삼국유사』에는 "북부여왕 해부루(北扶餘王解夫婁)"로 기술하고 있다. 이는 편찬자인 일연이 갖고 있던 선입관에 의해 바뀐 것이다. 그러면 일연이 갖고 있던 '북부여왕 해부루'라는 인식은 어느 자료에 근거한 것인지 탐색되어야 한다. 고구려본기 및 그 편찬의 저본자료인 『구삼국사』, 그리고 지리지 삼국유명미상지분조의 저본자료, 『위서』 고려전 등 어디에도 '북부여'에 대한 인식은 찾아볼 수 없다. 일연의 북부여 인식은 다름 아닌 『삼국사기』 백제본기의 시조 전승과 관련된 자료에서 비롯한 것으로 추정하는 견해가 있다(임기환, 2009).

(3) 흥법

고구려 불교사 연구의 주 자료는 『삼국유사』와 『해동고승전』에 수록된 고구려 불교사 관련 기사이다. 그 외 『삼국사기』와 중국 정사류,

고승전류 등 중국 문헌기록, 그리고 『일본서기』 등 일본 측 기록 등이 있다. 물론 고구려 불교사와 관련한 자료가 매우 제한적이고 그 내용도 단편적이고 소략하기 때문에 고구려 불교의 전모를 알 수는 없다. 그동안 고구려 불교 전래 및 수용과 의미, 불교신앙, 승려들의 활동과 삼론종, 고구려 말기 사상계의 추이 등이 논의 대부분을 차지하고 있다(정호섭, 2018). 『해동고승전』의 고구려사 관련 기사는 여기서 『삼국유사』 관련 기사와 함께 검토하기로 한다.

　『삼국유사』 순도조려조는 고구려의 불교 전래에 대해 기술하고 있는데, '승전'과 '고려본기'를 인용하고 있다. 여기에서 승전은 보통 『해동고승전』으로 이해되는데, 내용상 약간의 차이는 있다. 즉 이도(二道)가 위(魏)에서 왔음을 '승전'에서 전하고 있다고 기록하고 있지만, 『해동고승전』에는 순도(順道)는 진(秦)에서 왔으며, 아도(阿道)만이 위(魏)에서 왔다고 기록되어 있다. 한편 '고려본기'도 『삼국사기』 고구려본기로 이해되는데, 현존하는 고구려본기 기록과 약간 차이가 있다. 이때문에 고려본기를 『구삼국사』와 같은 사서로 이해하기도 한다(신종원, 2006). 『삼국유사』가 『해동고승전』에 기록된 일부 내용에 대해 비판적 입장을 견지하면서 서술하였기 때문에 상당히 합리적인 고증을 하고 있다고 평가하기도 한다(이기백, 1987).

　『삼국유사』와 『해동고승전』의 불교 전래에 대한 기본적인 내용은 거의 동일한 편인데, 다만 순도와 아도의 출자에 대해 서로 다른 기록이 보인다. 『해동고승전』에서는 순도의 출자를 진(秦), 동진 등으로 기록하고 있고, 아도는 위에서 온 것으로 기록하고 있다. 『삼국유사』에서는 아도가 동진에서 온 것으로 적고 있기에 차이가 있다. 일반적으로 순도에 대해서는 전진 출자설이 유력하다고 보고, 아도는 동진에서 왔을 것이라는 추정이 통설이다. 아도기라조에 보이는 고구려 불교 전래 기록도 차이가 있다. 『해동고승전』에도 동일한 기록이 보인다. 최치원의 희양산봉암사지증대사적조탑비명(曦陽山鳳巖寺智證大師寂照塔碑銘)에도 담시(曇始)에 대한 유사한 인식이 있었음을 알 수 있다. 문헌기록상으로 보면 고구려본기 및 『삼국유사』 흥법 편 초반부에 불교의 초전이 기록되어 있는 반면, 중국 측 사료에는 대부분 불교의 초전자를 담시로 기록하고 있다. 이와 관련하여 『삼국유사』 찬술자는 오히려 담시가 아도, 묵호자, 마라난타(摩羅難陀) 세 사람 중 한 사람인 것으로 추측하기도 하였다. 담시가 그 사적이 명확함에도 불구하고 『삼국유사』에서 별도의 조목을 설정하지 않은 것은 바로 이러한 인식 때문인 것으로 본다.

보장봉로 보덕이암조에 보이는 '고려본기'는 역시 고구려본기 혹은 『구삼국사』로 추정된다. 다만 고구려본기로 볼 경우 "국인이 오두미교를 신봉했다"는 기사는 고구려본기에는 보이지 않으며, 따라서 고구려본기 기사를 그대로 인용했다기보다는 내용을 축약, 정리하여 인용한 것으로 볼 수 있다. 이 때문에 『구삼국사』 기사로 보기도 한다. 그리고 보덕이 백제로 이주한 시기와 관련해서는, 본문에는 영휘(永徽) 원년 경술년(650) 6월로, 분주에서는 '본전(本傳)'을 인용하여 건봉(乾封) 2년 정묘년(667) 3월 3일로 기록하고 있다. '본전'은 최치원의 보덕전으로 추정된다. 본 기사의 마지막에 나오는 '승전'은 『해동고승전』으로 추정된다. 한편 보덕의 백제 이주 시기와 관련된 서로 다른 기록에 대해서는 650년은 고구려를 떠난 시점으로, 667년은 경복사가 완성되어 이주가 완전히 마무리된 시점으로 보는 견해가 있고(노용필, 1989), 『삼국사기』와 『삼국유사』 모두에서 언급한 650년을 정확한 시점으로 상정하고 667년은 보덕전을 쓴 최치원의 인식에 의한 것으로, 최치원이 보덕의 이주와 고구려 멸망을 연결하였기 때문으로 보는 견해가 있다(김주성, 2003).

### (4) 탑상

요동성육왕탑에서 인용한 '삼보감통록(三寶感通錄)'은 도의(道宣)가 664년에 편찬한 『집신주삼보감통록(集神州三寶感通錄)』의 기록과 거의 동일하므로 같은 책으로 추정한다. 『삼국유사』에서는 '삼보감통록'이라고 적고 있다. 내용은 고구려 성왕(聖王)에 의해 요동성에 아육왕탑이 건립되었다는 것이다.

여기에 보이는 고구려 성왕에 대해서는 고국양왕이 요동으로 진출한 후 순행하면서 만든 탑일 가능성을 지적한 바 있으나(김선숙, 2004), 대체로 학계에서는 성왕을 광개토왕으로 보는 게 통설이다(정선녀, 2007; 윤세원, 2014). 또한 '성왕'은 전륜성왕(轉輪聖王)을 의미하는 것으로 보면서 5세기 초반경의 광개토왕에 비정하는 견해가 있다(조경철, 2008; 윤세원, 2014).

이 요동성과 관련해서는 평안남도 순천시 북창면 용봉리에 있는 요동성총에 남아있는 요동성도가 참고된다. 요동성총은 4세기 후반경 혹은 5세기 전반경에 축조된 무덤으로 추정된다. 요동성도 중 요동성 밖에 있는 누각 형태의 건물이 요동성육왕탑일 개연성이 지적된 바 있다(장상렬, 1967). 아육왕탑이 중국 여러 곳에서 발견되었다는 설화는 동진 이후에 많이 나타나기 때문에, 요동성육왕탑과 관련된 설은 동진시기 이후에 수용된 것으로 추정된다(정호섭, 2018).

## 3. 『동명왕편』, 『제왕운기』, 『해동고승전』의 고구려 관련 기사

### 1) 『동명왕편』

『동명왕편』은 고려 후기에 이규보가 지은 장편 서사시로, 『동국이상국집(東國李相國集)』제3권에 수록되어 있다. 『동명왕편』은 『제왕운기』와 더불어 고려 후기 역사의식의 변화를 보여주는 저작물로서 사학사적 위치가 매우 중요하다. 여기서는 고대사 연구자료로서 의미만을 살펴본다. 『동명왕편』의 서문에서 이규보는 저술 의지를 이렇게 밝히고 있다.

> 지난 계축년 4월 『구삼국사』를 얻어 동명왕본기를 보니 신이한 사적이 세상에서 말하는 정도보다 더했다. … 김부식 공이 우리나라 역사를 중찬할 때에 그 일을 꽤 많이 생략해버렸다. … 동명왕의 일은 변화의 신이함으로 뭇사람의 눈을 현혹함이 아니다. 이는 참으로 나라를 창시한 신성한 사적이니 이와 같은 일을 서술해놓지 않으면 뒷날 장차 무엇을 볼 것인가.

이 서문에서 보듯이 『동명왕편』은 현재 전하지 않는 『구삼국사』의 내용을 직접 확인할 수 있는 유일한 자료라는 점에서 고대사 연구자료로서 가치가 크다. 『동명왕편』의 본편은 오언시 부분과 시에 대한 세주로 구성되어 있는데, 이 세주가 곧 『구삼국사』에서 직접 인용한 부분이다. 이 세주의 인용이 『구삼국사』 동명왕본기 중 해당 내용의 어느 정도 비중인지 여부는 불분명하지만, 내용의 흐름으로 보아 상당한 부분이 인용되어 있다고 추정된다. 다만 『동명왕편』 세주에 기술된 내용을 모두 종합하여 주몽 전승을 구성하더라도 본래 『구삼국사』에 실려 있는 주몽 전승의 전모를 파악하는 데에는 한계가 있다.

하지만 『동명왕편』에서 세주로 전하고 있는 『구삼국사』 동명왕본기의 내용은 『삼국사기』 고구려본기 동명성왕본기의 내용과 비교하여, 고구려본기 원전을 추적하는 중요 자료로 활용된다. 『삼국사기』 고구려본기의 동명 전승 첫부분은 『구삼국사』 기사와 일부 문자와 문장이 약간 첨가된 것을 제외하면 거의 동일하다. 『제왕운기』에서도 '동명본기(東明本紀)'에서 인용한 문장을 기록하고 있는데 대체로 동일하다. 『삼국유사』 동부여조에도 거의 같은 내용의 전승을 전하고 있는데, 내용의 선후가 바뀌어 있고, '북부여왕', '천제(天帝)' 등 일부 표현에서 차이가 나타나지만, 거의 동일 자료라고 보아도 무방하다. 따라서 동부여 관련 내용을 담고 있는 위 문장의 가장 오래된 자료는 『구삼국사』라고 할 수 있다. 다만 고구려본기의 문장과 『구삼국사』의 문장이 거의 동일한 이유가 『구삼국사』에 의거하여 기사를 작성한 결과인지, 아니면 『구삼국사』와 동일한 전거자료에 의한 결과인지는 쉽게 판단하기 힘들다 (임기환, 2016).

그런데 『동명왕편』에 인용된 부분에서는 해부루의 죽음과 금와왕 즉위에 관한 기사는 전하고 있지 않다. 이규보가 지은 시에 금와왕의 존재가 언급되고 있듯이 이규보는 해부루와 금와왕 관련 전승을 알고 있었다. 다만 그 이해가 『구삼국사』의 관련 기사에 의한 것인지, 아니면 『구삼국사』에는 금와왕 관련 기사가 없지만, 이규보가 고구려본기나 다른 별도의 자료를 보고 알고 있었던 것인지는 확인하기 어렵다. 그리고 고구려본기에 보이는 모둔곡 3인 관련 전승도 『동명왕편』에는 인용되고 있지 않다. 이 역시 『구삼국사』에 없었던 것인지, 아니면 이규보가 인용하지 않은 것인지 알 수 없다(임기환, 2016). 그리고 "오이(烏伊), 마리(摩離), 협보(陝父) 등 3인이다", "일명 개사수(蓋斯水)라고 하는데, 지금 압록강 동북에 있다"라는 두 건의 세주는 너무 간략하기 때문에 『구삼국사』의 해당 기사 일부만을 기록한 것으로 추정된다. 그리고 개사수 관련 세주는 『삼국사기』 고구려본기 주몽 전승에서도 세주로 기록되어 있기에, 적어도 이 기사는 『구삼국사』의 기사를 인용한 것으로 추정할 수 있다.

『동명왕편』에서 인용된 『구삼국사』 기사는 주몽 전승과 유리왕 전승에 한정되지만, 고구려의 건국 전승 중에서 지금까지 확인되는 것이 고구려본기의 건국 전승, 중국 사서인 『위서』에 전해지는 건국 전승, 지리지 삼국유명미상지분조에서 지명 구성을 통해 확인되는 건국 전승 등이 있는데, 이들 여러 건국 전승과 대교할 수 있는 또 다른 건국 전승이면서 그중에서 내용이 가장 풍부하다는 점에서 사료 가치가 크다.

### 2) 『제왕운기』

이승휴는 『제왕운기』 하권 동국군왕개국년대(東國君王開國年代)를 찬술할 때에 『삼국사기』, 『구삼국사』, '단군본기(檀君本紀)', '신라수이전(新羅殊異傳)', '백제고기'를 비롯한 여러 고기류에 전하는 기록을 참조하였다. 그런데 『제왕운기』에 보이는 '국사(國史)'는 『삼국사기』를 가르킨다고 보는 견해(조인성, 2007: 홍창우, 2022; 전덕재, 2023), 『구삼국사』로 보는 견해(박인호, 2009), 오량우(吳良遇) 등이 1286년 11월에 찬술한 '국사(國史)'로 보는 견해(노명호, 2020)가 있다. 그리고 동명본기를 인용한 부분도 이승휴가 『구삼국사』를 직접 보았다는 견해(田中俊

明, 1982; 서영대, 1994), 『구삼국사』의 동명왕본기를 직접 인용한 것이 아니라 『구삼국사』 동명왕본기의 기록을 인용한 이규보의 『동명왕편』에 의거하여 찬술하였다는 견해가 있다(전덕재, 2023).

그리고 이승휴는 고구려기(高句麗紀)에서 "고구려 시조 성은 고씨이다【왕이 처음 태어났을 때에 온 나라가 그를 높이 받들었기 때문에 성(姓)을 고(高)라 하였고, 시호를 동명이라고 하였다】"고 기술하였다. 이런 내용은 『삼국사기』 고구려본기 및 『삼국유사』 기이 고구려조에 전하는 내용과 다르다. 아마도 고려시대에 주몽이 '고'를 성씨로 삼은 이유에 대하여 여러 견해가 전하고 있었는데, 이승휴는 그런 전승자료 중 하나를 인용한 것으로 추정된다(전덕재, 2023).

### 3) 『해동고승전』

『해동고승전』은 고려 후기의 승려 각훈이 우리나라 고승들의 전기를 모아 편찬한 역사서이다. 2권 1책, 필사본으로, 완전한 책은 전하지 않는다. 현존하는 판본에는 삼국시대의 고승에 관한 기록으로 끝나고 있다. 『삼국유사』에는 '승전(僧傳)'·'해동승전(海東僧傳)'·'고승전(高僧傳)' 등의 서명으로 여러 군데 인용되고 있다. 일연은 『삼국유사』에서 이 고승전의 오류를 지적하면서, "당시 사람을 많이 미혹시켰다"고 비판하고 있다.

고구려 불교사와 관련된 인물로는 순도·의연·담시·마라난타·아도 등을 들 수 있으며, 고구려에 왔던 순도와 아도의 국적 등에서 『삼국유사』 기록과 차이가 있다. 이에 대해서는 앞서 『삼국유사』의 고구려 관련 기사를 검토하면서 함께 살펴보았다.

# 참고문헌

李康來, 1997, 『三國史記 典據論』, 民族社.
전덕재, 2018, 『三國史記 본기의 원전과 편찬』, 주류성.
_____, 2021, 『三國史記 잡지·열전의 원전과 편찬』, 주류성.
鄭求福 外, 1995, 『三國史記의 原典 檢討』, 韓國精神文化研究院.
정선여, 2007, 『고구려 불교사 연구』, 서경문화사.
조인성, 2007, 『태봉의 궁예정권』, 푸른역사.

강진원, 2015, 「『삼국사기』 제사지 고구려조의 전거자료와 기술 태도」, 『역사와 현실』 98.
김강훈, 2016, 「요동지역의 고구려부흥운동과 검모잠」, 『軍史』 99.
_____, 2018, 「고구려 멸망 직후 당의 고구려 故地 지배 시도와 유민의 동향」, 『대구사학』 133.
김석형, 1981, 「「구삼국사」와 「삼국사기」」, 『력사과학』 1981-4.
김선숙, 2004, 「삼국유사 요동성육왕탑조의 성왕에 대한 일고」, 『신라사학보』 1.
김성규, 2004, 「고구려어 연구에 대한 반성」, 『인문과학연구』 9, 가톨릭대학교 인문과학연구소.
김주성, 2003, 「보덕전의 검토와 보덕의 고달산 이주」, 『한국사연구』 121.
김준희, 2019, 「『해동고승전』 속 고구려 초전불교 서사 연구」, 『구비문학』 55.
김태식, 1997, 「삼국사기 지리지 고구려조의 사료적 검토」, 『역사학보』 154.
노명호, 2020, 「고려 전·중기에 歷史書는 왜, 어떻게 다시 서술되었나-『三國史』의 구성과 그 후의 변화」, 『역사학보』 248.
노용필, 1989, 「보덕의 사상과 활동」, 『한국상고사학보』 2.

노태돈, 1987, 「『三國史記』上代記事의 信憑性 問題」, 『아시아문화』 2.
_____, 1996, 「5~7세기 고구려의 지방제도」, 『한국고대사논총』 8.
_____, 1997, 「『삼국사기』 신라본기의 고구려관계 기사 검토」, 『경주사학』 16.
박기범, 2011, 「부여·고구려 건국신화의 계통과 형성과정 – 삼국유사 북부여조 인용 고기에 대한 분석」, 『동북아역사논총』 34.
박인호, 2009, 「제왕운기에 나타난 이승휴의 역사지리 인식」, 『조선사연구』 18.
방용철, 2018, 「고구려 부흥전쟁의 발발과 그 성격」, 『대구사학』 133.
백미선, 2011, 「해동고승전을 통해 본 각훈의 고구려 불교사 인식」, 『한국사학보』 23.
서영대, 1994, 「단군 관계 문헌자료 연구」, 『단군, 그 이해와 자료』, 서울대학교출판부.
신동하, 1995a, 「삼국사기 고구려본기 분주의 연구」, 『동대사학』 1.
_____, 1995b, 「三國史記 高句麗本紀의 引用資料에 관한 一考」, 『三國史記의 原典 檢討』, 韓國精神文化研究院.
신종원, 2006, 「삼국의 불교초전자와 초기불교의 성격」, 『한국고대사연구』 4.
윤세원, 2014, 「삼국유사 요동성육왕탑조에 대한 일고찰」, 『신라문화제학술발표논문집』 3.
이강래, 2004, 「삼국사기 고구려본기의 분주 재론」, 『백산학보』 67.
이기문, 1968, 「고구려의 언어와 특징」, 『백산학보』 4.
이기백, 1987, 「삼국유사 탑상편의 의의」, 『두계이병도박사구순기념 한국사학논총』.
이도학, 2017, 「三國史記 溫達傳의 出典 摸索」, 『동아시아고대학』 45.
李弘稙, 1959, 「三國史記 高句麗人傳의 檢討」, 『史叢』 4.
임기환, 2005, 「광개토왕비에 보이는 백제관련 기사의 검토-영락6년조 기사의 역사지리적 검토를 중심으로」, 『한성백제 사료 연구』, 경기문화재단.
_____, 2006, 「고구려본기 전거자료의 계통과 성격」, 『한국고대사연구』 42.
_____, 2007, 「고구려 문자, 언어 자료의 현황과 과제」, 『대동한문학』 26.
_____, 2009, 「『三國史記』에 보이는 東扶餘, 北扶餘, 卒本扶餘의 자료 계통과 성격」, 『이기동정년기념논총』.
_____, 2016, 「고구려 건국전승의 始祖 出自와 北夫餘, 東夫餘」, 『고구려발해연

구』 54.

_____, 2018, 「고구려 전기 都城 관련 기사의 재검토」, 『역사문화연구』 65.

장상렬, 1967, 「료동성탑」, 『고고민속』 1967-1.

전덕재, 2016, 「三國史記 高句麗本紀의 原典과 完成 – 광개토왕대 이전 기록을 중심으로」, 『東洋學』 64.

_____, 2023, 「帝王韻紀를 통해 본 李承休의 고대사 인식」, 『동양학』 91.

정광, 1995, 「한국어 형성에서 고구려어의 위치」, 『국어사와 차자표기』, 태학사.

정구복, 1993, 「고려 초기의 "삼국사" 편찬에 대한 일고」, 『국사관논총』 45.

_____, 2011, 「三國史記 高句麗本紀 4~5세기의 기록에 대한 검토: 국내 전승의 원전에서 채록한 기록을 중심으로」, 『신라문화』 38(2016, 『고구려사와 역사인식』 재수록).

정호섭, 2018, 「삼국유사의 고구려 불교사 서술과 그 한계」, 『사학연구』 130.

조경철, 2008, 「광개토왕대 영락 연호와 불교」, 『동북아역사논총』 20.

조우현, 「삼국사기 고구려본기에 보이는 수사적 표현과 사료 구성」, 『한국고대사탐구』 32.

차광호, 2009, 「『삼국유사(三國遺事)』 기이(紀異)편의 저술의도와 고구려 인식」, 『사학지』 41.

하일식, 2016, 「일연과 삼국유사 파른본의 특징」, 『삼국유사 파른본 교감』, 연세대학교박물관.

하정용, 2009, 「『삼국유사』 고구려 관련 기사의 성격에 대한 일고찰」, 『한국사학사학보』 20.

홍창우, 2022, 「제왕운기의 후고구려 인식」, 『전북사학』 64.

高寬敏, 1996, 『三國史記の原典的硏究』, 雄山閣.

末松保和, 1966, 「舊三國史と三國史記」, 『朝鮮學報』 39·40.

三品彰英, 1954, 「"三國史記" 高句麗本紀의 原典批判」, 『大谷大學硏究年報』.

田中俊明, 1977, 「"三國史記" 撰進과 "舊三國史"」, 『朝鮮學報』 83.

_____, 1982, 「"三國史記" 中國史書 引用記事의 再檢討」, 『朝鮮學報』 104.

_____, 1982,「檀君神話の歷史性をめくって」,『月刊 韓國文化』33.
井上秀雄, 1968,「三國史記の原典をもとめて」,『朝鮮學報』48(1974,『新羅史基礎研究』재수록).
佐立春人, 1992,「高句麗新大王二年の赦書について」,『古代文化』44-4, 古代學協會.
津田左右吉, 1922,「三國史記高句麗紀の批判」,『滿鮮地理歷史研究報告』9.

# 6장

# 국외 문헌사료

이성제 | 동북아역사재단 수석연구위원

고구려는 삼국 가운데 가장 일찍부터 중원(中原)과 교섭을 가졌고, 그 결과 중원 왕조들이 남긴 사서에는 고구려 관계 기사가 많이 남아 있다. 책봉(冊封)·조공(朝貢)의 공식적인 교섭 사실부터 고구려 내부의 정치상황이나 사회상, 제도에 이르기까지 이들 사서가 담고 있는 정보는 양적인 면은 물론이고 질적인 면에서도 『삼국사기(三國史記)』에 못지 않다. 『삼국사기』 편찬자들이 국내 사료와 함께 중국 사서의 관련 기록을 인용한 것도 이 때문일 것이다.

그럼에도 지금까지의 고구려사 연구는 관련 자료들이 가진 가치를 충분히 이해하고 이를 사료로 이용해 왔다고는 보기 어렵다. 사료의 성격에 대한 고려 없이 필요한 부분만을 발췌하여 이해할 때, 실제와 다른 모습을 그리게 되는 오류를 어렵지 않게 발견할 수 있기 때문이다.

많은 사서들이 이른바 동이열전(東夷列傳)을 두고 있어, 거기에 포함된 고구려전은 중국 사서의 고구려 관계 기사를 다룰 때 주된 검토의 대상이 되어 왔다. 관련 사서에 대한 문헌적 연구는 미흡한 채로 동이열전을 역주한 자료집이 연구의 기본자료가 되곤 했던 것이다. 본기와 인물열전 등이 기술하고 있는 관계 기사는 비록 수적으로 적고 기술 내용도 많지는 않지만 해당 사서의 고구려전에는 없는 내용이거나 사건의 경과를 이해하는 데 필요한 정보를 담고 있는 경우가 많다.

『사기(史記)』·『한서(漢書)』·『후한서(後漢書)』·『삼국지(三國志)』의 전사사(前四史)가 개인의 저작으로 만들어졌던 것과 달리, 『위서(魏書)』를 비롯하여 당대(唐代)에 만들어진 『양서(梁書)』·『진서(陳書)』·『북제서(北齊書)』·『주서(周書)』·『수서(隋書)』·『진서(晉書)』·『남사(南史)』·『북사(北史)』는 국가가 사관(史館)을 설치하여 사서 편찬을 전담시켜 저술한 사서이다. 『진서』의 편찬에는 당 태종 이세민(李世民)이 관여하였고, 이 때문에 황제권력으로 역사의 자립성을 왜곡했다는 비판이 있다(渡邊義浩, 2021). 이런 사정에서 『진서』가 고구려전을 두지 않아 진과 고구려의 관계를 의도적으로 누락한 것이나, 『구당서(舊唐書)』·『신당서(新唐書)』 등이 645년 전쟁에서 태종과 당군이 불리했던 전황을 애써 감추고 기재하지 않은 배경을 이해할 필요가 있다.

한편 정사로 남아 있는 사서들 외에 현존하지 않는 문헌의 일문(逸文)에 대한 이해와 이용 문제가 있다. 『한원(翰苑)』에 인용된 『고려기(高麗記)』의 기사나 『삼국지』 배송지주(裴松之注)에 인용된 『오서(吳書)』 같이 현재는 전하지 않는 서적의 고구려 관계 기사는 정사류에서는 찾아볼 수 없는 새로운 정보이거나 보다 상세한 내용을 전한다는 점에서 귀중한 자료임에 분명하다. 하지만 관련 문헌에 대한 이해 없이 사료 인용에 급급해 왔던 것이 사실이다.

이 글은 고구려 관계 기사를 수록하고 있는 국외 문헌사료에는 어떤 것들이 있으며, 그 문헌의 편찬에 이용된 자료는 무엇이고, 거기에 기술된 고구려 관계 기사의 특징은 무엇인가에 주목하여 살필 것이다. 따라서 관련 사료를 이용한 연구 내용 자체는 이 글의 관심사가 아니다. 아울러 『십육국춘추(十六國春秋)』 복원 연구와 같이 최근 진행되고 있는 원전 자료에 대한 깊이 있는 이해를 목적으로 하는 작업에 대해서도 가급적 언급해 두고자 한다.

## 1. 『한서』·『후한서』·『삼국지』 고구려 관련 기사

고구려는 기원전 1세기 이전에 나라를 세워, 압록강 중상류 일대를 차지하며 성장하였고, 3세기 무렵에는 중원 왕조의 군현을 밀어내며 요동 방면으로의 진출을 꾀하기에 이르렀다. 고구려의 전 역사에서 볼 때 초기사에 해당하는 이 시기는 국왕을 기준으로 보면 동명성왕으로부터 봉상왕의 재위기간에 해당한다.

이러한 고구려 초기의 역사를 연구하는 데 기본이 되는 사료는 물론 『삼국사기』 고구려본기일 것이다. 하지만 고구려본기 권1에서 동명성왕이 졸본천(卒本川)에서 나라를 세웠다는 사실을 전하는 가운데 분주(分註)로 "『위서』에는 흘승골성(紇升骨城)에 이르렀다고 한다"는 내용이 들어가 있다. 이는 고구려본기가 국내 사료를 토대로 하면서도 중국 사서의 기록을 적극 이용하여 편찬되었음을 보여주는 사례다. 또한 그 내용이 고구려의 건국에 관한 것이라는 점에서 중원 왕조가 고구려에 대해 가졌던 관심도를 단적으로 보여준다고 할 수 있다.

고구려에 관한 기사가 처음 등장하는 사서는『한서』이다. 고구려와 중원 왕조의 교섭은 고구려라는 국가가 세워질 무렵부터 시작되었고, 전한이 그 상대였다. 이러한 배경에서 전한의 사적을 다룬『한서』에 고구려 관계 기사가 수록되었던 것이다. 여기에 수록된 사적으로는 현도군(玄菟郡)의 설치와 그 호구 수, 수현(首縣)인 고구려현에 관한 내용을 비롯하여, 신(新) 왕조 왕망(王莽)의 인수(印綬) 수여와 고구려병 징발로 인한 충돌사건 등이 있다. 권28하 지리지의 현도군조에는 수현이 고구려현이며 호구 수가 4만 5,006호, 22만 1,845인이라 하였으며, 연지(燕地)조에는 "현도·낙랑군은 무제 때에 두었다. 모두 조선·예맥·(고)구려만이었다"고 전한다. 또한 권99중 왕망전에는 신을 세운 왕망이 흉노 등 주변세력에게 한의 인수를 회수하고 신의 인수를 내려줄 때 고구려도 그 대상의 하나로서 등장하고 있다. 또한 신이 흉노를 치기 위해 고구려병을 징발하려 할 때 호응하지 않고 반란을 일으켰고, 결국 고구려후(高句驪侯) 추(騶)가 잡혀 처형되었다고 한다(『한서』권99중).

현도군의 설치로부터 왕망의 신이 고구려병을 징발하려 했을 때까지의 기간은 100여 년에 해당한다. 그럼에도『한서』에 기재된 고구려 관계 사료는 4건 정도에 불과하다. 이 점에서 아쉬움이 크지만, 각각의 사료가 전하는 내용은 고구려 초기사 연구에서 대단히 중요하다. 우선『한서』지리지의 군국(郡國)별 호구 수는 원시(元始) 2년(서기 2)에 작성된 것이고, 군국별 소속 현의 목록은 원연(元延)·수화(綏和) 연간(기원전 9~기원전 8)에 작성된 것이라고 한다(肥後政紀, 1998). 현도군은 기원전 107년에 설치할 당시 10여 개의 현을 예하에 두었다(田中俊明, 1994). 그러므로 지리지의 이 짧은 기사는 군현이 설치된 지 100여

년이 흐른 뒤 현도군이 상당수의 속현을 포기한 상황을 보여주고 있어 그 규모가 크게 축소되었음을 알려주며, 나아가 고구려와 한 군현 간의 역관계가 바뀌고 있었음을 짐작케 해준다. 또한 신빈(新賓) 영릉진고성(永陵鎭古城)으로 비정되는 고구려현 등 세 속현의 존재는 고구려의 서북 방향으로 퇴축해가던 현도군의 세력 추이와 고구려의 성장세를 가늠하게 해주는 자료가 된다. 아울러 한이 현도군의 수현 이름을 고구려로 하였다는 점에서 현도군을 설치한 주 목적의 하나가 바로 고구려에 대한 통제였음을 보여준다.

『한서』 왕망전은 전한을 무너뜨리고 신을 세운 왕망의 일대기이다. 왕망은 한의 여러 정책을 폐기하고 새로운 정책을 추진하였는데, 흉노 등 주변세력과의 관계를 재설정하는 것도 포함되었다. 그 일환으로 왕망은 흉노 선우(單于)에게 사자를 보내 신의 인수를 새로 수여하였다. 전 왕조가 내린 흉노선우새(匈奴單于璽)를 회수하고 신흉노선우장(新匈奴單于章)이라는 신의 인수로 바꾸어 주는 조치였다. 동시에 서역 제국의 수장들에게도 기존의 왕에서 한 단계 낮은 후가 새겨진 인수로 바꾸어 수여하였다(鶴間和幸, 2004). 이때 왕망의 명을 받은 사자는 동쪽으로 현도군·낙랑군과 고구려·부여까지 이르렀다고 전한다. 이 기사는 전한대의 어느 시기에 전한과 고구려가 책봉·조공관계를 맺었고, 그 관계가 신의 수립 시기까지 이어져 내려왔음을 보여주는 것이다.

반고(班固)가 왕망전을 상세하게 기술한 것은 후한을 세운 광무제(光武帝)의 집권을 정당화하기 위함이었고, 여기에 고구려 기사가 나오는 것도 왕망의 잘못된 대외정책이 사이(四夷)의 이반을 초래했음을 보여주기 위함이었다(尹龍九, 1998). 12년에 신은 흉노 정벌을 위해 북방의 여러 경로로 공격군을 보냈다. 고구려병의 징발은 이러한 대규모 군사행동과 짝한 것이었다. 하지만 고구려병은 흉노 공격에 나서려 하지 않았고, 왕망의 강경한 진압에 신의 동방 전역이 반발하게 되었다고 왕망전은 전한다. 이 지역세계의 향배와 관련하여 고구려, 부여가 등장하고 있어, 이 기사는 신과 고구려 그리고 부여 간의 역학관계를 보여주는 흔치 않은 자료이다. 적어도 이 무렵까지는 고구려가 지역세계의 패권을 장악하지 못하고 있었음도 이를 통해 엿볼 수 있다.

한편 원봉(元封) 5년(기원전 76) 한이 악소년(惡少年)과 죄지은 관리를 징발하여 요동에 둔수(屯守)케 하고, 이듬해에는 요동성·현도성을 축조했다는 기사(『한서』권7)는 고구려에 관한 직접적인 사료는 아니지만 이 무렵 현도군을 서북방으로 몰아내고 있던 고구려를 상대하기 위한 한의 군사적 대응으로 보인다(權五重, 1995; 余昊奎, 2005). 기원전 75년 한이 현도군 치소를 현재의 신빈 지역으로 옮겼던 조치의 배경을 이해하는 데 요긴한 자료이다.

3세기 중반까지의 고구려에 관한 기사를 서술하고 있는 중국 사서로는 『한서』와 함께 『후한서』·『삼국지』가 있다. 이 가운데 『후한서』는 사료적 가치가 낮다고 평가되어 왔다. 서술시기에 비해 후대의 편찬이면서 그 동이전이 새로운 자료라기보다는 상당 부분 『삼국지』를 전록(轉錄)한 것이라는 점 때문이었다(高柄翊, 1970). 더욱이 『후한서』 동이전은 일부 보충 기사를 제외하곤 전적으로 『삼국지』 위지와 배송지의 주문(注文)에 의거하였으며, 전록하는 데 그치지 않고 개악한 곳이 많다는 평가(全海宗, 1980)도 있어서 굳이 여기에 수록된 고구려 관계 기사에 관심을 두어야 할까 망설여지기도 한다.

그러나 『후한서』 고구려전에는 고구려의 초기 왕계, 지리, 풍속, 관제, 생활풍습, 대외관계 등이 수록되어 있으며, 이 중 후한과 고구려의 대외관계에 관한 기사들은 『삼국지』 등 다른 사서에는 없는 내용이 많다. 『삼국지』와 내용상 차이를 보이는 부분도 있다(기수연, 2005).

> 건광(建光) 원년(121) 봄 유주자사(幽州刺史) 풍환(馮煥)과 현도태수(玄菟太守) 요광(姚光), 요동태수(遼東太守) 채풍(蔡諷) 등이 군사를 거느리고 새(塞)를 나가 예맥을 공격하여 그 거수를 잡아 참수하고 병마와 재물을 노획하였다. 이에 [고구려왕] 궁(宮)은 사자 수성(守成)을 보내 군사 2,000여 명을 거느리고 요광 등에 맞아 싸우게 했다. 수성이 사자를 보내 거짓으로 항복하니 요광 등은 이를 믿었다. 수성은 험지에 자리잡고 한의 대군을 막았다. [궁은] 몰래 3,000여 명의 군사를 보내 현도·요동군을 공격하여 성곽을 불태우고 2,000여 명을 살상하였다. …여름에 다시 요동 선비(鮮卑) 8,000여 명과 함께 요대(遼隧)를 침공하여…._『후한서』 권85 고구려전

위 사건에 대해 『삼국지』는 막연히 수안(殤安) 연간이라고 하고 있으나, 위 기록은 121년임을 명시하고 있다. 또한 유주자사 풍환의 존재는 『삼국지』 관련 기사에서는 보이지 않는다. 그의 역할은 "유주자사 풍환이 두 군의 태수를 이끌고 고구려·예맥을 공격하였으나 이기지 못하였다"(『후한서』 권5)라는 내용을 통해 그가 이 전역에서 후한 측의 지휘관이었음을 알 수 있다. 고구려를 상대해 왔던 현도·요동 태수에 더하여 유주자사가 참전하여 지휘했다는 것은 이 전역이 이전과는 성격이나 규모에서 달랐음을 보여주는 단서가 된다. 위 기사의 후반부에서 고구려가 요동 선비와 함께 요대를 공격했다는 것 역시 『삼국지』에서는 찾아볼 수 없는 『후한서』만의 기사이다.

또한 위 기사에 보이는 예맥은 위·촉·오 삼국이 정립했을 때 "고구

려와 예맥이 공손연(公孫淵)과 원수가 되어 함께 [공손연을] 침구하고 있다"[1]라는 조위 측의 평가에서 알 수 있듯이 후한 말에도 존재한 세력이었다. 그러나 『후한서』 고구려열전이나 본기 등에 모습을 보이는 예맥은 정작 『삼국지』에서는 찾아보기가 쉽지 않다. 위 전역에 대해 기술한 『삼국지』의 관련 기록에서도 예맥의 존재는 전혀 보이지 않는다. 고구려의 성장과는 별개로 후한의 동북방에서는 예맥·오환(烏桓) 등 여러 세력이 활약하였고, 이들과 고구려, 후한의 관계가 복잡하게 전개되고 있었음을 『후한서』를 통해 살펴볼 수 있다. 고구려본기 찬자가 태조왕 69·70년의 기사로 『후한서』의 관련 기록을 전재(轉載)한 연유이다.

한편 『후한서』 고구려전의 궁-수성-백고(伯固)로 이어지는 왕계는 『삼국사기』 고구려본기와 동일하다. 고구려본기의 왕계가 국내의 전승에 따른 것이라고 보면 『후한서』의 관련 기록이 『삼국지』의 그것보다 사실성이 있음을 보여준다. 이러한 점에서 다소의 오류와 원자료의 변개 문제에도 불구하고 『후한서』 고구려 관련 기록은 해당 시기 고구려사 연구에서 빼놓을 수 없는 자료임에 분명하다.

서진(西晉)시대 진수(陳壽)가 저술한 『삼국지』에 이르러 고구려 관계 기록은 급증한다. 『삼국지』는 범엽의 『후한서』보다는 오히려 130여 년 앞서 저술되었기 때문에 역사 기술의 선후로 보아 『후한서』에 앞서 고찰되어야 할 사서이다(高柄翊, 1970). 특히 진수는 서역 등 당시 삼국과 관계가 있던 다른 외국은 입전하지 않고, 외국전으로 오환선비동이전(烏丸鮮卑東夷傳)만을 두었다. 어떠한 이유에서 이런 이례적인 저술방

---

1 『삼국지』 권8 주석에 인용된 『위명신주(魏名臣奏)』 하후헌(夏候獻) 표(表), "高句麗·濊貊 與淵爲仇, 竝爲寇鈔."

식을 택했는지는 잘 알 수 없지만, 조위가 동방 경략을 통해 한반도에 진출하는 과정에서 확보했던 동방의 여러 세력에 대한 풍부한 자료가 있었기에 서술하는 데 편의가 있었음(高柄翊, 1970)은 분명해 보인다. 동이전의 서(序)는 조위가 요동의 공손씨를 치고 낙랑군·대방군을 수복하고 고구려를 공략하여 동해에 이르렀던 사정을 기술하고 있다. 관구검(毌丘儉)의 고구려 공격을 비롯한 동방 경략이 당대 중국인에게 이 지역에 대한 관심을 불러왔고, 이에 따라 고구려 등 동이의 여러 세력에 대한 자세한 기록이 나타나게 되었던 것이다.

『삼국지』의 고구려 관계 기록은 수록된 분량뿐 아니라 기술내용에서도 전대의 사서들과 뚜렷한 차이를 보인다. 고구려와 중원 왕조 간에 일어난 사건의 서술에 그치지 않고, 지리적 위치, 지세, 국력, 통치형태, 생활풍습 등 고구려라는 국가의 다양한 정보가 기술되어 있다. 이러한 정보의 특성상 보다 현실적인 관점에서 그 실상에 대한 전반적인 내용을 담고 있어 사료적 가치가 크다. 다만 동이전은 중국 삼국시대를 대상으로 한 것이지만 역사적 설명을 하기 위해 넣은 전대에 관한 역사 서술도 있다. 『위략』에 의거한 지리·제도·습속 등의 기사 또한 삼국시대에 국한된 것이 아니라는 점(全海宗, 1980)은 주의할 필요가 있다.

『삼국지』는 위지(魏志) 30권, 촉지(蜀志) 15권, 오지(吳志) 20권으로 구성되었는데, 고구려 관계 기록은 동이전이 수록된 위지에 대부분 기술되고 있으며, 오지 손권전(孫權傳)에도 일부 기사가 수록되어 있다. 위지 외에 조위의 역사를 다룬 사서로는 위·진 교체기에 어환(魚豢)이 저술한 『위략』과 왕침(王沈)의 『위서(魏書)』가 있는데, 동이전은 『위략』이 주 자료로 이용되었다(全海宗, 1980). 『위략』에 의거한 기사는 동이전 고구려조 경우 49개 가운데 27건이다. 한편 『위략』의 일문과 『한원』

등의 유서(類書)에는 고구려조에 없는 기사도 적지 않다. 『삼국지』 원전에 대한 연구에 지속적인 관심이 필요한 까닭이 여기에 있다.

이와 함께 『삼국지』에는 자료 자체의 문제가 있다는 사실도 잊어서는 안된다. 우선 문장이 연결되지 않거나(徐永大, 1991), 난해한 문구가 적지 않다. 고구려 관계 기사에서도 이러한 문제가 보인다. 하호(下戶)의 성격을 둘러싸고 다양한 해석이 있는 "邑落有豪民, 民下戶皆爲奴僕"은 그 하나의 사례이다.

이러한 문제는 진수가 기존 사료를 재정리하면서 간결한 문장으로 서술한 데서 발생하였다. 『위서』와 『위략』이 각각 48권(혹은 44권), 38권(혹은 89권)인 것에 비해 위지는 30권에 불과하여, 기존 사서의 서술내용을 압축했음을 알 수 있다. 진수가 원사료를 요약·정리하여 새로운 문장으로 바꾸다 보니, 그 사료가 가진 원래 의미를 파악하기 어렵게 된 것이다. 또한 필사에서 간본(刊本)으로 이어지는 『삼국지』 전승 과정에서 생긴 문제도 있다. 『삼국지』는 1003년 무렵까지 사본으로 전해졌다. 그 뒤로는 인쇄본이 만들어졌는데, 필사 과정에서의 오류와 교각(校刻)·보수가 거듭되면서 문구에 상당한 개변이 발생하였다. 이 때문에 진수가 저술한 본래의 문구를 복원하는 데 어려움이 있다(윤용구, 1998). 앞서의 하호 관련 기술에서도 판본에 따라 "名下戶皆爲奴僕"과 "民下戶皆爲奴僕"으로 달리 기재하고 있는 것이다. 이와 관련하여 중국이 2007년부터 추진하고 있는 '점교본 24사 수정본(點校本 二十四史 修訂本)' 사업의 결과물로 중화서국(中華書局)에서 『(수정본) 삼국지』가 나올 예정이다. 그간의 교감 문제에 대한 종합적인 작업물이라는 점에서 향후 연구의 기초자료가 될 것으로 보인다.[2]

진수의 사료 요약이 가진 한계를 보완하고자 유송(劉宋)의 배송지는 당시 남아 있던 186종의 서적에서 원사료를 인용하여 주석을 달았다. 배주(裵注)라고 불리는 이 주석은 『삼국지』 본문의 3배 분량에 달하는 풍부한 내용을 담고 있어, 진수의 본문을 보완하는 수준을 넘어 그가 빠뜨리거나 삭제했던 많은 사실을 전하고 있다. 『삼국지』 고구려 관계 기사를 살필 때 본문과 함께 배주의 내용에도 관심을 기울여야 하는 것이다. 오지 손권전에 배주로 인용된 『오서(吳書)』[3]의 내용은 233년 무렵 동천왕 시기, 현도태수가 관할하는 호수가 200호에 불과한 제3현도군의 상황과 함께, 손오와 고구려가 교섭했던 사실을 전한다. 공손연에게 속아 억류되었던 손오의 사절이 도주하여 고구려에 이르렀으며, 동천왕이 조의(皂衣) 25명을 보내 이들을 손오로 송환하고 봉조칭신(奉表稱臣)했고, 손권이 동천왕을 선우로 책봉하는 사절을 보내 안평구(安平口)에 이르렀다는 내용이 그것이다. 『삼국사기』 고구려본기에는 동천왕이 손권 사자의 목을 베어 조위에 보냈다고 간단히 기술된 사건에 대해 그 배경과 함께 당시 손오와 연계해보려던 고구려의 대외전략을 배주를 통해 살필 수 있는 것이다.

이상의 내용은 사료 자체의 이해에 관한 것이었다. 그런데 중국 사서에 수록된 고구려 관계 기사는 해당 시기 고구려인이 작성한 것이 아니라 중국 찬자가 전문(傳聞)이나 전대 기록에 의거하여 저술한 기록물이다. 역사적 배경이 다르고 정치·문화가 이질적이었을 고구려에 대

---

2  이와 유사한 성과물로는 『譯註 中國 正史 東夷傳 1: 史記·漢書·後漢書·三國志』(동북아역사재단, 2020)가 있다.

3  『오서』는 『삼국지』 오지의 전거가 된 손오의 정사이다. 손오의 위소(韋昭)가 저술한 이 책은 본기와 열전으로 구성된 25권이었으나, 『수서』가 편찬되던 시기에 이미 25권만 남은 상태였다. 배송지는 『오서』 일문(逸文)을 인용하여 진수가 생략한 내용을 보충하였다(滿田剛, 2004).

해 중국인의 지식으로 이해하고 자국의 용어로 설명했던 것이다. 이 점에서 당시 중원 왕조사에 대한 기초적인 이해는 관련 중국 사서의 고구려 관계 기사를 살피는 데 필요한 전제조건이라고 생각한다. 이러한 시각에서 서북 변경에 대한 한의 방어시스템(籾山明, 1999; 2021), 삼국시대 주변세력과 위·촉·오의 교섭 내용(關尾史郞, 2023), 『사기』 이래 『삼국지』까지 전사사(前四史)의 성격과 특징(渡邊義浩, 2021) 등을 다룬 최근의 연구는 이 시기 관련 자료를 이해하는 데 큰 도움을 준다.

## 2. 고구려 중기사 관련 사서

### 1) 『진서』·『자치통감』·『십육국춘추』

『진서(晉書)』는 646년 방현령(房玄齡) 등이 당 태종의 명을 받아 서진, 동진 두 왕조와 오호십육국의 역사를 130권으로 편찬, 정관(貞觀) 24년(648)에 완성되었다. 대상시기로 보아 한참 뒤에 편찬되었던 것이다. 또한 동이전은 상당 부분에서 『삼국지』의 내용을 전록(轉錄)하기도 하였다. 이 때문에 『진서』의 사료적 가치가 낮다고 평가되기도 하였다(高柄翊, 1970). 더욱이 동이전에는 부여국을 비롯 10개국, 15개 종족이 입전되어 있지만, 당연히 들어가야 할 고구려조가 빠져 있는 한계가 있다(윤용구, 1998).

그러나 『진서』는 서진 성립 이후 동진이 송(宋)에 선양하기까지 기간을 다룬 정사이다. 특히 30권으로 이루어진 재기(載記)는 이 시기 중국 화북에서 명멸했던 오호십육국의 역사를 각 나라마다 기술한 것으로,

다른 정사에서는 유례가 없다. 『위서』나 『북사』에도 오호십육국에 관한 기술은 있지만, 기술의 양에서 크게 미치지 못한다. 『진서』 재기는 오호십육국시대에 관한 기본사료인 것이다(鈴木桂, 2000).

『진서』 편찬에 이용했던 자료는 십팔가진서(十八家晉書)라고 통칭하지만, 『진서』 재기의 오호십육국 사적은 최홍(崔鴻)의 『십육국춘추』를 기본자료로 하였다. 북위시대에 저술된 『십육국춘추』는 송대에 이미 사라진 상태여서 현재는 전하지 않는다. 최홍이 어떤 사료를 이용하여 『십육국춘추』를 펴냈는지 판단할 수는 없지만, '패사(覇史)'[4]라고 분류된 여러 사서가 오호십육국시대에 각국에서 쓰여져 북위 당시까지 상당 수 남아 있었다. 최홍은 이들 사서의 수집과 정리에 상당한 노력을 기울여 『십육국춘추』를 저술하였다(鈴木桂, 2000). 『십육국춘추』가 오호십육국 각국의 국사를 토대로 했다는 점에서 이를 자료로 삼은 『진서』 재기는 사료적 가치가 높다.

더욱이 『진서』의 고구려 관계 기사는 주로 재기에서 보인다. 즉, 고구려가 상대한 모용선비(慕容鮮卑)·후조(後趙)·전진(前秦)의 군주 석륵(石勒)·모용외(慕容廆)·모용황(慕容皝)·모용준(慕容儁)·모용위(慕容暐)·모용수(慕容垂)·모용보(慕容寶)·부견(苻堅)·풍발(馮跋)·풍홍(馮弘)의 재기에는 봉상왕에서 장수왕 대에 이르는 시기 고구려가 요동과 중원 방면에서 전개한 다양한 사적이 수록되어 있다.

---

[4] 『패사』는 『수서』 경적지(經籍志) 사부(史部)에 보이는데, 오호십육국시대에 관한 사서를 말한다. 영가(永嘉)의 난 이래 화북과 사천(四川)에서 할거한 여러 국가들은 저마다 국사를 편찬하였고, 그 가운데 23종의 사서가 『수서』에 전한다(眉山智史, 2019). 여기에서 고구려와 관계가 있던 후조·전연·후연·북연의 사서로는 전융(田融)의 『조서(趙書)』 10권, 왕탁(王度)의 『이석전(二石傳)』 2권, 『이석위치시사(二石僞治時事)』 2권, 범형(范亨)의 『연서(燕書)』 20권, 고려(高閭)의 『연지(燕志)』 10권이 있다.

함강(咸康) 7년…모용황은 정병 4만을 이끌고 남협(南陝)으로부터 들어가 우문부(宇文部)·고구려를 정벌하였다. 또한 모용한(慕容翰)과 아들 모용수를 선봉으로 세우고, 장사 왕우(王寓) 등을 보내 1만 5,000의 병사를 이끌고 북치(北置)를 거쳐 진격하게 했다. 고구려왕 조(釗)가 말하기를 "모용황 군대는 북로를 거쳐 올 것이다" 하고는 아우 모용무(慕容武)를 보내 정예병 5만을 지휘하여 북치에서 막도록 하고, 자신은 약졸을 이끌고 남협에서 방어하였다. 모용한이 목저(木底)에서 고구려왕 조와 싸워 크게 격파한 후, 승세를 타고 환도성에 진입하니 조는 홀로 도주하였다.

『진서』권109

위 기사는 전연 모용황이 고구려를 공격해왔을 때 그 침공로로 이용한 두 개의 경로, 이른바 '남북도(南北道)'에 관한 내용이다. 모용황 재기에 수록되어 있는 이 남북도 관련 내용은 11세기에 편찬된 『자치통감(資治通鑑)』권97에 보다 자세하게 보인다. 또한 『자치통감』의 관련 기사는 『십육국춘추』 전연록(前燕錄)이 자료가 되었을 것으로 추정된다(田中俊明, 1997). 그러므로 이 사건의 경우에는 『자치통감』쪽이 더 사료적 가치가 높다고 볼 수도 있지만, 모용황 재기에는 남도와 북도의 명칭이 보이지 않고 남협과 북치 그리고 북로가 보인다. 모용황의 주력군과 고국원왕의 교전이 목저에서 벌어졌다는 내용도 『자치통감』에는 없는 귀중한 정보이다.

『진서』재기가 『십육국춘추』를 기본자료로 삼아 저술되었음을 고려하면, 모용황 재기의 남북도 관련 기사에만 보이는 명칭 등은 역시 『십육국춘추』의 저본이 되었던 전연록 등의 원사료에서 유래하였을 가능성이 높다. 『진서』, 특히 그 재기는 이 시기 고구려와 오호십육국의 관계사를 연구하는 데 결코 빼놓을 수 없는 기초자료인 것이다.

한편 모용황 재기에 함강 7년(341)의 일로 전하는 위 사건을 『자치통감』에는 342년의 사건으로 기년하고 있다. 이러한 연대의 차이는 『진서』 재기의 오류에서 빚어진 문제로(鈴木桂, 2000), 『자치통감』의 연대뿐 아니라 관련 사건의 경위를 종합적으로 판단하여 그 시기를 확정할 필요가 있다.

위 사건과 관련하여 『자치통감』은 남도와 북도의 명칭뿐 아니라 북도는 넓고 평탄하며, 남도는 험하고 좁다는 경로의 상황을 전한다. 또, 전연군이 북도로 올 것이라 판단하고 있을 고구려의 예상을 뒤집고 모용황이 험하고 좁은 남도로 주력군을 보냈으며, 이들이 고구려군을 격파하고 장수 아불화도가(阿佛和度加)를 베었다고 상세한 내용이 전한다. 『진서』 재기의 간략한 서술만으로는 알 수 없는 전쟁의 구체적 양상이다. 그뿐만 아니라 북도로 진군한 전연군 1만 5,000명이 고구려 주력군에게 전멸했다는 『진서』 재기에 언급되지 않은 북도에서의 전황도 기술하고 있다. 이를 통해 342년에 벌어진 양국의 대결 양상을 보다 구체적으로 살펴볼 수 있다. 이러한 내용은 현존 사료에는 없는 사적의 기술이라는 점에서 사료적 가치가 높다. 『자치통감』을 편찬할 송대에 아직 이용할 수 있었던 오호십육국시대사 사료들이 있었고(鈴木桂, 2000), 사마광은 이를 토대로 고구려 관계 기사를 『자치통감』에 넣을 수 있었던 것이다.[5]

---

[5] 다만 사마광이 이용했던 『십육국춘추』는 원본이었으나 불완전했다. 그래서 원본이 존재하지 않은 경우 『태평어람(太平御覽)』 편패부(偏覇部)에 수록된 『십육국춘추』의 일문을 이용하여 후대 사서의 기년 오류 등의 문제를 고증하였다(町田隆吉, 2000).

『자치통감』은 342년의 이 전쟁에서 전연이 고구려를 제압하려 했던 연원에 대해 10월조에 기술하고 있다. 이를 통해 양국이 대결하게 된 전후 사정을 이해할 수 있다. 하지만 하나의 사건이 몇 년에 걸쳐 진행되면 언제 시점으로 어떻게 기술할 것인지 문제가 된다. 이러한 문제에 대해 『자치통감』은 사건의 중심이 되는 날짜에 원인과 결과를 기술하는 방식을 채택하여 사건을 압축적으로 이해하도록 하고 있다. 어떤 사건의 연원을 기술할 필요가 있을 때 초(初)·전(前)·시(始)·선시(先是) 등의 용어를 사용하여 사건의 전후 사정을 알게 한 것이다(권중달, 2010). 이는 이 사서에 실린 고구려 관계 기사의 편년을 판단할 때 염두에 두어야 할 서술방식이다.

한편 북위대에 저술된 최홍의 『십육국춘추』는 오호십육국시대를 다룬 사서임에도 당말오대의 혼란 속에서 사라졌고, 『태평어람』 등에 전하는 일부 내용을 명청대에 집일(輯逸)한 『도본 십육국춘추(屠本 十六國春秋)』, 『하본 십육국춘추(何本 十六國春秋)』, 『십육국춘추집보(十六國春秋輯補)』가 남아 있다. 이 가운데 명대 도교손(屠喬孫)·항림지(項琳之)의 『도본 십육국춘추』와 청대 하당(何鐣)의 『하본 십육국춘추』는 위작으로 여겨져 왔고, 청대 탕구(湯球)가 집일한 『십육국춘추집보』 역시 신뢰하기 어려운 자료라고 평가되고 있다. 이에 따라 오호십육국시대사 연구는 『진서』 재기를 중심으로 『자치통감』 등의 자료를 이용해 왔고, 고구려 관계 기사도 이들 자료에 국한하여 살펴 왔다.

이러한 사료의 제약 문제와 관련하여 일본의 '五胡の會'가 펴낸 『오호십육국패사집일(五胡十六國覇史輯逸)』은 『태평어람』을 비롯한 각종 자료에 전하는 오호십육국 관련 사료의 일문을 수집·정리한 것으로, 패사 일문의 전체상을 파악하고 보다 원사료에 가까운 사료를 확보하는 성과를 거두었다고 평가된다(關尾史郎, 2012; 梶山智史, 2019). 한편 2021년 결성된 한국의 '『십육국춘추집보』연구회'는 『십육국춘추집보』의 사료적 신뢰성 문제를 해결하기 위해 그 기사들과 『도본 십육국춘추』 및 여러 유서(類書)의 일문을 비교 검토하고 역주하는 작업을 진행하고 있다. 이를 통해 오호십육국 관계 고구려 기사의 내원(來源)과 관련 기사의 원형이 파악될 것으로 기대한다.

### 2) 남북조 사서

북위가 화북을 통일하면서 중원 왕조의 역사는 남북조시대로 들어선다. 이 시대를 다룬 사서로는 『송서(宋書)』, 『남제서(南齊書)』, 『양서(梁書)』, 『진서(陳書)』, 그리고 『위서(魏書)』, 『북제서(北齊書)』, 『주서(周書)』, 『남사(南史)』, 『북사(北史)』가 있다. 이 가운데 『송서』, 『남제서』, 『위서』는 남북조시대에 저술되었으며, 나머지는 당의 정관 연간에 편찬되었다(高柄翊, 1980). 남북조시대까지 개인의 저술이나 가학(家學)의 산물이었던 사서 편찬이 국가에 의해 관료들이 맡아 집필하는 국가적 사업이 되었던 것이다. 국가가 편찬한 사서가 '정통'의 역사로 선포되고, 개인이 마음대로 사서를 편찬하는 것은 불허되었다(鈴木桂, 2000).

심약(沈約)이 저술한 『송서』는 남제시기인 487년 편찬에 착수, 이듬해 본기와 열전 70권을 저술하고 양(梁) 초기에 지 30권을 추가하여 완성하였다. 『송서』는 조직을 비롯한 동시대 자료 원문을 충실하게 채록하고 있어 사료적 가치가 높다. 다만 북송시기에 산일되어 『남사』 등으로 보충한 부분이 있다(神田信夫, 1989). 고구려 관계 기사에 해당되는 부분은 없지만 관련 사료를 살필 때 참고할 필요가 있다.

『송서』의 고구려 관계 기사는 주로 권97 만이전(夷蠻傳)에 실려 있다. 동진(東晉)의 의희(義熙) 9년(413) 고구려가 자백마(赭白馬)를 바쳐왔다는 기사로부터 송 말까지 조공이 끊이지 않았다는 기술로 끝을 맺고 있다. 특히 여기에는 송에서 장수왕에게 보낸 책봉 조서 등 조서 3건의 기재 내용과 함께 고구려로 망명한 북연왕 풍홍을 데려가겠다는 명목으로 송이 사절과 군대를 요동에 보내, 양국의 무력 충돌이 일어났던 사건의 전후 사정이 기술되어 있다. 송의 요청으로 장수왕이 말 800필을 보내주었다는 사실도 전한다. 이러한 사실들은 『송서』에만 보이며 『삼국사기』 고구려본기의 해당 기사가 이를 인용했다는 점에서 사료적 가치가 높다. 이 밖에 『송서』 본기에서 5회의 조공 사실도 찾아볼 수 있다. 『송서』 고구려 관계 기사는 북위의 화북 통일 이후 북연왕 풍홍을 둘러싼 고구려와 송의 갈등 양상, 고구려의 대송외교 등을 검토하는 데 반드시 살펴보아야 할 자료이다.

소자현(蕭子顯)의 『남제서』는 6세기 전반에 저술된 사서로, 남제시기에 편찬된 선행 사서들을 자료로 삼았다. 당대에 『남사』가 편찬되고 통용되면서 『남제서』는 차츰 취급하지 않아 탈오(脫誤) 부분이 생겼다(神田信夫, 1989). 현존 『남제서』는 권58 만·동남이전(蠻東南夷傳)에 고구려조가 실려 있는데, 송 말부터 건무(建武) 3년(496)까지 기록을 끝으로 그 후반부가 결실되어 있다. 이 부분과 관련하여 『책부원구』 권868의 기사[6]와 『건강실록』 권16의 기사[7]가 『남제서』의 일문이라고 판단된다(中華書局, 1972; 田中俊明, 1982).

---

6  『책부원구(冊府元龜)』 권868, "明帝建武三年, 高麗王·樂浪公遣使貢獻."
7  『건강실록(建康實錄)』 권16, "其官位有長史司馬參軍之屬. 拜則申一脚, 坐則跪, 行則走, 以爲恭敬. 國有銀山, 採爲貨, 幷人蔘貂皮. 重中國綵纈, 丈夫衣之, 亦重虎皮."

『남제서』의 고구려 관계 기사로는 "고구려가 강성하여 [북위·남제 어느 쪽에게도] 통제를 받지 않았으며 [이러한 관계에서] 북위는 외국 사신이 머물 객사를 두면서 남제를 첫 번째로 두고 고구려를 그 다음으로 했다"는 내용이 보인다. 또한 북위 측이 남제와 고구려 사절의 자리를 나란히 배치한 외교 의전을 남제 사자가 항의한 일, 고구려인이 좁은 바지를 입고 절풍(折風)을 쓴 것을 남제인이 기이하게 여긴 일, 고구려 사자가 사행을 위해 청주(靑州)에 이르렀다가 억류된 일 등의 사적들이 『남제서』에 기술되고 있다. 당대 사료에서 유래한 사적들로 보인다.

5세기 전반 고구려와 경계를 접하게 된 북위는 동위(東魏)·서위(西魏)로 분열되기까지 고구려와 빈번히 교섭하였다. 동위 역시 고구려와의 관계를 이어나갔고, 그 사적들이 북위와 동위의 역사서 『위서』에 남게 되었다. 『위서』는 북제의 위수(魏收)가 문선제(文宣帝)의 명을 받아 554년에 본기와 열전을 짓고, 559년에 지를 저술하여 완성하였다. 북위에서 일찍부터 진행해왔던 수사(修史)사업과 기거주(起居注) 작성 자료를 기초로 한 사서 편찬이었다. 모두 130권으로 이루어졌으나 북송 시대에 들어서서 교정하게 되었을 때 30권 정도의 잔결이 있었다고 하며, 『북사』 등에 의해 보충된 것이 현존 『위서』이다(神田信夫, 1989).

『위서』에는 고구려 관계 기사가 남북조시대 어느 사서보다도 많다. 권4 태조기(太祖紀)의 북연을 둘러싼 고구려와 북위의 갈등 양상부터 이후 전개된 양국의 빈번한 사절 파견 사실 등이 본기에 보인다. 또한 사절로 고구려에 사행했던 봉궤(封軌)·정준(程駿)의 열전 등에서는 납비(納妃) 문제와 같은 사행의 구체적인 현안을 살필 수 있다. 북위 말 내란이 일어나자 강과(江果)가 안주성민(安州城民)을 이끌고 고구려에 들어왔다는 기사는 요령성 조양(朝陽)에서 발견된 한기묘지(韓曁墓誌)의 관련 내용과 짝하여 북위 말 향병(鄕兵)집단을 거느린 요서 지역 호족들의 동향을 보여주는 자료이다(李成制, 2003; 2022). 『위서』가 수록하고 있는 고구려 관계 기사의 사료적 가치를 보여주는 사례다.

한편 『위서』 고구려전은 고구려 건국설화를 자세하게 수록하고 있다. 현존 정사류에서 최초로 등장한다는 점에서 의미가 있다. 또한 435년 장수왕이 북위에 사절을 보내 조공한 기사로부터 양원왕(陽原王) 대까지 고구려가 북중국 왕조와 주고받은 책봉·조공관계가 구체적으로 기술되어 있어 주목할 필요가 있다. 여기에 보이는, 효문제(孝文帝)가 장수왕에게 보낸 조서의 내용이나, 고구려왕에게 수여된 책봉호의 내용, 선문제(宣武帝)와 고구려 사신 예실불(芮悉弗)의 대화 등을 통해 해당 시기 양국 관계의 구체적인 실상을 살펴볼 수 있다. 이 밖에 물길전(勿吉傳)에 보이는 물길이 백제와 함께 고구려를 공략할 계획임을 북위에 알린 사건은 5세기 후반 고구려와 북위의 관계를 둘러싼 주변 세력의 동향을 보여준다.

당을 세운 뒤 왕조의 정통성 확보를 위해 태종은 북제·주·양·진·수의 5조사(朝史) 편찬을 명하였고, 요사렴(姚思廉)이 부친 요찰(姚察)의 저술을 토대로 636년에 『양서』·『진서』를 완성하였다. 양의 사서로는 심약의 『무제본기(武帝本紀)』, 사호(謝昊)의 『양서(梁書)』 등이 있었지만, 현존하는 것은 당대에 편찬한 『양서』 뿐이다(神田信夫, 1989).

『양서』 본기에는 천감(天監) 원년(502)부터 태청(太淸) 2년(548)까지 고구려가 "사자를 보내 방물을 바쳤다(遣使獻方物)"라는 간략한 내용과 함께 양의 책봉 내용이 기재되어 있다. 고구려조는 권54 제이전에 수록되어 있는데, 앞서의 남조 계열 사서가 당대 기사로 구성된 것과 달리, 전사로부터 전재한 내용이 많다. 지리·습속의 기술은 새로운 정보라기보다는 『삼국지』를 중심으로 『후한서』・『위략』의 내용을 참고하여 서술하였다(金鍾完, 1981; 全海宗, 2000). 이 과정에서 찬자의 이해에 따라 원전의 문장이 변개와 보입의 방법으로 재구성된 부분이 있다.

한편 교섭 기사에는 현재 전하지 않는 사서에서 채록한 내용이 보인다. "모용수가 죽고 아들 모용보가 즉위하여 고구려왕 안을 평주목으로 삼고 요동・대방 2국왕에 책봉하였다. [이에] 고구려왕 안이 비로소 장사・사마・참군의 관을 두었다. 그 뒤에 요동군을 공략하여 차지하였다"[8]는 내용이 그것인데, 현재 『양서』에만 전하는 정보이다. 특히 이 기사는 396년 후연이 고구려 광개토왕을 책봉했던 사실을 전하는데, 그 책봉호는 355년 전연의 모용준(慕容儁)이 고국원왕에게 수여한 "위영주제군사・정동대장군・영주자사, 봉낙랑공, 왕여고(爲營州諸軍事・征東大將軍・營州刺史, 封樂浪公, 王如故)"를 전제로 하여 앞서 받은 관작을 생략한 것이었다(金翰奎, 1997; 李成制, 2012). 중국 사서의 고구려 관계 기사에서 많이 등장하는 책봉호가 책봉 내용을 온전히 담고 있기보다는 앞서의 책봉을 전제로 생략이나 축약 형태로 기술되고 있음을 보여주는 실례이다.

요사렴이 찬술한 『진서』는 36권으로 구성되었고, 고야왕(顧野王)・육경(陸瓊) 등의 『진서』를 참고했다고 하는데 진의 사서로는 이 책만 남아 있다(神田信夫, 1989). 『진서』는 외국전을 입전하지 않아 고구려조에 해당하는 부분이 없다. 본기에는 6회에 걸친 고구려의 사절 파견[9]과

---

8   『양서』 권54, "垂死, 子寶立, 以句驪王安爲平州牧, 封遼東・帶方二國王, 安始置長史・司馬・參軍官. 後略有遼東郡."
9   571년 5월 신해(辛亥) '遼東・新羅・丹丹・天竺・般般等國並遣使獻方物'의 요동도 고구려라고 보아, 사절 파견에 포함했다.

562년의 책봉 사실이 기술되어 있고, 권30에 585년 고구려 사자가 진 후주(後主)의 근신(近臣)에게 금품을 주었다가 발각된 일이 전한다.

『북제서』는 동위·북제의 사적을 기술한 사서로, 태종의 5조사 편찬명으로 636년 이백약(李百藥) 등이 찬술하였다. 편찬 자료로는 부친 이덕림(李德林)이 저술한 북제사에 수대의 『제지(齊志)』 자료가 더해졌다. 외국전을 입전하지 않았고, 북송 무렵이 되면 이미 산일된 부분이 많아 『북사』 등으로 보충한 부분이 적지 않다(神田信夫, 1989).

『북제서』 본기에는 문선제(文宣帝)부터 후주(後主) 시기까지 6회에 걸친 고구려의 사절 파견과 2건의 책봉 기사가 기재되어 있다. 한편 고구려에 대한 언급은 없으나 552~553년 문선제가 고막해(庫莫奚)·거란(契丹)을 정벌하며 요서에 순행한 사적은 『북사』 고구려전에 보이는 고구려와 북제의 관계, 즉 최류(崔柳)가 고구려에 사자로 와서 북위 말 유인의 송환을 강요할 수 있었던 배경이 된다(李成制, 2001). 또한 권41의 고보녕전(高保寧傳)은 북제가 북주에 패망한 뒤 고구려의 서변인 요서 지역에 고보녕 세력이 웅거하고 있었음을 알려준다.

『주서』는 영호덕분(令狐德棻) 등이 태종의 명으로 찬술하여 50권으로 636년에 완성하였다. 5조사 편찬사업의 일환으로 서위·북주 왕조의 기록이다. 편찬 자료로는 수의 우홍(牛弘)이 찬술하던 국사와 서위의 서적이 이용되었다고 한다. 특이하게도 외국전의 편목을 이역전(異域傳)이라 칭하였다. 『주서』는 당 말, 송 초에 일부가 사라져 『북사』 등으로 보충하였다고 하는데, 그 내용과 다른 부분이 적지 않다. 또한 오탈자와 빠진 내용도 상당하다(神田信夫, 1989).

열전에 기재된 고림(高琳)과 고빈(高賓)은 그 선대가 모용씨에게 질자(質子)로 들어갔던 고구려인이었다고 하거나 한인(漢人)으로 고구려에 머물다가 귀국했다고 기술하고 있다. 이들 기사를 통해 4세기 이후 북조에서 활약했던 고구려계 유민의 기원과 세계(世系)를 살필 수 있다. 고구려 관계 기사의 대부분은 이역전 상에 수록된 고구려조에 실려 있다. 시조설화와 전대(前代)의 관계사는 간략히 소개하고 당대의 교섭 기사도 2건에 불과하다. 반면 도성·관제 및 형벌·습속에 대한 기술은 전사에서는 볼 수 없던 새로운 내용이 보이고 상세하다. 동서(東西) 6리라는 평양성의 규모나 별도(別都)로 국내성과 한성을 두었다는 도성제를 비롯하여 모반·반역자를 불태워 죽인 다음 참수하며 그 가산을 적몰한다는 등의 형벌 관련 정보를 여기에서 얻을 수 있다. 관인(官人)이 조우관(鳥羽冠)을 쓰며 서적으로 오경(五經), 삼사(三史)류 책과 『삼국지』·『진양추(晉陽秋)』가 있고, 유녀(遊女)의 존재와 폐백이 없다는 혼례에 관한 기술도 보인다. 또한 대대로(大對盧)·태대형(太大兄) 등으로 이루어진 13등 관위에 대한 내용은 『수서』·『북사』 그리고 『한원』 관련 기사의 비교 검토를 통해 고구려 관제의 변화를 살필 수 있는 귀중한 자료가 된다(武田幸男, 1989; 임기환, 2004; 여호규, 2014).

『남사』는 남조 송·제·양·진의 사적을 모은 사서로, 이연수(李延壽)가 남북조의 통사(通史)를 편찬하려던 부친 이대사(李大師)의 뜻을 이어 저술한 것이다. 『진서』 편찬 등에 참여하여 많은 자료를 섭렵하고 16년 만인 659년에 완성하였다. 기본사료는 남조의 4개 왕조 정사인데, 사료들을 간략히 하거나 증보하였다. 간략히 한 부분은 『송서』 부분이 많고, 증보한 부분은 『남제서』와 『양서』 부분이 많아 기재 사실이 풍부해졌다. 다만 내용을 줄이고 증보한 부분에 과도한 측면이 있어, 남조 각 정사와의 상호 비교가 필요하다(神田信夫, 1989).

본기의 고구려 관계 기사는 남조 각 정사의 본기에 보이는 조공과 책봉의 사적들과 별 차이가 없다. 한편 송의 왕경칙(王敬則)이 고구려에 사자로 갔다가 고구려 여인과 사통하고는 귀국하지 않으려 했다는 일화(권45)나 남제의 승려 보지(寶誌)가 참기(讖記)에 능해 고구려에서 소문을 듣고 면 모자를 공양했다는 기사(권76)는 남조의 정사류에는 없는 내용이다. 이맥전의 고구려 관계 기사는 기존 정사들을 자료로 하여 내용면에서 별다르지 않다. 다만 시조설화는 『양서』의 내용을 따르지 않고 『북사』를 참고하여 예외적이다.

『북사』 역시 이연수의 저술로, 북위·북제·북주·수의 사적을 모은 사서이다. 659년에 『남사』와 함께 완성하였다. 기본사료는 『위서』·『북제서』·『주서』·『수서』로, 이들을 간략히 하거나 증보하였다. 간략히 한 부분은 『위서』 부분이 많고, 증보한 부분은 『북제서』·『주서』 부분이 많다. 또 『위서』에 빠진 서위사(西魏史)를 보충하였다. 이 외에 잡사(雜史) 1,000여 권의 기사를 더했다는 찬자의 언급처럼 추가된 부분이 있다. 이 책이 나온 뒤 북조사는 전적으로 여기에 의존하게 되어, 『위서』·『북제서』·『주서』는 산일이 심해졌고, 나중에는 그 빠진 부분을 이 책으로 보충하게 되었다(神田信夫, 1989).

본기의 고구려 관계 기사는 북조 각 정사의 본기에 보이는 조공과 책봉의 기술과 별 차이가 없다. 권82의 고구려전 역시 기존 정사들을 참고로 하여 내용면에서 별다르지 않은데, 552년 문선제가 최류를 고구려로 보내 북위 말 유인의 송환을 요구했고, 5,000여 호를 돌려받았다는 기사는 기존 사서에서는 찾아볼 수 없는 귀중한 정보이다. 관제 부분은 욕살(褥薩)에 대한 언급이 없고 13등이 아니라 12등이라고 한 차이가 있을 뿐, 『주서』의 내용과 동일하다.[10]

이 밖에 사서는 아니지만 양대의 자료인 〈양직공도(梁職貢圖)〉에 고구려 관계 기사가 보인다. 『양직공도』는 형주자사(荊州刺史) 소역(蕭繹)이 그린 두루마리 그림으로, 양에 조공한 나라의 사신 그림과 그 나라에 대한 설명(題記)으로 구성되어 있다. 당대의 실물은 전하지 않고, 『한원』에 고구려 제기의 내용이 인용되어 있다. "부인은 흰옷을 입고 남자는 붉은 옷을 입으며 금은으로 장식한다. … 허리에는 은으로 만든 띠를 두르고, 왼쪽에는 숫돌을 오른쪽에는 오자도(五子刀)를 차고 두예탑을 신는다"라는 복식 관련 내용이 주를 이룬다. 2011년에 새로운 모본(摹本)이 발견되어 "고구려 사자가 중국에 오면 경서와 사서를 구하는 경우가 많았다" 등의 새로운 내용도 파악되었다(尹龍九, 2012).

## 3. 고구려 후기사 관련 사서

### 1) 『수서』·『구당서』·『신당서』

『수서』는 위징(魏徵)·장손무기(長孫無忌) 등이 태종의 명으로 636년에 제기 5권과 열전 50권을 편찬하였고, 656년에 지 30권을 추가하여 완성하였다. 편찬에는 수대 왕소(王邵)의 『수서』, 사관(史官)이 편수한 『개황기거주(開皇起居注)』, 왕주(王胄)의 『대업기거주(大業起居注)』를 자료로 이용하였다. 한편 『북사』에도 수의 사적이 포함되어 있어, 함께 참조할 필요가 있다(神田信夫, 1989).

---

10  남북조시기 정사류의 교감과 역주 작업물로 『譯註 中國 正史 東夷傳 2: 晉書~新五代史 (高句麗·渤海)』(동북아역사재단, 2020)가 있다.

『수서』 고구려전은 전쟁을 치른 양국 관계에 비해 수록 내용이 부족하여 편찬의 재료가 적었기 때문이라는 평가(高柄翊, 1970)도 있으나, 당대 사관이 편수한 자료들을 이용했다는 점에서 고구려에 대한 정보 자체가 적었을 것 같지는 않다. 문제(文帝)와 양제(煬帝)의 제기에 수록된 고구려 관계 기사에는 양국이 교환한 책봉·조공의 간략한 내용과 함께 대업(大業) 8년(612)조에 전재되어 있는 양제가 탁군(涿郡)에서 고구려 침공군을 출발시키며 내린 조서와 같은 1차 사료도 포함되어 있다. 또한 열전에는 고구려와의 전쟁에 출전했던 수 측 장수들의 활동과 무려성(武厲城)·요수(遼水) 등의 교전지를 기재하고 있어, 양국의 전략과 각 전역의 구체적인 양상을 이해하는 데 필요한 자료이다.

『수서』 고구려전의 내용 구성은 『위서』·『주서』와 같이 출자 및 건국설화, 왕계, 지리, 제도, 생활상을 기술하고 마지막에 수대의 양국 관계를 배치하고 있다. 제도나 생활상은 전사보다 내용이 많다. 수대의 양국 관계 기사는 개황(開皇) 17년(597)으로 기년되어 있는 문제의 새서(璽書)를 비롯, 4차에 걸친 수의 고구려 침공과 그 경과에 대한 기술이라는 점에서 관련 연구의 기본사료이다. 특히 문제가 고구려에 새서를 보낸 것은 590년의 일로, 여기에서 고보녕 세력을 제거하고 요서로 진출한 수와 이에 대한 고구려의 대응을 살필 수 있다(日野開三郎, 1991; 李成制, 2000).

고구려 관계 기사는 『구당서』·『신당서』에 이르면 폭발적으로 증가한다. 다루는 내용이나 자료의 양에서 전대의 사서들을 압도한다. 『구당서』는 후진(後晉)의 유후(劉昫) 등이 고조(高祖)의 명으로 945년에 편찬한 사서로 『신당서』와 함께 당의 정사이다. 편찬 인력의 선발, 사료의 수집 및 체제와 목차의 확정 등 전체 편찬 과정에서 조영(趙瑩)이 큰 역할을 하였다. 본기 20권, 지 30권, 열전 150권으로 구성되었다. 당대에 편찬된 국사로는 오경(吳兢)의 『당서』 130권, 편년체의 여러 『당력(唐曆)』이나 『당춘추(唐春秋)』 등이 있었고, 문종(文宗) 대까지의 역대 실록이 있다. 『구당서』의 장경(長慶) 연간(821~824) 이전에 대한 기술은 상당 부분 이들 실록과 국사를 자료로 하여 서술되어 사료적 가치가 높다.[11] 원문을 그대로 채록하고 있다는 점도 『신당서』보다 뛰어나다. 또한 『자치통감』 당기(唐紀) 부분은 『신당서』를 취하지 않고 『구당서』에 의거하고 있다(神田信夫 1989).

『구당서』 본기에는 624년의 고구려를 비롯한 삼국 국왕에 대한 책봉 기사를 시작으로 양국 간의 책봉·조공 기사를 기본으로 두고, 631년의 경관(京觀) 파괴, 640년 태자 환권(桓權)의 내조(來朝), 642년 영류왕 시해, 644년 요동도행군(遼東道行軍)의 출병, 645년 개모성·요동성 함락과 주필산(駐蹕山)에서의 승전 및 안시성에서의 회군, 658~659년의 요동 침공, 661년 글필하력(契苾何力)·소정방(蘇定方)의 고구려 침공, 666년 연개소문 사망과 천남생의 투항, 668년 9월 평양성 함락과 안동도호부 설치, 670년 안동도호부 휘하의 주현 설치, 673년 고구려 부흥군 격파까지 양국 관계의 주요 사건이 차례로 기술되고 있다.

권39의 지리지에는 5부, 176성, 69만 7,000호라는 멸망기 고구려의 지방행정제도와 인구현황과 함께 당이 고구려 고지에 설치한 안동

---

[11] 당은 초기부터 황제의 실록을 저술, 이를 기초로 『무덕정관양조국사(武德貞觀兩朝國史)』 80권을 찬술하였고, 여기에 고종 대의 20권을 추가, 모두 100권의 국사를 편찬하였다. 이를 측천무후 대에 80권으로 된 『당사(唐史)』로 편집, 『구당서』가 편찬되는 후진 연간에는 고조(高祖)~대종(代宗)까지의 국사와 덕종(德宗) 이전부터 문종(文宗)에 이르는 각 황제의 실록이 잔존하고 있었다. 『구당서』는 이들 국사와 실록을 원사료로 채용하였다(福井重雅, 1984).

도호부의 편제와 변천이 수록되어 있어, 고구려의 지방 구획 논의에 대한 실마리를 제공하고 있다. 또한 권58 유홍기전(劉弘基傳)부터 등장하는 고구려 전쟁에 관여했던 인물의 열전에는 전역의 주요 교전지와 전황이 기술되어 있어, 각 시기의 전쟁을 살피는 데 도움을 준다.

『구당서』 고구려전은 지리·관제·생활상의 기본 구성에 더하여 당대의 양국 관계로 구성되어 있는데, 전사에는 보이지 않는 새로운 정보가 곳곳에 보인다. 나라의 면적이 동서 3,100리이며 남북은 2,000리라는 내용, 관제와 관련하여 대성(大城)에는 욕살을 두는데 당의 도독(都督)에 비견되며, 여러 성의 도사(道使)는 자사(刺史)에 비견된다는 설명, 교육·학술과 관련하여 고구려에는 『옥편(玉篇)』·『자통(字通)』 등의 서적이 있고 『문선(文選)』을 좋아하고 소중히 여긴다는 시사성 높은 기사 등이 그것이다. 양국 관계에 관한 서술은 내용이 충실하고 각 사건의 경과를 자세하게 기술하고 있다. 나아가 622년 당 고조가 고구려·수전쟁의 포로를 교환하자며 보낸 조서의 구체적인 내용, 양국 관계에 대한 고조와 신료들의 입장, 626년 삼국 간의 역관계에 간섭하여 회맹을 추진한 당과 고구려의 대응, 631년 당의 경관 파괴와 고구려의 장성 축조, 642년 연개소문의 정변과 막리지(莫離支) 취임, 645년 당 태종의 침공과 전쟁 경과, 666년 고종의 태산 봉선과 고구려 태자의 참여, 연개소문 사후의 내분과 천남생의 투항, 667년의 패망 과정, 안동도호부 설치와 치폐 경과, 천남생·천헌성의 번장(蕃將)으로서의 삶 등, 양국 관계의 주요 사적들이 망라되어 있을 뿐 아니라 고구려 국내의 정치상황에 대해서도 1급 정보를 담고 있어 관련 연구의 기본사료이다.

당대의 정사로는 『구당서』와 함께 『신당서』가 있다. 『신당서』는 송의 구양수(歐陽脩)·송기(宋祁) 등이 인종(仁宗)의 명을 받아 1060년에 완성하였다. 본기 10권, 표 15권, 지 50권, 열전 150권으로 구성된다. 오대 후진에서 편찬한 『구당서』가 있었으나, 당 말~오대의 혼란을 거쳐 당대 후반에 관해서는 사료 부족에 따라 기술에 문제점이 있었다. 송이 들어선 뒤 『구당서』 편찬 과정에서는 참조할 수 없었던 사료들이 다수 출현, 1044년에 당서의 중수(重修)가 결정되었다. 『구당서』에 대해 『신당서』 또는 『당서』라고 불린다. 전자에 비해 본기는 10분의 7을 덜어내어 간략히 하고 많은 사실을 열전으로 옮겼으며, 지에서는 61명을 빼고 새로 331명을 넣었다. 이 사서의 뛰어난 점은 송대에 새로 출현한 여러 사료 및 필기·소설·비지(碑誌)·가보(家譜)·야사(野史) 류에서까지 자료를 널리 채록하고 당대 후반에 관한 기사를 보충하여, 『구당서』의 후반이 소략한 문제를 해결했다는 것이다. 그러나 사실의 고증이 소략하고 당대 조칙·장소(章疏)의 원문을 모두 삭제하여 사료적 가치를 떨어뜨렸다는 평가를 받는다. 따라서 『신당서』를 사료로 이용할 때에는 반드시 다른 사료를 함께 참조하고 이 사서만의 독자 사료를 이용할 경우에는 사료비판의 과정이 필요하다(神田信夫, 1989).

　『신당서』의 고구려 관계 기사는 주로 본기와 열전 그리고 고구려전에 보이며, 그 구성요소 역시 『구당서』에 수록된 내용과 크게 다르지 않으나 권110의 천남생열전처럼 새로운 자료도 일부 보인다. 또한 고구려전에는 고창국(高昌國)의 멸망 소식에 고구려 대대로가 당의 사자 진대덕(陳大德)을 세 차례나 만나러 왔다는 내용, 연개소문의 성품과 그 부친이 동부대인(東部大人) 대대로였다는 것, 부친의 사후 그 지위 계승을 둘러싸고 국인의 반대가 있었다는 것, 연개소문의 정변이 일어나자 당에서는 고구려 공격의 기회로 여기는 분위기가 있었다는 것, 644년 영주도독(營州都督) 장검(張儉)의 침공작전, 출정에 앞서 10월에 내린 태종의 조서, 거란·해·신라·백제에 병력 동원을 명하였다는 것, 645년 당군의 요동성 공격에 맞서 고구려가 신성·국내성에서 4만의 원병을 보냈다는 것, 요동성의 주몽사당에 하늘이 내려준 갑옷과 창이 있었다는 내용, 654년 고구려가 말갈을 동원하여 거란을 공격했다가 신성에서 패전했다는 기사 등 『구당서』에 전하지 않는 내용이나 전사보다 사건의 구체적인 경과를 기술한 대목이 여러 군데 보인다. 관련 사적을 검토할 때 두 가지 당서의 기술내용을 함께 살펴 내용의 출입 여부를 살펴야 할 필요가 있다.

당대의 정사는 아니지만 『자치통감』 수기(隋紀)·당기(唐紀) 역시 이 시기 고구려 관계 기사를 수록하고 있는 사서로서 중요하다. 수 문제부터 당 고종까지 황제별로 시간 순서에 따라 중요한 사적을 서술하고 있어 사건이 일어난 시점과 경과를 살피는 데 유용하며, 정사의 기술과 비교할 내용도 적지 않다. 또한 현재 통용되는 『자치통감』에는 호삼성(胡三省)의 주석이 붙어 있는데, 원문의 교정 뿐 아니라 상세한 지리 고증까지 행한 것으로 무려라(武厲邏)에 대해 요하 서안에 설치된 '라(邏)'의 하나라는 설명처럼 귀중한 정보를 제공해주며 사마광(司馬光)이 편찬한 『자치통감고이(資治通鑑考異)』의 내용을 '고이왈(考異曰)'로 배치한 부분은 현재 전하지 않는 다른 설의 사료 내용을 전한다는 점에서 참고할 필요가 있다.

한편 당대의 고구려 관계 기사에는 사건 경과에 대한 편찬자의 의도적인 생략과 이에 따른 사실의 왜곡이 확인된다는 점에서 관련 사료를 이용할 때 주의가 필요하다. 주필산전투에서 당군이 위급했던 상황이 있었지만 『구당서』·『신당서』·『자치통감』은 이러한 사실을 전혀 언급하지 않았다(『삼국사기』 권42 찬자 평론; 金貞培, 2007). 이러한 자료들에서 그 실제적 모습을 그려내기란 어렵다(노태돈, 2009). 이들 사서가 전하는 645년 전쟁은 8월 안시성 공방전이 벌어지기까지 줄곧 당군 우위의 전황이 이어졌던 것처럼 보인다. 그렇지만 『문관사림(文館詞林)』에 남아 있는 태종의 조서로 보아 이 시점이면 당군은 벌써 평양성으로 향하고 있어야 했다. 그럼에도 당군은 10월 퇴각할 때까지 요동반도 서북부에서 벗어나지 못하고 있었다(이성제, 2023). 적어도 645년 전쟁 기록과 관련해서는 편찬자의 의도적인 생략이 있었음을 염두에 두고 관련 사건의 추이를 살펴보아야 할 것이다.[12]

### 2) 『한원』·『책부원구』 등 유서류와 『일본서기』

고구려 관계 사료가 수록된 자료에는 중국 역대 왕조의 사서 외에 『한원』·『책부원구』 등의 유서류와 『일본서기』가 있다. 유서(類書)란 여러 책의 내용을 모아 주제에 따라 분류하여 편리하게 검색할 수 있도록 만든 일종의 자료집이다. 사서가 아님에도 각종 문헌의 기사를 인용했다는 점에서 지금은 망실된 문헌의 일문을 다수 전하고 있어 사료적 가치가 높다.

『한원』은 당 고종 현경(顯慶) 5년(660) 무렵에 장초금(張楚金)이 찬술하고 그 뒤 옹공예(雍公叡)가 주를 붙였다. 원래는 30권이었으나 그 뒤 산일되어 지금은 1권이 필사본으로 일본에 남아 있을 뿐이다. 이 남은 1권이 「번이부(蕃夷部)」로, 흉노·오환을 비롯, 부여·삼한·고려·

---

12 『수서』·『구당서』·『신당서』의 교감과 역주 작업물로 『譯註 中國 正史 東夷傳 2: 晉書~新五代史(高句麗·渤海)』(동북아역사재단, 2020)가 있다.

신라·백제 등이 모두 163개의 구문(句文)으로 기재되어 있다. 동이 관련 구문은 71개이고, 이 가운데 고구려조가 23개의 구문으로 구성되어 있다. 각 구문은 병려체(騈儷體)로 된 정문(正文)을 크게 쓰고 그 아래에 두 줄로 협주(夾注)를 달고 있다. 정문은 운문(韻文)으로 되어 있고, 협주에서는 정문의 문헌적 근거와 문의(文義)를 이해하는 데 필요한 여러 문헌의 기사를 인용하고 있다(金鍾完, 2008; 윤용구, 2018).

『한원』고려조는 건국설화, 지리적 위치, 습속, 관제, 산천, 특산물, 복식에 관한 내용으로 구성되어 있는데, 641년 무렵 당사 진대덕이 귀국 후 보고한 『봉사고려기(奉使高麗記)』의 일문 13개조를 비롯, 상당 부분이 현행 사서에는 없는 내용이다. 특히 이들은 남소성의 위치, 오골성의 형세 등 성곽 관련 기사, 마다산(馬多山)·언골산(焉骨山)·은산(銀山)의 위치와 형세 그리고 산물, 마자수(馬訾水)·요수(遼水)의 상황이라는 시사성 높은 정치·군사적 정보에 해당한다. 또한 관제와 5부의 기술은 『통전(通典)』·『구당서』·『신당서』 관련 기사의 원전이 되기도 하였다(吉田光男, 1977; 武田幸男, 1994).

이처럼 높은 사료적 가치에도 불구하고 『한원』은 자료로 이용하기에는 제약이 있었다. 필사본이기에 필사자가 임의로 필획을 가감하거나 자체(字體)를 변형시킨 글자가 많으며, 속자(俗字) 또한 많다. 이 때문에 기사의 신뢰도가 크게 떨어진다는 문제가 있었다(金鍾完, 2008). 아울러 정자와 협주로 구성된 체재의 특징에도 불구하고 주된 관심은 각종 문헌의 기사를 인용한 협주에 모아져 운문으로 된 정문의 문의에는 소홀하였다. 주문의 내용이 정문과 어떤 맥락에서 호응하는 것인지 살피지 않은 채(윤용구, 2018) 주문의 기사를 사료로 이용하는 데 급급했던 것이다. 다행히 이러한 자료의 문제에 대해 교감작업을 통해 원문을 확정하고, 주문은 물론이고 난해한 정문까지 역주한 자료집이 발간되어,[13] 『한원』을 사료로 이용하는 데 큰 도움을 주고 있다.

『책부원구』는 1,000권으로 이루어진 방대한 유서로, 북송 대중상부(大中祥符) 6년(1013)에 완성되었다. 황제인 진종(眞宗)이 직접 관여하고, 왕흠약(王欽若)·양억(楊億) 등 20명의 관료가 편찬에 참여하였다. 『책부원구』의 의미는 군신이 정치의 귀감이 되는 장래의 전법(典法)으로 삼아야 할 고적대서(古籍大書)를 뜻한다. 상고시대부터 오대(五代)에 이르는 군신의 정치에 관한 사적을 제왕부(帝王部)부터 외신부(外臣部)까지 31부로 나누고, 각 부를 다시 세분하여 1,115문으로 구성, 연대순으로 기사를 배열하고 있다. 편찬 자료로는 정사를 주로 하고 경서(經書) 등도 이용되었다. 전하고 있던 당대의 실록 등도 이용하여, 『구당서』에 보이지 않는 사료나 그보다 자세한 기사가 많다. 정사의 기사를 전재한 부분이 많은 수대 이전에 대해서도 사용된 정사가 북송 이전의 고본(古本)이기 때문에 후세로 전하면서 생긴 정사의 탈오(脫誤)를 보정하는 데에도 매우 유용하다(神田信夫, 1989).

『책부원구』의 고구려 관계 기사는 권117의 제왕부를 비롯하여 장수부·봉사부·외신부 등에 집중되어 있다. 예를 들어 655년 영주도독 정명진(程名振)이 귀단수(貴端水)에서 고구려군과 교전했던 사건을 전하

---

[13] 『역주 한원』(동북아역사재단, 2018). 필자는 이 공동연구에 참여하여 정문과 주문의 번역 내용을 검토하고 교정하는 역할을 맡았다. 예컨대 오골성의 험준함을 묘사한 "焉骨巉巖, 竦二峯而功漢"의 정문에 대해 주문은 그 형상이 형문(荊門)·삼협(三峽)과 유사하다는 『고려기』의 일문을 인용하고 있다. 이들이 위치한 곳이 한수(漢水)라는 점에서 정문의 한(漢)은 한수를 가리키는 것으로, 이 구절은 "언골산은 가파르고 험준하며, 두 봉우리를 우뚝 세워 한(수의 형문·삼협)처럼 만들어졌다"라고 풀 수 있다. 다만 일부 역주의 경우에는 수정내용을 반영하지 않아 오역이 그대로 남아 있는 부분도 있어 아쉬움이 남는다.

는 외신부의 관련 기사는 『구당서』·『자치통감』 기록보다 내용이 자세하다. 또한 645년 4월 이세적(李世勣)이 지휘한 당군이 요하를 건너 현도성에 이르는 경로상의 봉수와 성보를 모두 함락시켰다는 기사는 고구려가 요하에서 무순의 현도성에 이르는 국경지대에 봉수와 성보를 세워두고 있었다는 귀중한 정보를 담고 있다(이성제, 2023). 이처럼 『책부원구』 고구려 관계 기사에는 전사에 비해 내용이 풍부하거나 현존 사서에서는 볼 수 없는 사적들이 다수 수록되어 있다.

이상에서 살핀 중국 문헌과 계통을 달리하는 사서로 『일본서기(日本書紀)』가 있다. 『일본서기』는 720년에 편찬된 고대 일본의 사서로, 기(紀) 30권과 계보(系譜) 1권으로 구성되었다. 편찬 자료로는 역대 천황의 사적을 기재한 제기(帝紀)와 신화·전설·지명과 사물의 기원설화 등의 기록물인 구사(舊辭)를 비롯하여 여러 씨족의 전승설화 등이 이용되었고, 조정의 기록문서, 개인의 수기, 사원의 연기(緣記), 『백제기(百濟記)』·『백제신찬(百濟新撰)』·『백제본기(百濟本紀)』 등이 사료로 인용되었다. 다만 7세기 후반~8세기 전반에 강화된 일본의 대국의식으로 그 기술내용이 윤색되어 있어, 한국고대사 연구에서 사료로 이용하기 쉽지 않다(연민수 외, 2013).

『일본서기』에는 신공기(神功紀) 이래 고구려 관계 기사가 등장하는데, 이들 수록 자료에 대해 전체상을 제시하고 그 연원의 고찰과 기사의 사실성 여부를 판단한 연구(李弘稙, 1987)가 큰 도움이 된다. 이들 기사는 일본열도로 이주한 백제계 씨족들이 가지고 있던 『백제본기』에 수록된 사료를 인용한 것이거나 왜와 고구려의 교류에서 남겨진 사적에 해당한다. 예를 들어 흠명기(欽明紀)에 전하는 세군(細群)과 추군(麤群)의 대립, 박곡향상왕(狛鵠香上王: 안원왕)의 죽음에 관한 내용은

『삼국사기』에도 보이지 않는 기록으로 551년 무렵 고구려에서 벌어진 내란과 왕위계승의 상황을 살피는 데 귀중한 정보를 제공한다(김태식, 1998; 이영식, 2007). 또한 흠명 31년(570)~민달(敏達) 1년(572)의 기록에 보이는, 고구려 사신이 월(越)에 도착하여 국서를 왜 조정에 전달했다는 사건은 양국 간 최초의 공식 교섭을 전하는 기록(李弘稙, 1987; 井上直樹, 2008)으로, 6세기 중후반 고구려가 대왜외교를 새로운 대외전략의 한 축으로 삼았음을 알리는 귀중한 정보이다(李成制, 2009).

『일본서기』에 따르면, 이후 573년까지 두 차례 고구려의 사절 파견이 있었고, 왜의 사자도 고구려를 방문하였다. 또한 595년에는 승려 혜자(惠慈)가 바다를 건너 왜에 들어가 성덕태자(聖德太子)의 스승이 되는 등 선진문물의 공여와 승려 파견 사실이 고구려 관계 기사로 등장하고 있어, 고구려가 백제·신라의 대왜 교섭방식과 비슷하게 양국 관계를 구축해 나갔음을 보여준다. 이 같은 교섭 사실은 고구려가 사자를 보내 '공물을 헌상해왔다'는 내용으로 고구려 멸망 시점까지 보인다. 570년 이후 고구려와 왜의 관계는 어느덧 백제에 버금갈 수준으로까지 바뀌어 나갔던 것이다(李成制, 2009). 이 점에서 혜자를 비롯한 몇몇 승려의 활약 외에도 기록이 전하지 않는 빈번한 교섭과 왕래가 있었음을 상정할 필요가 있다.

# 참고문헌

高柄翊, 1970, 『東亞交涉史의 연구』, 서울대학교출판부.
노태돈, 2009, 『삼국통일전쟁사』, 서울대학교출판부.
동북아역사재단 한국고중세사연구소 편, 2020, 『譯註 中國 正史 東夷傳 2: 晉書~新五代史(高句麗·渤海)』, 동북아역사재단.
여호규, 2014, 『고구려 초기 정치사 연구』, 신서원.
연민수 외, 2013, 『역주 일본서기』, 동북아역사재단.
임기환, 2004, 『고구려 정치사 연구』, 한나래.
全海宗, 1980, 『東夷傳의 文獻的 硏究-魏略·三國志·後漢書東夷關係 記事의 檢討』, 일조각.
중국사학사 편집위원회 저, 김동애 역, 2006, 『중국사학사-선진·한·당 편-』, 간디서원.

權五重, 1995, 「前漢時代의 遼東郡」, 『人文硏究』 17-1.
권중달, 2010, 「『자치통감』의 사학사적 의미」, 『韓國史學史學報』 21.
金貞培, 2007, 「『三國史記』寶藏王紀 史論에 보이는 '柳公權 小說' 문제」, 『韓國史學報』 26.
金鍾完, 1981, 「梁書 東夷傳의 文獻的 檢討: 高句麗·百濟·新羅傳을 중심으로-」, 『論文集』 3, 우석대학교.
김태식, 1998, 「『일본서기』에 나타난 한국고대사상」, 『韓國古代史硏究』 14.
金翰奎, 1985, 「南北朝時代의 中國的 世界秩序와 古代韓國의 幕府制」, 『韓國古代의 國家와 社會』; 1997, 『古代東亞細亞幕府體制硏究』, 一潮閣.
서영대, 1991, 「한국종교사자료로서의 삼국지 동이전」, 『한국학연구』 3.

余昊奎, 2005, 「高句麗의 國家形成과 漢의 對外政策」, 『軍史』 54.
_____, 2013, 「『삼국지』「동이전」의「부여전」과「고구려전」의 비교 검토」, 『삼국지 동이전의 세계』; 2014, 『고구려 초기 정치사 연구』, 신서원.
尹龍九, 1998, 「3세기 이전 中國史書에 나타난 韓國古代史像」, 『韓國古代史硏究』 14.
_____, 2010, 「『三國志』 판본과 「東夷傳」 교감」, 『韓國古代史硏究』 60.
_____, 2012, 「『梁職貢圖』의 傳統과 摹本」, 『木簡과 文字』 9.
_____, 2018, 「(해제) 『翰苑』의 편찬과 蕃夷部」, 『譯註 翰苑』, 동북아역사재단.
李成制, 2000, 「嬰陽王 9年 高句麗의 遼西攻擊」, 『震檀學報』 90; 2005, 『高句麗의 西方政策 硏究』.
_____, 2001, 「高句麗와 北齊의 關係-552년 流人 送還의 문제를 중심으로-」, 『韓國古代史硏究』 23; 2005, 『高句麗의 西方政策 硏究』.
_____, 2009, 「570年代 高句麗의 對倭交涉과 그 意味-새로운 對外戰略의 추진 배경과 내용에 대한 재검토-」, 『韓國古代史探求』 2.
_____, 2012, 「4世紀 末 高句麗와 後燕의 관계-396년 後燕의 廣開土王 冊封 問題를 중심으로-」, 『韓國古代史硏究』 68.
_____, 2023, 「고구려의 對唐防禦體制와 645년 전쟁」, 『韓國古代史硏究』 109.
이영식, 2007, 「일본서기 활용의 성과와 문제점」, 『한국 고대사 연구의 새 동향』, 한국고대사학회.
李弘稙, 1987, 「日本書紀所載 高句麗關係記事考」, 『韓國古代史의 硏究』, 新丘文化社.
전상우, 2020, 「『양서』 고구려전의 원전(原典)과 편찬 방식」, 『東北亞歷史論叢』 68.
全海宗, 2000, 「梁書東夷傳의 硏究-正史東夷傳比較 檢討의 필요성과 관련하여-」, 『學術院論文集(인문·사회과학 편)』 39.

中華書局, 1972, 『南齊書』(표점본).

關尾史郎, 2023, 『周緣の三國志-非漢族にとつての三國時代-』, 東方書店.
渡邊義浩, 2021, 『中國における正史の形成と儒敎』, 早稻田大學出版部.

小林岳, 2013, 『後漢書劉昭注李賢注の研究』, 汲古書院.

神田信夫·山根幸夫, 1989, 『中國史籍解題辭典』, 燎原書店.

礪波護·岸本美緒·杉山正明 篇, 2006, 『中國歷史研究入門』, 名古屋大學出版社.

五胡の會 編, 2012, 『五胡十六國覇史輯佚』, 燎原.

籾山明, 1999, 『漢帝國と邊境社會』, 中央公論新社.

鶴間和幸, 2004, 『中國の歷史-フアーストエンペラーの遺産 秦漢時代-』, 講談社.

關尾史郎, 2012, 「「覇史」の概要とその佚文蒐集の意義について」, 『五胡十六國覇史輯佚』, 燎原.

吉田光男, 1977, 「翰苑所引高麗記について」, 『朝鮮學報』 85.

滿田剛, 2004, 「韋昭『吳書について』」, 『創價大學人文論集』 16.

武田幸男, 1989, 「高句麗 官位制の史的展開」, 『高句麗史と東アジア-「廣開土王碑」研究序說-』.

_____, 1994, 「『高麗記』と高句麗情勢」, 『于江 權兌遠教授 停年紀念論叢』.

梶山智史, 2019, 「覇史の系譜-五胡十六國史料における繼承と再編」, 『唐代史研究』 22.

福井重雅, 1984, 「『舊唐書』-その祖本の研究序說-」, 『中國正史の基礎的研究』, 早稻田大學出版部.

肥政後紀, 1998, 「漢書地理志所在の戶口統計の年代について」, 『明大アジア史論集』 3.

李成市, 1998, 「『梁書』高句麗傳と東明王傳說」, 『古代東アジアの民族と國家』, 岩波書店.

日野開三郎, 1949·1950, 「粟末靺鞨の對外關係」, 『史淵』 41~44; 1991, 『東洋史學論集』 15, 三一書房.

田中俊明, 1982, 「『南齊書』東夷傳の缺葉について」, 『村上四男博士和歌山大學退官記念 朝鮮史論文集』.

_____, 1994, 「高句麗の興起と玄菟郡」, 『朝鮮文化研究』 1.

_____, 1997, 「高句麗前期·中期の遼東進出路」, 『朝鮮社會の史的展開と東アジア』, 山川出版社.

井上直樹, 2008, 「570年代の高句麗の對倭外交について」, 『年報 朝鮮學』 11.
町田隆吉, 2000, 「『資治通鑑考異』所引『十六國春秋』及び『十六國春秋鈔』につい
  て-司馬光が利用した『十六國春秋』をめぐって-」, 『國際學レヴユー』 12.
板野長八, 1980, 「班固の漢王朝神話」, 『歷史學硏究』 479.
河內桂, 2020, 「劉知幾『史通』における五胡十六國關聯史料批評 -魏收と崔鴻
  『十六國春秋』を中心に-」, 『中國における學術の形成と展開』, 勉誠出版.

**7장**

# 금석문과 문자자료

여호규 ǀ 한국외국어대학교 사학과 교수

 고구려시기에 『유기(留記)』와 『신집(新集)』 등의 역사서가 편찬되었지만, 이름만 전한다. 현재 전하는 가장 오래된 고구려 역사서는 고려시기에 편찬한 『삼국사기』이다. 『삼국사기』의 고구려본기는 백제본기나 신라본기에 비해 신빙성이 높지만, 많이 윤색되었을 뿐 아니라 내용도 소략한 편이다. 특히 4세기 이후는 재이(災異)·전쟁·외교 관련 기사가 대부분을 차지하고, 정치제도나 사회경제에 관한 기사는 거의 없다.

 반면, 중국 측 사서에는 고구려의 정치·외교·사회경제에 관한 사료가 상대적으로 풍부하게 전하며, 상당수는 고구려시기에 편찬되어 동시성이라는 장점을 갖고 있다. 그렇지만 대부분 외부자의 시선으로 관찰한 것이어서 구체성이 떨어지며, 화이론(華夷論)에 의해 왜곡된 부분도 적지 않다. 『일본서기』 등 일본 측 사서에도 고구려 관련 기사가 다수 있지만, 대부분 6세기 이후 외교나 정변과 관련한 단편적인 내용이다.

이런 상황이라 문헌사료만으로 고구려사를 체계적으로 연구하기가 대단히 힘들다. 이에 일찍부터 금석문과 문자자료가 많은 주목을 받았다. 금석문과 문자자료는 고구려 당대인들이 직접 기술했다는 점에서 문헌사료의 부족함을 메꿀 수 있는 일급 사료라 할 수 있다. 특히 문헌사료에 전하지 않는 역사적 사건이나 특정 인물의 생애, 정치제도나 외교에 관한 내용이 아주 구체적으로 기술된 경우가 많다.

다만 금석문과 문자자료도 찬자(撰者)의 생각이나 역사관에 의해 과장되거나 윤색된 경우가 있으므로 엄정한 사료비판이 필요하다. 또 광개토왕릉비와 같은 방대한 비문을 제외하면 대부분 단편적인 내용을 담고 있어서 그 내용과 성격을 정확히 파악하기 위해서는 관련 문헌사료나 고고자료와 다각도로 비교 검토해야 한다.

이 글에서는 고구려 금석문과 문자자료의 전체 현황을 살펴본 다음, 주요 금석문의 내용과 핵심 쟁점을 검토하고자 한다. 이 과정에서 금석문과 문자자료가 갖는 당대 기록이라는 동시성과 함께 찬자나 기록자에 의해 윤색되었을 가능성에 유의하고자 한다. 이를 통해 금석문과 문자자료에 기술된 역사적 상황뿐 아니라 고구려인의 사유체계나 역사관을 체계적으로 파악하는 한편, 향후 고구려사 연구의 방향을 모색하고자 한다.[1]

---

[1] 이 글에서 금석문과 문자자료의 판독에 사용한 부호는 다음과 같다.
【 】: 추독자(推讀字), ■: 자획 잔존자, □: 판독 불능자

# 1. 금석문·문자자료의 현황과 문자문화

## 1) 금석문과 문자자료의 전체 현황

조선 후기에 평양성 각자성석 3건이 출토되고(吳慶錫 草稿, 1858; 劉喜海 輯錄, 1922), 1880년경 광개토왕릉비가 재발견된 이래 수많은 고구려 금석문과 문자자료가 출토되었다. 20세기 전반에 고구려 도성이었던 집안(集安)과 평양 일대의 벽화고분에서 묵서(墨書)가 다수 조사되었는데, 1935년에는 모두루(牟頭婁)묘지가 발견되었다. 1913년 평양성 각자성석 제4석, 1915년 건흥5년명 금동광배(충주시 노은면), 1926년 경주 서봉총 은합우 명문이 잇따라 발견되었다(朝鮮總督府, 1919; 葛城末治, 1935; 濱田耕作, 1939). 또 중국 낙양(洛陽)에서는 천남생 묘지명 등 유민묘지명(遺民墓誌銘) 6건이 출토되었다(羅振玉, 1982; 李蘭暎, 1976).

광복 이후 경주 호우총 호우 명문(1946), 평양 평천리폐사지의 영강7년명 금동광배(1946), 황해도 안악3호분과 복사리벽화고분(1949) 등이 잇따라 조사되었다. 20세기 후반에는 북한과 중국이 벽화고분 묵서, 석각(石刻) 명문(銘文), 와당이나 토기 명문을 조사했는데, 1976년에 발견한 덕흥리벽화고분 묵서가 큰 주목을 받았다. 남한에서는 1963년 경남 의령에서 연가7년명 금동광배, 1979년에 충주고구려비가 발견되어 큰 주목을 받았다.

1990년대 후반 이후 중국이 고구려 도성유적을 조사하는 과정에서 수많은 문자자료가 출토되었는데, 4세기의 권운문와당 명문이 대거 발견된 점이 특기할 만하다. 고구려 당시 변경이었던 임진강과 아차산 일대의 보루에서도 기와·토기 명문이 다수 출토되었다. 특히 2012년에 집안시 마선하(麻線河)에서 집안고구려비가 발견되어 큰 주목을 받았다. 이와 함께 당의 도성이었던 서안과 낙양 일대에서 고구려 유민묘지명이 대거 출토되었다.

목간[2]이나 종이문서[3]를 제외한 거의 모든 유형의 금석문과 문자자료가 발견된 것인데, 서사 재료와 형식에 따라 고분 묵서, 비문, 석각 명문, 불상 명문, 금속기 명문, 기와·토기·벽돌 명문, 인장, 묘지명 등으로 분류할 수 있다.[4]

첫째, 고분 묵서는 18기의 고분에서 확인되었다. 환인 지역의 미창구장군묘, 집안 지역의 모두루무덤, 장천1호분, 장천2호분, 산성하332호분, 통구사신총을 제외하면 나머지 12기는 서북한 지역에 분포한다. 이 가운데 안악3호분에서는 16개소에서 100여 자, 덕흥리벽화고분에서는 56개소에서 600여 자가 확인되었다. 또 광개토왕~장수왕 시기에 지방장관을 역임한 모두루무덤에서는 800여 자에 이르는 묘지가 발견되었는데, 건국설화와 지방제도 등 풍부한 내용을 담고 있다. 이들 묵서는 2절에서 살펴볼 예정이다.

둘째, 비문은 집안고구려비, 광개토왕릉비, 충주고구려비, 백암성

---

[2] 하남 이성산성에서 고구려 목간이 출토되었다고 보고되었지만(김병모 외, 2000), 일반적으로 신라 목간으로 분류한다(윤재석, 2022). 2021년 몽촌토성 북문지 안쪽 집수지(集水池)에서 고구려가 제작한 것으로 추정되는 목간이 출토되었지만(박중균, 2022), 백제 목간일 가능성을 배제하기 힘들다. 다만 안악3호분, 덕흥리벽화고분, 통구사신총, 무용총 등에 목간·목독에 글씨 쓰는 장면이 나오므로 고구려에서도 목간을 널리 사용했을 것으로 보인다(송기호, 2002; 고광의, 2023).

[3] 안악3호분에서 성사(省事)가 묘주에게 바치는 문서나 통구사신총에서 신인(神人)으로 보이는 사람이 작성하는 문서를 종이문서로 파악하기도 한다(송기호, 2002).

[4] 금석문과 문자자료의 집성·역주는 許興植, 1984; 韓國古代社會硏究所, 1992; 고광의, 2023 참조.

고구려비편(蘇鵬力, 2010; 박대재, 2019) 등이 있다. 집안고구려비는 광개토왕 대나 장수왕 초기, 광개토왕릉비는 414년(장수왕 3), 충주고구려비는 5세기 중후반, 백암성고구려비편은 540년이나 600년에 건립된 것으로 파악된다. 가장 초기의 집안고구려비나 광개토왕릉비도 세련된 한문으로 작성된 점이 주목된다. 각 비문에 대해서는 3절과 4절에서 살펴보고자 한다.

셋째, 석각 명문은 평양성에서 5건(채희국, 1965; 최희림, 1967a), 태천 농오리산성에서 1건(김례환·류택규, 1958)이 확인되었다(서영대, 1992d). 그 밖에 집안의 서대묘, 천추총, 태왕릉, 민주유적, 평양 대성산성에서 단편적인 석각 명문이 조사되었다(고광의, 2023). 평양성 각자성석은 6세기 후반 장안성(長安城) 축조와 관련한 축성 개시일, 책임자, 구간을 기술했는데(田中俊明, 1981; 1985), 제5석은 성벽에 박힌 채 발견되어 축성 구간 고찰의 기준점을 제공했다(기경량, 2017; 2018), 석각 명문에 나오는 소형(小兄), 상위사(上位使), 소대사자(小大使者) 등은 관등제 연구에 실마리를 제공했다(임기환, 2004).

넷째, 불상 명문은 태화13년(大和13年)명 석불상(489?), 영강7년(永康7年)명 금동광배(평양 평천리 출토, 6세기 후반), 연가7년(延嘉7年)명 금동광배(경남 의령 출토, 539 또는 599), 경4년신묘(景4年辛卯)명 금동삼존불입상(황해도 곡산 출토, 571?), 건흥5년병진(建興5年丙辰)명 금동광배(충북 중원 출토, 536 또는 596?) 등이 있다(서영대, 1992e). 신포시 오매리절터 금동판 명문(5~7세기)도 불교 관련 명문으로 분류할 수 있다(『조선유적유물도감(4)』). 이들 명문의 제작 주체는 승려나 불교 신자로 추정되는데, 순한문에 가까우며 이두적 요소는 거의 없다.

연가7년명 금동광배는 경남 의령에서 출토되었는데, 고구려 불상이 어떻게 경남 지역까지 전해졌는지 많은 궁금증을 자아냈다(황수영, 1964; 1989; 김원룡, 1964; 윤무병, 1964). 함경남도 신포시 오매리절터 금동판은 고구려시기에 제작되어 발해시기까지 전승된 것인데, 고구려의 전통적인 천손(天孫) 관념과 불교의 도솔천(兜率天)사상이 결합된 양상이 확인되었다(노태돈, 1992c). 한편 명문 불상의 제작시기를 중원 대륙의 정치상황과 연관시켜 고찰하거나(주수완, 2011), 중원대륙 각지와의 문화교류 양상을 살피기도 했다(양은경, 2005; 최성은, 2017).

다섯째, 금속기 명문은 호우총 호우 명문(415), 서봉총 은합우 명문(451?), 태왕릉 청동방울 명문(391 또는 451), 마선구2100호분 철경(鐵鏡) 명문, 장군총 철련(鐵鏈) 명문 등이 있다. 호우총 호우 명문과 서봉총 은합우 명문은 신라 도성에서 출토되었다는 점에서 고구려와 신라의 외교관계와 관련해 많은 주목을 받았다(김재원, 1948; 주보돈, 2001). 태왕릉 청동방울 명문은 '신묘년(辛卯年)'과 '호대왕(好大王)' 명문이 있어서 태왕릉의 주인공과 관련해 비상한 관심을 끌었다(백승옥, 2005; 井上直樹, 2007; 조우연, 2017).

불상과 금속기 명문에는 연호가 다수 나와 많은 주목을 받았는데, 연대를 둘러싸고 논란이 분분했다(손영종, 1966; 양광석, 1988; 정운용, 1998; 이승호, 2020). 가령 서봉총 은합우 명문의 '연수(延壽)'를 511년(지증왕 12)에 제정한 신라 연호(이홍직, 1954; 1971)나 7세기 전반 고창국의 연호(박선희, 2006)로 보기도 하지만, 대체로 고구려 연호로 파악된다. 연호를 제정한 신묘년은 고국원왕 원년(331)(강현숙, 2015)이나 광개토왕 원년(391)(조우연, 2017)으로 보기도 하지만, 장수왕 39년(451)일 가능성이 높다(장창은, 2015).

여섯째, 기와·토기·벽돌 명문은 도성뿐 아니라 변경에서도 많이 출토되었다. 집안 지역에서는 기와·토기·벽돌 명문이 모두 출토되었고(박찬규, 2005; 井上直樹, 2007), 평양 정릉사지에서는 토기와 기와(김일성종합대학, 1976; 오택현, 2022), 남한 지역 보루에서는 토기·기와·토제북 명문이 출토되었다(심광주, 2009). 이들 명문의 내용은 비록 단편적이지만, 한자문화의 보급 양상을 잘 보여준다.

## 2) 문자자료에 나타난 문자문화의 양상

고구려 문자자료 가운데 가장 이른 시기의 것은 집안 지역에서 출토된 4세기의 권운문와당 명문인데, 갑술(甲戌)명 와당은 314년, 태녕4년(太寧四年)명 와당은 326년으로 편년된다(李殿福, 1984; 林至德·耿鐵華, 1985; 耿鐵華, 2006; 2007; 기경량, 2016; 고광의, 2023). 4세기 이전의 문자자료가 확인되지 않은 것인데,[5] 고구려가 일찍부터 중원 왕조와 교섭한 사실을 고려하면 다소 의외의 현상이다. 더욱이 고구려는 후한이나 손오(孫吳)와 외교문서를 주고받을 정도로 고급 한문을 구사했다(송기호, 2002).

그렇다면 왜 4세기 이전의 문자자료가 출토되지 않는 것일까? 이와 관련해 고구려 초기 정치체제에 유의할 필요가 있다. 고구려 초기에는 제가회의(諸加會議)에서 국가 중대사를 의결하고, 각 나부(那部)를 단위로 행정실무를 처리했다. 제가회의 의결사항을 문서로 정리했을 수

---

[5] 고구려 지역에서 3세기 중후반의 관구검기공비(毌丘儉紀功碑)나 서진(西晉)의 인장(印章)이 출토되었지만, 모두 제작 주체가 중원 왕조라는 점에서 고구려 금석문이나 문자자료로 분류할 수 없다.

있지만, 문서행정이 발달했을 가능성은 낮다. 이에 따라 외교문서를 작성하는 고급 엘리트층이 존재했지만, 한자문화는 널리 보급되지 않은 것이다(여호규, 2011).

4세기 이후 고구려 한자문화는 커다란 전환을 맞는다. 고구려가 313~314년에 낙랑군과 대방군을 점령하고, 중원대륙의 혼란을 피해 많은 중국계 망명객이 내투했는데, 이 과정에서 식자층(識字層)을 다수 확보했다. 이에 따라 도성지역에 한자문화가 보급되기 시작했는데, 집안 지역에서 4세기 권운문와당 명문이 대거 출토되는 양상은 이를 잘 보여준다.

권운문와당 명문은 제작시기, 제작자나 무덤 주인공, 길상구로 이루어져 있다. 우산하3319호분 출토 정사(丁巳)명 와당은 357년으로 편년되는데, 제작 주체는 중랑(中郞)을 역임한 중국계 망명객이다(공석구, 2003). 집안 지역 권운문와당의 가장 중요한 특징은 양뿔형 권운문 1조를 등지게 배치한 점인데, 이러한 사례는 중원대륙에도 있지만 낙랑 지역에서 많이 확인된다(여호규, 2006). 집안 지역의 권운문와당은 주로 낙랑 유민이나 중국계 망명객에 의해 제작된 것이다.

이는 4세기 전반 낙랑 유민의 편입이나 중국계 망명객의 내투와 더불어 고구려 사회에 식자층이 두텁게 형성되었을 가능성을 시사한다. 이러한 점에서 낙랑·대방 지역의 기년명전 명문이 주목되는데, 낙랑군-대방군의 한자문화가 고구려로 전승되는 양상을 잘 보여준다(공석구, 1988; 임기환, 1992). 기년명전은 대부분 낙랑·대방 지역에 장기간 거주했던 토착세력과 관련된 것으로 보이지만, 장무이전(張撫夷塼, 348?)이나 영화9년명전(永和9年銘塼, 353)의 제작 주체는 중국계 망명객으로 추정된다.

기년명전 명문은 주로 제작시기나 제작자(무덤 주인공)만 간략하게 적었다. 이 가운데 영화9년명전의 주인공인 동리(佟利)는 안악3호분의 주인공인 동수(佟壽)와 연관된 인물로, 고구려 왕권의 후원 아래 평양 지역에 정착한 중국계 망명객으로 추정된다. 그런데 이 명문의 요동·한·현도태수령동리(遼東·韓·玄菟太守領佟利)의 '령(領)'자는 '요동·한·현도태수'에 대한 서술어로 순한문이라면 앞쪽에 위치해야 한다.[6] 이 명문은 한문을 한국어 어순에 맞게 '목적어 + 서술어'로 도치시킨 일종의 이두식 표현이다.

덕흥리벽화고분의 '사희주기인(射戲注記人)' 명문도 한문을 한국어 어순에 맞게 도치시킨 사례이다. 이 고분의 주인공은 중국계 망명객인 '□□진(□□鎭)'이다. 이른 시기의 이두식 표현이 주로 중국계 망명객의 무덤에서 확인되는 것이다. 이로 보아 한국어 어순에 입각한 이두식 한문 표현은 순한문을 구사하던 중국계 식자층이 고구려어의 언어체계에 적응하는 과정에서 개발한 것으로 보인다.

고구려는 4세기 후반 소수림왕 대에 태학 설립과 불교 공인을 통해 식자층을 대거 양성했다. 고구려의 관인과 귀족 사회, 불교계에서 한자문화의 기반이 크게 확충된 것이다. 국가적 차원에서 건립한 집안고구려비와 광개토왕릉비뿐 아니라 귀족의 묘인 모두루묘지나 불상 명문이 세련된 순한문으로 작성된 사실은 이를 잘 보여준다(여호규, 2011).

한자문화의 확산 양상은 기와·토기 명문을 통해 확인할 수 있다. 기와 명문은 집안 지역의 대형 적석묘나 환도산성에서 다수 출토되었다

---

6   모두루묘지에는 '영북부여수사(領北夫餘守事)'와 같이 '영(領)'자가 관할구역인 '북부여' 앞에 기재되어 있다.

(吉林省文物考古硏究所·集安市博物館, 2004a; 2004b; 2004c). 이들 명문의 서체는 자유분방하며, 대부분 소성(燒成) 이전에 와공(瓦工)이 새겼다. 환도산성에서는 소형(小兄)명 기와가 16개나 확인되었는데, 하위 관등 소지자의 한자 해독력과 관련하여 주목된다(여호규, 2010).

토기 명문은 변경에서 더 많이 출토되고 있다. 특히 임진강과 한강유역의 보루에서 대거 발견되었다. 각종 부호를 제외하면 약 50여 종이 출토되었다. 아차산 제4보루에서는 인명 다음에 '형(兄)'이라는 존칭어미를 붙인 사례가 다수 확인되고, 후부(後部)라는 부명(部名)을 관칭(冠稱)한 사례도 있다. 홍련봉제2보루에서도 전부(前部)라는 부명이 확인되었다. 이러한 부명을 남평양의 행정구역명으로 보기도 하지만(최종택, 2013), 평양 도성의 행정구역명일 가능성이 더 크다. 개인용 배식기의 명문은 장졸(將卒)이 식자층이었을 가능성을 시사한다(구의동보고서간행위원회, 1997; 양시은 외, 2009).

임진강 유역의 호로고루에서는 기와·토기·토제북 명문이 대거 확인되었다. 상고(相鼓)명 토제북은 군사 지휘와 관련해 주목된다. 기와 겉면에 기와 수량을 기록한 명문은 산판(算板)인데(심광주, 2009), 수공업제도가 문서행정에 의해 이루어졌을 가능성을 시사한다(여호규, 2010). 호로고루는 식자층이 상주한 성곽으로 임진강 일대 보루를 관장하는 사령부의 역할과 행정 기능을 겸비한 것으로 짐작된다(심광주, 2009).

이처럼 하급 관등인 소형, 변방에 파견된 장졸(將卒)이나 장인(匠人)도 한자를 해독할 정도로 식자층이 넓게 형성되었다. 이에 따라 지방통치도 각종 법령과 규정에 입각한 문서행정을 통해 이루어졌을 텐데 여러 금석문의 인명 표기가 '관직명 + 부명(출신지) + 관등명 + 인명' 순서로 통일된 사실은 이를 잘 보여준다. 다만 모든 관원이 순한문을 완전히 이해했을지는 의문이다.

이와 관련해 중원 왕조의 공문서에 주로 사용하던 종결사 '지(之)', 처격조사 '중(中)', 어휘 '절(節)' 등의 표현[7]이 도성의 집안고구려비나 광개토왕릉비에서는 거의 보이지 않고, 변경의 충주고구려비에 많이 나타난다는 사실이 주목된다. 이는 고구려 사회에 순한문문화와 함께 이를 변용한 한자문화가 병존했을 가능성을 시사한다. 이러한 표현은 평양성 각자성석에서도 확인되는데, 특히 제4·5석의 명문은 '주어(축성책임자) + 목적어(축성구간) + 서술어(감독행위)' 등 한국어 어순으로 기술했다. 이러한 각자성석은 역역 동원 등 행정실무를 집행하는 과정에서 작성되었고, 작성 주체는 하위 관등 소지자였다.

이처럼 고구려 사회에서는 고급 한자문화와 더불어 이를 고구려 언어체계에 맞게 변용한 이두식 한자문화가 병존하였다. 이두식 한자문화는 주로 하급 관인이나 지방사회에서 널리 통용된 것으로 추정된다. 다만 지방의 농오리산성 마애석각이나 호로고루 기와산판은 한문 어순에 맞게 기술되었다는 점에서 순한문 사용자층이 두터웠던 것으로 보인다. 고구려의 금석문과 문자자료를 고찰할 때는 이러한 문자문화 양상을 고려할 필요가 있다.

---

[7] 종전에는 이 표현을 고구려에서 개발한 이두로 보았는데(남풍현, 2000), 진·한시기의 간독(簡牘)을 통해 중원 왕조의 행정문서에서 많이 사용한 사실이 밝혀졌다(김병준, 2011).

## 2. 고분 묵서와 무덤 주인공의 성격

### 1) 평양 지역 고분 묵서와 무덤 주인공의 성격

　벽화고분의 묵서는 총 18기에서 조사되었는데, 12기가 평양을 비롯한 서북한 지역에 분포한다. 안악3호분과 덕흥리벽화고분을 제외한 10기에서는 짤막한 묵서나 명문 도안이 확인되었는데, 단편적이지만 벽화 내용 이해에 중요한 실마리를 제공한다. 가령 요동성총 묵서를 통해 성곽도가 400년 전후의 요동성(遼東城)임을 알 수 있다(고고학및민속학연구소, 1958b). 천왕지신총의 묵서를 통해 천왕(天王), 지신(地神), 천추(千秋) 등 신상(神像)의 명칭과 모습(전호태, 2021), 덕화리2호분의 묵서를 통해 벽성(辟星), 위□(胃□), 정성(井星), 유성(柳星) 등 별자리의 명칭과 모습(김일권, 1996) 등을 구체적으로 알 수 있다.

　고분 묵서 가운데 가장 많은 관심을 받은 것은 안악3호분과 덕흥리벽화고분 묵서이다. 양자는 각기 16개소 100여 자, 56개소 600여 자로 분량이 방대할 뿐 아니라, '영화(永和)13년(357)'과 '영락(永樂)18년(408)'이라는 조영 연대가 명기되어 있어 고분 편년의 기준을 제공한다. 특히 안악3호분에는 문헌사료에 기술된 동수(冬壽, 佟壽)라는 인물이 나오고, 덕흥리벽화고분에서는 유주자사(幽州刺史)를 역임했다는 진(鎭)의 묘지가 확인되었다. 이로 인해 두 고분의 묵서를 둘러싸고 다양한 논의가 전개되었다(서영대, 1992a; 1992b).

　안악3호분은 1949년 재령강 유역인 황해도 안악군 오국리에서 조사되었다(고고학및민속학연구소, 1958a). 측실이 딸린 앞방, 회랑, 널방으로 이루어진 석실봉토분이다. 각 벽면에 대행렬도 등 생활풍속계 벽화를 그리고, 묵서로 설명문을 적었다. 이중 서쪽 측실의 기실(記室), 소사(小史), 성사(省事), 문하배(門下拜), 앞방 서벽의 장하독(帳下督), 앞방 남벽의 전리(戰吏), 대행렬도의 □상번(□上幡) 등은 각 인물의 직책과 성격을 알려주는데, 무덤 주인공과 관련해 많은 주목을 받았다.

동수의 관력(官歷)을 기술한 묵서는 앞방에서 서쪽 측실로 들어가는 입구에 있다. 입구의 좌우 벽면에 장하독(帳下督)을 한 명씩 그렸는데, 좌측(남쪽) 장하독 위에 7행 68자의 묵서가 있다. 측실 안쪽 정면에는 주인공, 좌측(남벽) 면에는 부인 초상화가 있다. 동수는 영화13년(357) 10월 26일에 69세를 일기로 사망했는데, 사지절 도독제군사 평동장군 호무이교위 낙랑상 창려·현도·대방태수 도향후(使持節 都督諸軍事 平東將軍 護撫夷校尉 樂浪相 昌黎·玄菟·帶方太守 都鄉侯)를 지냈고, 유주(幽州) 요동군(遼東郡) 평곽현(平郭縣)의 소재지가 있는 경상리(敬上里) 출신이라고 적혀 있다.

동수라는 인물은 문헌에도 나오는데, 333년 모용외(慕容廆)가 죽은 다음 전연에 내분이 일어났을 때 모용인(慕容仁) 측에 가담했다가 336년 고구려에 망명했다. '동(冬, 佟)' 자가 다르지만, 양자는 동일 인물로 짐작된다. 동수는 전연 출신의 망명객으로 고구려에서 21년간 살다가 사망한 것이다. 동수의 이러한 이력은 안악3호분의 주인공을 비정하는 데 중요한 쟁점으로 부상했다(서영대, 1992a).

북한 학계는 처음에 동수를 안악3호분의 주인공으로 보다가(김용준, 1957), 일개 망명객은 거대한 무덤을 조영하기 힘들었다는 비판이 제기되었다. 이에 안악3호분의 주인공을 미천왕(박윤원, 1963; 주영헌, 1963; 전주농, 1963; 사회과학원 고고학연구실, 1966) 또는 고국원왕(리여성, 1955; 박진욱, 1990; 손영종, 1991b)으로 비정했다. 이러한 북한 학계의 견해에 따르면 서쪽 측실 안쪽의 초상화는 왕과 왕비이고, 측실 입구 좌측 벽면의 장하독이 동수가 된다. 동수가 장하독이므로 그 위에 그의 묵서를 적었다는 것이다.

또 서쪽 측실 서벽의 기실, 소사, 성사, 문하배 등은 고구려왕을 모시는 내시부의 속료(전주농, 1959) 또는 정부의 주요 관직(박윤원, 1963)으로 이해된다. 대행렬도 깃발의 묵서도 '성상번(聖上幡)'으로 판독해 고구려왕의 행렬로 이해했다(전주농, 1959). 동수의 관작도 처음에는 전연에서 받거나 고구려로부터 추증받은 관직(박윤원, 1963), 사후에 과장해 써준 관직(전주농, 1963) 등으로 보다가, 고구려가 사여한 관직(주영헌, 1985; 손영종, 1997)으로 파악했다. 묵서 내용을 모두 고구려왕과 관련시켜 이해한 것이다.

그렇지만 광개토왕릉비가 집안 지역에 위치한 것에서 보듯이 당시 고구려 왕릉은 도성인 국내성 일대에 조영되었다(김용준, 1957). 실제 342년 전연이 국내성을 함락한 다음, 미천왕의 무덤을 도굴한 사실이 확인된다. 또 고국원왕이나 고국양왕의 '고국(故國)'은 평양 천도 이후 종전 도성을 지칭하던 명칭으로, 고국원왕의 무덤이 국내성 지역에 있었음을 보여준다. 변경에 조영된 안악3호분을 고구려 왕릉으로 보기는 힘든 것이다.

상기 묵서는 내용이나 형식에서 중원대륙의 묘지(墓誌)와 거의 같다(剛崎敬, 1964; 공석구, 1989). 상기 묵서는 동수의 묘지이고, 무덤 주인공은 동수이다. 이에 한중일 3국 학계는 대부분 안악3호분의 주인공을 동수로 파악한다(宿白, 1952; 채병서, 1959; 1967; 김원룡, 1960; 剛崎敬, 1964). 이에 따른다면 서쪽 측실 입구의 장하독을 비롯해 측실 서벽의 기실, 소사, 성사, 문하배는 동수가 역임한 관작의 속관으로 이해된다

(공석구, 1989). 또 대행렬도 깃발의 묵서가 '성상번'인지도 면밀하게 살펴볼 필요가 있다.

다만 안악3호분의 주인공을 동수로 볼 경우, 그가 역임했다는 관직의 수여 주체가 문제가 된다. 동수는 336년 전연에서 고구려로 망명했는데, 당시 동수의 이력이나 전연의 관제로 보아 상기 관작을 모두 전연에서 받았다고 보기는 어렵기 때문이다. 이에 동수가 고구려 망명 이후 동진으로부터 받거나(洪晴玉, 1959; 剛崎敬, 1964) 자칭했다(K.H.J. Gardiner, 1969; 공석구, 1989)는 견해가 제기되었다. 동수의 관작은 고구려와 관련이 없다는 것인데, 동수가 서북한 지역에 상당한 독자세력권을 구축했거나(剛崎敬, 1964; 공석구, 1989) 독립왕국을 건설했을 것 (K.H.J. Gardiner, 1969)으로 파악했다.

그렇지만 고구려는 313·314년에 서북한 일대를 점령한 다음, 334년에 평양성을 증축하는 등 지배를 강화하기 위해 다양한 노력을 기울였다. 이러한 상황에서 동수가 독자적으로 동진으로부터 관작을 받는다든지 반독자적인 세력이나 독립왕국을 구축했다고 보기는 어렵다. 이에 동수가 고구려의 지원 아래 서북한 일대에 정착하며 상기 관작 일부를 고구려로부터 받았다는 견해가 제기되었다(窪添慶文, 1981; 임기환, 1995; 김미경, 1996). 그런데 동수의 관작은 진대(晉代)의 관직과 관위로 이루어진 반면, 당시 고구려는 중원 왕조와 명확히 구별되는 관제를 정비했다(井上直樹, 2007; 여호규, 2014a). 동수가 고구려로부터 상기 관작을 수여받았을 가능성은 거의 없는 것이다.

이에 동수가 상기 관작을 전연에서 수여받거나 고구려 망명 이후 동진으로부터 수여받았을 가능성을 상정하기도 했다. 333년 동수의 직책이 사마(司馬)였으므로 그 이후 모용인으로부터 상위 관작을 수여받았을 가능성은 충분히 있다(임기환, 1995; 김미경, 1996). 다만 당시 전연 모용인이나 모용황의 관작으로 보아 동수가 전연에서 '사지절 도독제군사호 평동장군'을 수여받았을 가능성은 없다. 또 동진이 341년 전연의 세자인 모용준(慕容儁)에게 사지절보다 낮은 가절(假節)을 수여했고, 고국원왕에게는 책봉호를 수여하지 않았다는 점에서 망명객인 동수에게 사지절호와 도독제군사호를 수여했을 가능성은 없다.

결국 상기 관작은 동수가 자칭했을 가능성이 가장 높다. 이에 동수가 상기 관작을 자칭하며 서북한에 독자 세력권을 구축했다고 보기도 했다. 그런데 도독제군사호는 관할구역을 명기해야 현실성을 갖는다. 이러한 점에서 관작을 자칭했다는 것만을 근거로 동수가 독자 세력권을 구축했다고 보기는 어렵다. 더욱이 고구려는 334년 평양성을 축조하며 서북한 일대에 대한 통치력을 강화했고, 349년 전연으로 송환된 송황의 사례에서 보듯이 중국계 망명객을 강하게 통제하고 있었다. 동수가 상당한 세력을 구축했더라도 고구려의 지원이나 통제 아래 이루어졌다고 보아야 한다.

이에 고구려가 중국계 이주민집단을 활용해 서북한을 경영했다고 상정한 다음, 동수가 고구려의 용인 아래 중국계 교민집단을 이끌며 상기 관작을 자칭했다고 보기도 한다(안정준, 2013; 2017a). 창려태수나 현도태수는 창려군이나 현도군 출신 교민집단을 이끌며 자칭했다는 것인데, 종전보다 상당히 설득력을 갖춘 견해이다. 다만 고국원왕이 355년에 전연으로부터 '사지절 도독영주제군사' 등의 책봉호를 받은 사실을 감안하면, 과연 고구려가 동수에게 고국원왕과 동급인 사지절호와 도독제군사호를 자칭하도록 용인했을까라는 의문이 든다. 고구려가 중국계 이주민집단을 받아들여 교민자치구를 설치했더라도, 사지절호와 도독제군사호 등 최상위 관작을 자칭하도록 용인했을 가능성은 낮은 것이다.

　동수가 역임했다는 관작을 종전에는 모두 생시에 수여받거나 자칭한 것이며 현실사회에서 기능했다고 보았다. 그렇지만 동수가 역임했다는 관작 가운데 최상위의 사지절호와 도독제군사호는 허구적 자칭으로 볼 수밖에 없다. 이에 필자는 동수의 관작은 전연에서 받은 것과 함께 이상적인 사후세계를 꿈꾸기 위해 자칭한 것으로 이해한다.[8]

　동수는 고구려 망명 이후 어쩔 수 없이 고구려인으로 살았지만, 사후에는 중국인으로의 정체성을 되찾아 영생을 누리고 싶었을 것이다. 동수가 출신지를 유주(幽州)에서 평주(平州)가 분리되기 이전인 후한-서진시기를 기준으로 '유주 요동군 평곽현 경상리'로 일컬은 사실은 이를 잘 보여준다. 동수는 중원대륙이 혼란해지기 이전인 후한-서진을 이상세계로 여기며, 사후세계에서 이러한 통일왕조 아래 동방 지역을 관장하는 최고위 지방관을 꿈꾸었던 것이다. 동수묘지는 5호16국이라는 역동적인 시기에 고구려인과 중국인 사이를 오가며 살았던 중국계 망명객의 이중 정체성을 잘 보여준다(여호규, 2009).

　덕흥리벽화고분 묵서도 중국계 망명객의 이중 정체성을 잘 보여준다. 덕흥리벽화고분은 1976년 남포시 강서구역에서 조사되었다. 앞방과 널방으로 이루어진 석실봉토묘인데, 벽면마다 행렬도 등 생활풍속계 벽화를 그리고, 설명문을 묵서로 적었다. 앞방에서 널방으로 가는 입구 위쪽에는 주인공 '□□진(□□鎭)'(이하 '진')의 묘지가 있다. 앞

---

8　이러한 점에서 안악3호분 묵서(墨書)나 주서(朱書)의 연원이 산동(山東)·절강(浙江) 등 중원대륙 동해안 지역의 문자문화에 잇닿아 있다는 최근 연구도 주목된다(김근식, 2021b).

방의 벽화는 서벽에 13군태수내조도(來朝圖), 남벽에 장군부의 막료, 동벽에 자사부의 속료를 대동한 출행 장면 등 진의 공적 활동과 관부로 이루어져 있다.

반면 널방의 벽화는 동벽에 칠보행사도, 서벽에 마사희도, 남벽에 외양간 등 사적 행사나 저택 모습으로 그려져 있다. 앞방 천정에는 22개 신상(神像)을 그렸다(박진욱 외, 1981; 서영대, 1992b). 또 연도 서벽과 동벽에는 각기 기유년(己酉年: 409) 2월 2일에 무덤을 닫았다는 묵서와 "[무덤을] 둘러본 자(所遊觀者)"라는 묵서가 있는데, 무덤 조영 이후 일정 기간 방문객에게 내부를 개방했고, 묵서는 방문자에게 벽화를 설명하기 위한 방제(傍題)라는 견해가 제기되기도 했다(김근식, 2020; 2021a; 안정준, 2021).

진의 묘지와 함께 13군태수내조도, 장군부의 막료조직, 칠보행사도의 묵서가 많은 주목을 받았는데, 진의 국적을 어떻게 보느냐에 따라 견해가 많이 달라졌다. 진은 "□□군(□□郡) 신도현(信都縣) 중감리(中甘里)" 출신으로 최고위직으로 유주자사를 역임했다고 적혀 있다. 북한 학계는 "고려의 가주(嘉州: 평북 박천)가 본래 고구려의 신도군(信都郡)이었다"는 『고려사』 지리지를 근거로 진이 고구려 출신이었다고 보았다. 이에 진의 묘지와 13군태수내조도를 근거로 고구려가 370년대에 북경(北京) 일대까지 진출했다고 상정하는 한편, 고구려의 통치제도가 상당히 정비되었다고 파악하였다(김용남, 1979; 박진욱 외, 1981; 손영종, 1987; 1991a; 1991b).

그렇지만 『고려사』 기사를 근거로 광개토왕시기의 고구려에 신도군이 존재했다고 보기는 어렵다. 더욱이 이때 고구려가 북경 일대까지 진출했다고 보기도 어렵다. 묘지의 신도현은 북경 서남쪽에 위치한 기주

(冀州) 안평군(安平郡: 長樂郡)에 소속된 현으로 진은 중국계 망명객으로 파악된다(김원룡, 1979; 康捷, 1986; 佐伯有淸, 1987a). 다만 진은 '국소대형(國小大兄)'이라는 고구려 관등을 지녔고, 무덤 조성 연도를 광개토왕의 연호인 '영락(永樂)'으로 표기했다. 칠보행사도 묵서의 대묘(大廟)는 고구려 왕실의 종묘(宗廟), 중리도독(中裏都督)은 고구려왕의 근시(近侍)와 관련된 관명으로 이해된다(이문기, 2000a; 2000b; 이규호, 2015). 진이 고구려 관등을 수여받고 왕실과 밀접한 관계를 맺은 것이다.

그런데 진의 관명 가운데 국소대형을 제외하면, 모두 중국식 장군호와 지방관명이다. 이에 진이 중원 왕조로부터 관작을 받거나(劉永智, 1983) 자칭했다는(武田幸男, 1989b; 공석구, 1990) 견해가 제기되었다. 진이 역임한 관명은 모두 8개이다. 전반부의 4개 가운데 '국소대형'을 제외한 나머지 3개는 중국식 장군호이고, 후반부의 관명은 '사지절'을 제외하면 모두 지방관명인데, 양자 모두 하위에서 고위의 순서로 기술했다. 묵서의 관직은 진이 역임한 순서에 입각해 기술한 것으로 보인다. 그러므로 전반부의 장군호와 후반부의 지방관명을 짝지으면, 가장 앞의 ① 건위장군-요동태수가 중원 왕조에서 수여받았다면, ②【국】소대형-사지절(또는 국소대형만)은 망명 이후 고구려로부터 수여받은 관작, ③좌장군-동이교위와 ④용양장군-유주자사는 망명 이후 자칭한 관작으로 이해된다.

그럼 진이 고구려로부터【국】소대형을 수여받은 상태에서 또 다른 관작을 자칭하는 것이 가능했을까? 이것이 불가능하다고 본 연구자들은 고구려가 이들 관작을 수여했다고 설정한 다음, 진의 막부조직을 통해 낙랑·대방 지역을 통할하던 양상을 추론하거나(임기환, 1995) 유주까지 진출했다고 파악했다(박진욱, 1980; 장국종, 1992; 이인철, 1998).

그렇지만 고구려가 설치한 적이 없는 관작을 진에게 수여했다고 보기는 어렵다. 진이 고구려 관등을 수여받은 상태에서 또 다른 관작을 자칭했다는 것을 납득하기 어렵겠지만, 현재로서는 그렇게 해석할 수밖에 없다. 이에 진이 고구려의 용인 아래 중국계 교민집단을 이끌며 상기 관작을 자칭했으며(안정준, 2013; 2017a), 칠보행사도의 '대묘'를 '대주(大廚)'로 판독하고 중리도독을 진의 사속인(私屬人)이라고 보기도 한다(안정준, 2017b).

그렇지만 고구려왕이 중원 왕조로부터 수여받은 책봉호와 동급인 '사지절 동이교위 유주자사'라는 최상위 관작을 자칭하도록 용인했다고 보기는 어렵다. 더욱이 앞방에는 유주 관내의 13군태수내조도가 그려져 있는데, 교민자치구가 이처럼 질서정연한 지방제도를 갖추었으며, 유주 관내 13군의 교민이 모두 거주했을지는 의문이다. 그렇다면 진이 고구려 관등을 수여받은 상태에서 또 다른 관작을 자칭한 사실을 어떻게 해석해야 할까?

이와 관련해 13군태수내조도의 기술 내용이 주목된다. 이를 종합하면 진은 자기가 활동한 5호16국시기가 아니라 중원 왕조의 지배질서가 정상적으로 작동하던 서진 초기를 기준으로 삼아 유주자사를 자칭한 것으로 파악된다. 진이 자칭한 유주자사도 이상적인 사후세계를 꿈꾸기 위해 설정된 것으로 생시에 기능했다고 보기 어렵다. 진도 생전에는 고구려인으로 살았지만, 저승에서는 중국인으로서의 정체성에 입각해 중원 왕조의 지방관으로 영생을 누리고 싶었던 것이다. 다만 진의 묘지에는 동수의 묘지보다 고구려와 밀착된 요소가 많이 보이는데, 이는 서북한 지역 및 중국계 망명객에 대한 고구려의 통치력과 통제가 강화된 사실과 밀접히 관련된다(여호규, 2009).

## 2) 집안 지역 고분 묵서와 무덤 주인공의 성격

고구려 첫 번째와 두 번째 도성이 있었던 환인과 집안 지역에는 고분 묵서가 총 6기 분포한다. 다만 환인의 미창구장군묘는 졸본(卒本)시기가 아니라 5세기로 편년되며, 묵서도 '왕(王)'자 도안이다. 집안의 산성하332호분과 장천2호분에는 '왕(王)'·'공(工)'자 도안, 통구사신총에는 '담육부지족(啖宍不知足)', 장천1호분에는 '북두칠성(北斗七星)' 등 짤막한 묵서가 적혀 있다. 묵서가 발견된 벽화고분이 5세기 중반 이후로 편년된다는 점에서 평양 천도 이후에도 환인이나 집안 지역이 종전 위상을 유지했음을 잘 보여준다(전호태, 2020).

집안 지역의 대표적인 고분 묵서는 모두루묘지이다. 모두루무덤은 앞방과 널방으로 이루어진 석실봉토묘인데, 묘지는 앞방에서 널방으로 향하는 입구 위쪽에 있다. 첫머리 2행은 괘선을 긋지 않고 12자씩 적었다. 그다음부터 79행이 이어지는데, 괘선을 네모반듯하게 긋고 행마다 10자씩 썼다(池內宏, 1938; 池內宏·梅原末治, 1940). 800자가 넘는 방대한 분량이지만, 지워진 부분이 많아 전체 내용을 파악하기 쉽지 않다.

이에 따라 주인공을 둘러싼 논쟁이 지금도 진행 중이다. 처음 조사한 일본 학자는 가장 첫머리의 대사자(大使者) 모두루를 주인공으로 보았다(池內宏, 1938). 이에 대해 중국의 노간(勞幹)은 모두루 앞에 '노객(奴客)'이라는 비칭이 자주 나오고, 관등이 염모보다 낮다(대사자는 7위, 염모는 6위인 대형)는 점을 근거로 염모를 주인공으로 보고 모두루를 그의 가신으로 파악하였다(勞幹, 1944). 이 견해는 지금도 중국 학계에서 널리 받아들여지고 있다(吉林省文物志編委會, 1984; 耿鐵華, 1987).

그렇지만 묘지 내용을 검토하면 모두루가 주인공이고, 염모는 그의 조부임을 쉽게 알 수 있다. 1~2행은 괘선을 긋지 않고 12자씩 적었는데, 무덤 주인공을 표기한 제기(題記)이다. 이 제기의 대사자 모두루가 주인공인 것이다(佐伯有淸, 1977; 1987b; 노태돈, 1992b). 지워진 부분이 많아 전체 내용을 파악하기 쉽지 않지만, 제기(1~2행)를 제외하면 대략 네 단락으로 나눌 수 있다(武田幸男, 1981; 1989a; 여호규, 2004; 이준성, 2020).

첫째 단락(3~9행)은 모두루가의 시조를 서술한 부분이다. 다만 가장 먼저 고구려 건국설화를 기술했는데, "천하 사방이 이 나라의 ■가 가장 성스러움을 알고 있을지니"라는 명문은 천하의 중심국을 표방하는 고구려의 천하관을 잘 보여준다(노태돈, 1988; 1999). 그런 다음 모두루가 시조의 내력을 기술했는데, 모두루 가문이 마치 고구려 왕실에 헌신하기 위해 탄생한 존재처럼 그려지고 있다.

둘째 단락(10~39행)은 모두루의 조부인 염모의 사적을 기술한 부분이다. 염모가 활동한 '■강상성태왕(■岡上聖太王)'은 331~371년에 재위한 고국원왕이다. 14행의 '반역(叛逆)' 구절은 염모가 모종의 반역을 평정했음을 알려준다. 23~26행의 "모용선비가… 북부여로 와서…. 이에 대형 염모가…" 구절은 346년 모용선비(전연)이 부여를 침공했을 때 전공을 세웠음을 전한다(武田幸男, 1989a; 노태돈, 1989). 염모는 대내외적으로 큰 공훈을 세워 81행 중 30여 행을 차지할 정도로 모두루가의 중시조로 떠받들어졌다.

셋째 단락(40~44행)은 대형 관등을 지닌 인물 2명이 등장하는데, "조부의 □□로 말미암아 대대로 관은(官恩)을 입고, 조(祖)의 북도(北道) 성민(城民)과 곡민(谷民)을 은혜롭게 다스렸다"고 한다. 조부나 조

(祖)는 염모, 북도는 국내성에서 북쪽 방면인 북부여에 이르는 교통로를 일컫는다. 모두루가의 인물들이 염모의 공훈을 이어받아 북부여 방면 교통로 주변의 백성을 다스렸다는 것인데, 염모의 공훈이 세습되던 양상과 함께 교통로를 따라 지방제도를 정비하던 모습을 잘 전한다(여호규, 1995; 2000).

넷째 단락은 44행 이하인데, 모두루의 사적을 기술했다. 45행의 '조부로 말미암아(緣祖父)'라는 표현에서 보듯이 모두루도 염모의 공훈에 힘입어 광개토왕 대에 '□□모(□□牟)'라는 인물과 함께 '영북부여수사(令北扶餘守事)'로 파견되었다. 이때 광개토왕이 사망했는데, 모두루는 조문하지 못함을 몹시 애통해했다(44~51행). 또 57행의 '노노객(老奴客)'이라는 표현은 모두루가 장수왕시기에도 계속 활동했음을 보여준다. 이로 보아 모두루묘지는 5세기 중반을 전후한 장수왕시기에 작성된 것으로 보인다.

이상과 같이 모두루묘지는 네 단락으로 나뉘는데, 각 단락은 모두루가의 인물이 고구려왕과 짝을 이루는 구조로 기술되어 있다. 첫째 단락의 시조인 노객 조선(祖先)은 시조 추모성왕, 둘째 단락의 중시조인 대형 염모는 ■강상성태왕(고국원왕), 셋째 단락의 대형 2명은 전왕(前王), 모두루 자신은 광개토왕-장수왕과 각기 짝을 이루고 있다. 그러면서 모두루가의 내력보다 왕실의 신성성을 더 부각했다.

국왕은 성왕(聖王)이나 성태왕(聖太王)으로 높인 반면, 모두루가의 인물은 왕에 예속된 노객(奴客)으로 "대대로 왕의 은혜를 입었다"고 묘사했다. 이러한 표현은 모두루가를 비하하는 것처럼 보이지만, 실제로는 위상을 격상시키려는 역설적 필법이다. 당시 고구려는 중앙집권체제가 확립되어 귀족가문은 국왕과의 관계를 통해 권력기반을 확보했는데, 모두루가도 왕실과의 주종관계를 통해 위상을 더욱 높인 것이다(武田幸男, 1981; 1989a). 모두루묘지는 전통적인 고구려 귀족가문의 정치의식을 잘 보여준다.

이와 함께 건국설화에 바탕을 둔 고구려 중심의 천하관(노태돈, 1989; 1999), 북부여 지역을 둘러싼 전연=모용선비와의 각축전(武田幸男, 1981; 1989a), 교통로를 활용한 지방제도의 정비 양상(여호규, 1995; 2014a)을 잘 보여준다. 특히 모두루가 역임한 영북부여수사는 충주고구려비의 고모루성수사와 함께 '수사(守事)'라는 지방관의 존재를 전하는데, 그 성격은 태수급(노태돈, 1996; 1999) 또는 광역행정구역(김현숙, 1996; 2005) 지방관으로 이해된다. 모두루묘지는 고구려 귀족가문의 정치의식을 비롯해 다양한 역사상을 담고 있는데, 금석문이나 문자자료가 일급 사료임을 잘 보여준다.

## 3. 광개토왕릉비와 집안고구려비

### 1) 광개토왕릉비의 재발견과 초창기 연구

광개토왕릉비(이하 '능비')는 집안분지 동쪽에 위치하는데, 서남쪽 300m에 태왕릉, 동북쪽 1.8km에 장군총이 자리한다. 비석은 화산암인 각력응회암(角礫凝灰巖)을 약간 다듬어 만들었는데, 높이 6.39m의 사각기둥 모양이다. 4면에 모두 장방형 테두리와 세로 방향의 괘선을 긋고, 9~12.5cm 크기로 네모반듯하게 1,775자를 새겼다(노태돈, 1992a).

비문 내용은 흔히 서문, 무훈 기사, 수묘 기사 등 세 단락으로 구분한다(那珂通世, 1893; 박시형, 1966). 그렇지만 한대(漢代) 묘비 형식을 빌려 비문을 작성했다는 점에서 6행 '기사왈(其辭曰)'을 기준으로 서문과 본문으로 구분되며(정인보, 1955; 이성시, 2008), 무훈 기사와 수묘 기사는 각기 본문 1·2에 해당한다고 파악하는 것이 더 타당하다(武田幸男, 1989a; 여호규, 2014c).

서문에는 건국설화, 시조 이래의 왕위계승, 광개토왕의 행장을 기술했다. 무훈 기사에는 광개토왕이 사방을 정복하며 세운 무훈을 연대순으로 일목요연하게 서술했다. 수묘 기사에는 왕릉을 지킬 수묘인의 징발 현황을 지역별로 열거하고, 관련 법령과 조치를 기술했다. 이처럼 능비는 분량이 방대하며 매우 다채로운 내용으로 이루어졌지만, 초창기 연구에서는 일제의 왜곡된 연구로 인해 충분히 주목받지 못하였다.

조선시대 사람들도 능비의 존재를 알았지만, 여진족이 세운 금의 유적이라 여겼다. 능비는 청의 봉금정책 해제로 회인현(懷仁縣)이 설치된 직후인 1880년 무렵 재발견되었는데(박시형, 1966; 武田幸男, 2007a), 두껍게 낀 이끼를 불태워 제거하는 과정에서 비석이 많이 박락되었다(楊守敬, 1909; 顧燮光, 1918). 또 능비가 워낙 거대하고 울퉁불퉁해 초창기에는 비면에 종이를 대고 글자 윤곽을 본뜬 다음 먹을 칠하는 쌍구가묵본(雙鉤加墨本)이나 묵수곽전본(墨水廓塡本)을 제작했다.[9] 쌍구가묵본(묵수곽전본)은 글자 윤곽을 본뜨는 과정에서 제작자의 주관이 개입

---

[9] 1883년 사코 가게노부(酒匂景信)가 일본으로 가져간 사코본(酒匂本), 1885년 청의 반조음(潘祖蔭)이 소장한 탁본, 1886년 청의 오대징(吳大徵)이 철령현령(鐵嶺縣令) 진사운(陳士芸)에게 받은 탁본이 이에 해당한다(徐建新, 2006; 이태희, 2023).

하므로 탁본보다 판독문에 가깝다.

　비문을 직접 탁본한 원석탁본(原石拓本)은 1887~1889년에 제작되었다.¹⁰ 원석탁본은 나진옥(羅振玉) 등 청의 학자들이 일부 활용했지만, 얼마 지나지 않아 잊혀졌다. 1890년대 이후 석회탁본이 널리 제작되었기 때문이다. 석회탁본은 비면에 석회를 칠해 글자를 선명하게 만드는 과정에서 많은 변형과 왜곡이 일어났다.¹¹ 게다가 1903년 영희(榮禧)의 '고구려영락호태왕묘비난언(高句麗永樂好太王墓碑讕言)'처럼 모든 글자를 제멋대로 보입(補入)한 사실상 가짜 판독문도 나돌았다.¹² 능비 연구가 순조롭게 진행되지 못한 것인데, 일본의 제국주의자들이 능비를 대륙침략의 도구로 악용하면서 더욱 심하게 왜곡되었다.

　초창기 연구는 청과 일본이 주도했다. 청의 학자로는 왕지수가 능비 건립연대를 414년으로 고증하고, 고구려의 위세가 신라, 백제, 왜, 동부여에 떨친 것을 기술했다며 고구려를 중심으로 고찰했다(王志修, 1895). 나진옥은 석회탁본과 함께 1889년에 제작된 원석탁본을 참조

---

10　담국환(談國桓)의 「수찰(手札)」에 따르면 1887년 봉천성(奉天省) 독학사(督學使) 양이(楊頤)가 6벌, 나진옥(羅振玉)의 「용려일찰(俑廬日札)」에 따르면 1889년 북경(北京)의 탁공(拓工) 이운종(李雲從)이 50벌을 제작했다(박시형, 1966). 현전하는 원석탁본 가운데 대만의 부사년을본(傅斯年乙本), 중국의 북대(北大)E본, 왕씨(王氏)소장본, 중국국가도서관본 등 4종은 1887년, 국내의 청명본(현 국립중앙박물관본, 규장각소장본 포함)과 혜정본, 대만의 부사년갑본(傅斯年甲本), 중국의 북대(北大) A·B·C·D본, 일본의 미즈타니 데지로본(水谷悌二郎本)과 가네코 오테이본(金子鷗亭本), 소장처 미상의 서통본(書通本) 등 10종은 1889년에 제작된 것으로 추정된다.

11　1938년에 만주국이 탁본 제작 금지령을 내리면서 석회탁본 제작이 중단되었다. 다만 중국에서 제작된 장명선본(張明善本, 1963)과 주운태본(周云台本, 1981)도 석회가 완전히 박락되지 않았다는 점에서 엄밀히 말하면 석회탁본에 해당한다(徐建新, 2006; 武田幸男, 2009).

12　영희(榮禧)의 판독문은 김육불(金毓黻)의 『요동문헌징략(遼東文獻徵略)』(1925), 『심고(沈考)』(1933), 『봉천통지(奉天通志)』(1934)의 판독문에 영향을 미쳤다(李進熙, 1972). 일본에서는 1922년 위서(僞書)인 『남연서(南淵書)』에 가짜 판독문이 실리기도 했다.

해 상당히 정확한 판독문을 작성했다(羅振玉, 1909). 유승간도 나진옥의 판독을 기초로 비문을 재판독하고 주요 기사를 해설했고(劉承幹, 1922), 유절은 비문을 재판독하는 한편, 문헌사료를 참조해 지명 고증을 시도했다(劉節, 1928). 청의 학자들이 일찍부터 능비에 많은 관심을 기울인 것이다(박시형, 1966; 王健群, 1984). 다만 이들은 능비를 면밀하게 분석하지는 못했는데, 주로 금석학의 관점에서 접근했기 때문이다.[13]

일본의 초창기 연구는 대륙침략을 획책하던 육군 참모본부가 주도했다. 청에 파견된 참모본부 스파이인 사코 가게노부(酒勻景信)가 1883년 10월경 탁본(사코본)을 일본으로 가져오자, 참모본부 주도로 연구를 진행해 1889년에 『회여록(會餘錄)』 5집에 발표했다. 이때 일제의 대륙침략을 정당화하려는 의도에서 이른바 '신묘년'조를 대서특필하며 "백제와 신라가 왜(일본)의 신민으로 나온다"는 점을 강조했다(橫井忠直, 1889).

1890년대에 간 마사토모, 나카 미치요, 미야케 요네기치가 잇따라 논고를 발표했다(管政友, 1891; 那珂通世, 1893; 三宅米吉, 1898a). 특히 미야케 요네기치는 청일전쟁 이전에 제작된 고마쓰노미야본(小松宮本)을 참조해 사코본의 오류를 다수 바로잡았다(三宅米吉, 1898b). 이들은 국명과 지명을 고증하고, 무훈 기사를 분석해 능비 연구를 심화시켰다. 다만 이들도 무훈 기사를『일본서기』 기사와 대비하며 왜의 한반도 진출을 강조했다(末松保和, 1959; 1996; 佐伯有淸, 1972a). 심지어 러일전

---

[13] 19세기 말~20세기 초 청(중국) 학자의 저술은 박시형, 1966; 李進熙, 1974; 王健群, 1984에 집성되어 있고, 이태희(2023)가 주요 저술을 해제·역주했다.

쟁 직후에는 일제가 능비를 일본으로 밀반출하려 획책하기도 했다(李 進熙, 1972; 1974; 이기동 역, 1982).

일본 학자들은 20세기 전반에 일제의 지원 아래 능비를 조사하며 이러한 연구경향을 더욱 심화시켰다. 이마니시 류는 1913년 능비 조사를 통해 석회탁본에서 탁출하지 않던 제3면 1행을 확인하고 몇 글자를 새롭게 판독했지만, 무훈 기사 해석에서는 여전히 왜의 한반도 진출을 강조했다(今西龍, 1915; 1970). 스에마쓰 야스카즈도 신묘년이 331년일 가능성을 제기하며 전치문설(前置文說)의 효시를 이루는 언급을 했지만, 왜가 한반도에 진출해 백제·신라의 건국에 영향을 미쳤다고 강조했다(末松保和, 1935).

이처럼 일본 학자들은 일제의 대륙침략을 뒷받침하기 위해 방대한 비문 가운데 32자에 불과한 신묘년조를 대서특필했다. 특히 신묘년조 후반부를 "왜가 신묘년에 바다를 건너와 백제(百殘), ■□, 신라를 격파해서 신민으로 삼았다(而倭以辛卯年, 來渡海破百殘■□新羅, 以爲臣民.)"로 해석한 다음, 이를 실제 일어났던 역사적 사실인 것처럼 강조했다. 이를 통해 야마토(大和)정권이 4세기에 일본열도를 통일하고, 한반도 남부에 진출했다는 임나일본부설을 뒷받침했다(末松保和, 1949). 능비가 일제의 대륙침략을 정당화하는 수단으로 전락하며 연구의 방향이 왜곡된 것이다.

### 2) 광개토왕릉비 신묘년조와 무훈 기사의 성격

초창기의 왜곡된 연구로 인해 능비 연구는 상당 기간 신묘년조를 둘러싼 공방전으로 전개되었다. 먼저 정인보는 당시 일본 학계의 통설을 비판하며 신묘년조 후반부의 '래도해(來渡海)'를 '래(來)'와 '도해(渡海)' 두 개의 동사로 분리한 다음, '래'의 주어를 왜, '도해'의 주체를 고구려로 구분해 설정했다. 그런 다음 "왜가 신묘년에 침입해 오자, [고구려가] 바다를 건너 [왜를] 격파하였다. 그런데 백제가 [왜와 연계하여] 신라를 침략하자, [대왕이 신라는 나의] 신민인데 어찌 이럴 수 있는가?"라고 해석했다. 왜가 백제나 신라를 격파해 신민으로 삼은 적이 없다고 반박한 것이다(정인보, 1955).

정인보의 해석은 북한 학계에 영향을 미쳐 박시형의 저서에 반영되었다(박시형, 1966). 다만 정인보의 견해는 짧은 문장에서 주어가 너무 자주 바뀌고 결자(缺字)를 임의로 보입(補入)했다는 문제를 안고 있었다. 이에 김석형은 '도해' 이하의 주어를 모두 고구려로 상정하여 "왜가 신묘년에 건너왔다. [고구려가] 바다를 건너 백제, □□, 신라(또는 加羅)를 격파하여 신민으로 삼았다"라고 해석하였다(김석형, 1966).

북한 학계가 정인보의 비문 해석을 바탕으로 신묘년조를 새롭게 해석한 것이다. 그런 다음 박시형은 능비의 신묘년조를 근거로 임나일본부설을 주장하던 일본 학계의 통설과 제국주의적 침략사관을 강렬하게 비판했다. 김석형은 야마토정권이 4세기에 일본열도를 통일했다는 일본 학계의 통설을 비판하며, 능비의 왜는 북규슈로 건너간 백제계 이주민이라고 보았다. 이러한 정인보와 북한 학계의 연구성과는 일본 학계에 큰 반향을 불러일으켰다.[14]

일본 학계는 일제가 대륙침략을 위해 능비를 악용한 점을 반성하

---

14  박시형의 저서는 1967년에 일본어로 초역(抄譯)되었고, 김석형의 저서는 1969년에 번역되었다.

는 한편(中塚明, 1971; 前澤和之, 1972; 旗田巍, 1973), 북한 학계의 신묘년조 해석을 수용하기도 했다(佐伯有淸, 1972b; 古田武彦, 1973). 또 육군 참모본부가 능비 연구를 주도한 상황을 고찰하는 가운데(佐伯有淸, 1972a; 1977), 육군 참모본부가 비문을 조작하고 이를 은폐하기 위해 석회를 칠했다는 비문조작설이 제기되었다(李進熙, 1972; 1974; 이기동 역, 1982).

이러한 가운데 하마다 고사쿠가 전치문설을 제기했다. 그는 무훈 기사를 '왕궁솔(王躬率)'형과 '교견(敎遣)'형으로 분류한 다음, 왕궁솔형 기사의 서두에는 광개토왕의 무훈을 칭송하기 위해 고구려에 불리한 상황을 서술한 전치문을 두었다고 보았다. 신묘년조도 영락6년 백제 정복전의 전치문이자 영락6~17년의 대전치문이라며, 실제 사실이 아니라 사신(史臣)의 필법에 의한 허구라고 보았다(濱田耕策, 1973; 1974).

전치문설은 일본 학계에 북한 학계의 비판이나 비문조작설에서 벗어나 종전의 통설을 유지할 방안을 제공했다.[15] 이에 따라 전치문설은 일본 학계에서 철안(鐵案)으로 받아들여졌다. 다만 일본 학계는 신묘년조를 허구로 본 하마다 고사쿠와 달리 사실성이 담겨 있다며(武田幸男, 1989a), 왜의 활동을 강조했다(鈴木靖民, 1985; 田中俊明, 2001). 1970년대 이후 일본 학계에서 4~5세기 일본열도 통일왕조설이나 임나일본

---

15  이 무렵 니시지마 사다오(西嶋定生, 1974·1985)가 신묘년조 후반부의 '래도해(來渡海)'를 '래(來)'와 '도해(渡海)' 두 동사로 분리한 정인보의 해석에 대해 이 구절의 '래(來)'는 '이래(以來)'를 뜻한다며 '도해(渡海)'의 주체를 왜로 보는 견해를 제기했다. 또 최근 최연식(2020)은 '래도(來渡)'의 목적어로는 목적지만 올 수 있다며 '해(海)' 판독안을 부정했다. 그렇지만 '래도(來渡)'가 복합동사로 사용되면서 '해(海)'나 '강(江, 河)'을 목적어로 취하는 사례가 다수 확인되며(王仲殊, 1990; 기경량, 2022), '해(海)' 판독안을 재확인한 연구도 제출되었다(기경량, 2020; 여호규, 2023a). '래도해(來渡海)'는 "바다를 건너오다"로 해석하는 것이 가장 타당하다.

부설은 퇴조했지만, 한반도에 대한 왜의 영향력을 강조하는 견해가 이어진 것이다.

국내 학계도 북한 학계나 비문조작설의 영향을 받으며 신묘년조를 본격적으로 검토했다. 정인보처럼 '도해'의 주어를 고구려로 상정한 견해(정두희, 1979)나 비문조작설(이형구·박노희, 1981; 1986)도 제기되었다. 그렇지만 다수 연구자는 '래도해파(來渡海破)' 구절 가운데, 해(海)를 사(泗), 탕(盪), 인(因), 왕(王), 매(每), 시(是), 전(洍), 반(伴, 叛)으로 판독하거나, 파(破)를 고(故)나 조(助)로 판독해 비문을 새롭게 해석했다.[16]

이들 견해는 크게 "고구려가 백제와 신라를 신민으로 삼았다"고 해석해 영락6~10년 고구려의 정복활동을 총괄했다고 보는 집약문설[17] 및 "백제가 왜와 연계해 신라를 신민으로 삼았다(삼으려 했다)"고 해석해 영락6년 백제 정복의 이유를 기술했다고 보는 원인문설[18]로 구분된다. 최대한 고구려의 관점에서 해석하려 한 것인데, 비문 판독과 문장 구두(句讀)가 얼마나 정확한지가 관건이다. 한편 일본 학계의 통설적 해석과 전치문설을 수용한 다음, 능비 찬자가 광개토왕의 정복활동을 정당화하기 위해 비문 찬술 당시의 상황을 소급해 과장·윤색했다는 견해도 제기되었다(연민수, 1995; 기경량, 2022).

이처럼 신묘년조를 둘러싼 논란이 가열되는 가운데 중요한 실증적 연구가 이루어졌다. 먼저 1959년에 발표된 미즈타니 데지로의 원석탁

---

16  상세한 연구사 정리는 고광의, 2015; 기경량, 2022 참조.
17  김영만, 1980; 서영수, 1982; 임기중, 1995; 김영하, 2012; 백승옥, 2015.
18  천관우, 1979; 연민수, 1987; 이도학, 2006; 최연식, 2020.

본 연구이다. 그는 석회탁본 이전에 원석탁본이 제작되었음을 밝히고, 비문을 재판독하여 종전 판독의 오류를 상당수 바로 잡았다(水谷悌二郞, 1959). 다만 원석탁본에 입각한 그의 연구는 처음에는 크게 주목받지 못하다가 1970년대 중반 이후에야 널리 받아들여졌다(水谷悌二郞, 1977).[19]

북한의 박시형은 능비에 관한 방대한 저서를 처음 간행했다. 그는 1963년 현지에서 직접 비석을 관찰해 10여 자를 새롭게 판독했을 뿐 아니라, 4~5세기 역사적 상황을 고려하며 비문을 재해석했다. 특히 문헌사료와 비교해 영락5년조의 정토대상을 거란으로 비정하고, 수묘역을 번상제로 파악하는 등 새로운 견해를 다수 제시했다(박시형, 1966).

중국의 왕건군은 비면 관찰과 주운태본을 바탕으로 89자를 새롭게 판독한 저서를 출간했는데, '안라인수병(安羅人戍兵)' 해석을 비롯해 능비 연구에 영향을 크게 미친 견해를 다수 제시했다. 특히 능비의 재발견 경위와 탁공 초천부(初天富)가 석회를 칠한 사실도 밝혔다. 일본의 임나일본부설을 뒷받침한 '안라인수병' 명사설을 비판하는 한편, 비문 조작설이 성립하기 힘들다는 사실을 밝힌 것이다(王健群, 1984).

이로써 왜곡되었던 능비 연구가 점차 제자리를 찾았다. 원석탁본을 바탕으로 비문을 판독하고 체계적으로 고찰해야 한다는 공감대가 형성되었다. 이와 함께 국내의 청명본(임창순, 1973), 대만의 부사년 갑·을본(傅斯年 甲·乙本)(高明士, 1983; 1984; 1996), 일본의 가네코 오테

---

[19] 1973~1974년에 전치문설을 제기한 하마다 고사쿠도 석회탁본에 근거한 판독문으로 연구를 진행했다.

이본(金子鷗亭本)(金子鷗亭, 1982; 1987) 등 원석탁본이 잇따라 발견되었다(武田幸男, 1988). 중국에서도 원석탁본 7종이 발견되었다(徐建新, 1993; 2006; 임기중 1995).[20] 이에 여러 연구자가 원석탁본을 검토해 비문을 재판독하는 한편,[21] 무훈 기사뿐 아니라 서문과 수묘 기사를 다각도로 고찰했다.

이를 통해 광개토왕의 정복활동, 고구려의 천하관·외교관계, 건국설화, 지방제도, 수묘제와 수취체계 등을 다각도로 검토했다. 일일이 열거하기 힘들 정도로 많은 논저가 있는데,[22] 주요 쟁점만 살펴보고자 한다. 다만 서문과 수묘 기사에 관한 연구성과는 집안고구려비와 겹치는 부분이 많으므로 제4소절에서 다루고자 한다.

무훈 기사는 영락5년(395)의 패려 정토, 신묘년(391)조, 영락6년의 백제 토벌, 영락8년의 숙신 시찰, 영락9년의 평양 순행, 영락10년의 신라구원전, 영락14년의 왜 정벌, 영락17년조, 영락20년의 동부여 정토, 무훈 총괄 등 총 10개조로 이루어져 있다.

영락5년의 정토 대상은 쌍구가묵본(묵수곽전본)이나 석회탁본에는 비려(碑麗)로 탁출되었지만, 원석탁본을 통해 패려(稗麗)로 판독할 수 있다(水谷悌二郎, 1959). 패려의 실체는 거란8부의 하나인 필혈부(匹絜

---

[20] 2000년대 이후에도 청명본(임세권·이우태, 2002), 가네코 오테이본(武田幸男, 2007b), 혜정본(동북아역사재단 편, 2014)의 영인본이 간행되었다.
[21] 1980년대 이후 비문 전체를 재판독한 주요 논저는 武田幸男, 1989a; 노태돈, 1992a; 박진석, 1993; 白崎昭一郎, 1993; 耿鐵華, 1994; 임기중, 1995; 손영종, 2001; 임세권·이우태, 2002; 方起東, 2004; 徐建新, 2006; 권인한, 2011; 2015; 고광의, 2014a; 2014b; 기경량, 2020; 여호규, 2023a; 2023b 등이 있다. 각 연구자의 판독안은 여호규, 2023a·b의 〈판독논란자 판독안 비교표〉 참조.
[22] 상세한 연구현황은 『동북아역사논총』 49(2015)에 게재된 정호섭, 조영광, 이정빈, 조우연, 이노우에 나오키의 논문 참조.

部)로 서요하 상류 일대로 비정된다(박시형, 1966; 서영수, 1988). 후반부에는 광개토왕이 요동 일대를 순행하며 개선하는 장면을 기술했는데, 지명 판독과 위치 비정을 둘러싸고 논란이 분분하다(여호규, 2005; 서영수, 2013a).

영락6년조는 백제를 정벌해 58성을 공취하고, 백제왕의 항복을 받은 사실을 기술했다. 정복범위에 대해 임진강 유역과 한강 북쪽으로 보는 견해가 제기된 가운데(이병도, 1975; 천관우, 1979), 이를 포함해 경기 서해안(박시형, 1966; 이인철, 1996), 북한강 유역(여호규, 2012), 충북 동북부(손영종, 1986a), 남한강 상류(이도학, 1988; 서영일, 2006), 충남 내륙(酒井改藏, 1955; 박성봉, 1979)까지 진격했다는 여러 견해가 제기되었다.

영락8년의 정토 대상인 '■신(■愼)'의 '■'자에 대해서는 '扁=息'(橫井忠直, 1889; 박시형, 1966)와 '帛'(水谷悌二郞, 1959; 王健群, 1984) 판독안이 대립하는 가운데, '肅'(武田幸男, 1989a; 임기중, 1995; 徐建新, 2006; 기경량, 2020) 판독안도 제기되었다. 그 실체에 대해서도 숙신(읍루)설(橫井忠直, 1889; 박시형, 1966; 천관우, 1979; 武田幸男, 1989a)과 한반도 중남부 정치체설(管政友, 1891; 今西龍, 1915; 濱田耕策, 1974; 서영수, 1982; 王健群, 1984; 김영하, 2012)로 나뉜다. 다만 어디로 비정하더라도 시찰(視察)을 뜻하는 '관(觀)'으로 표현했다는 점에서 일반적인 정복보다는 고구려에 편입된 세력과의 관계를 더욱 강화한 조치로 해석한다(천관우, 1979; 王健群, 1984).

영락9년조는 광개토왕이 왜와 화통한 백제를 압박하려고 평양에 순행했을 때, 신라가 사신을 보내 구원을 요청한 사실을 기술했다. 신라 사신이 말한 "왜인이 그 국경에 가득하여 성곽을 궤파해(또는 궤파하니)

노객을 민으로 삼으니(또는 노객을 민으로 삼아) 왕에게 귀의하여 명을 청하옵니다(倭人滿其國境, 潰破城池, 以奴客爲民, 歸王請命.)" 구절의 '민(民)'을 둘러싸고 논란이 분분하다. 일찍이 일본 학자들이 '왜의 신민이나 속민'으로 해석했는데(菅政友, 1891; 那珂通世, 1893), 정인보가 '고구려왕의 백성'으로 보는 견해를 제기해 국내와 북한 학계에서 널리 받아들여졌다(정인보, 1955; 박시형, 1966; 천관우, 1979).

영락10년조는 5만 대군을 보내 왜를 격퇴하고 신라를 구원한 사실을 기술했다. 3회나 나오는 '안라인수병' 구절이 핵심 쟁점이었는데, 일본 학자들은 '안라(가야)인 수병'으로 해석한 다음, 왜군에 종속된 별동대로 보아 임나일본부설을 논증하고 왜의 영향력을 강조하려 했다(那珂通世, 1893; 三宅米吉, 1898a). 이에 대한 비판으로 백제의 부용병으로 보는 견해가 제기되어 국내 학계에서 널리 받아들이기도 했다(천관우, 1979). 이런 가운데 중국의 왕건군이 "[고구려가] 신라인을 안치하여 수수(戍守)하게 했다"로 해석해 '신라인 수병설'을 제기했는데(王健群, 1984), 고구려 순라군설(高寬敏, 1990)이나 임나가라 수병설(이도학, 2006)로 발전하기도 했다(여호규, 2023c).

영락14년조는 왜가 백제와 연계하여 대방계(帶方界)를 침공하자, 광개토왕이 몸소 출정하여 왜를 격파한 상황을 기술했다. 대방계를 대동강 유역까지 포함하기도 하지만(菅政友, 1891; 那珂通世, 1893; 今西龍, 1915), 대체로 황해도 남쪽 해안지역으로 비정한다(손영종, 2001). 영락17년조는 정토 대상을 기술한 부분이 박락되었다. 대체로 영락14년조와 연계해 백제로 보는 견해가 우세하지만(三宅米吉, 1898a; 박시형, 1966; 王健群, 1984), 후연으로 보기도 한다(정두희, 1979; 천관우, 1979; 임기환, 1996; 공석구, 2012).

영락20년조는 동부여 정토 기사이다. 동부여의 실체는 일찍이 건국 설화의 동부여로 보는 견해가 제기되었지만(박시형, 1966), 점차 285년 북옥저로 피신한 부여 세력으로 보는 견해가 많아졌다(손영종, 1986a; 노태돈, 1989). 동부여의 위치는 종전에는 두만강 하류의 혼춘(琿春) 일대(천관우, 1979; 노태돈, 1989)로 보았지만, 연길(延吉)(김현숙, 2000; 여호규, 2017a)이나 목단강(牧丹江) 유역(손영종, 1986a; 임기환, 2012)으로 보는 견해가 제기되었다. 고구려에 내투한 5압로(鴨盧)의 실체는 성곽(那珂通世, 1893; 今西龍, 1915), 위호(位號)(三宅米吉, 1898a), 부족(이형구, 2014)으로 보는 견해가 있지만, 대체로 수장이나 귀족을 뜻하는 것으로 보인다(박시형, 1966; 이병도, 1975; 王健群, 1984).

무훈 기사의 마지막 구절인 "무릇(凡) 공파한 것은 성이 64, 촌이 1,400이다"라는 동부여 정토의 결과로 보기도 하지만(末松保和, 1959; 손영종, 1986a; 공석구, 1990), '범(凡)'이 총괄을 뜻하므로 영락5~20년의 정토를 총결산한 것으로 파악된다. 다만 성 64, 촌 1,400의 실체를 둘러싸고 다양한 논의가 전개되었는데, 크게 영락5년(600~700영), 영락6년(58성 700촌), 영락17년(6성)의 전과를 합한 것이라는 견해(武田幸男, 1989a) 및 영락6·17·20년의 전과를 합한 것이라는 견해(노태돈, 1999)로 나뉜다.

이상을 통해 무훈 기사의 쟁점을 살펴보았다. 종전 연구는 대체로 능비가 사실을 바탕으로 기술되었다는 전제 아래 진행되었다. 능비와 문헌사료가 다를 경우, 능비에 입각해 문헌사료를 비판하는 경향이 강했다. 그런데 『삼국사기』에 고구려와 백제가 390년대에 여러 차례 각축전을 벌인 것으로 나오지만, 능비에는 영락6년조에 일괄 기술했다(이기동, 1987). 더욱이 고구려는 400년 이후 후연과 치열한 각축전을 통해 요동평원을 확보했지만, 능비에는 관련 기술이 보이지 않는다. 이는 능비 찬자가 광개토왕의 훈적을 현창하기 위해 주변국과의 각축전을 통합 기술하거나 윤색했을 가능성을 시사한다.

이와 관련해 거란 정벌(전반부)과 요동 순행(후반부) 기사로 이루어진 영락5년조가 주목된다. 『삼국사기』에도 광개토왕 즉위년에 거란을 정벌했다고 나오므로 전반부 기사는 실제 사실을 반영한다고 파악된다. 다만 후반부의 요동 순행 기사를 바탕으로 고구려가 395년에 이미 요동평원을 점령했다고 보기도 하지만(김영하, 1985; 서영수, 1988; 武田幸男, 1989a; 임기환, 2013), 고구려가 후연을 공격해 요동평원을 점령한 시점은 400~402년으로 후반부 기사를 실제 사실로 보기는 어렵다(여호규, 2005; 노태돈, 2012).[23]

영락5년조에는 윤색된 부분이 섞여 있는 것이다. 대체로 능비 찬자가 첫 번째 무훈 기사에 고구려의 서쪽 방면인 거란 정벌과 요동 순행을 기술해 요하의 동방 지역을 고구려의 천하공간으로 상정한 다음, 조공·책봉관계를 맺었던 후연과의 각축전을 요동 순행으로 둔갑시켜 고구려 중심의 독자 천하관을 표방한 것으로 추정된다(여호규, 2009).

영락8년조도 주목된다. 정토 대상에 대해 논란이 분분한데, 대체로 '숙신(肅愼)'으로 그 실체는 읍루(挹婁)로 파악된다. 고구려 동북방의 읍루를 선진(先秦)시기의 숙신에 처음 비정한 것은 조위(曹魏)이다. 조위는 가장 동쪽의 읍루가 공헌(貢獻)하자, 숙신이 공헌한 것이라며 황제의 덕화(德化)가 천하에 미친 징표라고 내세웠다. 능비 찬자도 조위

---

23 고구려가 395년에는 요동평원의 북부만 점령했다는 절충설이 제기되기도 했다(이성제, 2012).

의 인식을 수용해 읍루를 숙신에 비정한 다음, 만주 일대의 여러 족속이 고구려 천하에 포섭된 것처럼 상정하고, 광개토왕의 덕화가 널리 미쳤다고 과시했다(여호규, 2017a).

이처럼 능비 찬자는 영락5년·8년조를 통해 고구려 중심의 독자 천하관을 표방했다. 신묘년조를 비롯한 무훈 기사에는 능비 찬자의 의도와 기획이 담겨 있는 것이다. 능비를 단순히 실제 사실을 기술한 사료가 아니라, 찬자를 비롯한 고구려인의 인식이나 천하관이 담긴 기록물로 바라볼 필요가 있다(노태돈, 1988; 1999). 이와 함께 능비 연구에 현재의 국가나 민족 단위의 역사의식을 과도하게 투영하기보다는 고구려인이 작성한 텍스트라는 관점에서 접근할 필요가 있다(李成市, 1994; 1996).

이와 관련해 종래 '논사(論事)'로 판독한 영락8년·10년조의 구절이 '영사(聆事)'로 새롭게 판독된 사실이 주목된다(고광의, 2014a; 2014b). '영사'는 주변국의 왕이나 수장이 직접 고구려에 와서 고구려 왕의 명을 들었다는 뜻인데, 신묘년조나 무훈 기사의 속민(屬民)과 조공(朝貢)의 의미를 새롭게 해석할 실마리를 제공한다. 종전에는 '속민'을 복속민이나 지배·예속적 관계를 뜻한다고 보고, 고구려가 지향한 이상적인 외교관계를 조공관계라고 이해했다(濱田耕策, 1974; 서영수, 1982; 양기석, 1983; 武田幸男, 1989a; 노태돈, 1999).

그렇지만 '속민'의 '속(屬)'은 '속하다'는 뜻으로 글자 자체에 지배·예속이라는 의미는 없다. 속민이라는 표현은 능비 찬자가 백제(백잔)나 신라가 고구려의 천하질서에 소속된 상태를 나타내기 위해 사용했고, 그 소속의 징표로 '조공'했다고 기술한 것이다. 고구려가 지향한 궁극적인 지배·예속적인 외교관계는 '영사'라는 용어에 잘 담겨 있다. 고구려가 영락10년의 구원전을 통해 신라를 예속국으로 삼은 다음, 신라왕이 직접 와서 고구려왕의 명을 듣는 '영사' 행위를 한 사실은 이를 잘 보여준다(여호규, 2023c).

그러므로 능비 연구를 더욱 심화시키기 위해서는 능비에 담긴 찬자의 인식과 실제 역사적 사실 사이의 간극을 더욱 면밀하게 검토할 필요가 있다. 여전히 논란 중인 신묘년조도 이러한 관점을 견지하며 분석해야 다수 연구자가 공감할 수 있는 해석안을 마련할 수 있을 것이다. 이와 함께 하마다 고사쿠와 서영수가 전치문설과 집약문설을 제시한 것처럼 무훈 기사의 서사구조를 더욱 체계적으로 분석할 필요가 있다. 무훈 기사는 한대의 묘비 형식을 빌린 측면과 함께, 과거(서문), 현재(무훈 기사), 미래(수묘 기사)라는 시간의 흐름까지 고려해 작성한 면모가 확인되기 때문이다(임기환, 2014a).

### 3) 집안고구려비의 내용과 성격

집안고구려비(이하 '집안비')는 2012년 집안분지 서쪽의 마선하(麻線河)에서 발견되었다. 다만 넘어진 채 묻혀 있었다는 점에서 발견 지점을 건립 장소로 보기는 어렵다. 비석은 화강암으로 만들었는데, 편평한 장방형으로 비수(碑首)는 규형(圭形)이다. 잔고(殘高)는 173cm, 너비는 60.6~66.5cm로 정면과 뒷면에 비문을 새긴 2면비이다. 정면은 10행으로 1~9행은 행당 22자, 10행은 20자로 총 218자인데, 우상단 10자는 깨져 판독할 수 없다. 뒷면도 판독하기 힘들 정도로 심하게 마멸되었다(集安市博物館 편저, 2013).

집안비도 광개토왕릉비처럼 서문과 본문 1·2로 이루어져 있다. 서문에는 건국설화와 왕위계승을 압축적으로 기술했다. "시조 추모왕이 나라를 개창하셨도다(始祖鄒牟王之創基也.)"라는 구절은 능비와 일치하는 표현이지만, '천도(天道)'나 '원왕(元王)'은 능비에 없는 표현이다. 본문 1은 광개토왕 대 이전 수묘제의 시행 양상을 기술한 것인데, '사시제사(四時祭祀)' 구절은 능묘제사의 시행을 전한다는 점에서 많은 주목을 받았다.

본문 2는 광개토왕이 수묘제를 수복(修復)한 양상을 기술했는데, 관련 법령의 발포, 수묘비의 건립, 수묘인 매매금지령으로 구성되어 있다. 이 가운데 수묘비 건립과 수묘인 매매금지령과 관련한 기사는 능비의 수묘 기사와 거의 같다. 종전에 광개토왕이 "역대 선왕의 능묘에 수묘비를 건립하고 수묘인 매매금지령을 시행했다"는 능비의 기사를 신빙하지 않기도 했는데, 집안비의 발견으로 사실로 확인되었다.

이처럼 집안비는 능비와 겹치는 내용이 많다. 이에 두 비문을 비교하여 건국설화와 수묘제를 고찰한 연구가 많이 이루어졌다. 다만 마멸로 인해 판독하기 힘든 글자가 많아 집안비의 내용, 건립시기, 성격을 둘러싸고 논란이 분분하다(강진원, 2013; 여호규, 2016).

집안비 보고서에서는 7행 10~11자의 간지(干支)를 '무자(戊子: 고국양왕5, 388)'로 판독한 다음, 고국양왕이 수묘제에 관한 법률을 제정했고, 광개토왕이 이를 바탕으로 수묘비를 건립했다고 보았다. 그리고 비석 발견 지점을 천추총의 수묘인 거주구역으로 상정한 다음, 광개토왕이 부왕(고국양왕)의 무덤(천추총)에 건립한 수묘비로 파악했다. 집안비는 광개토왕이 역대 선왕의 능묘에 세웠다는 수묘비의 하나라는 것이다.

여러 중국 학자가 보고서를 바탕으로 심화 연구를 진행했다. 1차 조사를 주도한 경철화는 7행 10~11자를 '무신(戊申: 광개토왕18, 408)'으로 판독해 이해에 수묘제 관련 법률을 제정하고 수묘비를 건립했다고 보는 한편, 5행 7~11자의 '국강상태왕(國岡上太王)'을 광개토왕으로 비정해 5~6행에 광개토왕의 공적을 기술했다고 보았다(耿鐵華, 2013c). 임운은 7행 4~8자를 '계묘세간석(癸卯歲刊石)'으로 판독해 광개토왕 13년(403)에 건립했다고 보는 한편, 5행 7~11자의 '국강상태왕'을 고국원왕으로 비정해 고국원왕릉(천추총)의 수묘비로 보았다(林澐, 2013).

이에 대해 장수왕이 건립했다는 반론이 제기되었다. 손인걸은 7행 4~8자를 '정묘세간석(丁卯歲刊石)'으로 판독해 장수왕 15년(427)에 건립했다고 상정하며, 평양 천도에 앞서 율령과 수묘제를 강화하기 위해 세운 율령비로 보았다(孫仁杰, 2013b; 2013c). 장복유도 유사한 견해를 제기했는데, 다만 7행 10~11자를 '무신(戊申)'으로 판독해 광개토왕 18년에 수묘제 관련 율령을 제정했다고 보았다(張福有, 2013c).[24]

국내 학계에서도 광개토왕대건립설과 장수왕대건립설이 양립했는데, 광개토왕대설이 우세한 편이다. 특히 장수왕대설의 핵심 논거인 7행 4~8자의 '정묘세간석' 판독안은 거의 받아들여지지 않고 있다. 대체로 7행 4~8자를 '호태성왕왈(好太聖王曰)'로 판독해 광개토왕이 건립했다고 파악하는 한편, 5행의 '국강상태왕'은 고국원왕으로 보았다(윤용구, 2013; 여호규, 2013; 이성제, 2013). 또 수묘제 규정이 능비보다 상세하지 않은 점에 주목해 집안비가 먼저 건립되었다고 보는 한편(공

---

[24] 徐建新, 2013; 魏存成, 2013; 李新全, 2013; 朴眞奭, 2014도 조금씩 차이는 있지만, 장수왕 대에 건립한 율령비나 수묘연호 관리비, 고계비(告誡碑)로 보았다.

석구, 2013a; 정호섭, 2013), 능비에 언급된 수묘제의 문제점 중 차착(差錯)과 매매(賣買) 현상에 대한 대책만 있고, 쇠잔(衰殘: 贏劣甚衰)현상에 대한 대책이 없다는 사실도 지적되었다(홍승우, 2013; 김창석, 2015).

　이처럼 국내 학계는 광개토왕대건립설이 우세하다. 다만 그 성격에 대해서는 특정 왕릉의 수묘비로 보기도 하지만(여호규, 2013; 공석구, 2013a), 수묘제에 관한 법령이나 교령을 알리기 위한 비석이라는 견해가 다수 제기되었다(정호섭, 2013; 이성제, 2013; 조우연, 2013; 임기환, 2014b; 기경량, 2014).

　한편 장수왕대건립론자는 7행 4~8자의 '정묘세간석' 판독안을 받아들이는 한편(선주선, 2013; 정현숙, 2013; 권인한, 2016), 집안비의 문장이 능비보다 더 정형화되었다는 점을 근거로 들었다(서영수, 2013b; 정현숙 외, 2013). 또 7~8행의 '기수복각어【선왕묘상】입비(其脩復各於【先王墓上】立碑)' 구절을 광개토왕이 건립한 수묘비를 장수왕이 수복했다는 의미로 해석하고(김현숙, 2013b), 수묘인 매매금지법은 장수왕이 시행한 것이라고 보기도 한다(이천우, 2016).

　이처럼 집안비의 건립시기는 광개토왕대설과 장수왕대설로 나뉘는데, 중국 학계는 장수왕대설이 우세한 반면, 한국 학계는 광개토왕대설이 우세하다. 다만 광개토왕대설의 경우, 중국 학계는 모두 특정 왕릉의 수묘비로 보는 반면, 한국 학계는 수묘비로 보지 않는 견해도 다수 제기되었다. 장수왕대설은 한중 모두 수묘비로 보지 않는다.

　광개토왕대설과 장수왕대설의 핵심 쟁점은 능비와의 관계 설정이다. 그런데 두 비문의 용어나 문장을 비교하면, 집안비에는 '연호두(烟戶頭)'처럼 능비보다 앞선 것으로 보이는 표현이 다수 확인된다(공석구, 2013a). 또 능비 찬자가 집안비의 문장을 운문식으로 다듬은 사실도 확인할 수 있다(여호규, 2013; 2015). 더욱이 7행 4~8자는 '정묘세간석'보다 '호태성왕왈'로 판독될 가능성이 더 높다. 특히 중국 학자들은 5행의 '국강상태왕'을 대부분 광개토왕으로 보지만, 이는 고국원왕의 시호가 '국강상성태왕(國岡上聖太王: 國岡上王)'임을 간과한 결과이다. 5행의 '국강상태왕'은 고국원왕으로 보는 것이 타당하다.

　비석의 성격에 대해서는 수묘비설과 비수묘비설로 대별된다. 수묘비설은 "각【선왕의 묘】에 비석을 세우고 그 연호두 20명을 새겼다(各於【先王墓上】立碑, 銘其烟戶頭廿人名.)"는 구절이, 광개토왕이 "역대 선왕을 위해 능묘에 비석을 세우고 연호를 새겼다"는 능비의 구절에 해당한다며 수묘비의 하나로 파악한다. 이에 대해 비수묘비설은 특정 왕릉과 관련된 표현이 없고, 수묘제와 관련한 일반 법령을 기술했으며, 비석의 발견 위치가 특정 초대형 적석묘와 멀리 떨어진 마선구고분군의 중심이라는 점을 논거로 제시하고 있다.

　수묘비설과 비수묘비설은 상반된 논거를 제시하고 있는데, 양자 모두 논거를 보완할 필요가 있다. 비수묘비설의 경우 광개토왕이 역대 왕릉에 여러 수묘비를 동시에 건립했다면, 앞면에 동일한 내용, 뒷면에 특정 왕릉과 관련한 사항을 새겼을 가능성에 유의할 필요가 있다. 수묘비설의 경우, 비석 발견 위치가 왕릉급 초대형 적석묘와 멀다는 지적에 대해 적절한 답변을 해야 할 필요가 있다. 이와 관련해 비석이 넘어진 상태에서 발견된 만큼 원위치를 다각도로 검토해야 하며, 능역(陵域)의 범위도 새로운 접근이 필요하다.

### 4) 건국설화의 정립과 수묘제의 정비 양상

능비는 집안비와 중복되는 기사가 많은데, 특히 서문의 건국설화와 본문의 수묘인연호 관련 기사에는 문장이 같은 구절이 상당수 있다. 이에 능비와 집안비의 비교를 통해 건국설화와 수묘제를 고찰하는 연구가 많이 이루어졌다.

고구려 건국설화는 여러 문헌과 금석문에 전한다. 5세기에 작성된 능비와 모두루묘지에는 시조 추모왕(주몽)의 아버지가 천제(天帝)나 햇빛으로 상정된 반면,[25] 이보다 늦게 편찬된 『구삼국사』나 『삼국사기』에는 천제의 아들인 해모수(解慕漱)로 인격화되었다. 이에 일찍부터 양자의 관계를 둘러싸고 다양한 논의가 전개되었는데, 능비나 모두루묘지의 건국설화가 천제와 시조를 직접 연결시킨 더 시원적인 것이고, 시조의 아버지를 인격화하여 해모수로 설정한 『구삼국사』나 『삼국사기』의 건국설화는 더 늦게 성립된 것으로 이해한다(박시형, 1966; 서영대, 1991; 노태돈, 1999).

그런데 집안비는 건국설화를 "필연적으로 천도(天道)를 내려주시니, 스스로 원왕(元王)을 계승하여 시조 추모왕이 나라를 개창하셨다"라고 서술했다. '천도를 내려주시니'는 종전에 보이지 않던 표현이다. 천도가 천리(天理)를 뜻한다는 점에 주목해 '하늘이나 자연의 운동규율'로 파악하기도 한다(耿鐵華, 2013a; 王春燕·呂文秀, 2013). 또 전한 동중서(董仲舒)의 천도론에 의거한 표현으로 "만물의 조물주(元=天)가 시조에

---

[25] 435년 평양성을 방문했던 이오(李敖)의 전승을 바탕으로 작성된 『위서』 고구려전의 건국설화도 동일하다.

게 인간 세상을 운영하는 근거인 천도를 수여했다"는 뜻이며, 다른 고구려 건국설화의 "천제께서 보록을 주셨다(天帝授籙)"와 같은 표현이라고 이해하기도 한다(여호규, 2013; 조우연, 2013).

'원왕'도 종전에 보이지 않던 용어이다. 원왕을 시조 추모왕(張福有, 2013c; 王春燕·呂文秀, 2013)이나 고국양왕(梁志龍·靳軍, 2013)으로 보기도 하는데, 문장구조상 원왕과 시조 추모왕을 동일시하기 어렵고, 건국설화에 후대 왕이 등장한다고 보기도 어렵다. 이에 부여계 원조인 동명(東明: 장병진, 2016), 해모수나 유화부인(조우연, 2013; 정호섭, 2014), 고구려 왕실의 조상신(권인한, 2016)으로 상정하기도 한다. 그런데 원신(元神)이 천제를 뜻한다는 점에서 원왕도 '천(天)'과 관련한 표현으로 동중서의 '元(만물의 본원)' 개념을 모티브로 창출한 '천제'에 상응한 용어라고 파악된다(여호규, 2013).

이처럼 집안비는 천도나 원왕 등 유교식 용어를 거의 그대로 사용해 건국설화를 기술했다. 그런데 한대 유학사상의 군주관은 천명론과 왕도정치론에 입각하고 있지만, 고구려의 군주관은 시조가 천제의 혈연적 후손이라는 인식을 바탕으로 성립하였다. 이에 따라 인의(仁義)를 핵심으로 하는 유교식 용어로는 시조의 신성성을 표현하기 힘들었다. 이에 능비에서는 유교식 용어를 '성(聖)'이나 '도(道)'와 같이 다중적 의미를 갖는 용어로 변용하여 고구려 시조와 후대 왕들의 신성성을 묘사하고, 고구려 천하의 운영원리를 표현했다. 집안비의 건국설화가 유교사상 수용의 초기적 모습을 보여준다면, 능비의 건국설화는 유교사상에 대한 이해가 깊어지면서 이를 변용한 양상을 반영한다(여호규, 2015).

시조 이후의 왕위계승을 능비에서는 "고명을 받은 세자 유류왕(儒留

王)은 도로써 나라를 잘 다스렸고, 대주류왕(大朱留王)은 왕업을 계승하여 발전시켰다. 17세손에 이르러 국강상광개토경평안호태왕이 18세에 왕위에 올랐다"라고 서술했다. 이 구절은 시조를 정점으로 하는 일계적 왕통의식을 보여주는데, 집안비의 "후사로 이어져 서로 계승했다(繼胤相承)"도 같은 뜻이다. 이로 보아 능비 찬자가 시조 추모왕의 승천, 왕위계승, 광개토왕의 행장을 한 단락으로 묶어 기술한 것은 추모왕의 신성성이 광개토왕에까지 면면이 계승되었다는 일계적 왕통의 유구성을 강조하기 위한 필법으로 이해된다.

능비의 유류왕은 『삼국사기』의 제2대 유리명왕, 대주류왕은 제3대 대무신왕으로 비정되는데, 『삼국사기』의 고구려 초기 왕계는 능비를 건립하던 5세기 초에 이미 정립되어 있었던 것이다. 다만 『삼국사기』의 계보상 광개토왕은 추모왕(동명성왕)의 13대손으로 혈연관계만 놓고 본다면 '17세손'이라는 표현은 성립하기 힘들다. 이에 '17세손'에 대해 다양한 견해가 제기되었는데(武田幸男, 1989a; 노태돈, 1999), 대체로 대무신왕을 기준으로 헤아린 왕대 수로 이해된다(橫井忠直, 1889; 今西龍, 1915; 박시형, 1966).[26]

능비 찬자는 혈연관계가 아니라, 선왕과 차기왕의 관계를 사자(嗣子)로 파악하던 전통적인 왕위계승 인식을 바탕으로 일계적 왕통의식을 확립한 것이다(여호규, 2014a). 그런 다음 능비 찬자는 광개토왕의 훈적

---

[26] 북한 학계는 1980년대 이후 '17세손'을 혈연상의 세대수로 보아 『삼국사기』의 왕계에 다섯 왕을 추가해 건국연대를 기원전 277년으로 소급시켰다(채희국, 1988; 손영종, 1990). 그렇지만 유류왕과 유리명왕, 대주류왕과 대무신왕을 다른 왕으로 보기는 힘들다.

을 총괄해 "[왕의] 은택이 하늘(皇天)에까지 통하였고[27] 위무는 사해(四海)에 떨쳤다"라고 서술했는데, 고구려 중심의 독자적인 천하관을 잘 보여준다(양기석, 1983; 노태돈, 1988). 이처럼 능비 찬자는 집안비 단계의 유교식 용어를 변용해 천제의 혈연을 이은 시조의 신성성이 광개토왕에까지 면면이 이어졌고, 이를 바탕으로 고구려 중심의 독자적인 천하관을 상정했다.

한편 집안비와 능비의 수묘제 기사도 겹치는 부분이 많다. 다만 집안비는 수묘제 시행 초기의 양상도 기술했지만(본문 1), 능비는 광개토왕 대의 양상만 기술했다. 이에 집안비를 통해 수묘제 초창기의 모습을 고찰한 연구가 다수 이루어졌다. 먼저 '사시제사(四時祭祀)'라는 구절을 통해 수묘제 시행 초기에 능묘제사가 중시되었을 것으로 파악했다(공석구, 2013a; 강진원, 2014). 그에 이어 "세월이 오래되어 … 연호가 … 열악하고 매우 쇠약해졌다(劣甚衰)"라고 서술했는데, 일찍부터 수묘제가 문란해졌음을 전한다(여호규, 2013).

집안비의 5행에는 국강상태왕 등 3명의 왕이 나온다. 중국 학자들은 대부분 국강상태왕을 광개토왕의 시호로 보지만, 이 견해는 집안비가 장수왕 대에 건립되었다고 볼 경우에만 성립한다. 이에 국내 학계에서는 국강상태왕을 고국원왕으로 비정한 다음, 그 앞뒤의 왕을 미천왕과 소수림왕(또는 고국양왕)에 비정한다(여호규, 2013; 이성제, 2013; 조우연, 2013). 그러면서 5행 하단과 6행의 '흥동서(興東西)'와 '세실(世室: 종묘)'을 연결해 "수묘제 문란으로 능묘의 제사시설이 망실되자 종묘제를

---

[27] '격우황천(格于皇天)'은 『서경(書經)』 권10 상서(商書)와 권16 주서(周書)에 나오는 표현이다.

새롭게 정비한" 것으로 파악했다(여호규, 2013; 이성제, 2013). 이에 따라 수묘제 시행 초기의 능묘제사가 종묘제사로 전환했다고 보았다(공석구, 2013a; 강진원, 2014).

집안비의 본문 2는 광개토왕이 수묘제를 수복하기 위해 율(律)·영(令)의 제정과 발포, 수묘비 건립, 수묘인연호 매매금지령 제정을 시행한 사실을 기술했는데, 상응한 내용이 능비에서 모두 확인된다. 다만 집안비는 광개토왕의 교령을 직접 전하는 방식으로 기술한 반면, 능비는 이를 축약해 4·6자의 운문체로 작성했다. 능비 찬자가 집안비에 전하는 광개토왕의 교령을 바탕으로 수묘 기사를 작성한 것이다. 이는 집안비가 광개토왕이 수묘제를 수복하며 건립한 수묘비 가운데 하나였을 가능성을 시사한다(여호규, 2013).

종전에는 광개토왕이 역대 능묘에 건립했다는 수묘비가 발견되지 않아 실제로는 시행하지 않았다고 보기도 했다(박시형, 1966; 김현숙, 1989; 이도학, 2002; 기경량, 2010). 또 수묘인 매매금지령을 광개토왕이 아니라 장수왕이 제정했다고 파악하기도 했다(노중국, 1979; 김현숙, 1989). 그렇지만 집안비의 발견으로 수묘비의 건립과 수묘인 매매금지령 모두 광개토왕에 의해 이루어졌음이 밝혀졌다.

집안비 7행의 "무자년에 율(律)을 제정한 이래, 조정에 교하여 영(令)을 발포하여 다시 수복하였다"는 구절은 고구려 율·령의 성격과 관련해 많은 주목을 받았다. 종전의 통설처럼 '율'을 형법전, '영'을 행정법전으로 보는 가운데(김수태, 2013), 진·한대의 단행법(單行法)체계에 주목하여 왕명에 기초한 단행법령을 집성한 것(홍승우, 2013; 2016; 전덕재, 2015)이나 교령법(敎令法)(김창석, 2014)으로 이해한 견해가 제기되었다.

집안비 7~8행의 "각【선왕의 묘상】에 비석을 건립하고 연호두 20명의 명단을 새겨 후세에 전한다"는 구절의 '연호두(烟戶頭)'는 처음 확인된 용어인데, 호주설과 관리자·대표자설로 나뉜다. 호주설의 경우, 국내 학자들은 '연호두 20명'을 각 왕릉에 배치된 수묘인연호 전체의 호주 명단(여호규, 2013; 공석구, 2013a; 임기환, 2014b)으로 보는 반면, 중국 학자들은 능비의 국연(國烟)과 간연(看烟) 중 국연의 호주(耿鐵華·董峰, 2013; 林澐, 2013)라고 보았다. 한국 학자들이 각 능묘에 배치된 수묘인연호를 20가로 파악한 반면, 중국 학자들은 국연 20가에 간연 200가, 총 220가로 상정한 것이다. 다만 양자 모두 집안비는 광개토왕이 건립한 수묘비로 연호두 명단을 비석 뒷면에 새겼다고 보았다.

관리자·대표자설은 '호두'가 호주를 뜻하는 용어로 사용된 것은 수(隋)대이고, 고구려에서는 '두(頭)'자가 '영두(領頭)'라는 뜻으로 사용되었음을 강조한다. '연호두 20명'은 각 왕릉 수묘인연호의 관리자나 대표자로 도성 지역의 왕릉 전체를 아울렀다는 것이다. 이에 집안비의 성격도 여러 왕릉을 아우른 율령비(교령비)로 이해한다(김현숙, 2013b; 이성제, 2013; 정호섭, 2013; 孫仁杰, 2013c; 荊目美行, 2015; 張福有, 2013c; 徐建新, 2013).

이처럼 '연호두'에 대한 견해는 호주설과 대표자·관리자설로 나뉘는데, 능비에 기술된 수묘인연호의 성격에 대한 이해와 연관되어 있다. 능비의 수묘인연호 기사에 따르면 광개토왕은 예전부터 수묘역을 수행한 구민(舊民)의 몰락을 염려해 자신이 몸소 약취(略取)한 신래한예(新來韓穢)만 징발하라고 유언했다. 이에 장수왕이 신래한예 220가를 뽑았다가, 법칙을 모를까 염려해 구민 110가를 더해 총 국연 30가, 간연 300가를 징발했다. 능비 건립 당시 수묘인연호가 국연과 간연으로 구분된 것인데, 이에 국연과 간연의 성격 및 330가의 편성방식을 둘러싸고 다양한 견해가 제기되었다.

일반적으로 국연과 간연은 본래 신분적으로 차이가 있고, 국연이 감독자나 관리자라면 간연은 실제 수묘역을 담당했다고 이해한다(那珂通世, 1893; 武田幸男, 1989a; 조인성, 1988; 김현숙, 1989). 이에 대해 국연만 수묘역을 수행했고, 간연은 국연의 보조자(박시형, 1966; 조법종, 1995), 예비 수묘호(김락기, 2006), 원거주지에 머무른 자(이도학, 2020)로 이해하기도 한다. 또 국연은 광개토왕릉, 간연은 다른 왕릉을 수묘했다고 보기도 한다(기경량, 2010; 2014). 수묘역의 수행방식도 천사설(遷徙說)이 우세한 가운데, 번상입역설(番上立役說)도 제기되었다(박시형, 1988; 임기환, 1994; 손영종, 1986b).[28]

330가의 편성방식에 대해서는 국연 3가(구민 1가, 신래한예 2가)와 간연 30가(구민 10가, 신래한예 20가)를 합해 33가로 1개조씩 총 10개조를 편성했다는 견해(박시형, 1966; 조인성, 1988; 武田幸男, 1989a)가 우세한 가운데, 구민 10가와 신래한예 20가를 합해 30가를 1개씩 총 11개조를 편성했다는 설(기경량, 2010; 2014)도 제기되었다. 또 330가가 수묘하는 대상에 대해서는 광개토왕릉만 수묘했다는 견해(손영종, 1986b; 임기환, 1994; 조법종, 1995; 김락기, 2006; 공석구, 2013b)와 집안 지역의 왕릉 전체를 수묘했다는 견해(조인성, 1988; 김현숙, 1989; 이성시, 2008)가 팽팽히 맞서고 있다. 특히 후자의 경우 수묘연호 편성조직을 10개

---

[28] 일반적으로 정복지역에 거주하던 신래한예를 수묘인연호로 징발했다고 보지만, 고구려 영역으로 이주시킨 신래한예를 수묘인연호로 차정했다고 보기도 한다(박시형, 1966; 기경량, 2014).

조로 상정해 산상왕대국내천도설을 뒷받침하거나(이성시, 2008), 11개 조로 상정해 신대왕대국내천도설을 주장하기도 했다(기경량, 2010).[29]

이처럼 능비의 국연·간연의 성격, 330가의 편성방식과 수묘 대상에 대해 논란이 분분한데, 집안비에 따르면 각 선왕의 능묘에 비석을 건립하고 연호두 20명의 명단을 새겼다고 한다. 연호두를 일반 수묘인연호의 호주로 보면 각 능묘에 배치된 수묘인연호의 수는 20가가 된다. 반면 연호두를 능비의 국연에 해당하는 관리자·대표자로 본다면 각 능묘에 배치된 수묘인연호의 수는 간연 200가를 포함해 220가가 된다.

그런데 고구려 신대왕이 국상 명림답부의 무덤에 수묘호 20가를 배치한 사례나 신라 문무왕이 역대 선왕의 능원에 각각 20가를 안치한 사례를 참조하면,[30] 수묘인연호의 기본단위는 20가였을 가능성이 높다. 집안비의 연호두 20명은 각 능묘에 배치된 수묘인연호 20가의 호주일 가능성이 큰 것이다. 능비의 경우, 신래한예에서 차출한 간연 20가가 실제 수묘역을 담당하는 자이고, 국연 2가는 이를 감독하거나 관리하는 자, 그리고 구민 11가(국연 1가, 간연 10가)는 신래한예를 도와주는 보조자였다고 파악된다. 능비의 330가는 10개조로 나뉘어져 집안 지역의 왕릉 전체를 수묘했을 가능성이 높은 것이다.

이렇게 본다면 집안비와 능비 사이에 미묘한 변화가 일어났음을 알 수 있다. 집안비는 연호두 20명이 이끄는 20가가 각 능묘를 수묘하던 기본단위인 반면, 능비는 신래한예로 이루어진 국연 2가와 간연 20가 총 22가가 기본단위이고 구민 11가(국연 1가와 간연 10가)는 이를 도와

---

[29] 이상에 대한 상세한 연구사 정리는 공석구, 2011; 정호섭, 2012 참조.
[30] 『삼국사기』 고구려본기4 신대왕15년 9월조 및 신라본기6 문무왕4년 2월조.

주는 역할을 담당한 것이다. 집안비의 연호두가 능비의 국연과 간연으로 분화했다고 상정할 수 있는데(공석구, 2013a; 임기환, 2014b), 장수왕대 초기 수묘제의 재정비와 관련해 매우 주목되는 양상이다.

한편 집안비의 8~10행에는 수묘인연호 매매금지령을 명시했는데, 능비의 기술 내용과 거의 같다. 매매 대상에 대해서는 다양한 견해가 제기되었는데, 일반적으로 수묘인 자신의 인신(人身)이나 노동력(김현숙, 1989; 기경량, 2010; 정호섭, 2012)으로 보지만, 수묘호에 지급한 토지(조법종, 1995), 수묘호가 소유한 동산(動産: 이인철, 1997)으로 보기도 한다. 매매 대상을 사는 주체는 두 비석에 모두 "부족지자(富足之者)"라고 명시했는데, 대체로 도성의 귀족(武田幸男, 1979; 김현숙, 1989; 李成市, 2008; 공석구, 2011)으로 보지만, 수묘인 가운데 부자(김석형, 1974), 지방의 세력가나 호민(임기환, 1994)으로 보기도 한다. 또 주로 수묘인 사이에 수묘역을 거래하는 행위를 금지한 것이며, 부족지자로 불린 귀족이 매매하는 경우는 드물었다고 보기도 한다(기경량, 2014).

두 비석 모두 금지령 위반자에 대한 처벌규정이 있지만, 집안비는 약간 모호하게 서술했다. 양자를 비교하면 집안비의 "후세토록 … 계사하게 한다(後世継嗣■■)"는 구절이 능비의 "산 자는 왕명으로 수묘하게 하라(買人制令守墓之)"에 상응하고, 집안비의 "그 비문을 보아 죄과를 부여한다(看其碑文, 与其罪過.)"는 구절은 능비의 "판 자는 형벌에 처한다(賣者刑之)"에 해당함을 알 수 있다. 죄과를 부여할 때 본다는 '그 비문'의 실체가 논란인데, 장수왕대건립론자는 능비 말미의 처벌규정이라고 본 반면, 광개토왕대건립론자는 각 왕릉에 건립한 수묘비의 뒷면에 새긴 수묘연호두 명단으로 파악했다.

## 4. 충주고구려비의 구성 내용과 건립시기

### 1) 충주고구려비의 단락 구성과 내용

충주고구려비(옛 중원고구려비, 이하 '충주비')는 1979년에 충북 충주시(당시 지명은 중원군 가금면 용전리 입석부락)에서 발견되었다. 비석은 마을 입구에 세워져 있었는데, 글자가 없는 백비(白碑)로 여겨졌다. 단국대학교 학술조사단이 예성동호회의 연락을 받고 판독작업을 진행하여 고려(高麗)라는 국명과 대사자(大使者), 발위사자(拔位使者), 대형(大兄) 등 고구려 관등명을 판독해 고구려비임을 밝혀냈다(정영호, 1979).

충주비는 남한 유일의 고구려비로 큰 관심을 끌었다. 내용상으로도 '동이(東夷) 매금(寐錦)'이나 '신라토내당주(新羅土內幢主)' 등은 고구려의 천하관이나 신라와의 외교관계와 관련해 많은 주목을 받았고(노태돈, 1999), 상기 관등명이나 '고모루성수사(古牟婁城守事)'는 관등제나 지방제도와 관련해 많은 주목을 받았다(임기환, 2004; 김현숙, 2005). 충주비가 고구려사 연구에 획기적인 자료를 제공한 것이다(장창은, 2006).

충주비는 높이 2m 정도의 사각기둥 모양으로 광개토왕릉비의 축소모형 같다. 다만 오랜 풍화로 인해 글자가 많이 마멸되었다. 전면(前面)과 좌측면에서는 글자를 다수 판독했지만, 우측면과 후면에는 판독 가능한 글자가 거의 없다. 이에 비면의 수를 3면비로 보기도 했는데(변태섭, 1979; 신형식, 1979), 대체로 후면에도 각자의 흔적이 있다고 보아 4면비로 본다(정영호, 1979; 임창순, 1979; 이기백, 1979).

시작면에 대해서도 논란이 분분했다. 전면 상단에 제액(題額)이 있다고 보아 전면을 시작면으로 보기도 했지만(이병도, 1979; 이호영, 1979), 널리 받아들여지지 못했다. 이에 전면의 서두가 연도 없이 '오월(五月)'로 시작하므로 시작면으로 볼 수 없고, 좌측면 마지막 행 하단에 공격(空隔)이 있으므로 마지막 면일 가능성이 있다면서, 우측면(이기백, 1979)이나 후면(정영호, 1979)을 시작면으로 상정하기도 했다.

충주비는 비면의 수와 시작면도 확정하지 못할 정도로 마멸이 심한 상태이다. 이로 인해 발견된 지 40년이 지났지만, 여전히 무수한 논란을 안고 있다. 더욱이 비석이 발견된 1979년을 비롯해 2000년(고구려연구회 편, 2000), 2019년 동북아역사재단·한국고대사학회 공동판독회(동북아역사재단 한국고중세사연구소, 2020; 동북아역사재단, 2021) 등 세 차례 판독회가 열렸는데, 그때마다 판독 내용이 조금씩 달라졌다.

가령 전면 1행 1~10자는 비석 건립시기와 관련해 가장 중요한 부분인데, 1979년에는 '고려대왕상왕공(高麗大王相王公)'이나 '고려대왕조왕령(高麗大王祖王令)'으로 판독했다. 2000년 판독회 이후 '고려대왕조왕령' 판독안이 널리 수용되었지만, 2019년 판독회에서 다시 '고려대왕조왕공(高麗大王祖王公)' 판독안이 유력해졌다. 또 '신유년(辛酉年)'으로 판독되었던 좌측면 3행 7~9자도 2019년에 '공이백육십(功二百六十)'으로 판독되었다.

이처럼 충주비는 판독하기 힘든 글자가 많을 뿐 아니라, 판독이 여러 차례 달라졌다. 그러므로 이 글에서 충주비의 판독 및 그에 따른 여러 견해를 모두 소개하기는 어렵다.[31] 이에 2019년에 진행한 공동판독

---

[31] 2005년까지의 여러 견해는 장창은, 2005·2006에 잘 정리되어 있다.

회와 필자의 판독을 바탕으로 비문의 단락 구성과 내용을 살펴본 다음, 핵심 쟁점인 건립시기와 그 성격을 검토하고자 한다.[32]

충주비는 크게 모년(某年) 사건을 기술한 A단락, 신유년 대고추가 공(共)의 군사활동을 기술한 B단락으로 나눌 수 있다. A단락은 다시 5월에 고구려왕과 신라왕이 '궤영(跪營)'에서 거행한 복속의례를 기술한 A1, 12월에 신라 우벌성(于伐城)에서 시행한 모인(募人)활동을 기술한 A2로 나뉜다. 이 중 A1 문단은 다시 7개 구절로 구분된다.

서두에는 고려대왕의 조왕(祖王)과 공(共)이 신라 매금(寐錦)과 만나 수천(守天)하기를 원해 동쪽으로 온 상황을 기술했는데, A1 문단의 도입부이다. 그다음 신라왕인 매금 기(忌),[33] 고구려의 태자 공(共),[34] 전부(前部) 대사자 다우환노가 궤영에 이른 사실을 서술했다. 이들의 행위를 고구려왕보다 먼저 궤영에 도착해 준비한 것으로 보기도 한다(임기환, 2000). 그런데 궤영은 고구려왕이 신라 매금으로부터 복속의례를 받는 장소이다(시노하라 히로카타, 2000). 당(唐)의 사례를 참조하면(石見淸有, 1998), 의례 주관자인 고구려왕이 먼저 궤영에 자리잡은 다음, 신라 매금 등이 입장한 것으로 보인다(이성제, 2020).

그에 이어 고구려왕이 신라왕 등에게 각종 위세품을 하사하며 복속의례를 거행한 장면을 네 구절로 묘사했다. 신라왕인 매금 기에게 태곽추(太霍鄒)라는 위세품을 하사한 장면, 기에게 식사와 의복을 하사하자 다른 노객인(奴客人)처럼 고구려왕에게 순종한 사실, 기를 수행한 신라

---

[32] 충주비의 비문 판독과 내용은 여호규, 2020에 의거하였음을 밝혀둔다.
[33] '기(忌)'를 '꺼리다'로 해석(이용현, 2020b)하기도 하는데, 내용 이해가 완전히 달라진다.
[34] 최근 '공(共)'을 신라의 태자로 보는 견해가 제기되었다(이재환, 2021; 하시모토 시게루, 2022).

의 신료에게 의복을 하사한 장면, 신라 매금에게 귀국한 다음[35] 신라 영토 내의 제중인(諸衆人)에게 위세품을 하사하도록 한 장면 등이다. 그리고 마지막으로 고구려의 대위와 제위[36]에게 예복을 갖추어 입고 궤영에서 교를 받들도록 하여 복속의례를 마무리했음을 서술했다.

A2 문단은 12월 우벌성에서 일어난 사건을 서술했다. 5월 사건과 같은 해에 일어났고, 동일 인물이 참석했다는 점에서 복속의례에 따른 서약을 집행한 상황으로 파악된다(시노하라 히로카타, 2000; 임기환, 2000). A2 문단은 5개 구절로 구분된다. 첫머리에는 "12월 23일 갑인일에 동이 매금의 상하(上下: 관인)가 우벌성에 이른" 사실을 기술했다. 후술하듯이 '12월 23일 갑인일'은 비석 건립시기와 관련해 많은 주목을 받았다. 사건 발생 장소는 우벌성인데, 충주 일대로 보기도 했지만(변태섭, 1979; 김정배, 1979), '이벌지현(伊伐支縣)'으로 불린 영주 순흥 일대로 비정된다(손영종, 1985).

그에 이어 5월 복속의례에 참석했던 고구려의 전부 대사자 다우환노와 주부 귀덕이 왕명을 받아 300명을 모집하기 위해 왔고, 신라토내당주(新羅土內幢主)인 하부 발위사자 보노 등이 모인활동을 했음을 기술했다. 다우환노와 귀덕이 고구려 중앙에서 파견된 관리라면, 보노 등은 현지 실무자이다. 특히 보노는 신라토내당주라는 직책을 갖고 있었는

---

[35] "교동이매금답환래절(教東夷寐錦遝還來節)"의 '답(遝)'자를 대체로 '부르다(召)'는 뜻으로 보아 "태왕이 교를 내려 동이 매금을 불러 되돌아오게 했다"로 풀이하는데(시노하라 히로카타, 2000; 임기환, 2000; 장창은, 2005), 이 경우 복속의례 도중 신라왕이 귀국했다가 다시 되돌아온 상황을 상정해야 한다. 그렇지만 복속의례 도중 신라왕이 귀국한 사실이 확인되지 않으므로 이렇게 보기 어렵다.
[36] '대위제위상하(大位諸位上下)'를 신라의 왕과 신료로 파악하기도 하며(변태섭, 1979; 이기백, 1979), 고구려 중앙의 관인이 아니라 한강 유역의 지방세력으로 보기도 한다(임기환, 2000; 심정현, 2018).

데, 신라 영토 내에 고구려 지휘관이 주둔했다는 사실을 전한다는 점에서 많은 주목을 받았다(이기백, 1979; 정운용, 1989; 김현숙, 2002).

다음 구절에 '신라토내중인(新羅土內衆人)'이 나온다. 신라토내중인을 고구려가 모인(募人)활동을 한 대상으로 보기도 했지만(변태섭, 1979; 김창호, 1987), 문장구성상 목적어가 아니라 주어라는 점에서 그렇게 보기 어렵다. 신라 중앙에서 파견한 '매금의 상하'에 대응되는 인물로 재지세력이나 지방관으로 파악된다(시노하라 히로카타, 2000; 임기환, 2000; 이성제, 2020). 12월 사건에 참여한 신라의 인물도 고구려처럼 중앙에서 파견한 관리와 현지 실무자로 이루어진 것이다. 다만 글자의 마멸로 활동 양상을 파악하기는 어렵다. '촌사(村舍)'는 촌에 설치된 군사시설이나 관사(官舍)로 추정된다.

그다음 모인활동의 내용을 기술했는데, 2019년 판독회에서 다수의 숫자를 판독했다. 특히 종전에 '신유년'으로 판독했던 3행 7~9자를 '공이백육십(功二百六十)'으로 판독했다(고광의, 2020). 이를 바탕으로 필자도 '자공(刺功)', '사공(射功)' 등을 판독했다. '공(功)'자가 공역에 동원한 역부(役夫)를 지칭하므로(이기백, 1974; 이용현, 2020a; 2020b), 이 부분에는 모인을 통해 동원한 역부의 수를 기술한 것으로 보인다. 자공과 사공은 각각 도검과 활 제작과 관련한 역부나 장인으로 추정된다(여호규, 2020).[37] 고구려가 신라 영토 내에서 도검과 활 등 무기 제작과 관련한 역부나 장인을 모집한 것이다(나유정, 2024).[38]

이상과 같이 A2 문단은 5월 복속의례의 후속조치로 12월에 신라의

---

[37] '공(功)'을 공적 특히 전공(戰功)으로 보는 견해가 최근 제기되었다(하시모토 시게루, 2022).
[38] 일찍이 木村誠, 1997에서도 모인활동의 성격을 역역(力役) 징발로 파악한 바 있다.

우벌성 일대에서 이루어진 모인활동을 기술한 것이다. 신라와 고구려는 복속의례에 참여했던 관인을 현지에 파견하여 모인활동을 감독했고, 신라 현지에 주둔하던 고구려 군사지휘관인 신라토내당주와 현지에 있던 신라토내중인이 실무를 집행했다.

B 문단은 좌측면 5행 13자부터 말미까지로 '신유년'의 사건을 기술했다. 5행 19~23자에 '동이매금토(東夷寐錦土)'가 보이며, 6행 16자~7행 2자는 "대고추가(大古鄒加) 공(共)의 군대가 우벌성에 이르렀다"로 해석된다. 대체로 신유년에 대고추가 공이 신라의 우벌성 일대에서 군사활동을 전개한 사실을 기술한 것으로 추정된다.

## 2) 충주고구려비의 건립시기와 성격

충주비의 건립시기에 대한 견해는 광개토왕대설, 421년전후설, 449~450년설, 장수왕대후반설, 문자명왕대설, 평원왕대설로 나뉘는데(서영대, 1992c; 장창은, 2006), 핵심 쟁점은 전면 상단의 제액 유무, 1행 4~10자(高麗大王祖王公)의 판독과 해석, 7행 15~22자(十二月廿三【日】甲寅)의 판독, 좌측면 3행 7~9자의 간지(干支) 여부 등이다.

전면 상단의 제액설은 비석 발견 직후부터 제기되었다.[39] 2019년 판독회에서도 '영락칠년세재정유(永樂七年歲在丁酉)'설이 제기되었고(고광의, 2020; 이용현, 2020b; 이재환, 2021), 최근 '□가칠년기미(□嘉七年己未)'설도 제시되었다(하시모토 시게루, 2022). 그렇지만 좌측면이 마지

---

[39] '건흥사(建興四)'(이병도, 1979; 손영종, 1985), '□희칠년세신□□(□熙七年歲辛□□)'(이호영, 1979) 판독안이 제기되었다.

막이고, 우측면에서도 각자 흔적이 있으므로 전면을 시작면으로 보기 힘들다. 제액은 일반적으로 제1면에 새긴다는 점에서 제액설은 성립하기가 쉽지 않다. 한편 좌측면 3행 7~9자의 '신유년(辛酉年)' 판독안은 481년 건립설의 핵심 논거였는데(변태섭, 1979), 2019년 판독회를 통해 '공이백육십(功二百六十)'으로 판독되었다.

전면 1행 4~10자의 판독과 해석도 핵심 쟁점이다. 발견 직후 '고려대왕상왕공(高麗大王相王公)'으로 판독한 경우, '고려대왕과 상왕공'이나 '고려태왕의 상왕공'으로 해석해 고려대왕(태왕), 즉 장수왕이 비석을 건립했다고 보았다(변태섭, 1979; 김창호, 1987). 반면 '고려대왕조왕령(高麗大王祖王令)'으로 판독한 경우, 문장 주어는 고려대왕의 조왕인 장수왕이지만, 비석 건립 주체는 고려대왕, 즉 문자명왕이라고 보았다(이병도, 1979; 손영종, 1985).

2000년 판독회 이후 '고려대왕조왕령' 판독안이 널리 수용되는 가운데 문장 해석에 따라 비석 건립시기가 다양하게 설정되었다. '고려대왕이 조왕의 영(令)으로'라고 해석해 '고려대왕'을 비석 건립 주체로 상정한 다음 장수왕(이도학, 2000; 장창은, 2006)이나 문자명왕(박성현, 2010; 서지영, 2012)으로 비정했다. '고려대왕(장수왕)과 조왕인 영'(임기환, 2000), '고려대왕(장수왕)인 조왕'(박진석, 2000)으로 해석하여 장수왕을 비석 건립주체로 보기도 했다. 또 비문 해석을 유보한 채 '고려대왕'은 사건 발생 당시의 왕으로 비석 건립시기에도 생존했다며 장수왕으로 상정했다(정운용, 1989). 이에 대해 이 구절을 '고려대왕의 조왕'으로 해석한 다음, 전면의 사건은 조왕인 장수왕 대에 발생했지만, 비석의 건립 주체는 고려대왕인 문장명왕으로 파악하기도 했다(김현숙, 2002; 최장열, 2004).

이처럼 1행 4~10자의 해석을 둘러싸고 논란이 분분했던 것은 2000년 이후 '고려대왕조왕령' 판독안이 널리 수용되었기 때문이다. 이 문장의 주어를 '고려대왕 조왕'으로 상정하면 이어지는 '영(令)'이 사역동사가 되어 "동이 매금으로 하여금…동쪽으로 오게 했다"라고 해석되는데, 동이 매금의 이동 방향인 '북쪽'과 부합하지 않는다. 이에 '영'을 사역동사가 아니라 율령이나 인명 등으로 파악함에 따라 다양한 견해가 제기되었다.

그런데 2019년 판독회를 통해 1행 4~10자는 '고려대왕조왕공(高麗大王祖王公)'임이 명확해졌다. 이 구절은 문법상 '고려대왕과 조왕과 공', '고려대왕의 조왕공', '고려대왕의 조왕과 공' 등으로 해석할 수도 있다. 다만 고구려왕이 주관한 신라왕과의 복속의례가 이어진다는 점에서 왕을 2명 상정하는 '고려대왕과 조왕과 공'이나 왕을 상정하지 않는 '고려대왕의 조왕공' 등의 해석안은 성립하기 힘들다.

이 구절은 '고려대왕의 조왕과 공'으로 해석되며, '고려대왕의 조왕'이 복속의례를 주관했다고 보아야 한다. A1 문단의 사건은 고려대왕의 조왕(祖王) 시기에 일어난 것이다. 충주비가 대체로 5세기의 상황을 반영하므로 '고려대왕'은 문자명왕, '고려대왕의 조왕'은 그의 할아버지인 장수왕으로 파악된다(이병도, 1979; 손영종, 1985; 김현숙, 2002; 최장열, 2004; 여호규, 2020). 비석 건립시점과 전면의 사건 발생시점이 다른 것이다.

전면 7행의 '십이월입삼【일】갑인(十二月卄三[40]【日】甲寅)'은 모년 12월 사건의 발생시점이다. 5세기를 전후해 12월 23일이 갑인일인 연도는 449년(장수왕37), 480년, 506년(문자명왕15)이 있다(변태섭, 1979). 이 중 고구려왕이 신라왕과 복속의례를 거행할 만한 시점으로는 449년이 가장 타당하다. 실제 『삼국사기』 신라본기 눌지왕 34년조에는 양국이 450년 직전에 수호(修好)한 사실이 나온다(김정배, 1979; 임창순, 1979; 정운용, 1989; 시노하라 히로카타, 2000; 임기환, 2000; 이성제, 2020).

문자명왕이 492년에 즉위했으므로 전면의 사건 발생시점과 비석 건립시점 사이에는 43년 이상의 시간차가 있다. 이와 관련해 '공(共)'이라는 인물을 전면에서는 '태자 공', 좌측면에서는 '대고추가 공'으로 기술한 사실이 주목된다. 양자를 다른 인물로 보기도 하지만(임기환, 2000), 이름이 같고 고구려 왕족 가운데 고추가(古鄒加)를 칭한 사례가 다수 확인되므로 동일 인물일 가능성이 더 높다(김창호, 1987; 박진석, 2000). 이로 보아 공은 문자명왕의 아버지로 고추대가를 지낸 조다(助多)로 추정된다(김영하·한상준, 1983; 김현숙, 2002; 최장열, 2004). 공이 태자에 봉해졌다가 장수왕이 장기간 재위하면서 대고추가라는 칭호를 받았는데, 이에 비문 작성 시에도 공이 젊었을 때는 태자, 나이가 들었을 때는 대고추가로 구별해 표기한 것으로 보인다.

좌측면의 "대고추가 공의 군대가 우벌성에 이른" 사건은 전면의 사건 발생시점인 449년으로부터 상당한 시일이 흐른 다음에 일어난 것이다. 또 우벌성이 영주 순흥 일대로 비정되므로 대고추가 공은 소백산맥 남쪽에서 군사활동을 전개한 것으로 보아야 한다. 문헌사료상 449년 이후 소백산맥 남쪽 일대에 대한 고구려의 군사작전은 481년에 처음 확인된다.[41] 대고추가 공도 481년에 우벌성 일대에서 군사작전을

---

40  기노시다 레이진(木下礼仁, 1981)은 '십이월입오일갑인(十二月廿五日甲寅)'으로 판독하여 403년으로 비정했고, 고광의(2020)는 '십이월입칠일경인(十二月廿七日庚寅)'으로 판독하여 397년으로 비정하기도 했다(2020). 다만 '삼(三)'을 '오(五)'나 '칠(七)'로 판독할 만한 종선(縱線)을 인정하기 어렵다.
41  『삼국사기』 신라본기3 소지마립간 3년 3월조.

전개한 것인데, 실제 좌측면 5행 13~14자의 '신유(辛酉)'는 481년에 해당한다.

이상과 같이 충주비의 건립 주체는 고려대왕인 문자명왕이지만, 전면과 좌측면의 사건 발생시점은 문자명왕(고려대왕)의 할아버지(祖王)인 장수왕 대이다. 이 가운데 A 단락에는 449년 사건, B 단락에는 481년 사건을 각기 기술했다. 전면과 좌측면에는 비석 건립의 주체인 문자명왕 대의 상황이 전혀 기술되지 않은 것이다. 이에 필자는 후면을 제1면으로 추정하고 이곳에 문자명왕이 비석을 건립한 이유를 서술했을 것으로 보았는데(여호규, 2020), 비문 판독이 불가능하여 추론의 영역으로 남겨 놓을 수밖에 없다.

이처럼 충주비가 문자명왕 대에 건립되었다면, 가장 유력한 건립시점은 문자명왕이 남쪽으로 순수한 495년(문자명왕4)으로 추정된다(남풍현, 2000; 최장열, 2004). 당시 신라는 고구려의 예속에서 벗어나려 했는데, 493년에는 백제와 혼인동맹을 맺었다. 이로 보아 495년 문자명왕의 남쪽 순행은 백제를 군사적으로 압박하면서 신라에 대해 종전처럼 고구려 우위의 외교관계를 관철하겠다는 목표 아래 추진되었다고 파악된다.

이에 문자명왕은 충주비를 건립해 과거 고구려왕과 신라 매금의 복속의례를 기술함으로써 고구려 우위의 외교관계를 복구하겠다는 목표를 선언한 것으로 보인다. 이와 함께 아버지인 태자 공(대고추가 공, 조다)이 신라에 대한 외교나 군사 활동에서 중요한 역할을 담당한 사실을 부각해 자신의 정치적 입지도 강화하려 했다고 파악된다(여호규, 2020).

## 5. 고구려 유민묘지명의 현황

### 1) 유민묘지명의 출토 현황

고구려 멸망 이후 보장왕을 비롯해 많은 고구려 유민이 당으로 끌려갔다. 이들은 당에서 이방인으로 회한의 삶을 살다가 사망한 다음, 가문의 내력과 자신의 이력을 적은 묘지명과 함께 묻혔다. 이로 인해 고구려 유민의 묘지명에는 문헌사료에서 보기 힘든 구체적인 사료가 많이 나온다. 고구려 유민묘지명이 처음 출토된 것은 1920년대였다. 당의 동도(東都)였던 낙양 북교(北郊)에서 보장왕의 손자인 고진(高震)을 비롯해 연개소문가의 천남생(泉男生), 천남산(泉男産), 천비(泉毖), 천헌성(泉獻誠), 책성도독 고량(高量)의 손자인 고자(高慈) 등 6명의 묘지명이 발견된 것이다(羅振玉, 1982; 박한제, 1992).

1980년 이후 당의 도성이었던 서안(西安)과 낙양에서 건설공사가 활발하게 이루어지면서 유민묘지명도 대거 출토되었다. 1998년 고현묘지명(高玄墓誌銘)이 국내에 소개된 이래(송기호, 1998) 수많은 개별 묘지명이 소개되었다. 이에 전체 출토 현황을 정리하는 한편(윤용구, 2003; 바이건싱(拜根興), 2008; 여호규, 2010; 윤용구, 2014), 집성작업이 이루어졌다(고구려연구재단 편, 2005; 곽승훈 외, 2015; 권덕영, 2021a). 아울러 유민묘지명에 대한 종합 연구가 이루어지는 가운데(拜根興, 2012; 김수진, 2017a), 역주작업도 이루어졌다(권덕영, 2021b).

김수진의 정리에 따르면 2017년까지 고구려 유민묘지명으로 거론된 것은 총 27개이다. 이 중 고요묘, 고제석, 이타인, 천남생, 고현, 천헌성, 고모, 고족유, 고질(고성문)과 고자 부자, 고을덕, 천남산, 천비, 유원정,

표1   고구려 유민 1세대의 묘지명 현황[42]

| 인명 | 사망 | 입당(入唐) | 관력(官歷)(고구려) | 주요 관력(당) |
|---|---|---|---|---|
| 고요묘(高鐃苗) | 673 | 668 | 소장(小將) | 좌령군(左領軍) 원외장군(員外將軍) |
| 고제석(高提昔) | 674 (26세) | | 증조(曾祖): 대상(大相) 요동성(遼東城) 대수령(大首領) | 조(祖): 역주자사(易州刺史) 부(父): 선위장군(宣威將軍) |
| 이타인(李他仁) | 675 (73세) | 667~668 | 책주도독(柵州都督) 겸총병마(兼總兵馬) | 우령군장군(右領軍將軍) 효위대장군(右驍衛大將軍) 추증(追贈) |
| 천남생(泉男生) | 679 (46세) | 667 | 태막리지(太莫離支) | 사지절대도독(使持節大都督), 병(幷)·분(汾)·기(箕)·람(嵐) 주제군사(州諸軍事), 병주자사(幷州刺史)(679) |
| 고현(高玄) | 690 (49세) | 667 | 언급 없음 | 신평도좌삼군총관(新平道左三軍摠管)(689) 좌표도위행중랑장(左豹韜衛行中郎將)(690) |
| 천헌성(泉獻誠) | 692 (43세) | 666 | 선인(先人) | 좌위대장군(左衛大將軍), 검교천추자래사(檢校天樞子來使)(690) |
| 고모(高牟) | 694 (55세) | 668? | 미상 [추기(樞機)] | 좌표도위대장군(左豹韜衛大將軍) |
| 고족유(高足酉) | 695 (70세) | 667~668? | 미상 | 진군대장군(鎭軍大將軍), 행좌표도위대장군(行左豹韜衛大將軍)(690), 고려번장(高麗蕃長) 어양군개국공(漁陽郡開國公)(695) |
| 고질(高質) | 697 (72세) | 667~668? | 삼품위두대형 겸대장군 (三品位頭大兄兼大將軍) | 로하도토격대사(瀘河道討擊大使), 청변동군총관(淸邊東軍摠管)(696), 좌옥검위대장군(左玉鈐衛大將軍), 좌우림군상하(左羽林軍上下)(697) |
| 고자(高慈) | 697 (33세) | 667~668? | | 장무장군(壯武將軍), 행좌표도위익부낭장(行左豹韜衛翊府郎將)(696) |
| 고을덕(高乙德) | 699 (82세) | 661 | 중리소형(中裏小兄), 귀단도사(貴端道史) | 우위람전부절충장상(右衛藍田府折衝長上)(662), 검교본토동주장사(檢校本土東州長史)(668), 좌청도솔부빈양부절충(左淸道率府頻陽府折衝)(674), 관군대장군(冠軍大將軍)(691) |
| 천남산(泉男産) | 701 (63세) | 668 | 태대막리지(太大莫離支) | 요양군(遼陽郡) 개국공(開國公), 영선감대장(營繕監大匠), 원외치동정원(員外置同正員) |

[42] 김수진, 2014, 302~306쪽; 여호규, 2017b, 394쪽.

| 출신지 | 장지(葬地) | 소장처 |
|---|---|---|
| 요동인 | 장안성(長安城) 남원(南原) | 서안(西安) 비림박물관(碑林博物館) |
| 선조 국내성인(國內城人) | 만년현(萬年縣) 산천지원(滻川之原) | 미상 |
| 요동 책주인(柵州人) | 장안성 동(東) 백록원(白鹿原) | 섬서성(陝西省) 고고연구원(考古研究院) |
| 요동군 평양성인(平壤城人) | 낙양(洛陽) 북망(北邙) | 정주시(鄭州市) 하남박물원(河南博物院) |
| 요동 삼한인(三韓人) | 북망지원(北邙之原) | 신안현(新安縣) 천당지재(千唐志齋) |
| 선조 고구려국인 | 낙양 망산(邙山) | 소재 불명 |
| 안동인(安東人) 마읍(馬邑) | 낙주(洛州) 북망산 | 낙양 비지(碑誌) 탁편박물관(拓片博物館) |
| 요동 평양인(平壤人) | 낙주 이궐현(伊闕縣) 신성지원(新城之原) | 이천현(伊川縣) 문관회(文管會) |
| 요동 조선인(朝鮮人) | 낙양 합궁현(合宮縣) 평락향(平樂鄉) | 신안현(新安縣) 천당지재(千唐志齋) |
| 조선인 | 낙양 평락향 | 나진옥(羅振玉) 소장, 현 소재 불명 |
| 변국(卞國) 동부인(東部人) | 두릉지북(杜陵之北) | 미상 |
| 요동 조선인 | 낙양현 평음향(平陰鄉) | 정주시(鄭州市) 하남박물원(河南博物院) |

7장 금석문과 문자자료   365

고씨부인, 고진, 남단덕 등 17명은 고구려 유민이 명확하다. 고목로, 왕경요, 고흠덕과 고원망 부자, 두선부, 고덕 등 6명은 선조가 중원대륙에서 고구려로 왔다고 하므로 선조의 내력을 어떻게 보느냐에 따라 고구려 유민 여부가 갈린다. 반면 사선의일, 이인덕, 이은지와 이회 부자 등 4명은 고구려 유민으로 보기 힘든 점이 많다(김수진, 2017a, 253쪽 별표).

2018년 이후 고빈(高賓, 502~572)(김영관, 2018), 환관 고연복(高延福, 661~723)(조범환, 2023), 이인회(李仁晦, 683년경 출생)(王連龍·黃志明, 2022), 여항군(餘杭郡) 태부인 천씨(泉氏, 808년 사망)(拜根興, 2022) 등이 고구려 유민으로 소개되었다. 이 가운데 태부인 천씨는 연개소문의 손자인 천헌성의 증손녀이다. 다만 고빈은 『주서』 열전에도 입전되었지만, 생몰년상 고구려 유민으로 보기 힘들며, 묘지명에도 고구려와 관련한 내용은 찾아지지 않는다. 고연복과 이인회도 묘지명의 내용만으로 고구려 유민이라고 확정하기가 쉽지 않다. 유민 1세대의 묘지명 현황을 간략히 정리하면 표 1과 같다.

### 2) 유민묘지명의 연구현황

유민묘지명 연구는 개별 묘지명에 대한 정확한 이해를 바탕으로 이루어진다. 이러한 점에서 1992년에 이루어진 유민묘지명 6기에 대한 역주는 유민묘지명 연구의 전환점을 이루었다고 할 수 있다(박한제, 1992). 그 이후 1998년 고현묘지명을 시발로 무수한 묘지명이 소개되었는데, 그때마다 충실한 역주가 이루어졌다. 묘지명을 소개한 연구자들이 유민묘지명을 활용할 수 있는 기반을 제공한 것이다.[43]

묘지명은 특성상 가문의 내력과 본인의 관력(이력)이 주요 내용을 이룬다. 이에 따라 고구려 유민묘지명에도 고구려의 관등이나 관직이 다수 나온다. 가령 연개소문가의 묘지명에는 가문 대대로 막리지(莫離支)를 계승하고, 연개소문이 태대대로(太大對盧)를 역임한 것으로 나온다. 특히 천남생묘지명과 천남산묘지명에는 연령별 관등 승진 양상이 기재되어 있는데, 장자인 천남생만 관등 앞에 '중리(中裏)'를 관칭한 점이 많은 주목을 받았다.

고을덕묘지명에도 고을덕 가문이 대대로 중리계 관등을 역임하며 목마(牧馬)와 관련된 상사(坷事)라는 직임을 잇고, 대로관(對盧官), 평대지직(平臺之織), 사부대부(司府大夫) 등과 함께 여러 지방관을 역임한 사실이 나온다. 그 외에도 관등과 함께 중앙이나 지방의 관직도 다수 확인된다. 특히 이타인묘지명에는 이타인이 "책성도독겸총병마(柵州都督兼總兵馬)로 파견되어 고려(高麗) 12주(州)와 말갈(靺鞨) 37부(部)를 통할(統管)했다"고 기술되어 있는데, 지방제도의 운영 양상을 구체적으로 보여준다.

이에 유민묘지명을 활용해 관등제(武田幸男, 1989a; 임기환, 2004), 지방제도의 운영 양상(노태돈, 1999; 김현숙, 2005) 등을 다각도로 검토했다. 중리계 관등도 많은 관심을 받았는데, 처음에는 국왕의 근시직이나 근시기구로 이해(武田幸男, 1989a; 이문기, 2003; 이규호, 2015; 이동훈, 2019)했다가, 고을덕묘지명 발견 이후에는 귀족가문의 권력세습 통로(이성제, 2016)나 귀족가문의 정치적 위상을 승계할 자제에게 수여한

---

43 각 묘지명에 대해 소개한 논문은 윤용구, 2014; 김수진, 2017; 권덕영, 2021a; 2021b 참조.

관등(여호규, 2016)으로 파악한 견해가 제기되었다. 또 이타인묘지명을 바탕으로 두만강 유역의 지방제도 운영양상을 구체적으로 분석하기도 했다(여호규, 2017b).

한편 유민묘지명에는 고구려의 멸망 과정도 상세히 기록되어 있다. 가령 천남생묘지명과 천헌성묘지명에는 남생이 당에 투항한 과정, 그리고 당군과 합세해 고구려를 멸망시키는 과정이 상세히 적혀 있다. 고효묘묘지명의 주인공은 668년 평양성 함락 당시 당과 내응하여 성문을 열어주었던 요묘(饒苗)와 동일인으로 밝혀졌다. 이타인묘지명에는 책성도독을 역임하다가 이적에게 투항하는 과정이 상세히 기술되어 있다. 이에 유민묘지명을 바탕으로 고구려 멸망 과정을 새롭게 검토하는 연구가 다수 이루어졌다.

유민묘지명은 고구려 멸망 이후 당의 기미지배 구축 양상과 부흥운동에 대해서도 새로운 내용을 많이 전한다. 남단덕묘지명과 고흠덕·고원망 부자의 묘지명에는 당이 기미지배를 구축하던 양상이 구체적으로 기술되어 있다. 또 이타인묘지명에는 부여 지역이나 두만강 유역에서의 부흥운동, 고을덕묘지명에는 당이 673년경 고구려 부흥운동을 진압하고 신라와의 전면전에 착수하던 양상이 구체적으로 기술되어 있다. 이에 유민묘지명을 바탕으로 고구려 부흥운동을 새롭게 고찰한 연구가 다수 이루어졌다(김강훈, 2022).

유민묘지명에서 가장 많은 분량을 차지하는 부분은 당에서의 활동이다. 이에 많은 연구자가 당에서 이루어진 유민의 활동에 주목했지만, 주요 관심사는 고구려인으로서의 정체성이었다. 묘지명의 출자 표기를 분석하여 정체성 변화 양상을 고찰한 것이다(김현숙, 2001; 이문기, 2010; 김수진, 2014; 안정준, 2016). 대체로 세대가 내려갈수록 고구려 정체성이 약화되며 당인(唐人)으로 동화한 것으로 보았다. 이에 대해 당 국가권력의 고구려 정체성 말살 시도(최진열, 2009), 당 사회의 시선을 의식한 출자 표기 양상(이성제, 2014), 당인 찬자의 인식 투영(김수진, 2018a; 2019) 등을 고려해야 한다는 지적도 제기되었다.

이처럼 주로 고구려인으로서의 정체성에 관심을 두었기 때문에 당에서의 활동은 충분히 검토되지 못했다. 가령 고족유묘지명에는 고구려 유민이 측천무후(則天武后)의 천추(天樞) 조성에 참여한 사실, 고현묘지명에는 당이 고구려 유민 출신 장수와 병사를 대돌궐 방어전에 동원한 사실, 고질·고자부자묘지명에는 696년 거란의 흥기 직후 요동 지역 고구려 유민의 동향 등이 상세히 기술되어 있다. 당의 정세와 관련해 유민의 활동을 다각도로 고찰할 필요가 있다(여호규·拜根興, 2017). 이러한 점에서 유민의 사제(私第)와 장지, 당에서의 출사, 절충부 복무 등을 고찰한 연구가 주목된다(김수진, 2017b; 2018b; 2023).

한편 고구려로 유망했던 중국계 망명객이나 그 후손의 묘지명에도 주목할 필요가 있다. 대표적인 사료로 한기묘지명(韓曁墓誌銘)을 들 수 있는데, 520년대 북위 분열 시에 고구려가 요서 지역을 공략한 사실과 550년대 초반 북제와의 외교관계를 재조명할 단서를 제공했다(朱子方·孫國平, 1986; 井上直樹, 2001; 李成制, 2001). 유민으로도 분류되는 두선부묘지명(豆善富墓誌銘)에도 두선부(684~741)의 6대조인 보번(步蕃)이 서위의 하곡(河曲)을 진수하다가 북제에게 패하고 고구려로 도망온 사실이 나오는데(바이건싱(拜根興), 2008), 6세기 중반 고구려와 북제·서위의 외교관계 연구에 중요한 단서를 제공한다.

또 수·당의 고구려 원정에 참여했던 인물의 묘지명을 비롯한 금석문도 다수 확인되었다(拜根興, 2002b; 고구려연구재단 편, 2005; 곽승훈 외,

2015). 이러한 금석문은 고구려와 수·당의 전쟁에 관한 새로운 정보를 제공한다. 산동 봉래 북해의 탁기도(駝譏島) 석각문에는 당의 장량(張亮)이 645년 출병에 앞서 용왕제를 지낸 사실, 하북의 대당신법사미타상비(大唐信法寺彌陀像碑, 658)에는 645년 당의 해군으로 출정했던 병사 100여 명의 무사귀환을 기원한 사실, 장위묘지명(强偉墓誌銘)에는 선박 건조에 동원된 남방민의 전쟁에 대한 인식 등이 나온다. 이에 수 양제의 고구려 원정에 참여한 인물의 묘지명을 통해 전쟁 양상을 고찰하고(정동민, 2022), 탁기도 석각문을 통해 645년 당 해군의 움직임을 조명하기도 했는데(문영철, 2023), 향후 이들 자료를 더욱 다각도로 검토하면 고구려의 대수·당전쟁을 새롭게 재조명할 수 있을 것으로 기대된다.

## 6. 의의와 과제

이상과 같이 조선 후기에 평양성 석각 명문이 출토되고, 1880년 무렵에 광개토왕릉비가 재발견된 이래 무수한 고구려 금석문과 문자자료가 출토되었고, 다양한 연구가 이루어졌다. 개별 금석문과 문자자료에 대한 판독, 번역, 주석뿐 아니라 이를 활용한 고구려사 연구도 다방면에 걸쳐 이루어졌다. 이를 통해 문헌사료의 부족과 결함을 메우고, 고구려사 나아가 한국고대사를 체계적으로 이해하는 데 크게 기여했다.

가령 집안고구려비, 광개토왕릉비, 모두루묘지에 고구려 건국설화가 나오는데, 이를 바탕으로 각종 문헌사료와 비교해 건국설화의 정립 과정을 체계적으로 이해할 수 있었다(박시형, 1966; 서영대, 1991; 노태돈, 1999). 5세기 금석문에는 주변국과의 관계나 인식을 보여주는 명문이 풍부하게 나오는데, 이를 바탕으로 고구려의 외교관계와 천하관을 체계적으로 고찰했다(서영수, 1982; 양기석, 1983; 노태돈, 1999; 여호규, 2009; 2023c). 관등과 관직을 분석하여 관등제, 중앙관제, 지방제도를 고찰한 연구도 활발하게 이루어졌다(武田幸男, 1989a; 임기환, 2004; 김현숙, 2005; 여호규, 2014a).

이러한 점에서 금석문과 문자자료는 고구려사를 새롭고 다채롭게 연구하기 위한 보고(寶庫)라 할 수 있다. 다만 금석문과 문자자료를 더욱 정확하게 활용하기 위해서는 판독과 역주 등 기초적인 연구작업을 더욱 충실하게 진행할 필요가 있다. 1992년 한국고대사회연구소가 추진한 금석문 역주작업이 연구를 크게 활성화한 사실은 이를 잘 보여준다. 2019년 충주고구려비에 대한 동북아역사재단·한국고대사학회 공동판독회(동북아역사재단, 2021)나 광개토왕릉비의 원석탁본 관찰(고광의, 2014a; 2014b; 여호규, 2023a; 2023b) 등을 통해 다수 글자를 새롭게 판독한 사실은 정밀한 판독의 중요성을 다시금 일깨워준다.

금석문과 문자자료는 당대인이 작성했다는 점에서 객관적인 사실을 전할 것이라고 전제하는 경향이 강하다. 이에 많은 연구자가 금석문·문자자료와 문헌사료가 상충할 경우, 금석문·문자자료에 입각해 문헌사료를 비판하는 경우가 대부분이다. 그렇지만 앞에서 서술한 것처럼 광개토왕릉비에는 찬자의 인식에 따른 윤색이 다수 확인되며, 고구려 유민묘지명에도 찬자의 입장이 많이 투영된 사실이 확인된다. 금석문과 문자자료도 문헌사료와 마찬가지로 엄정한 사료비판을 거쳐 연구자료로 활용할 필요가 있다.

## 참고문헌

### 전체 현황과 문자문화

고광의, 2023, 『고구려의 문자문화』, 동북아역사재단.
구의동보고서간행위원회, 1997, 『한강유역의 고구려요새 구의동유적 발굴조사 종합보고서』, 소화.
김병모 외, 2000, 『이성산성-제8차발굴조사보고서』, 한양대학교박물관.
김원룡, 1987, 『韓國美術史研究』, 一志社.
김일성종합대학, 1976, 『동명왕릉과 그 부근의 고구려유적』, 김일성종합대학출판사.
김재원, 1948, 『壺衧塚과 銀鈴塚: 1946年發掘報告』(國立博物館古蹟調査報告 第1冊), 乙酉文化社.
윤재석 편, 2022, 『한국목간총람』, 주류성.
李蘭暎, 1976, 『韓國金石文追補』, 亞細亞文化社.
임기환, 2004, 『고구려 정치사 연구』, 한나래.
조선유적유물도감편찬위원회, 1990, 『조선유적유물도감』 4.
최종택, 2013, 『아차산 보루와 고구려 남진경영』, 서경문화사.
韓國古代社會研究所 편, 1992, 『譯註 韓國古代金石文(I)』, 駕洛國史蹟開發研究院.
許興植, 1984, 『韓國金石全文』(古代), 亞細亞文化社.
강현숙, 2015, 「高句麗 年號 開始에 대한 考古學的 論意」, 『한국고대사연구』 77.
공석구, 1988, 「평안·황해도지방출토 기년명전에 대한 연구」, 『진단학보』 65.
_____, 2003, 「4~5세기 고구려에 유입된 중국계 인물의 동향」, 『한국고대사연구』 32.
기경량, 2016, 「집안 지역 출토 고구려 권운문 와당 명문의 판독과 유형」, 『高句麗

渤海硏究』56.

_____, 2017, 「평양성 출토 고구려 刻字城石의 판독 및 위치 재검토」, 『사학연구』127.

_____, 2018, 「고구려 평양 장안성 출토 각자성석(刻字城石)의 축성 구간 검증」, 『역사와현실』110.

김례환·류택규, 1958, 「롱오리 산성에서 발견된 고구려 석각문」, 『문화유산』1958-6.

김병준, 2011, 「낙랑군의 漢字使用과 변용」, 『고대 동아시아의 문자교류와 소통』, 동북아역사재단.

김영태, 1997, 「高句麗 因現義佛像의 鑄成時期」, 『불교학보』34.

김원룡, 1964, 「延嘉七年銘金銅如來像 銘文」, 『考古美術』5-9.

남풍현, 2000, 「忠州高句麗碑文의 解讀과 吏讀的 性格」, 『高句麗硏究』10.

노태돈, 1992c, 「신포시 절골터 금동판 명문」, 『역주 한국고대금석문(제1권)』, 가락국사적개발연구원.

박대재, 2019, 「중국 요령성 燈塔市 白巖城 출토 高句麗碑片」, 『韓國古代史硏究』94.

박선희, 2006, 「銀盒杅 명문의 연대 재검토에 따른 서봉총 금관의 주체 해명」, 『백산학보』74.

박성봉, 1997, 「高句麗 金石文의 연구현황과 과제」, 『국사관논총』78.

박중균, 2022, 「몽촌토성 집수지 출토 목간」, 『신출토 문자자료의 향연』(한국목간학회 제37회 정기발표회자료집).

박찬규, 2005, 「집안지역에서 최근 발견된 고구려 문자자료」, 『고구려연구』19.

백승옥, 2005, 「'신묘년명 청동방울'과 태왕릉의 주인공」, 『역사와경계』56.

서영대, 1992d, 「제3장 석각」, 『譯註 韓國古代金石文(I)』, 駕洛國史蹟開發硏究院.

_____, 1992e, 「제3장 불상명문」, 『譯註 韓國古代金石文(I)』, 駕洛國史蹟開發硏究院.

손영종, 1966, 「금석문에 보이는 삼국시기의 몇개의 연호에 대하여」, 『력사과학』1966-4.

송기호, 2002, 「고대의 문자생활」, 『강좌 한국고대사』제5권, 가락국사적개발연구원.

심광주, 2009, 「남한지역 고구려유적 출토 명문자료에 대한 검토」, 『木簡과 文字』4.

양광석, 1988, 「高句麗의 年號」, 『溪村閔丙河敎授停年紀念史學論叢』.

양시은 외, 2009, 『용마산 제2보루 발굴조사보고서』, 서울대학교박물관.
양은경, 2005, 「景四年辛卯銘 금동삼존불의 새로운 해석과 中國 불상과의 관계」, 『선사와고대』 23.
여호규, 2006, 「집안지역 고구려 초대형적석묘의 전개과정과 피장자 문제」, 『한국고대사연구』 41.
_____, 2010, 「1990년대 이후 고구려 문자자료의 출토현황과 연구동향」, 『한국고대사연구』 57.
_____, 2011, 「고구려의 한자문화 수용과 변용」, 『고대 동아시아의 문자교류와 소통』, 동북아역사재단.
吳慶錫 草稿, 1858, 「三韓金石錄」, 『三韓金石錄(外)』(1981, 亞細亞文化社 복간본).
오택현, 2022, 「평양 정릉사지 문자자료 검토와 과제」, 『중앙사론』 57.
윤무병, 1964, 「延嘉七年銘金銅如來像의 銘文에 대하여」, 『考古美術』 5-10.
이도학, 1995, 「新浦市寺址 출토 고구려 金銅版 銘文의 검토」, 『민족학연구』 1.
이승호, 2020, 「고구려의 칭원법과 연호」, 『사학연구』 138.
이홍직, 1954, 「延壽在銘 新羅銀盒杅에 대한 一·二의 고증」, 『최현배박사환갑기념논문집』(1971, 『한국고대사의 연구』, 신구문화사 재수록).
임기환, 1992, 「낙랑 와전토기명」, 『譯註 韓國古代金石文(I)』, 駕洛國史蹟開發硏究院.
장창은, 2015, 「瑞鳳塚 출토 銀盒의 성격 재검토」, 『한국학논총』 43.
정운용, 1998, 「金石文에 보이는 高句麗의 年號」, 『한국사학보』 5.
조우연, 2017, 「"太王敎造": 4~5세기 고구려 銘文 器物재검토」, 『고구려발해연구』 57.
주보돈, 2001, 「신라에서의 한문자 정착과정과 불교수용」, 『영남학』 창간호.
주수완, 2011, 「삼국시대 年號銘 금동불상의 제작연대에 관한 연구」, 『한국사학보』 44.
채희국, 1965, 「평양성(장안성)의 축성과정에 대하여」, 『고고민속』 1965-3.
최성은, 2017, 「중국 남북조시대 불교조각을 통해 본 고구려 延嘉7년명 금동여래입상」, 『선사와 고대』 51.
최희림, 1967a, 「평양성을 쌓은 년대와 규모」, 『고고민속』 1967-2.

황수영, 1964, 「고구려 금동불상의 新例二座」, 『이상백박사회갑기념논총』(1989, 『한국의 불상』, 문예출판사 재수록).

吉林省文物考古研究所·集安市博物館, 2004a, 『國內城』, 文物出版社.
_____, 2004b, 『集安高句麗王陵』, 文物出版社.
_____, 2004c, 『丸都山城』, 文物出版社.
_____, 2005, 「通溝古墓群禹山墓區JYM3319號墓發掘報告」, 『東北史地』 2005-6.
耿鐵華, 2006, 「集安新出土文字瓦當及研釋讀」, 『北方文物』 2006-4.
_____, 2007, 「集安出土卷雲紋瓦當研究」, 『東北史地』 2007-4.
羅振玉, 1982, 「唐代海東藩閥誌存」, 『石刻史料新編』 第2集 第15冊, 新文豊出版公司.
劉喜海 輯錄(劉承幹 重校), 1922, 「高句驪古城石刻」, 『海東金石苑』(권1), 希古樓 (1976, 亞細亞文化社 복간본).
蘇鵬力, 2010, 「燈塔市燕州城城址」, 『中國考古學年鑒』, 文物出版社.
李殿福, 1984, 「集安卷雲銘文瓦當考辨」, 『社會科學戰線』 1984-4.
林至德·耿鐵華, 1985, 「集安出土的高句麗瓦當及其年代」, 『考古』 1985-7.
張福有, 2004, 「集安禹山3319號墓卷雲紋瓦當銘文識讀」, 『東北史地』 2004-1.
_____, 2005, 「集安禹山3319號墓卷雲紋瓦當銘文識讀與考證」, 『中國歷史文物』 2005-3.

葛城末治, 1935, 『朝鮮金石攷』, 屋號書店.
濱田耕作, 1939, 『考古學研究』, 座右寶刊行會.
朝鮮總督府, 1919, 『朝鮮金石總覽』.
田中俊明, 1981, 「高句麗の金石文」, 『朝鮮史研究會論文集』 18.
_____, 1985, 「高句麗長安城城壁石刻の基礎的研究」, 『史林』 68-4.
井上直樹, 2007, 「集安出土文字資料からみた高句麗の支配體制について一考察」, 『朝鮮學報』 203.

## 고분 묵서

고고학 및 민속학연구소, 1958a,『안악 제3호분 발굴보고』, 과학원출판사.

──────────────, 1958b,「평안남도 순천군 룡봉리 료동성총조사보고」,『고고학자료집 제1집(대동강류역고분발굴보고)』, 과학원출판사.

고광의, 2023,『고구려의 문자문화』, 동북아역사재단.

김현숙, 2005,『고구려의 영역지배방식 연구』, 모시는사람들.

노태돈, 1999,『고구려사 연구』, 사계절.

박진욱·김종혁·주영헌·장상렬·정찬영, 1981,『덕흥리고구려벽화무덤』, 과학백과사전출판사.

사회과학원 고고학연구실 편, 1966,『미천왕 무덤』, 사회과학원출판사.

손영종, 1990,『고구려사』1, 과학백과사전종합출판사.

여호규, 2014a,『고구려 초기 정치사 연구』, 신서원.

전호태, 2000,『고구려 고분벽화 연구』, 사계절.

──────, 2020,『고구려 고분벽화의 과거와 현재』, 성균관대학교출판부.

공석구, 1989,「安岳3號墳의 墨書銘에 대한 考察」,『歷史學報』121.

──────, 1990,「德興里 壁畵古墳의 主人公과 그 性格」,『百濟論叢』21.

김근식, 2020,「고구려 벽화고분의 묵서 연구」, 동국대학교 박사학위논문.

──────, 2021a,「덕흥리벽화고분의 '觀者' 묵서와 '觀覽者'」,『韓國古代史研究』101.

──────, 2021b,「安岳3號墳의 淵源과 '무덤 내 文字'」,『中央史論』54.

김미경, 1996,「고구려의 낙랑·대방지역 진출과 그 지배형태」,『學林』17.

김용남, 1979,「새로 알려진 덕흥리고구려벽화무덤에 대하여」,『력사과학』1979-3.

김용준, 1957,「안악 제3호분(하무덤)의 년대와 그 주인공에 대하여」,『문화유산』1957-3(1958,『고구려고분벽화연구』, 과학원출판사).

김원룡, 1960,「高句麗 古墳壁畵의 起源에 대한 硏究」,『震檀學報』21.

──────, 1979,「高句麗壁畵古墳의 新資料」,『歷史學報』81.

김일권, 1996,「고구려 고분벽화의 별자리그림 考定」,『백산학보』47.

김현숙, 1996,「高句麗 地方統治體制 硏究」, 경북대학교 박사학위논문.

노태돈, 1988,「5세기 고구려 금석문에 보이는 고구려인의 천하관」,『한국사론』19.

_____, 1989, 「부여국의 경역과 그 변천」, 『국사관논총』 4.

_____, 1992b, 「牟頭婁墓誌」, 『譯註 韓國古代金石文』 I, 한국고대사회연구소.

_____, 1996, 「5~7세기 고구려의 지방제도」, 『韓國古代史論叢』 8.

리여성, 1949, 「최근 안악에서 발견된 고구려고분의 벽화의 년대에 대하여」, 『력사제문제』 1949-9.

박윤원, 1963, 「안악 제3호분은 고구려 미천왕릉이다」, 『고고민속』 1963-2.

박진욱, 1980, 「고구려 유주에 대하여」, 『력사과학』 1980-4.

_____, 1990, 「안악3호 무덤의 주인공에 대하여」, 『조선고고연구』 1990-2.

서영대, 1992a, 「安岳3號墳墨書銘」, 『譯註 韓國古代金石文(I)』, 駕洛國史蹟開發研究院.

_____, 1992b, 「德興里古墳墨書銘」, 『譯註 韓國古代金石文(I)』, 駕洛國史蹟開發研究院.

손영종, 1987, 「덕흥리 벽화무덤의 주인공의 국적문제에 대하여」, 『력사과학』 1987-1.

_____, 1991a, 「덕흥리벽화무덤의 피장자 망명인설에 대한 비판(1)」, 『력사과학』 1991-1.

_____, 1991b, 「덕흥리벽화무덤의 피장자 망명인설에 대한 비판(2)」, 『력사과학』 1991-2.

_____, 1997, 「고구려 고분의 묵서명과 피장자」, 『고구려연구』 4.

안정준, 2013, 「高句麗의 樂浪·帶方 故地 영역화 과정과 지배방식」, 『한국고대사연구』 69.

_____, 2017a, 「4~5세기 樂浪·帶方郡 故地의 中國地名 官號 출현 배경」, 『韓國古代史研究』 86.

_____, 2017b, 「'덕흥리벽화고분(德興里壁畫古墳)'의 현실 동벽(玄室 東壁)에 묘사된 '칠보행사도(七寶行事圖)'의 성격 검토」, 『東北亞歷史論叢』 57.

_____, 2021, 「樂浪·帶方郡 故地의 고분 속에 구현된 對外用 敍事와 구성 의도-「德興里壁畫古墳」의 벽화와 傍題 분석을 중심으로-」, 『韓國古代史研究』 103.

여호규, 1995, 「3세기 후반-4세기 전반 고구려의 교통로와 지방통치조직」, 『한국사연구』 91.

_____, 2000, 「4세기 동아시아 국제질서와 고구려 대외정책의 변화」, 『역사와현실』 36.
_____, 2004, 「고구려 건국설화가 모두루무덤에 묻힌 까닭은」, 『고대로부터의 통신』, 푸른역사.
_____, 2009, 「4세기 고구려의 낙랑·대방 경영과 중국계 망명인의 정체성 인식」, 『한국고대사연구』 53.
이규호, 2015, 「4~5세기 고구려 중리도독부의 성립과 기능」, 『고구려발해연구』 53.
이문기, 2000a, 「고구려 막리지의 관제적 성격과 기능」, 『백산학보』 55.
_____, 2000b, 「고구려 덕흥리고분벽화의 '칠보행사도'와 묵서명」, 『역사교육논집』 25.
이인철, 1998, 「덕흥리벽화고분의 묵서명을 통해서 본 고구려의 유주경영」, 『역사학보』 158.
이준성, 2020, 「牟頭婁 墓誌'의 판독과 역주 재검토」, 『木簡과 文字』 25.
임기환, 1995, 「4세기 고구려의 낙랑·대방지역 경영」, 『역사학보』 147.
장국종, 1992, 「덕흥리벽화무덤의 주인공과 유주의 소속문제에 대하여」, 『조선고고연구』 1992-2.
전주농, 1959, 「안악 하무덤(3호분)에 대하여」, 『문화유산』 1959-5.
_____, 1963, 「다시 한 번 안악의 왕릉을 논함」, 『고고민속』 1963-2.
전호태, 2021, 「고구려 천왕지신총 연구」, 『선사와고대』 67.
주영헌, 1963, 「안악 제 3호무덤의 피장자에 대하여」, 『고고민속』 1963-2.
_____, 1985, 「주요 고구려벽화무덤의 주인공문제에 대하여」, 『高句麗壁畫古墳』, 朝鮮畫報社.
蔡秉瑞, 1959, 「安岳近傍壁畫古墳發掘手錄」, 『亞細亞研究』 2-2.
_____, 1967, 「安岳地方의 壁畫古墳」, 『白山學報』 2.

康捷, 1986, 「朝鮮德興里壁畫墓及其有關問題」, 『博物館研究』 1986-1.
耿鐵華, 1987, 「高句麗貴族冉牟墓及墓誌考釋」, 『遼海文物學刊』 1987-2.
吉林省文物志編委會, 1984, 「冉牟墓」, 『集安縣文物志』.
勞幹, 1944, 「跋高句麗大兄冉牟墓誌兼論高句麗都城之位置」, 『歷史言語研究

集刊』11.
宿白, 1952, 「朝鮮安岳發現的冬壽墓」, 『文物參考資料』1952-1.
劉永智, 1983, 「幽州刺史墓考略」, 『歷史研究』1983-2.
洪晴玉, 1959, 「關于冬壽墓的發現和研究」, 『考古』1959-1.

武田幸男, 1989a, 『高句麗史と東アジア』, 岩波書店.
池內宏, 1938, 『通溝』(上), 日滿文化協會.
池內宏·梅原末治, 1940, 『通溝』(下), 日滿文化協會.
岡崎敬, 1964, 「安岳3號墳(佟壽墓)の研究」, 『史淵』93.
武田幸男, 1981, 「牟頭婁一族と高句麗王權」, 『朝鮮學報』99-100(합집).
_____, 1989b, 「德興里壁畵古墳被葬者の出自と經歷」, 『朝鮮學報』130.
窪添慶文, 1981, 「樂浪郡と帶方郡の推移」, 『東アジア世界における日本古代史』3, 學生社.
井上直樹, 2007, 「集安出土文字資料からみた高句麗の支配體制について一考察」, 『朝鮮學報』203.
佐伯有淸, 1977, 「高句麗牟頭婁墓誌の再檢討」, 『史朋』7.
_____, 1987a, 「德興里高句麗壁畵古墳の墓誌」, 『日本古代中世史論考』.
_____, 1987b, 「高句麗廣開土王時代の墓誌」, 『東アジアの古代文化』51.

K. H. J. Gardiner, 1969, *The Early History of Korea*, University of Hawaii Press.

### 광개토왕릉비

권인한, 2015, 『광개토왕비문 신연구』, 박문사.
김석형, 1966, 『초기조일관계연구』, 사회과학원출판사(朝鮮史硏究會 역, 1969, 『古代朝日關係史: 大和政權と任那』, 勁草書房).
노태돈, 1999, 『고구려사 연구』, 사계절.
동북아역사재단 편, 2014, 『혜정 소장본 광개토태왕비 원석탁본』.
박시형, 1966, 『광개토왕릉비』, 사회과학원출판사(井上秀雄·永島暉臣愼 抄譯,

1967, 『朝鮮研究年報』9; 全浩天 역, 1985, 『廣開土王陵碑』, そしえて).

박진석, 1993, 『호태왕비와 고대조일관계연구』, 연변대학출판사.

손영종, 1990, 『고구려사(1)』, 과학백과사전종합출판사.

\_\_\_\_\_, 2001, 『광개토왕릉비문 연구』, 도서출판 중심.

이도학, 2006, 『고구려 광개토왕릉비문 연구』, 서경문화사.

\_\_\_\_\_, 2020, 『새롭게 해석한 광개토왕릉비문』, 서경문화사.

李進熙 저, 이기동 역, 1982, 『廣開土王碑의 探究』, 일조각.

이형구·박노희, 1986, 『廣開土大王陵碑新研究』, 同和出版公社.

\_\_\_\_\_, 2014, 『광개토왕릉비』(개정증보판), 새녘출판사.

임기중, 1995, 『廣開土王碑原石初期拓本集成』, 동국대학교출판부.

임세권·이우태, 2002, 『韓國金石文集成 1 - 高句麗 廣開土王碑』, 韓國國學振興院.

고광의, 2014a, 「廣開土太王碑 석문 일고」, 『백산학보』100.

\_\_\_\_\_, 2014b, 「廣開土太王碑 석문 일고」, 『혜정 소장본 광개토태왕비 원석탁본』, 동북아역사재단.

\_\_\_\_\_, 2015, 「廣開土太王碑의 제1면 9행 13자 釋文 검토」, 『한국고대사연구』77.

공석구, 1990, 「廣開土王陵碑의 東夫餘에 대한 考察」, 『韓國史研究』70.

\_\_\_\_\_, 2011, 「광개토왕릉비에 나타난 광개토왕의 왕릉 관리」, 『고구려발해연구』39.

\_\_\_\_\_, 2012, 「廣開土王의 遼西地方 進出에 대한 고찰」, 『韓國古代史研究』67.

\_\_\_\_\_, 2013b, 「'광개토왕릉비' 수묘인연호 기사의 고찰」, 『고구려발해연구』47.

권인한, 2011, 「廣開土王陵碑文의 새로운 판독과 해석」, 『목간과 문자』8.

기경량, 2010, 「고구려 국내성 시기의 왕릉과 수묘제」, 『한국사론』56.

\_\_\_\_\_, 2020, 「광개토왕릉비문의 신판독과 해석」, 『고구려발해연구』68.

\_\_\_\_\_, 2022, 「광개토왕비 辛卯年條 '來渡海破' 판독의 문제와 그 함의」, 『고구려발해연구』73.

김락기, 2006, 「고구려 수묘인의 구분과 입역방식」, 『한국고대사연구』41.

김영만, 1980, 「廣開土王陵碑의 新研究(I)」, 『신라가야연구』11.

김영하, 1985, 「고구려의 순수제」, 『역사학보』106.

\_\_\_\_\_, 2012, 「광개토왕릉비의 정복기사 해석」, 『한국고대사연구』40.

김현숙, 1989, 「광개토왕비를 통해 본 고구려 수묘인의 사회적 지위」, 『한국사연구』 65.

_____, 2000, 「延邊地域의 長城을 통해 본 高句麗의 東夫餘 支配」, 『國史館論叢』 88.

노중국, 1979b, 「高句麗 律令에 관한 일시론」, 『東方學志』 21.

노태돈, 1988, 「5세기 金石文에 보이는 高句麗人의 天下觀」, 『韓國史論』 23.

_____, 1989, 「扶餘國의 境域과 그 變遷」, 『國史館論叢』 4.

_____, 1992a, 「광개토왕릉비」, 『역주 한국고대금석문(제1권)』, 가락국사적개발연구원.

_____, 2012, 「광개토왕대의 정복활동과 고구려 세력권의 구성」, 『한국고대사연구』 67.

박성봉, 1979, 「廣開土好太王期 高句麗 南進의 性格」, 『韓國史研究』 27.

백승옥, 2015, 「廣開土太王陵碑文 辛卯年條에 대한 新解釋」, 『동양학』 58.

서영대, 1991, 「韓國古代 神觀念의 社會的 意味」, 서울대학교 박사학위논문.

서영수, 1982, 「廣開土王陵碑文의 征服記事 再檢討」(上), 『역사학보』 96.

_____, 1988, 「廣開土王陵碑文의 征服記事 再檢討」(中), 『역사학보』 119.

_____, 1996, 「'辛卯年記事'의 변상과 원상」, 『高句麗研究(현 高句麗渤海研究)』 2.

_____, 2013a, 「광개토태왕의 패려 정벌과 요동순수」, 『白山學報』 95.

서영일, 2006, 「고구려의 백제공격로 고찰」, 『사학지』 38.

손영종, 1986a, 「광개토왕릉비를 통하여 본 고구려의 령역」, 『력사과학』 1986-2.

_____, 1986b, 「광개토왕릉 비문에 보이는 수묘인연호의 계급적 성격과 립역방식에 대하여」, 『력사과학』 1986-3.

양기석, 1983, 「4-5c 高句麗 王者의 天下觀에 대하여」, 『湖西史學』 11.

여호규, 2005, 「광개토왕릉비에 나타난 고구려의 대중인식과 대외정책」, 『역사와현실』 55.

_____, 2009, 「「廣開土王陵碑」에 나타난 高句麗 天下의 공간범위와 주변 族屬에 대한 인식」, 『역사문화연구』 32.

_____, 2012, 「4세기 후반-5세기 초엽 고구려와 백제의 국경 변천」, 『역사와현실』 84.

_____, 2014c, 「광개토왕릉비의 문장 구성과 서사 구조」, 『영남학』 25.

_____, 2015, 「집안고구려비와 광개토왕릉비 서두의 단락구성과 서술내용 비교」, 『신라문화』 45.

_____, 2017a, 「고구려와 중국왕조의 만주지역에 대한 공간인식」, 『한국고대사연구』 88.

_____, 2023a, 「광개토왕릉비 제1~2면의 비면 현황과 비문 판독」, 『高句麗渤海研究』 75.

_____, 2023b, 「광개토왕릉비 제3~4면의 비면 현황과 비문 판독」, 『한국문화』 101.

_____, 2023c, 「광개토왕릉비 영락10년조에 나타난 고구려의 군사 활동과 외교관계」, 『木簡과 文字』 30.

연민수, 1987, 「廣開土王碑文에 보이는 倭關係 記事의 檢討」, 『동국사학』 21.

_____, 1995, 「廣開土王碑文에 보이는 對外關係」, 『한국고대사연구』 10.

이기동, 1987, 「광개토왕릉비문에 보이는 백제관계기사의 검토」, 『백제연구』 17.

이노우에 나오키, 2015, 「일본학계에서의 광개토왕비 연구의 성과와 과제」, 『동북아역사논총』 49.

이도학, 1988, 「영락 6년 광개토왕의 남정과 국원성」, 『손보기박사정년기념 한국사학논총』.

_____, 2002, 「광개토왕릉비 비문의 국연과 간연의 성격에 대한 재검토」, 『한국고대사연구』 28.

이병도, 1975, 「광개토왕의 웅략」, 『韓國古代史研究』, 博英社.

이성시, 1996, 「광개토왕비의 입비목적과 고구려의 수묘역제」, 『고구려발해연구』 2.

_____, 2008, 「광개토왕릉비의 건립 목적에 대한 시론」, 『한국고대사연구』 50.

이성제, 2012, 「4世紀 末 高句麗와 後燕의 關係」, 『韓國古代史研究』 68.

이인철, 1996, 「廣開土好太王碑를 통해 본 高句麗의 南方經營」, 『고구려발해연구』 2.

_____, 1997, 「4-5세기 고구려의 수묘제」, 『청계사학』 13.

이정빈, 2015, 「광개토왕릉비 탁본 연구방법의 성과와 과제」, 『동북아역사논총』 49.

이태희, 2023, 「광개토대왕릉비 관련 중국 자료 역주」, 『考古學誌』 29(국립중앙박물관).

이형구·박노희, 1981, 「광개토대왕릉비문의 소위 辛卯年 기사에 대하여」, 『東方學志』 29.

임기환, 1994, 「광개토왕비의 국연과 간연」, 『역사와현실』 13.

_____, 1996, 「광개토왕릉비문에 보이는 '民'의 성격」, 『高句麗研究(현 高句麗渤海研究)』 2.

_____, 2012, 「고구려의 연변 지역 경영-柵城과 新城을 중심으로-」, 『동북아역사논총』 38.

_____, 2013, 「고구려의 요동 진출과 영역」, 『高句麗渤海研究』 45.

_____, 2014a, 「광개토왕비문에 보이는 時制 서술법과 歷史觀」, 『嶺南學』 26.

_____, 2014b, 「집안고구려비와 광개토왕비를 통해 본 고구려 守墓制의 변천」, 『한국사학보』 54.

임창순, 1973, 「廣開土大王碑釋文」, 『書通』 創刊號.

정두희, 1979, 「廣開土王陵碑文 辛卯年 記事의 再檢討」, 『歷史學報』 82.

정인보, 1955, 「廣開土境平安好太王碑釋略」, 『용재백낙준박사환갑기념국학논총』.

정호섭, 2012, 「광개토왕비의 성격과 5세기 고구려의 수묘제 개편」, 『선사와고대』 37.

_____, 2014, 「광개토왕비와 집안고구려비의 비교 연구」, 『한국사연구』 167.

_____, 2015, 「광개토왕비의 형태와 위치, 비문 구성과 성격에 관한 연구 성과와 과제」, 『동북아역사논총』 49.

조법종, 1995, 「광개토왕릉 비문에 나타난 수묘제 연구」, 『한국고대사연구』 8.

조영광, 2015, 「광개토왕비에 보이는 대외 관계와 고구려 천하관에 대한 연구 현황과 과제」, 『동북아역사논총』 49.

조우연, 2015, 「중국학계의 광개토왕비 연구 성과 검토」, 『동북아역사논총』 49.

조인성, 1988, 「광개토왕릉비를 통해 본 고구려의 수묘제」, 『한국사시민강좌』 3.

채희국, 1988, 「광개토왕릉 비문의 해석에서 제기되는 몇 가지 문제에 대하여」, 『력사과학』 1988-2.

천관우, 1979, 「廣開土王陵碑再論」, 『全海宗博士華甲紀念史學論叢』.

최연식, 2020, 「永樂 6년 고구려의 백제 침공 원인에 대한 검토」, 『목간과문자』 24.

耿鐵華, 1994, 『好太王碑新考』, 吉林人民出版社.

高明士, 1983, 「臺灣所藏的高句麗好太王碑拓本」, 『韓國學報』3(臺北).

_____, 1984, 「"臺灣所藏的高句麗好太王碑拓本"補述: 兼述好太王碑研究近況」, 『韓國學報』4.

_____, 1996, 「中央硏究院歷史語言硏究所藏高句麗好太王碑乙本原石拓本的史學價值」, 『古今論衡』3.

顧燮光, 1918, 「好太王卑」, 『夢碧簃石言』(李進熙, 『奉天通志』, 1974 재수록).

羅振玉, 1909, 「高麗好太王碑釋文」, 『神州國光集』第9集(王健群, 1984 재수록).

朴眞奭, 2014, 「關于好太王碑和集安高句麗碑幾個問題的考證」, 『광개토왕비 건립 1600주년 국제학술회의 발표문』, 동북아역사재단·中國社會科學院.

方起東, 2024, 「好太王碑文 方起東 釋讀」, 吉林省文物考古硏究所·集安市博物館 편, 『集安高句麗王陵』, 文物出版社.

徐建新, 1993, 「王培眞: 好太王碑原石拓本的新發現及其硏究」, 『世界歷史』2.

楊守敬, 1909, 「高句麗廣開土好太王談德碑跋」, 『高麗好太王(1)』.

吳大徵, 1886, 「皇華紀程」, 『殷礼枉在斯堂叢書』(李進熙, 1974 재수록).

王健群, 1984, 『好太王碑硏究』, 吉林人民出版社(임동석 역, 1985, 『광개토왕비연구』, 역민사).

王仲殊, 1990, 「關于好太王碑文辛卯年條的釋讀」, 『考古』1990-11.

王志修, 1895, 「高句麗永樂太王古碑歌」, 『高句麗永樂太王古碑歌攷』(李進熙, 1974 재수록).

劉承幹, 1922, 「晉高句麗好太王碑」, 『海東金石苑補遺』(권1), 希古樓(1976, 亞細亞文化社 복간본).

劉節, 1928, 「好太王碑考釋」, 『國學論叢』2-1.


古田武彥, 1973, 『失われた九州王朝』, 朝日新聞社.

金子鷗亭, 1982, 『好太王碑·寶子碑』, 日貿出版.

末松保和, 1949, 『任那興亡史』, 大八洲出版社.

_____, 1956, 『任那興亡史』, 吉川弘文館.

_____, 1996, 『高句麗と朝鮮古代史』, 吉川弘文館.

武田幸男, 1988, 『廣開土王陵碑原石拓本集成』, 東京大出版會.

_____, 1989a, 『高句麗史と東アジア』, 岩波書店.

_____, 2007a, 『廣開土王碑との對話』, 白帝社.

_____, 2007b, 『廣開土王碑』, 天來書院.

_____, 2009, 『廣開土王碑墨本の研究』, 吉川弘文館.

白崎昭一郎, 1993, 『廣開土王碑文の研究』, 吉川弘文館.

徐建新, 2006, 『好太王碑拓本の研究』, 東京堂出版.

水谷悌二郎, 1977, 『好太王碑考』, 開明書店.

李進熙, 1972, 『廣開土王陵碑の研究』, 吉川弘文館.

_____, 1974, 『廣開土王陵碑の研究(增訂版)』, 吉川弘文館(이기동 역, 1982, 『廣開土王碑의 探究』, 일조각).

佐伯有淸, 1976, 『廣開土王碑と參謀本部』, 吉川弘文館.

高寬敏, 1990, 「永樂10年高句麗廣開土王の新羅救援戰について」, 『朝鮮史研究會論文集』27(高寬敏, 1997, 『古代朝鮮諸國と倭國』, 雄山閣 재수록).

菅政友, 1891, 「高麗好太王碑銘考」, 『史學會雜誌』第22~25號.

今西龍, 1915, 「廣開土境好太王陵碑に就て」, 『訂正增補 大日本時代史(日本古代史 下)』, 早稻田大學出版部(1970, 『朝鮮古史の研究』, 國書刊行會 재수록).

金子鷗亭, 1987, 「好太王碑の書について」, 『書道研究』1.

旗田巍, 1973, 「廣開土王陵碑文の諸問題」, 『朝日アジアレビュー』14(1974, 『古代朝鮮と日本』, 龍溪書舍에 재수록).

金錫亨, 1974, 「三國時代の良人農民」, 『古代朝鮮の基本問題』, 學生社.

那珂通世, 1893, 「高句麗石碑考」, 『史學雜誌』第47~49號(1915, 『那珂通世遺書』, 大日本圖書).

末松保和, 1935, 「好太王碑の辛卯年について」, 『史學雜誌』46-1.

_____, 1959, 「高句麗好太王碑文」, 『歷史敎育』7-4.

_____, 1963, 「高句麗好太王碑文」, 『日本上代史管見』, 笠井出版印刷社.

浜田耕策, 1973, 「高句麗廣開土王陵碑文の虛像と實像」, 『日本歷史』304.

濱田耕策, 1974, 「高句麗廣開土王陵碑文の研究」, 『朝鮮史研究會論文集』11.

糸永佳正, 2015, 「"高句麗廣開土王碑"の立碑目的と'墓上立碑'」, 『朝鮮學報』235.

三宅米吉, 1898a, 「高麗古碑考」, 『考古學會雜誌』第2編 1-3號.

_____, 1898b, 「高麗古碑追加考」, 『考古學會雜誌』 第2編 5號.
西嶋定生, 1974, 「廣開土王碑文辛卯年條の讀法について」, 『圖說 日本の歷史』 3月報, 集英社.
_____, 1985, 「廣開土王碑文辛卯年條の讀み方について」, 『三上次男博士喜壽紀念論文集(歷史篇)』(2002, 『西嶋定生東史論集(第四卷)』, 岩波書店 재수록).
水谷悌二郞, 1959, 「好太王碑考」, 『書品』 100號.
鈴木靖民, 1985, 「好太王碑文の倭記事」, 『東アジアの古代文化』 44.
_____, 1988, 「好太王碑の倭の記事と倭の實體」, 『好太王碑と集安の壁畵古墳』, 木耳社.
李成市, 1994, 「表象としての廣開土王碑文」, 『思想』 842(이성시 지음, 박경희 옮김, 2001, 『만들어진 고대』, 삼인, 번역 수록).
田中俊明, 2001, 「高句麗の「任那加羅」侵攻をめぐる問題」, 『古代武器研究』 2.
前澤和之, 1972, 「廣開土王陵碑文をめぐる二三の問題-辛卯年部分を中心として」, 『續日本紀研究』 159.
佐伯有淸, 1972a, 「高句麗廣開土王陵碑文再檢討のための序章」, 『日本歷史』 287.
_____, 1972b, 「高句麗廣開土王陵碑文の再檢討-辛卯年條記事」, 『坂本太郎博士古稀記念 續日本古代史論集(上卷)』, 吉川弘文館.
酒井改藏, 1955, 「好太王碑面の地名について」, 『朝鮮學報』 8.
中塚明, 1971, 「近代日本史學史における朝鮮問題-とくに『廣開土王陵碑』をめぐって」, 『思想』 561.
橫井忠直, 1889, 「高句麗古碑考」, 『會餘錄』 5, 亞細亞協會.

## 집안고구려비

강진원, 2013, 「신발견 '集安高句麗碑'의 판독과 연구현황」, 『목간과문자』 11.
_____, 2014, 「고구려 묘제의 전통과 그 배경」, 『진단학보』 122.
공석구, 2013a, 「고구려 수묘비의 발견과 몇 가지 해석」, 『고구려발해연구』 45.
권인한, 2016, 「집안고구려비문의 새로운 판독과 해석」(한국목간학회 제24회 정기발표회 발표문).

기경량, 2014, 「집안고구려비의 성격과 고구려의 수묘제 개편」, 『한국고대사연구』 76.
김수태, 2013, 「'집안고구려비'에 보이는 율령제」, 『한국고대사연구』 72.
김창석, 2014, 「5세기 이전 고구려의 王命體系와 집안고구려비의 '敎'·'令'」, 『한국고대사연구』 75.
_____, 2015, 「고구려 수묘법의 제정 경위와 포고 방식 – 신발견 집안고구려비의 분석」, 『동방학지』 169.
김현숙, 2013b, 「集安高句麗碑의 건립시기와 성격」, 『한국고대사연구』 72.
서영수, 2013b, 「'지안 신고구려비' 발견의 의의와 문제점」, 『고구려발해연구』 45.
선주선, 2013, 「'集安高句麗碑' 판독 검토」, 『신발견 '集安高句麗碑' 판독 및 서체 검토』(원광대학교 서예문화연구소 2013 발표회, 2013. 5. 23).
여호규, 2013, 「신발견 '集安高句麗碑'의 구성과 내용 고찰」, 『한국고대사연구』 70.
_____, 2016, 「韓中日 3國 學界의 '集安高句麗碑' 硏究動向과 課題」, 『동방학지』 177.
윤용구, 2013, 「집안 高句麗碑의 拓本과 判讀」, 『한국고대사연구』 70.
이성제, 2013, 「'集安高句麗碑'로 본 수묘제」, 『한국고대사연구』 70.
이천우, 2016, 「'집안고구려비'의 수묘인 '차착(差錯)' 문제」, 『동북아역사논총』 52.
장병진, 2016, 「고구려 출자의식의 변화와 '集安高句麗碑'의 건국설화」, 『인문과학』 106.
전덕재, 2015, 「373년 고구려 율령의 반포 배경과 그 성격」, 『한국고대사연구』 80.
정현숙, 2013, 「서예학적 관점으로 본 '集安高句麗碑'의 건립 시기」, 『서지학연구』 56.
정현숙·조미영·이순태·이은솔·황인현, 2013, 「'集安高句麗碑'의 서체 분석」, 『신발견 '集安高句麗碑' 판독 및 서체 검토』(원광대학교 서예문화연구소 2013 발표회, 2013. 5. 23).
정호섭, 2013, 「集安 高句麗碑의 성격과 주변의 고구려 고분」, 『한국고대사연구』 70.
조우연, 2013, 「集安 高句麗碑에 나타난 왕릉제사와 조상인식」, 『한국고대사연구』 70.
홍승우, 2013, 「'集安高句麗碑'에 나타난 高句麗 律令의 형식과 守墓制」, 『한국고대사연구』 72.

_____, 2016, 「고구려 율령의 형식과 제정방식-「광개토왕비」와 「집안고구려비」의 사례 분석-」(한국목간학회 제24회 정기발표회 발표문).

張福有 편저, 2014, 『集安麻線高句麗碑』, 文物出版社.
集安市博物館 편저, 2013, 『集安高句麗碑』, 吉林大學出版部.
耿鐵華, 2013a, 「集安高句麗碑捶拓與研究」, 『신발견 集安高句麗碑 관련 한중일 전문가 워크숍 자료집』, 동북아역사재단.
_____, 2013b, 「중국 지안에서 출토된 고구려비의 眞僞 문제」, 『한국고대사연구』 70.
_____, 2013c, 「集安高句麗碑考釋」, 『通化師範學院學報』(人文社會科學) 2013-2.
耿鐵華·董峰, 2013, 「新發現的集安高句麗碑初步研究」, 『社會科學戰線』 2013-5.
徐建新, 2013, 「中國新出'集安高句麗碑'試析」, 『東北史地』 2013-3(江川式部 번역, 2014, 『日本古代の國家と王權·社會』, 塙書房).
孫仁杰, 2013a, 「集安高句丽碑发现调查與捶拓」, 『신발견 集安高句麗碑 관련 한중일 전문가 워크숍 자료집』, 동북아역사재단.
_____, 2013b, 「집안고구려비의 판독과 문자 비교」, 『한국고대사연구』 70.
_____, 2013c, 「集安高句麗碑文識讀」, 『東北史地』 2013-3.
梁志龍·靳軍, 2013, 「集安麻線高句麗碑試讀」, 『東北史地』 2013-6.
王春燕·呂文秀, 2013, 「集安高句麗碑札記」, 『高句麗與東北民族研究』 2013-1.
魏存成, 2013, 「關于新出集安高句麗碑的幾点思考」, 『東北史地』 2013-3.
李新全, 2013, 「集安麻線高句麗碑之我見」, 『東北史地』 2013-6.
林澐, 2013, 「集安麻線高句麗碑小識」, 『東北史地』 2013-3.
張福有, 2013c, 「集安麻線高句麗碑探綜」, 『社會科學戰線』 2013-5.

武田幸男, 2014, 「集安·高句麗二碑の研究に寄せて」, 『プロジェクト研究』 9(早稻田大學 總合研究機構).
荊目美行, 2015, 「吉林省集安市發見の高句麗碑について」, 『皇學館大學紀要』 5.

## 충주고구려비

고구려연구회 편, 2000, 『고구려연구』 10(중원고구려비 특집호).

김현숙, 2005, 『고구려의 영역지배방식 연구』, 모시는사람들.

노태돈, 1999, 『고구려사 연구』, 사계절.

동북아역사재단, 2021, 『忠州高句麗碑』, 동북아역사재단.

동북아역사재단 한국고중세사연구소, 2020, 『충주고구려비 연구』, 동북아역사재단.

임기환, 2004, 『고구려 정치사 연구』, 한나래.

고광의, 2020, 「충주 고구려비의 판독문 재검토-題額과 干支를 중심으로-」, 『韓國古代史研究』 98.

김영하·한상준, 1983, 「中原高句麗碑의 建碑 年代」, 『教育研究誌』 25.

김정배, 1979, 「中原高句麗碑의 몇 가지 問題點」, 『사학지』 13.

김창호, 1987, 「中原高句麗碑의 재검토」, 『韓國學報』 47.

김현숙, 2002, 「4-6세기경 소백산맥 이동지역의 영역향방」, 『한국고대사연구』 26.

나유정, 2024, 「고구려의 대민편제와 수취체계 연구」, 한국외국어대학교 박사학위논문.

남풍현, 2000, 「中原高句麗碑文의 解讀과 吏讀的 性格」, 『高句麗渤海研究』 10.

박성현, 2010, 「6세기 초 고구려·신라의 화약과 경계」, 『역사와현실』 76.

朴眞奭, 2000, 「中原高句麗碑의 建立年代 考証」, 『高句麗渤海研究』 10.

변태섭, 1979, 「中原高句麗碑의 內容과 年代에 대한 檢討」, 『사학지』 13.

서영대, 1992c, 「中原高句麗碑」, 『譯註 韓國古代金石文(I)』, 駕洛國史蹟開發研究院.

서지영, 2012, 「5세기 羅·麗 관계변화와 中原高句麗碑의 建立」, 『한국고대사연구』 68.

손영종, 1985, 「중원고구려비에 대하여」, 『력사과학』 1985-2.

시노하라 히로카타(篠原啓方), 2000, 「中原高句麗碑의 釋讀과 내용의 의의」, 『史叢』 51.

申瀅植, 1979, 「中原高句麗碑에 대한 一考察」, 『사학지』 13.

심정현, 2018, 「5세기 고구려 남방의 범위와 지배형태」, 『역사와현실』 108.

여호규, 2020, 「충주고구려비의 단락구성과 건립시기」, 『韓國古代史研究』 98.
이기백, 1974, 「영천 청제비 貞元修治記의 고찰」, 『신라정치사회사연구』, 일조각.
_____, 1979, 「中原高句麗碑의 몇 가지 問題」, 『사학지』 13.
이도학, 2000, 「中原高句麗碑의 建立目的」, 『高句麗渤海硏究』 10.
이병도, 1979, 「中原高句麗碑에 대하여」, 『사학지』 13.
이성제, 2020, 「「忠州高句麗碑」의 건립 목적과 배경」, 『韓國古代史研究』 98.
이용현, 2020a, 「중원(충주) 고구려비 비문 해석의 일시안」(한국역사연구회 고대사분과 2020년 2월 분과총회 발표문).
_____, 2020b, 「忠州 高句麗碑 '忌'·'共'의 재해석」, 『韓國史學報』 80.
이재환, 2021, 「'영락7년' 판독에 기반한 충주고구려비의 내용 검토와 충주지역의 접경성」, 『목간과문자』 27.
이호영, 1979, 「中原高句麗碑 題額의 新讀 - 長壽王代의 年號 推論 -」, 『사학지』 13.
임기환, 2000, 「中原高句麗碑를 통해 본 高句麗와 新羅의 關係」, 『高句麗渤海研究』 10.
_____, 2020, 「충주고구려비의 高麗 大王과 東夷 寐錦」, 『韓國古代史研究』 98.
임창순, 1979, 「中原高句麗碑 小考」, 『사학지』 13.
장창은, 2005, 「中原高句麗碑의 판독과 해석」, 『新羅史學報』 5.
_____, 2006, 「中原高句麗碑의 연구동향과 주요 쟁점」, 『歷史學報』 189.
정영호, 1979, 「中原高句麗碑의 發見調査와 研究展望」, 『사학지』 13.
정운용, 1989, 「5世紀 高句麗 勢力圈의 南限」, 『史叢』 35.
최장열, 2004, 「중원고구려비, 선돌에서 한반도 유일의 고구려비로」, 『고대로부터의 통신』, 푸른역사.
하시모토 시게루(橋本 繁), 2022, 「충주 고구려비의 새 판독과 연대」, 『韓國古代史探究』 42.

石見淸裕, 1998, 『唐の北方問題と國際秩序』, 汲古書院.
木村誠, 1997, 「中原高句麗碑立碑年次の再檢討」, 『朝鮮社會の史的展開と東アジア』, 山川出版社.
木下礼仁, 1981, 「中原高句麗碑 - 건립연대」, 『촌상사남박사화가산대학퇴관기념

조선사논문집』(1993,『日本書紀と古代朝鮮』, 塙書房).
_____, 1984,「中原高句麗碑」,『소헌남도영박사화갑기념논총』, 태학사.
田中俊明, 1981,「高句麗の金石文」,『朝鮮史研究會論文集』18.

## 고구려 유민묘지명

고구려연구재단 편, 2005,『중국소재 고구려 관련 금석문 자료집』.
곽승훈 외 역주, 2015,『중국 소재 한국 고대 금석문』, 한국학중앙연구원 출판부.
권덕영, 2021a,『재당 한인 묘지명 연구』(자료 편), 한국학중앙연구원 출판부.
_____, 2021b,『재당 한인 묘지명 연구』(역주 편), 한국학중앙연구원 출판부.
김강훈, 2022,『고구려 부흥운동 연구』, 학연문화사.
김현숙, 2005,『고구려의 영역지배방식 연구』, 모시는사람들.
노태돈, 1999,『고구려사 연구』, 사계절.
이동훈, 2019,『고구려 중후기 지배체제 연구』, 서경문화사.
임기환, 2004,『고구려 정치사 연구』, 한나래.
정동민, 2022,『고구려-수 전쟁』, 신서원.
김수진, 2014,「당으로 이주한 고구려 포로와 지배층에 대한 문헌과 묘지명의 기록」,『한국고대사연구의 자료와 해석(노태돈교수정년기념논총 제2권)』, 사계절.
_____, 2017a,「唐京 高句麗 遺民 연구」, 서울대학교 박사학위논문.
_____, 2017b,「唐京 高句麗 遺民의 私第와 葬地」,『사학연구』127.
_____, 2018a,「고구려 유민 묘지명에 나타난 당인 관인의 '高句麗' 인식」,『동서인문학』54.
_____, 2018b,「고구려 유민의 당조 출사 유형과 변화」,『韓國學論叢』49.
_____, 2019,「고구려 유민 후속 세대의 중국 출자 표방과 당대 현실」,『사학연구』136.
_____, 2023,「고구려 유민의 折衝府 복무 특징과 변화 양상」,『韓國史學史學報』47.
김영관, 2018,「高句麗 遺民 高賓 墓誌銘에 대한 연구」,『韓國古代史探究』28.
김현숙, 2001,「중국 소재 고구려 유민의 동향」,『한국고대사연구』23.
_____, 2004,「고구려 붕괴 후 그 유민의 거취문제」,『한국고대사연구』33.
문영철, 2023,「645년 고구려-당 전쟁 당시 당의 水軍 운용 및 전략」,『高句麗渤海

硏究』77.

바이건싱(拜根興), 2008, 「고구려 발해 유민 관련 유적 유물」, 『중국학계의 북방 민족·국가 연구』, 동북아역사재단.

_____, 2002a, 「중국 소재 한국고대사 관련 금석문자료의 현황과 전망」, 『신라 금석문의 현황과 과제』(신라문화제학술논문집23).

_____, 2002b, 「격동의 50년-고구려와 당 관계 연구」, 『고구려연구』14.

송기호, 1998, 「고구려 유민 高玄 墓誌銘」, 『서울대학교박물관연보』10.

박한제, 1992, 「고구려 유민 관련 금석문」, 『역주 한국고대금석문(제1권)』, 가락국사적개발연구원.

안정준, 2016, 「당대(唐代) 묘지명에 나타난 중국 기원(起源) 고구려 유민(遺民) 일족(一族)의 현황과 그 가계(家系) 기술-고구려 유민(遺民)의 개념과 범주에 대한 제언」, 『역사와 현실』101.

여호규, 2010, 「1990년대 이후 고구려 문자자료의 출토현황과 연구동향」, 『한국고대사연구』57.

_____, 2016, 「新發見〈高乙德墓誌銘〉을 통해 본 高句麗 末期의 中裏制와 中央官制」, 『백제문화』54.

_____, 2017b, 「두만강 유역 고구려 성곽의 분포현황과 지방통치의 양상」, 『역사문화연구』61.

여호규·拜根興, 2017, 「遺民墓誌銘을 통해 본 唐의 東方政策과 高句麗 遺民의 동향」, 『東洋學』69.

윤용구, 2003, 「중국 출토의 한국고대 유민자료 몇 가지」, 『한국고대사연구』32.

_____, 2014, 「중국 출토 고구려·백제유민 묘지명 연구동향」, 『한국고대사연구』75.

이규호, 2015, 「4~5세기 고구려 중리도독부의 성립과 기능」, 『고구려발해연구』53.

이문기, 2003, 「고구려 중리제의 구조와 그 변화」, 『대구사학』71.

_____, 2010, 「墓誌로 본 在唐 고구려 유민의 祖先의식 변화」, 『대구사학』100.

이성제, 2001, 「高句麗와 北齊의 關係」, 『韓國古代史硏究』23.

_____, 2014, 「高句麗·百濟遺民 墓誌의 出自 기록과 그 의미」, 『한국고대사연구』75.

_____, 2016, 「遺民 墓誌를 통해 본 高句麗의 中裏小兄」, 『中國古中世史硏究』42.

장병진, 2020, 「고구려 유민 묘지명의 고구려 관련 전승과 그 계통」, 『역사와 현실』 117.
조범환, 2023, 「재당 고구려 유민 환관 高延福 묘지명의 새로운 검토」, 『한국고대사탐구』 43.
최진열, 2009, 「唐人들이 인정한 高句麗人의 正體性」, 『東北亞歷史論叢』 24.

拜根興, 2012, 『唐代高麗百濟移民硏究』, 中國社會科學出版社.
羅振玉, 1982, 「唐代海東藩閥誌存」, 『石刻史料新編』 第2集 第15冊, 新文豊出版公司 臺北.
拜根興, 2022, 「唐故余杭郡太夫人泉氏墓志」, 『文博』 2022-3.
王連龍·黃志明, 2022, 「唐代高句麗移民『李仁晦墓志』考論」, 『文物季刊』 2022-2.
朱子方·孫國平, 1986, 「隋'韓暨'墓誌跋」, 『北方文物』 1986-1.

武田幸男, 1989a, 『高句麗史と東アジア』, 岩波書店.
井上直樹, 2001, 「『韓暨墓誌』を通してみた高句麗の對北魏外交の一側面」, 『朝鮮學報』 178.

**8장**

# 고고·미술자료

양시은 | 충북대학교 고고미술사학과 교수

　지정학적인 위치로 인해 중국 중원의 고대 왕조 및 북방의 여러 세력들과 끊임없이 경쟁하였던 고구려는 한반도의 다른 고대 국가보다 사회문화적 기반이 넓었다. 주변 국가들과의 활발한 교류는 고구려 문화가 독자적이면서도 국제성을 갖출 수 있도록 하였다. 그리고 역동적이면서도 실용적이었던 고구려 문화는 백제, 신라, 가야 등 한반도와 그 주변 국가에 상당한 영향을 미쳤으며, 통일신라와 발해를 거쳐 오늘날까지도 그 문화적 전통이 이어지고 있다. 이러한 고구려의 문화유산은 역사·문화적 독창성과 그 탁월한 보편적 가치를 인정받아 2004년 세계유산으로 지정되었다. 중국에서는 '고구려의 왕성, 왕릉과 귀족무덤'이, 북한에서는 벽화분을 비롯한 '고구려 무덤군'이 각각 등재되었다(양시은, 2023a).

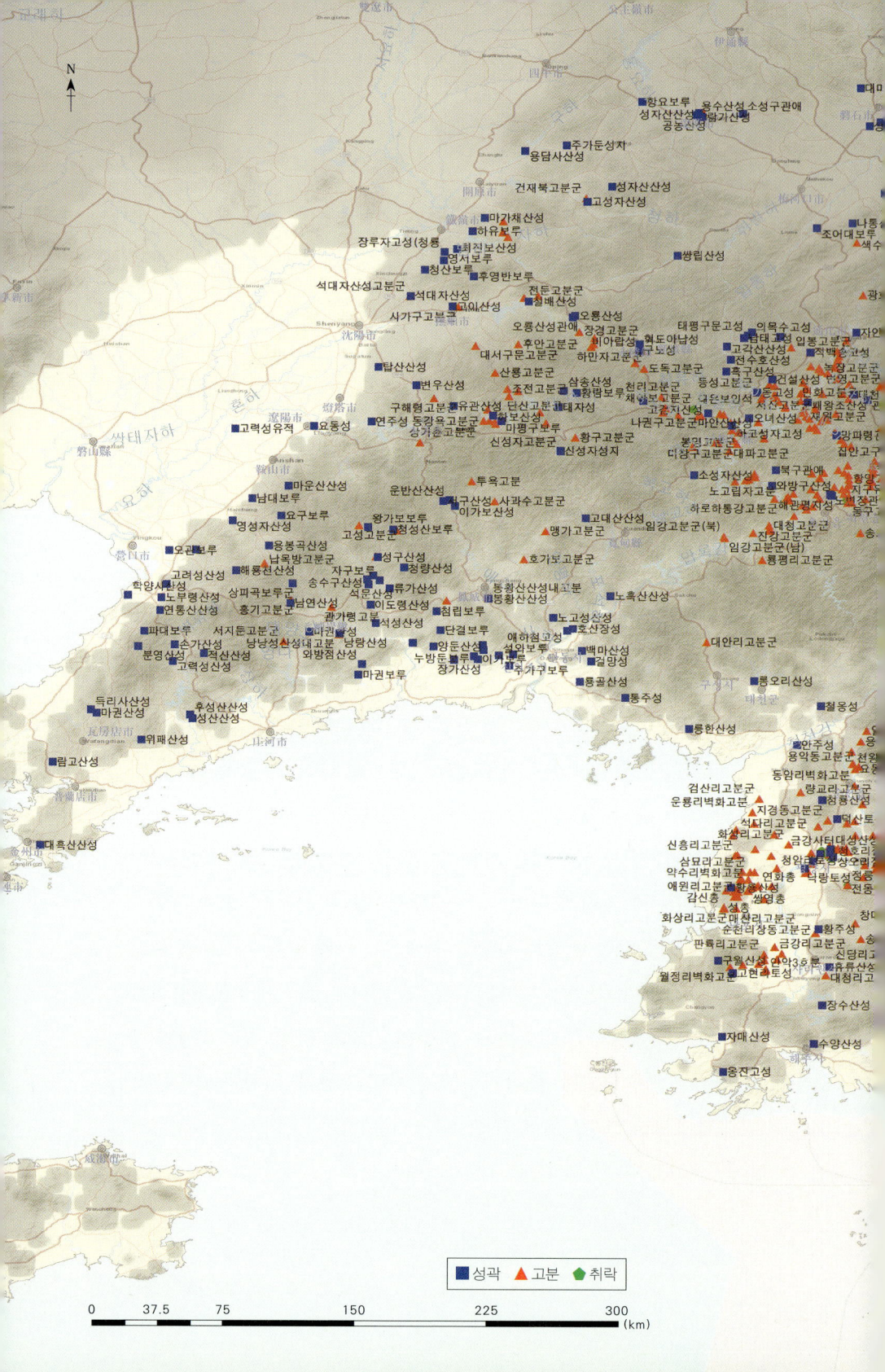

그림1 | 고구려 유적 분포도
(ⓒ 최종택)

최대 전성기였던 5세기 말 고구려의 영역은 북으로는 중국 길림성(吉林省) 일대의 송화강(松花江) 유역에서 남으로는 대전의 금강 유역까지, 서로는 중국 요령성(遼寧省) 요하(遼河) 유역에서 동으로는 두만강 너머까지였다. 이는 중국 동북 지역과 북한 전역, 그리고 한반도 중부 지역까지 산재해 있는 고구려의 유적과 유물을 통해 입증되고 있다.

이에 이 글에서는 고구려의 도성과 성곽, 고분에 대한 조사성과 및 주요 유물에 대한 연구성과를 종합적으로 다루어보고자 한다. 다만 통일된 체계와 서술의 일관성을 갖추기 위해 그간 발간된 『고구려통사』의 기존 서술을 바탕으로 글을 구성하였다.

## 1. 도성과 성곽

『삼국사기』지리지에 따르면, 주몽이 졸본(卒本), 즉 흘승골성(紇升骨城)에 고구려를 세웠고, 유류왕(유리왕) 22년(3)에 도읍을 국내성(國內城)으로 옮겼다. 이후 장수왕 15년(427)에 평양(平壤)으로 도읍을 옮겼으며, 다시 평원왕 28년(586)에 장안성(長安城)으로 도읍을 옮겼으나, 보장왕 27년(668년)에 멸망하였다. 물론, 문헌에는 도읍을 옮긴 기사(이도, 천도, 이거 등)가 더 확인되고 있을 뿐 아니라 그 시기에 대한 논란도 있으나, 도성의 위치에 따라 졸본, 국내, 평양으로 구분하는 것이 일반적이다.

큰 산과 깊은 계곡이 많은 지형적 특징상 고구려는 중기까지도 도읍을 둘러싼 대형 성곽이 확인되지 않으며, 6세기 후반에 평양 장안성으로 천도한 이후에야 비로소 도시를 감싸는 외성(外城)을 갖추게 되었다. 이러한 고구려 도성의 기본구조는 방형 평면의 성곽도시의 형태를 갖춘 중국의 고대 도성과는 차이를 보인다. 고구려의 장안성 역시 대동강과 보통강에 의해 만들어진 자연지형에 맞춰 석축 성벽을 쌓은 관계로, 축성방식이나 평면형태, 세부구조 등에서 중국의 도성구조와는 확연히 다르다.

고구려 도성에 대한 고고학적인 조사는 20세기 전반기에 일본인 연구자들에 의해 시작되었다. 도리이 류조(鳥居龍藏)는 1905년과 1912년에 환인(桓仁)과 집안(集安) 지역의 고구려 유적을 조사하였고, 1910년부터 평양 지역의 고구려 고분을 발굴조사한 세키노 다다시(關野貞) 역시 1913년에 집안 일대의 고구려 유적을 조사한 바 있다. 이들은 1914년 『사학잡지(史學雜誌)』에 국내 도성의 위치 및 고구려 도성제와 관련한 각자의 견해를 밝히며 주목을 받았다.

평양 도성에 대한 연구는 1920년대 후반이 되어서야 본격화되었다. 세키노 다다시는 평양 지역 고구려 도성이 평지성과 산성으로 이루어졌다는 본인의 주장을 구체화시켰다. 안학궁에서는 고구려 늦은 시기의 와당이, 그리고 청암리토성에서는 대성산성 출토품과 유사한 고식의 연화문와당이 출토되고 있으므로, 고구려의 전기 평양성은 대성산성과 청암리토성으로 구성되었을 것이라고 주장한 것이다(關野貞, 1928). 다만 세키노는 과거에 안학궁을 평양성과 짝을 이루는 평지성으로 추정한 바 있으나(關野貞, 1914), 이 논문에서는 와당의 편년을 근거로 청암리토성을 왕성으로 비정하면서 안학궁은 고구려 후기의 별궁으로 견해를 수정하였다.

반면, 세키노와 달리 이병도(1931)는 고구려의 평양성을 대성산성으로, 궁궐은 안학궁으로 보는 견해를 제시하였다(동북아역사재단, 2007).

한편, 조선총독부는 1929년과 1930년에 고적조사 특별보고 형식으로 『고구려시대의 유적(高句麗時代之遺蹟)』을 발간하였는데, 이 보고서에는 청암리토성, 안학궁, 대성산성, 평양성 등의 유적 사진과 지도 및 도면이 수록되었다.

평양 도성에 대한 발굴조사가 이루어진 것은 1930년대 중반으로, 조선고적연구회(朝鮮古蹟研究會)가 중심이 되었다. 평양부립박물관(平壤府立博物館) 관장이었던 고이즈미 아키오(小泉顯夫)는 1935년과 1936년에 평양성을, 1938년과 1939년에는 요네다 미요지(米田美代治)와 함께 청암리토성을 조사하였다.

전기 평양성의 왕궁터로 추정된 청암리토성의 중앙부에 대한 조사에서는 팔각탑을 비롯한 금당으로 추정되는 건물지가 발견되어 토성 내에 절이 있었음이 밝혀졌다. 고이즈미는 지역 전승과 주변의 지명 조사를 통해 이 폐사지를 498년(문자왕 7)에 창건된 금강사(金剛寺)로 보았다(小泉顯夫, 1940). 이러한 조사 결과는 이후 연구에서 청암리토성이 고구려의 왕성이 될 수 없다는 주장의 핵심 근거가 되었다.

집안 지역의 고구려 도성유적에 대한 고고학 조사는 만주국(滿洲國)이 성립된 1932년 이후에 본격적으로 이루어졌다. 특히 1935년에는 일만문화협회(日滿文化協會)와 만주국 문교부의 후원으로 이케우치 히로시(池内宏), 우메하라 스에지(梅原末治), 구로다 겐지(黑田源次), 미카미 쓰기오(三上次男) 등이 중심이 되어 집안 일대에 분포하고 있는 고구려 도성과 주요 고분에 대한 대대적인 조사를 실시하였고, 그 결과는 『통구(通溝)』(1938, 1940)라는 2권의 보고서로 간행되었다.

광복 이후에는 북한에서 먼저 고구려 도성에 대한 연구(황오, 1949; 채희국, 1957) 및 조사를 진행하였다. 특히 1958년부터 1961년까지 대성산성과 안학궁을 대대적으로 발굴조사하였다(채희국, 1964; 김일성종합대학출판사, 1973).

북한 학계는 전기 평양 도성이 안학궁과 대성산성으로 구성된 것으로 판단하고 있기 때문에, 청암리토성에 대해서는 별다른 관심을 두지 않았고 1990년대 중반이 되어서야 성벽 및 일부 건물지에 대한 조사가 이루어진 바 있다(남일룡·김경찬, 1998; 2000). 토성 서쪽 구역의 초석 건물지에서는 벽화 파편이 발견되었는데, 고구려 건축물에서 벽화가 발견된 사례는 청암리토성이 유일하다.

중국에서 졸본과 국내 도성에 대한 연구가 본격적으로 시작된 것은 1980년대이다. 오녀산성, 국내성, 환도산성 등 도성유적에 대한 본격적인 발굴조사 역시 고구려 유적의 세계문화유산 등재가 추진된 2000년대를 전후한 시점에 이루어졌다(吉林省文物考古研究所·集安市博物館, 2004; 遼寧省文物考古研究所, 2004). 물론 1950년대 중후반부터 간헐적으로 오녀산성, 국내성, 하고성자성 등이 조사되었으나, 1970년대 중반에 성벽 절개조사가 이루어진 국내성(集安縣文物保管所, 1984)을 제외하면 1980년대 이전까지의 구체적인 조사 내용은 거의 알려진 바 없다.

위존성(魏存成, 1985)은 중국 고고학계에서 고구려 초기 및 중기의 도성 문제를 가장 먼저 다루었다. 산성과 평지성의 결합을 고구려 도성의 가장 큰 특징으로 판단한 그는, 초기 도성(졸본)은 환인의 하고성자토성(下古城子古城)과 오녀산성(五女山城)으로, 중기 도성(국내)은 집안의 국내성과 산성자산성(山城子山城)으로 비정하였다. 이후 그의 견해는 중국 학계의 통설이 되었지만, 최근에는 발굴조사 결과를 바탕으로 일부 다른 주장이 제기되기도 하였다(王志剛, 2016).

고구려 도성제에 대한 그간의 연구들은 『주서(周書)』에 기록된 평양성에 대한 내용과 개별 유적의 분포 양상을 토대로 평지의 왕궁과 위급 시 사용된 배후의 산성으로 이루어졌다는 세키노 다다시의 주장(關野 貞, 1914)에 대체로 동조해 왔다. 그렇지만 이러한 주장은 개별 왕성(또는 궁성)유적의 축조 및 이용 시점에 대한 고고학적인 근거를 바탕으로 한 것이라기보다는 후대까지 보존된 도성 내 유적의 분포 양상을 토대로 평지성과 방어용 산성이라는 고정된 틀에 끼워 맞춘 것에 불과하며 재검토되어야 하는 상황이 도래하였다(양시은, 2021a).

한편, 고구려는 평지성을 쌓아 도시를 방어했던 고대 중국과 달리 산성을 기반으로 한 방어체계를 갖추었다. 고구려의 산성은 험준한 지세를 최대한 활용하여 축조하였기 때문에 점령이 쉽지 않았으며, 국경 외에도 도성으로 향하는 주요 교통로에 산성을 쌓는 등 다중의 방어체계를 구축하였다.

다만 영토가 대폭 확장된 고구려 중기 이후부터는 군사방어적인 목적 외에도 효율적으로 지방을 지배하기 위해 중요 거점에는 치소성(治所城)을 축조하였다. 『구당서(舊唐書)』에는 고구려가 멸망할 당시 5부(部) 176성(城) 69만 7,000호(戶)였고, 『북사(北史)』에 요동이나 현도 등 수십 성에 모두 관청을 설치하여 통치하였다는 기록이 남아 있어 이러한 추측을 뒷받침한다. 또 치소성으로 활용되었을 가능성이 큰 중대형의 포곡식산성에는 기와가 출토되는 경우가 많은데, 고구려는 오직 불사(佛寺)·신묘(神廟) 및 왕궁·관부(官府)만이 기와를 사용하였다는 『구당서』의 기록으로 볼 때 중기 이후 치소성에는 기와를 올린 행정관청 건물이 들어서 있었음을 짐작해볼 수 있다(양시은, 2016).

고구려 성에 대한 첫 번째 조사는 도리이 류조가 1895년에 봉성(鳳城) 봉황산산성(鳳凰山山城)을 답사한 것이며, 20세기 들어서는 일본인

연구자들의 답사를 통한 요동 지역 고구려 산성에 대한 현황 파악이 주가 되었다. 다만 그 과정에서 1940년대에는 무순(撫順) 고이산성(三上次男·田村晃一, 1993)을 비롯한 일부 유적이 발굴되기도 하였다.

광복 이후 중국에서는 1956년에 집안 패왕조산성(覇王朝山城)이 조사된 이후, 문화대혁명 시기를 거치면서 한동안 조사가 중단되었으나 1980년대에 들어와 전면적인 현황 조사가 재개되었고, 각 지역의 『문물지(文物志)』 등을 통해 고구려 성에 대한 기초 자료가 소개되기 시작하였다. 이후 무순 고이산성(高爾山城)이나 심양(瀋陽) 석대자산성(石臺子山城) 등 일부 산성이 발굴조사되었으나, 관련 내용은 학술지에만 간략하게 보고되었다. 2000년대에 이르러 중국은 오녀산성, 국내성, 환도산성을 대대적으로 발굴조사하였고, 이례적으로 보고서도 간행하였다. 2000년대 후반부터는 환인 고검지산성(高儉地山城), 봉성 봉황산산성, 서풍(西豊) 성자산산성(城子山山城), 등탑 연주성(백암성), 통화 자안산성(自安山城), 유하(柳河) 나통산성(羅通山城), 개주 고려성산성(청석령산성), 길림 용담산성(龍潭山城) 등이 발굴조사되었다. 그중 『석대자산성』(2012)과 『나통산성』(2024)은 보고서가 발간되었다.

광복 이후 도성을 중심으로 발굴 및 연구를 하였던 북한에서는 1980년대에 들어 주요 고구려 산성에 대한 조사를 진행하였다. 황주성, 신원 장수산성, 피현 걸망성, 성천 흘골산성, 단천 가웅산성 등에 대한 조사가 간헐적으로 진행되었고, 그 성과는 『조선고고연구』 등 학술잡지에 간략하게 보고되었다. 그나마 북한 사회과학원에서 발간한 『조선고고학전서: 고구려의 성곽』(2009)이나 1990년대 후반 북한 고구려 산성을 답사하고 관련 자료를 정리한 서일범(1999)의 「북한지역 고구려 산성 연구」, 동북아역사재단의 『남포시 용강군 옥도리 일대 역사유적』

(2011)과 『황해도 지역 고구려 산성』(2015), 『평안도 지역 고구려 산성』 (2017) 등을 통해 북한 소재 고구려 산성에 대한 대략적인 정보 확인이 가능하다.

남한에서는 1988년 서울 몽촌토성의 발굴조사를 통해 남한 내 고구려 관방유적의 존재 가능성을 처음으로 인식한 이후, 1990년대 후반부터 구리 아차산4보루 발굴조사를 시작으로 고구려 성에 대한 집중적인 조사와 연구가 진행되었다. 남한의 고구려 성은 크게 임진·한탄강 유역, 양주 일대, 한강 유역, 금강 유역에 분포하고 있는데, 한강 유역의 아차산 일원에 가장 많은 고구려 보루가 밀집해 있다. 그동안 임진·한탄강 유역에서는 연천 호로고루, 당포성, 은대리성, 무등리1·2보루, 고성산보루, 전곡리 목책유구와 파주 덕진산성이, 양주 일대에서는 천보산2보루, 태봉산보루, 독바위보루가, 한강 유역에서는 아차산3·4보루, 홍련봉1·2보루, 용마산2보루, 시루봉보루, 구의동보루가, 안성 지역에서는 도기동 목책유적이, 그리고 금강 유역에서는 청원 남성골산성과 대전 월평동유적이 발굴조사되었다.

이처럼 남한 지역의 고구려 성은 중국이나 북한과 달리 소규모 보루가 대부분이지만, 성벽과 성 내외에 대한 전면적인 조사를 통해 고구려의 축성기술과 성의 구조에 대한 구체적인 자료를 축적할 수 있었다. 문헌기록에 따르면, 고구려는 5세기 이후에야 남한 지역에 성을 축조하는 것이 가능하였기 때문에 고구려 중·후기 편년 설정의 기준이 될 수 있다는 점에서 매우 중요하며, 조사 내용이 모두 보고서로도 간행되어 연구자료의 활용 가치가 크다(양시은, 2016).

다음에서는 졸본, 국내, 평양으로 이어지는 고구려 도성의 현황과 이에 따른 방어체계를 함께 검토하도록 하겠다.

## 1) 졸본 도성과 방어체계

『삼국사기』에는 동명왕 즉위년(기원전 37년)에 주몽이 "졸본천에 이르러, 그 토양이 기름지고 아름다우며, 산하가 험하고 견고한 것을 보고 마침내 도읍하려고 하였으나, 궁실을 지을 겨를이 없었으므로 일단 갈대를 엮어 비류수 위에 살았다"라고 하며, 얼마 후(기원전 34년)에 "성곽과 궁실을 지었다"고 한다. 그리고 광개토왕릉비에는 "비류곡(沸流谷) 홀본(忽本) 서쪽 산 위에 성을 쌓고 도읍을 세웠다"고 하고, 『위서(魏書)』에는 "흘승골성에 이르러 마침내 자리를 잡았다"라고 한다.

졸본은 이른 시기의 고구려 성과 적석총이 집중적으로 분포하는 곳이어야 하는데, 이러한 조건을 만족시키는 곳은 현재 요령성 환인과 길림성 집안 지역뿐이다. 그런데 광개토왕릉비와 집안고구려비가 소재한 집안 지역이 국내성이므로, 환인 지역이 졸본일 수밖에 없다.

실제로 중국 요령성 환인 일대에는 오녀산성과 하고성자토성을 비롯하여 망강루고분군(望江樓古墳群), 상고성자고분군(上古城子古墳群), 고력묘자고분군(高力墓子古墳群) 등 이른 시기의 적석총이 다수 분포하고 있다.

험준한 절벽으로 둘러싸인 산 정상부(해발 806m)에 위치하여 방어가 용이한 오녀산성에는 고구려 초기(3기 문화층)와 중·후기(4기 문화층)에 해당하는 유구와 유물이 발견되었다. 산 정상부는 길이 600m, 너비 110~200m가량의 넓은 평탄지이며, 샘이 있어 안정적인 식수 공급이 가능하다. 산성에서 발견된 여러 유구 중에서 오수전(五銖錢)과 대천오십전(大泉五十錢)이 출토된 1호 대형 초석 건물지의 규모와 건축 구조는 동시기 다른 유적에 비해 월등하므로 고구려 초기 왕궁이었을

그림2 | 환인 일대의 고구려 유적 분포도

가능성이 크다.

특히 오녀산성은 별도의 성벽을 쌓지 않고도 충분히 방어가 가능한 천혜의 요새이자 환인분지 어디에서나 조망이 가능하다는 점에서 고구려 초기 왕성으로 상징성을 갖기에 충분하다. 발굴조사 결과(遼寧省文物考古硏究所, 2004) 고구려 초기에 활용되었음이 밝혀진 만큼, 건국 당시 산 위에 성을 쌓아 도읍으로 삼았다는 흘승골성으로 보기에 무리가 없다.

그렇지만 험준한 산 정상부에 위치한 오녀산성은 접근도 쉽지 않고, 겨울에는 눈과 추위로 인해 정주(定住)가 사실상 불가능하기 때문에,

평상시 왕이 거처하며 정무를 보는 곳은 평지에 따로 마련되어 있었을 가능성이 크다. 동일한 이유로 고구려 중기 이후 오녀산성은 치소성이 아닌 방어성으로만 기능하였다.

한편, 위존성(魏存成, 1985)은 졸본 도성이 하고성자토성과 오녀산성으로 구성되어 있었을 것으로 보았다. 다만 고구려 건국 초기에는 토성을 축조하는 전통이 없었기 때문에, 한이 축조한 것을 고구려가 연용하였을 것으로 추정하였다.

혼강(渾江) 변에 위치한 하고성자토성은 성벽의 전체 둘레가 0.8km인 평면형태 장방형의 토성이다. 1998년에는 기저부 너비 15.2m, 잔고 1.4m인 사다리꼴 단면의 토루를 조사하였는데, 성벽 축조 이전에 만들어진 구덩이에서 고구려 이른 시기의 토기편이 출토되었다(遼寧省 文物考古硏究所, 2004). 이를 통해 하고성자토성은 한이 아닌 고구려가 축조한 것임이 밝혀졌다.

졸본 평지도성과 관련하여서는 하고성자토성의 정확한 축성 시기를 파악하는 것이 중요한데, 아직까지도 발굴조사가 제대로 이루어지지 않아 간접적인 추론만 가능한 상황이다. 우선 광개토왕릉비에서는 홀본의 서쪽 산 위에 도읍을 세웠다고 하므로, 오녀산성의 서쪽에 위치한 하고성자토성은 평지도성이 될 수 없다. 그리고 인근의 상고성자고분군은 토성 거주 집단의 무덤이었을 가능성이 큰데, 고분군은 기단적석총이 중심을 이루고 있고 부장유물 또한 무기단적석총으로 구성된 망강루고분군보다 시기가 늦다는 점에서 조성 시기가 고구려 초기보다는 약간 늦을 수 있다.

이처럼 하고성자토성을 고구려 건국 당시에 축조된 것으로 판단하기에는 고고학적인 근거가 부족함에도 불구하고, 왕면후(王綿厚, 2002)

나 이신전(李新全, 2008) 등 중국 연구자들은 여전히 하고성자성을 졸본 평지도성으로 보고 있다.

그렇지만 고구려 건국 초기에 평지성이 존재하였다는 기록은 문헌에서 확인되지 않는다. 환인 일대에서 또 다른 평지성도 확인되지 않으므로, 오녀산성이 산상도읍이자 흘승골성으로, 단독으로 초기 도읍을 구성하였을 가능성이 크다. 다만 오녀산성 내부에 고구려 초기 건물지가 거의 없고 일상생활이 불편하다는 점에서 환인댐으로 인해 지금은 수몰된 고력묘자고분군 일대가 평상시 왕이 거주하고 있었던 평지 거점의 유력한 후보지로 논의되고 있다. 고력묘자고분군은 무기단적석총, 기단적석총 및 계단적석총은 물론이고 봉토분까지 확인되고 있어 환인 일대에서 규모가 가장 클 뿐만 아니라 고분군의 조영 기간도 가장 길어, 인근의 오녀산성과 함께 고구려 초기 도읍을 구성하였을 가능성이 크다(양시은, 2016).

환인의 외곽에는 졸본으로 향하는 주요 길목을 통제할 수 있는 지점에 산성이 분포하고 있다. 대표적인 유적으로는 신빈(新賓) 흑구산성(黑溝山城)과 전수호산성(輾水湖山城), 관전(寬甸) 소성자산성(小城子山城) 등이 있다. 이들 성은 모두 험준한 산 정상부에 축조된 석성으로, 절벽이나 험준한 자연지형을 천연성벽으로 활용하면서 필요한 일부 구간에만 석축 성벽을 쌓았다는 공통점이 있다. 다만 처음부터 잘 치석된 성돌로 성벽을 정연하게 쌓지는 못했을 것이고, 자연지형을 최대한 활용하여 방어하다가 돌을 다루는 기술이 어느 정도 수준에 오른 이후에야 본격적인 축성이 이루어졌을 것으로 보인다. 따라서 현재 산성에 남아있는 정연한 석축 성벽은 고구려 초기가 아닌 국내도읍기에 축조되었을 가능성이 크다.

한편, 고구려가 이른 시기부터 산성을 이용한 방어전략을 구축하였음은 『삼국사기』 고구려본기의 대무신왕 11년(28)이나 신대왕 8년(172) 기사 등을 통해서도 확인이 가능하다. 신대왕 8년에 한이 공격해 오자 명립답부(明臨答夫)는 왕에게 "도랑을 깊이 파고 보루를 높이며 들을 비워서 대비하면, 그들은 반드시 한 달을 넘기지 못하고 굶주리고 궁핍해져서 돌아갈 것입니다. 이후 우리가 날랜 군사로 공격하면 뜻을 이룰 수 있을 것"이라고 조언하여, 고구려군의 승리를 이끈 바 있다.

## 2) 국내 도성과 방어체계

앞서 언급한 바와 같이, 국내 도성은 중국 길림성의 집안 지역으로, 국내성과 환도산성(산성자산성)을 비롯하여 태왕릉(太王陵)과 장군총(將軍塚) 등 왕릉으로 비정되는 초대형 적석총, 그리고 광개토왕릉비와 최근 새로 발견된 집안고구려비 등이 분포해 있다. 북쪽의 노령산맥에서 뻗어 내린 용산(龍山), 우산(禹山), 칠성산(七星山) 등이 집안분지를 병풍처럼 감싸고 있고, 남쪽으로는 압록강이, 서쪽으로는 통구하(通溝河)가 흐르고 있어 자연방어벽을 형성하고 있다.

『삼국사기』 고구려본기에는 유리왕 22년(3)에 "국내로 천도하고, 위나암성(尉那巖城)을 쌓았다"는 기록이 전한다. 그런데 현재 집안 지역에서 확인되는 국내성과 환도산성은 지금까지의 발굴조사 결과만 놓고 본다면, 유리왕 대 국내 천도를 입증해주지 못하고 있다. 이로 인해 졸본에서 국내로의 천도 시점에 대해서는 유리왕대천도설(魏存成, 1985; 박순발, 2012 등)을 비롯하여 태조왕대천도설(여호규, 2005; 강현숙, 2015; 권순홍, 2019 등), 신대왕대천도설(임기환, 2015; 기경량, 2017 등),

산상왕대천도설(심광주, 2005a; 노태돈, 2012 등) 등 다양한 견해가 있다.

『삼국지(三國志)』에는 건안(建安) 연간에 공손강(公孫康)이 고구려를 공격할 당시 형이면서도 왕이 되지 못한 발기(拔奇)가 공손강에게 투항했다가 돌아와 비류수(沸流水) 유역에 살았고, 이이모(伊夷模)는 새로 나라를 세웠는데, 오늘날 [고구려가] 있는 곳이 이곳이다라는 내용도 전한다. 고구려본기에는 이와 유사한 내용이 고국천왕 즉위년(189)과 산상왕 즉위년(197) 기사에 각각 기록되어 있는데, 건안 연간(196~219)이라는 시기를 고려할 때 이 기사는 산상왕 대의 사건으로 이해하는 것이 합리적이다.

또한 『삼국사기』에는 산상왕 2년(198)에 환도성(丸都城)을 쌓고, 13년(209)에는 왕이 환도로 도읍을 옮겼다고 한다. 그리고 246년 위 관구검(冊丘儉, 혹은 모구검)의 침입으로 환도성이 점령되자, 동천왕 21년(247)에는 평양성을 쌓고 백성과 종묘 및 사직(廟社)을 옮겼다. 또한 고국원왕 12년(342)에는 다시 환도성을 수리하고 국내성을 쌓았으며, 같은 해 8월 환도성으로 옮겨 거처하였다고 하고, 다음 해(343)에는 거처를 평양 동황성(東黃城)으로 옮겼다고 한다.

이상의 천도 기사들은 2세기 말에서 3세기 전반에 고구려의 수도가 두 번이나 함락되면서 일어난 복잡한 상황을 반영된 것으로 보인다. 1906년에는 통구분지의 소판차령(小板岔嶺)에서 관구검기공비(冊丘儉紀功碑)가 발견되어 이러한 역사적 사건이 실제임이 밝혀진 바 있다.

집안 지역 통구평원에 조성된 국내성은 전체 성벽 둘레가 2.74km에 달하는 평면형태 방형의 석축 평지성이다. 성벽 아래에서 토축 다짐층의 흔적을 발견하였다는 1970년대의 시굴조사 결과(集安縣文物保管所, 1984)를 바탕으로 한동안은 이를 한의 고구려현성(高句麗縣城)으로 봐

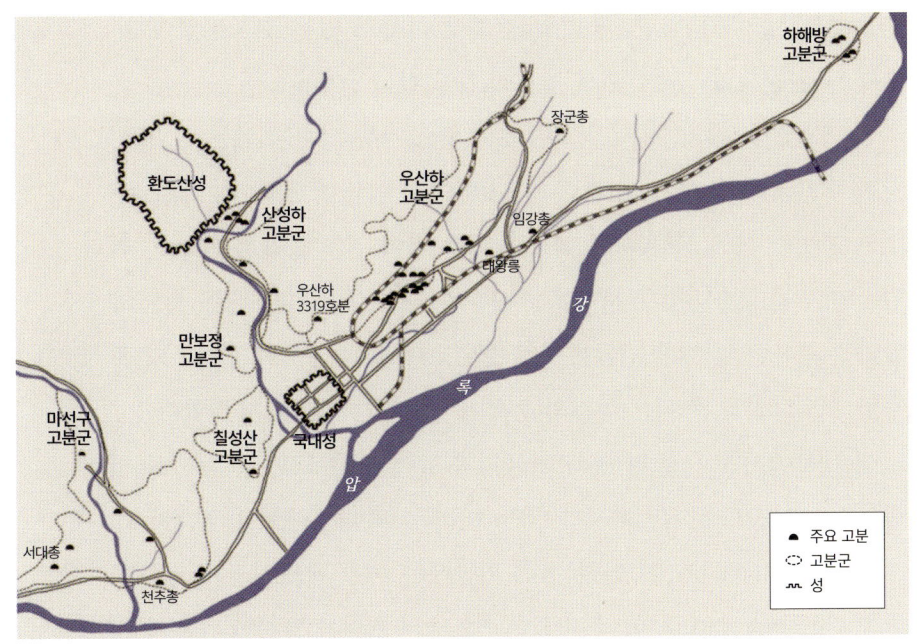

그림3 | 집안 지역 주요 고구려 유적 분포도

야 한다는 주장(魏存成, 1985)도 있었다. 그렇지만 2000년대에 실시된 발굴조사에서는 이러한 토루의 흔적을 발견할 수 없었고, 조사단 역시 기초부와 석축 성벽의 축조 시기를 4세기 이후로 판단하였다(吉林省文物考古研究所 외, 2004a; 2012). 사실상 해당 토축 다짐층은 한대 토성의 흔적이 아니라 고구려가 성벽 축조를 위해 조성한 기초 성토층으로 봐야 하며(양시은, 2013), 이러한 성토층은 연천의 호로고루나 당포성 등의 기초부에서도 확인된다.

국내성은 석축 성벽 내부의 토축부에서 고구려 중기에 해당하는 토기가 출토되었고, 성 내부에서도 4세기보다 이른 시기의 건물지는 발견되지 않았다. 이러한 고고학 조사 결과(吉林省文物考古研究所 외,

2004a)를 고려해본다면, 국내성은 축성 기사가 있는 고국원왕 12년 (342)에 완공되었다고 이해하는 것이 가장 합리적이다.

환도산성은 국내성에서 북쪽으로 2.5km가량 떨어져 있는데, 산성자산성(山城子山城)으로도 불린다. 남쪽 계곡 입구를 정문으로 삼고 주변의 험준한 산 능선을 따라 석축 성벽을 쌓아 전체 둘레가 7km인 전형적인 포곡식산성이다. 문헌에는 산상왕 2년(198)에 환도성을 축조하였다는 기록이 있으나, 지금까지의 발굴조사에서는 5세기대 이후의 유물만 출토되었을 뿐 이른 시기의 유물이나 유구는 발견되지 않았다.

성 내부에서는 11동의 초석 건물지가 들어선 남북 95m, 동서 86m 범위의 4단으로 구성된 대지가 발견되었다. 2호 대지에는 팔각 건물지 2개가 나란히 배치되어 있었는데, 최근에는 이를 목탑지로 추정하기도 한다(양은경, 2023). 이 부지에서는 와당과 기와를 포함한 다수의 유물이 출토되었다. 발굴보고서에는 342년 전연(前燕)의 침입으로 환도성이 함락되었을 때 소실되어 폐기된 궁전지로 판단하고 있으나(吉林省文物考古硏究所 외, 2004b), 이 건물지에서 출토된 연화문와당이나 양이부호 등은 5~6세기대 남한의 고구려 유적에서 발견되고 있고, 6세기대 문헌에도 여전히 환도성의 명칭이 등장한다는 점에서 4세기대 폐기설은 문제가 있다(양시은, 2016).

이상과 같이 집안 지역의 왕성유적에 대한 발굴조사가 진행되면서 국내 천도 시점부터 도성의 구조가 평지성과 방어용 산성으로 이루어졌다는 기존의 주장은 전혀 사실이 아님이 확인되었다. 그렇지만 국내성과 환도산성의 축조 시점이 유리왕 대 국내 천도 기사와 맞지 않는다고 하더라도, 244년 고구려의 환도성을 공격한 관구검이 남긴 관구검기공비와 167년 신대왕이 졸본에 가서 시조묘에 제사를 지냈다는『삼국사기』의 기록, 그리고 2세기 전반으로 편년되는 초대형 무기단적석총인 마선구(麻線溝)2378호분 등으로 볼 때, 적어도 2세기대에는 집안 지역이 고구려의 도성이었음은 분명하다.

이로 인해 초기 국내 도읍은 졸본과 마찬가지로 평지 거점과 방어성으로 구성되어 있었을 것이라는 새로운 견해가 등장하게 되었다. 여호규(2005)와 강현숙(2015)은 3면이 산줄기로 둘러싸여 있어 별도의 성곽을 축조하지 않아도 평상시 거점으로 삼기에 충분한 천혜의 요새지인 마선구 일대에 평지 거점이 있었을 것으로 보고, 건강(建疆)유적에 주목한 바 있다. 반면 왕지강(王志剛, 2016)이나 기경량(2019)은 현 국내성이 자리한 통구평야에 평지 거점이 있었으며, 4세기대에 국내성을 축조하였을 것으로 추정하고 있다.

한편, 고구려의 미천왕은 서안평(311), 낙랑군(313), 대방군(314), 현도성(315년)을 차례로 점령하여 영역 확장의 기초를 마련하였다. 그리고 고국원왕은 355년에 고구려 서북 방어선의 핵심이라고 할 수 있는 신성(新城)을 축조하였다. 요동 지역에서 당시 도성이었던 집안 지역으로 가기 위해서는 소자하(蘇子河) 내지는 태자하(太子河) 유역을 따라 이동하여야 한다. 소자하 유역의 교통로는 고이산성을 기점으로 심양 또는 무순에서 신빈으로 이어지며, 태자하 유역의 교통로는 요양(遼陽)에서 본계(本溪)를 거치는 경로로, 요동성(遼東城)에서 시작한다. 다만, 요동성은 5세기 이후에야 본격적으로 이용되었을 것이므로, 4세기 중국에 대한 방어체계에서 핵심적인 기능을 담당한 성은 고구려의 최전선에 축조된 신성, 즉 고이산성이었다.

고이산성은 무순시의 북쪽에 있는데, 동성을 중심으로 서성, 남위성, 북위성 및 동남쪽의 세 작은 성(小城)으로 구성되며, 전체 둘레는

4km에 달한다. 동성은 둘레가 2.8km이며 하곡평지형 포곡식 토축 산성이다. 요동평원과 동부 산간지대의 접경지대에 위치하고 있어 혼하(渾河)와 소자하 일대에서 가장 중요한 전략적 요충지이다.『삼국사기』고구려본기에 실린 "신성은 고구려 서쪽 변방의 요해지로 먼저 점령하지 않고서는 나머지 성들도 쉽게 빼앗을 수 없다"라는 당 장수 이적(李勣)의 언급은 고이산성의 중요성을 단적으로 보여준다.

이처럼 고구려는 요동평원에서 국내 도성으로 진입이 가능한 소자하나 태자하를 따라 새로운 성을 축조하거나 기존의 산정식산성을 대대적으로 개축하여 교통로를 중심으로 한 관방체계를 구축하였던 것으로 보인다. 이 시기 새롭게 축조된 산성은 험준한 산 정상부에 조성한 기존의 성들과는 달리 계곡을 끼고 산성을 축조함으로써 보다 많은 병사가 장기간 주둔하며 방어할 수 있게끔 규모가 확대되었다. 그리고 험준한 산 정상부에 조성된 산정식산성 역시 이 시기에 정연한 석축 성벽으로 전면 개축된 것으로 추정된다.

고구려가 교통로를 따라 방어체계를 구축하였음은『삼국사기』고구려본기 고국원왕 12년(342)에 전연의 모용황(慕容皝)이 고구려를 침입할 당시 "고구려에는 두 길이 있는데, 북도는 평탄하고 넓고, 남도는 험하고 좁다"는 기록과『위서』고구려전에 남도의 목저(木底)에서 전연의 군대가 고구려를 대파하고 환도에 이르렀다는 기사, 그리고 소자하와 태자하 유역 고구려 산성의 분포 양상을 보더라도 충분히 짐작해볼 수 있다.

한편, 당시 도성이었던 집안 지역은 외곽에 있는 노령산맥으로 인해 외부에서 들어올 수 있는 길이 제한되어 있었다. 고구려는 왕도로의 진입이 가능한 주요 길목마다 협곡을 막고 관애(關隘)를 축조하였는데,

이처럼 도성 외곽의 교통로에 차단벽을 설치한 방식은 국내 도성이 유일하다. "우리나라는 산이 험하고 길이 좁아, 한 명이 관(關)을 지키면 만 명이 당할 수 없다"는 『삼국사기』 신대왕8년(172) 기사는 관애를 활용한 고구려 방어체계의 일면을 잘 보여준다.

고구려는 과거에 비해 넓어진 영토를 효과적으로 다스리기 위해, 이 시기 주요 교통로에 축조한 성을 활용하여 지방통치를 강화한 것으로 보인다. 치소로 활용된 성은 주로 포곡식산성이나 강안평지성으로, 혼하 유역의 고이산성, 소자하 유역의 오룡산성(五龍山城)과 한대 토성이었던 영릉진고성(永陵鎭古城), 태자하 유역의 태자성(太子城) 등인데, 성에서는 모두 기와가 출토되었다. 이 밖에도 압록강 하구에 위치한 서안평(西安平)의 치소였던 애하첨고성(靉河尖古城)과 북쪽 길림 지역에서 집안으로 들어오기 위해 반드시 거쳐야 하는 통화 자안산성에서도 고구려 기와가 출토되었다. 이상의 성은 서로 일정한 거리를 두고 각 지역의 중심지에 자리하고 있어, 이 시기 고구려가 중앙집권화된 군사 및 지방 지배체제를 갖추었음을 알 수 있다.

### 3) 평양 도성과 방어체계

고구려는 장수왕 15년(427)에 평양으로 도읍을 옮겼다. 『주서』 고려전에는 "치소는 평양성이다. 그 성은 동서가 6리이며 남쪽으로는 패수(浿水)에 닿아 있다. 성 내에는 오직 군량과 무기를 비축하여 두었다가, 적이 침입하면 모두 들어가 굳게 지킨다. 왕은 그 곁에 별도의 집을 지었는데, 항상 거기에 머무르지 않는다"라는 기사가 전한다. 이 기록은 그간 고구려의 도성제가 평지성과 방어용 산성으로 이루어져 있음을

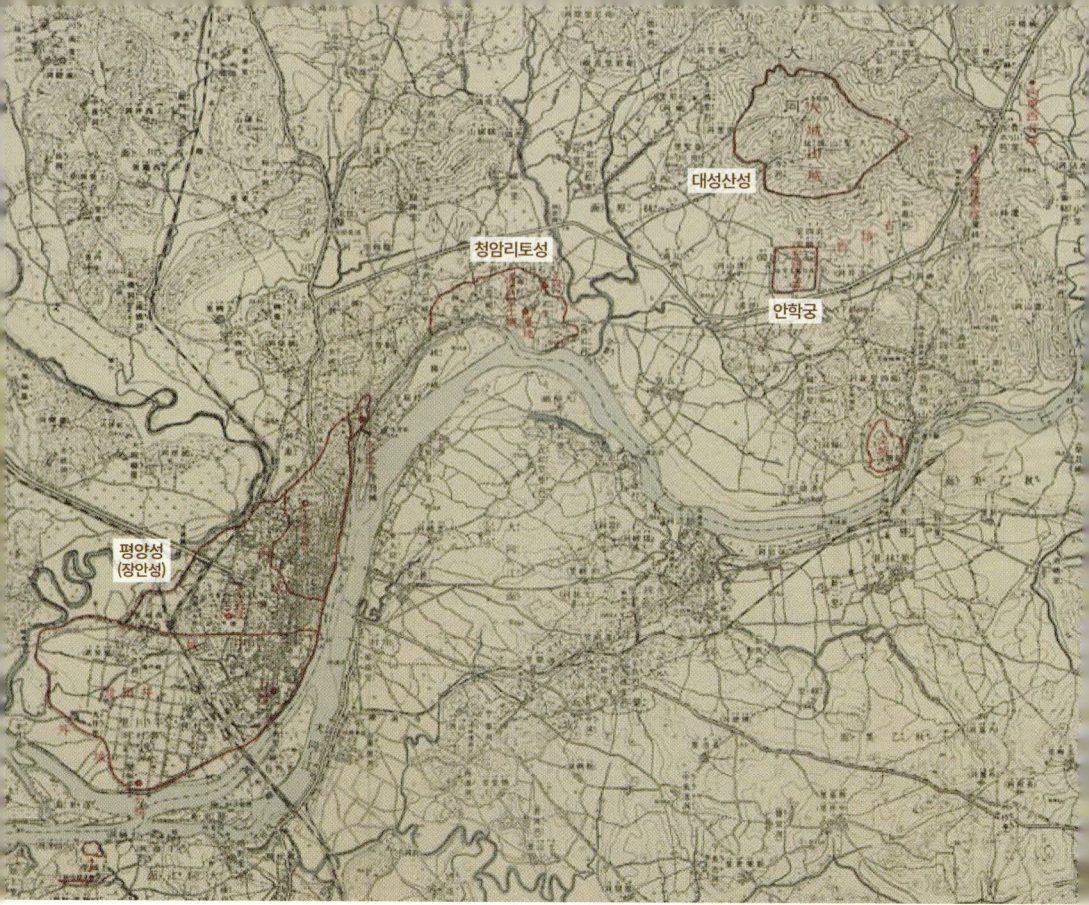

그림4 | 평양 지역 고구려 왕성유적 분포도(朝鮮總督府, 1929)

보여주는 주요 근거로 이용되었는데, 앞서 살펴본 바와 같이 고구려 중기까지도 이러한 주장을 뒷받침할 만한 고고학적인 조사 결과가 확인되지 않으므로 재고되어야 한다(양시은, 2021a).

평양 천도 당시의 평양성으로는 대성산성, 청암동토성, 안학궁이 거론되고 있다. 안학궁과 대성산성(채희국, 1964 등), 혹은 청암동토성과 대성산성(양시은, 2013 등)을 전기 평양성으로 보거나, 대성산성만을 전기 평양성으로 비정(기경량, 2017; 권순홍, 2019 등)하기도 한다.

우선 대성산성은 평양시 대성구역 대성산(해발 274m)에 있는 6개의 봉우리와 그 능선에 성벽을 쌓은, 둘레가 7km에 달하는 대형 포곡식 석축 산성이다. 주작봉과 소문봉 사이 계곡에 위치한 남문이 정문이다. 성내에서는 기와 건물지 20여 동을 비롯한 고구려 건물지와 샘을 비롯한 집수시설이 다수 발견되었다(김일성종합대학출판사, 1973).

청암동토성은 반달모양의 평면형태를 띤 평지성으로 성벽의 전체 둘레는 3.5km이다. 1938년 왕궁지로 추정되던 토성의 중앙부를 발굴조사한 결과 팔각탑을 비롯한 1탑3금당식의 사찰 건물지가 발견되었다(小泉顯夫, 1940). 1990년대 후반에는 토성 내 서쪽 구역에서 길이 50m, 너비 20m 규모의 초석 건물지가 발견되었는데, 연화문, 원문 등의 다양한 문양을 표현한 채색벽화편과 금가루를 입힌 벽화편 등이 출토되었다(남일룡·김경찬, 1998: 2000).

이들 유적에서는 국내도읍기의 왕릉인 천추총(千秋塚)과 태왕릉에서 출토된 연화문와당과 유사한 양식의 와당이 출토되고 있어 대성산성과 청암동토성 모두 평양 천도 이전에 축조되었음을 알 수 있다.

북한에서 전기 평양성으로 판단하고 있는 안학궁은 평면형태가 마름모꼴에 가까운 방형 토성으로, 전체 둘레는 2.5km가량이다. 내부에는 남북 중심축을 중심으로 5개의 건축군이 분포하고 있는데, 각 건물지들은 회랑으로 서로 연결되어 있다. 전체 21기의 건물터와 31기의 회랑터가 발견되었으며, 그 외에도 정원과 연못, 우물 등이 확인되었다(김일성종합대학출판사, 1973).

안학궁의 축조 시기에 대해서는 지금까지도 논란이 있는데, 특히 고구려 석실분을 파괴하고 궁성이 들어섰다는 점과 통일신라시대 이후로 편년되는 토기와 와당이 주를 이룬다는 점이 그러하다. 다나카 도시아키(田中俊明, 2005)나 박순발(2012)은 안학궁을 고려시대의 건축물로 판단하기도 한다. 그렇지만 안학궁에서는 고구려시기의 유물도 발견되므로, 고구려가 평양으로 천도한 427년보다 늦은 시기에 축조되었을 가능성이 크다(양시은, 2013).

한편, 고구려의 도읍은 6세기 후반 장안성으로 천도하면서 기존의 도성 구조와 전혀 다른 새로운 모습으로 변화하였다. 도시를 감싸는 외성이 조영되었고, 외성 내에는 도로를 기반으로 거주민을 통제하는 데 적합한 방리제(方里制)가 실시되었다.

『삼국사기』에는 양원왕 8년(552)에 장안성을 쌓기 시작하여, 평원왕 28년(586)에 장안성으로 도읍을 옮겼다고 한다. 장안성은 현 평양성으로, 그동안 발견된 각자성석(刻字城石)을 통해 552년 공사에 착수하여 566년에 내성을 쌓고, 586년 천도한 이후에 589년에 외성을 쌓았으며, 전체 완공은 착수 시점으로부터 42년이 지난 593년에 이루어졌음이 밝혀졌다.

평양성은, 북쪽 구간은 모란봉과 을밀대, 만수대의 험준한 지형을 이용하여 성벽을 쌓고, 나머지 3면은 대동강과 그 지류인 보통강을 자연해자로 활용하면서 자연 절벽과 능선에 석축 성벽을 쌓았다(최희림, 1978). 성은 북성, 내성, 중성, 외성으로 구성되어 있는데, 성벽 외곽의 전체 둘레는 16km, 안쪽 성벽까지 포함한 성벽의 총연장 길이는 23km이다. 산성과 평지성이 합쳐진 평산성 구조로, 앞서 언급한 바와 같이 기존의 고구려 도성과 달리 주민의 거주지역이 포함된 도시를 방어할 수 있도록 설계되었다.

한편, 고구려는 광개토왕의 활발한 정복활동으로 영토가 비약적으로 확장된 데다가 평양 천도로 도성의 위치가 바뀌면서, 평양도읍기에는 국내도읍기와는 다른 새로운 방어체계가 필요하게 되었다.

특히 수와 당의 침략에 대비하기 위해 고구려는 서부 국경인 요하를 경계로 동쪽에 산성들을 축조하였다. 특히 요하의 평원지대가 천산산맥(千山山脈)과 만나는 중심 거점에 요동성과 같은 대형 평지성이나 고려성산성(高麗城山城, 청석령산성), 영성자산성(英城子山城), 탑산산성(塔山山城), 고이산성, 최진보산성(崔陣堡山城) 등 중대형 포곡식산성을 축조하여 적이 쉽게 요하를 넘어올 수 없게 하였다. 영류왕 대인 631년에 착수한 동북의 부여성(扶餘城)부터 서남쪽 바다에 이르기까지 천 리에 걸쳐 쌓았다는 천리장성(千里長城) 역시 중국의 위협을 막기 위한 고구려 국경 방어전략의 일환이었다.

고구려는 요동에서 압록강을 거쳐 평양으로 이어지는 주요 교통로에도 다수의 산성을 축조하여 새로운 방어선을 구축하였다. 국내도읍기에 구축한 기존 관방체계는 요동에서 집안을 향하는 교통로를 중심으로 이루어져 있었기 때문에, 요하부터 압록강을 거쳐 평양으로 향하는 육상교통로와 산동반도에서 평양으로 향하는 해상교통로를 통제할 수 있는 요충지에 성을 축조하여 고구려의 방어체계를 대대적으로 개편하였다. 당시 서북방 국경 방어의 중심은 요양의 요동성이었고, 요동 일대 방어의 중심은 봉성의 봉황산산성이었다. 고구려의 지방관 중 가장 높은 등급인 욕살(褥薩)이 거주하였던 오골성(烏骨城)으로 비정되는 봉황산산성은 둘레가 16km나 되는 고구려의 최대급 산성이다.

고구려의 관방체계는 주요 거점성을 중심으로 유기적으로 운영되었는데, 이는 668년 당이 부여성을 공략하자 인근 40여 성이 항복했다는 기록이나, 645년 요동성을 구원하기 위해 신성과 국내성에서 보병과 기병 4만 명을 보냈다는 기록, 648년 박작성(泊灼城)을 구원하기 위해 오골(烏骨)과 안지(安地) 등 여러 성의 군사 3만 명이 모였다는 『삼국사기』 기록 등을 통해서도 짐작해볼 수 있다.

한편, 요동에서 압록강을 지나 평양으로 가기 위해서는 서해안을 따라 남하하거나 내륙교통로를 이용해야 하는데, 고구려는 이들 교통로를 통제할 수 있는 곳에도 중대형 산성을 축조하였다. 그리고 평양 도성의 외곽에도 산성을 축조하여 도성을 방어할 수 있도록 하였고, 최종적인 방어는 평양 내 성곽을 활용하였다.

이와 같이 요하를 경계로 한 국경 방어와 압록강을 건너 평양으로 향하는 요동의 모든 교통로에 성을 축조한 고구려의 방어체계는 수·당과의 전투에서 매우 효과적이었다. 산성은 적군이 쉽게 함락시키기 어렵고, 이를 지나쳐 가더라도 후미의 보급이 차단될 우려가 있어, 결국 성을 점령하지 않으면 사실상 진군이 불가능하다. 고구려의 산성은 지형적인 특성상 방어가 쉬운데, 특히 요동 지역에 있는 대형 산성은 계곡을 끼고 있어 수원 확보가 용이하므로 오랜 기간 항전할 수 있어 대군을 맞아 적은 병력으로도 효과적인 운용이 가능하였다. 고구려는 산성의 장점을 정확히 인식하고 수·당과의 전쟁에서 이러한 이점을 최대한 이용하였던 것이다.

## 2. 고분과 벽화

고구려 고분에 대한 본격적인 관심은 20세기 들어서이다. 1907년에 프랑스인 에두아르 샤반(Edouard Chavannes)은 국내성 일대 고구려 유적을 답사하면서 집안 산연화총을 소개하여 고구려 벽화고분에 대한 국제적인 관심을 유발한 바 있다. 또한 1910년에는 세키노 조사단이 평양 사동고분(寺洞古墳)을 발굴하면서 고구려 고분에 대한 본격적인 조사가 시작되었다. 이 시기에는 주로 평양 일대의 고구려 고분이 발굴 조사되었는데, 한왕묘(漢王墓, 경신리1호분), 강서삼묘, 간성리 연화총 및 매산리 사신총, 화상리의 대연화총과 성총, 용강대총(안성동 대총), 쌍영총 등이 있다. 당시 일본인들은 고구려 벽화에 많은 관심을 가지고 있었는데, 발굴 후 벽화의 모사도를 작성하여 일본 내에서 전람회를 개최하기도 하였다. 이 밖에도 1916년 이후 세키노 조사단 등은 평양과 평안도, 황해도 일대, 그리고 집안 일대의 고구려 고분군을 조사하였으며, 당시 조사된 주요 벽화고분으로는 개마총, 호남리 사신총, 천왕지신총 등이 있다(양시은, 2010).

한편, 국내 도성 일대의 고구려 고분은 만주국 성립 이후에 본격적인 조사가 이루어졌다. 이케우치 히로시와 우메하라 스에지 등이 중심이 되어 도성 및 고분에 대한 조사가 이루어졌는데, 1938년에 간행된 『통구』 보고서에는 국내성과 산성자산성, 광개토왕릉비, 장군총, 태왕릉, 천추총 및 오회분, 무용총, 각저총, 삼실총, 사신총, 모두루총과 환문총 등에 대한 조사 내용 및 사진, 도면 등이 기록되어 있어 현재까지도 고구려 연구에 중요한 자료를 제공해 주고 있다.

광복 직후에는 주로 북한에서 고분에 대한 조사가 많이 이루어졌다. 1949년에는 황해도 안악고분군이 발견되었는데, 특히 안악3호분에서는 생생한 벽화와 함께 묵서가 발견되어 고구려 벽화고분에 대한 관심을 촉발하는 계기가 되었다. 1950년대에는 요동성총(1953년), 평양역전이실분(1954), 가장리벽화고분(1956), 약수리고분(1957~1958), 강서군 보림리·후산리·태성리 고분군(1958) 등이 조사되었다. 북한의 이러한 조사성과를 바탕으로 주영헌은 『고구려 벽화무덤의 편년에 관한 연구』(1961)를 발간하기도 하였다. 또한 1959년과 1960년에는 압록강과 독로강의 댐 건설과 관련한 구제발굴이 자성군 일대에서 실시되어 송암리, 조아리, 법동리 등에서 적석총이 대거 발굴되면서, 고구려 적석총에 대한 이해가 깊어지게 되었다(정찬영, 1963).

이후 북한에서는 1962년에 평양 장산동고분, 1963년에 팔청리벽화고분, 복사리벽화고분, 전(傳)동명왕릉과 주변 고분군, 1971년에 수산리벽화고분, 1976년에 덕흥리고분, 지경동1호분 등 주요 벽화고분이 발굴되었다. 1987년에는 초산군 연무리고분군을 비롯한 자강도 일대의 고분이, 1988년에는 평양시 대성구역 안학동, 삼석구역 로산동 일대의 고분 20여 기와 동암리고분, 평정리고분, 월정리고분 등 벽화고분이 새롭게 발굴되었다. 1990년에는 자강도 운평리고분군과 평양의 고산동20호분에 대한 발굴조사가 있었으며, 1991년에는 덕화리3호분, 1993년에는 룡흥리벽화고분, 1995년에는 평양 호남리 불당골고분과 승호구역 금옥리고분군이 발굴되었다. 이 밖에도 2000년 이후에는 영천리고분(2001)과 태성리3호분(2001), 송죽리고분(2002), 옥도리고분(2010) 등이 발굴되었다(최종택, 2015).

중국에서도 1950년대 후반부터 고구려 고분에 대한 조사가 진행되었는데, 환인 고력묘자고분군을 비롯하여 통화 강구촌(江口村) 및 동강촌(東江村) 고분군이 발굴되었다.

1962년부터는 집안 통구고분군(通溝古墳群)에 대한 대대적인 조사가 시작되었다. 이 시기에는 오회분 4호분과 5호분, 통구12호분, 마선구1호분 등 주요 벽화고분에 대한 재조사 외에도 산성하332호분, 산성하983호분, 만보정1368호분 등이 새롭게 발굴되었다. 1968년에는 통구고분군에서 500여 기에 달하는 고분을 발굴하기도 하였다.

1970년에는 장천1호분, 1972년에는 만보정78호분, 우산하41호분 등을, 1975년에는 칠성산96호분, 1976년에는 우산하고분군 56기, 산성하고분군 37기, 칠성산고분군 26기, 마선구고분군 69기 등 모두 188기에 달하는 고분이 발굴되었다. 이 밖에도 1978년에는 집안 오도령구문고분, 1979년에는 전산자고분군 31기가 발굴되었다. 1981년에는 노호초고분군, 1983년에는 횡로9대고분, 고마령고분, 1984년에는 도로 건설을 위해 우산하고분군 113기가, 1985년에는 장천4호분 발굴과 절천정총에 대한 추가 조사가 이루어졌다. 1990년에는 장백 간구자고분군이, 1992년에는 환인 미창구장군총이, 그리고 1994년에는 우산하2112호분 등에 대한 발굴조사가 있었다. 이러한 중국 측의 활발한 조사 및 연구 성과를 토대로 위존성은 『고구려 고고(高句麗考古)』(1994)를 간행하였는데, 해당 연구서는 중국에서 간행된 최초의 고구려 고고학 개설서로 학사적인 의미가 크다(강현숙 외, 2020).

한편, 중국에서는 1966년과 1970년, 1997년에 통구고분군에 대한 대대적인 측량조사가 이루어졌다. 그 결과보고서인 『통구고묘군(洞溝古墓群)』(2002)은 지금도 통구고분군의 분포와 입지를 연구하는 데 중요한 자료가 되고 있다. 2000년대를 전후해서는 고구려 유적의 세계문화유산 등재를 목표로 한 발굴조사가 계획적으로 실시되었다. 특히 마선구2378호분, 산성하 전창36호분, 마선구626호분, 칠성산871호분, 임강총, 우산하2110호분, 칠성산211호분, 서대총, 우산하992호분, 마선구2100호분, 천추총, 태왕릉, 장군총 등 14기의 왕릉급 대형 적석총에 대한 조사가 이루어졌다.

고구려 무덤은 남한에서도 확인되는데, 임진강 유역의 연천 신답리고분, 강내리고분, 통현리고분을 비롯해 춘천, 화천, 홍천 등 북한강 유역, 용인, 성남, 화성, 판교, 신갈 등 내륙지역은 물론 남한강 상류의 충주에 이르기까지 넓은 지역에서 석실분이 조사되었다(최종택, 2015).

### 1) 적석총

적석총은 지상에 돌을 깔고 주검을 안치한 후 그 위에 다시 돌을 덮어 매장을 마감한 고구려의 특징적인 무덤 양식이다. 『후한서(後漢書)』 동이열전 고구려조에는 "돌을 쌓아 봉분을 만들고, 무덤 둘레로 소나무와 잣나무를 심었다"고 하여, 주변 국가에서도 적석총을 고구려의 전통 묘제로 인식하고 있었음이 확인된다.

적석총은 동으로는 중국 길림성 장백(長白), 서로는 중국 요령성 관전, 남으로는 북한 황해도 신원, 북으로는 혼강 유역의 환인과 통화에 이르는 넓은 범위에 걸쳐 분포하고 있다. 적석총은 보통 수 기에서 수백 기가 모여 군집을 이루고 있는데, 주로 강변 대지나 구릉 사면에 열 지어 분포한다.

적석총은 우선 분구의 축조방식에 따라 무기단(무단), 기단(방단), 계단(방단계제, 계대)으로 나누어볼 수 있으며, 주검이 안치되는 시설인 매장부는 매장방식에 따라 1명을 안치하고 1회로 매장이 마감되는 수혈식장법 구조인 석광(석곽)과 2명이 하나의 무덤방에 합장되는 횡혈식장법 구조(광실, 석실, 전실)로 대별된다. 분구와 매장부 구조를 조합해보면, 적석총은 무기단목곽(관)적석총, 무기단석실적석총, 기단목곽(관)적석총, 기단목실적석총, 기단석실적석총, 계단목실적석총, 계단(목개)석실적석총 등 7개 형식으로 구분이 가능하다(강현숙 외, 2020).

적석총은 기본적으로 높고 크게 축조하는 방향으로 전개되어 갔다.

분구는 무기단식에서 기단식으로 축조되면서 방형 평면으로 정형화되었고, 이후 계단식으로 발전하였다. 대형분의 경우에도 울타리를 두르듯이 쌓는 계장식(階墻式)에서 계단식으로 변화하였다. 또한 1명이 안치됨으로써 매장이 마감되는 수혈식장법에서 점차 2명 이상이 안치되는 횡혈식장법으로 변화하였다. 적석총의 변천 과정은 다음처럼 대략 세 단계를 거친 것으로 이해된다(양시은 외, 2021).

1단계는 고구려 적석총의 성립기로, 혼강과 압록강 중하류와 그 지류 유역에서 적석총이 축조되기 시작하는 기원전 2세기경부터 3세기까지이다. 목관이나 목곽에 주검 1명이 안치되며, 분구는 무기단식과 기단식이다. 대형분은 계장식으로 축조된다.

이 시기는 가공하지 않은 돌로 쌓은 무기단적석총이 중심이 되는 단계와 기단적석총이 중심이 되는 단계로 세분이 가능하다. 기원을 전후한 시기부터는 무덤을 높고 크게 쌓기 위해 계장식무기단적석총이 등장하는데, 대표 사례로는 환인의 망강루 4호분과 6호분을 들 수 있다. 망강루고분군은 금제귀걸이를 비롯하여 부여에서 유행하던 물품 일부가 부장되어 관심을 받았는데, 주몽의 출자와도 밀접한 관련이 있는 것으로 보인다. 다만 부여의 전통 묘제는 토광목곽묘로 고구려의 적석총과는 차이가 있다.

기단적석총은 출현 시기를 특정하기가 쉽지 않지만, 대략 1세기경으로 본다. 이 시기에는 무기단식, 계장식식, 기단 적석총이 병존하고 있다. 최상위 무덤은 계장식 무기단적석총으로, 집안의 마선구2378호분, 마선구626호분, 칠성산871호분 등은 2~3세기대 고구려 왕릉급 무덤으로도 비정되기도 한다(吉林省文物考古研究所 외, 2004c).

2단계는 적석총이 크게 유행하였던 성행기로, 계단식분구와 횡혈식장법의 매장부가 특징이다. 석재 가공 및 축조 기술의 발전에 따라 높고 큰 규모의 계단석실적석총 축조가 가능하게 되었다. 이 시기는 최상위 무덤의 구조 변화에 따라 다시 두 시기로 세분이 가능하다.

2-1단계는 3세기 말부터 4세기 전반까지로, 기술의 발전에 따라 계장식분구는 방형 평면의 계단상분구로 변화하였다. 매장부는 목실과 목개석실이 병존하며, 최상위 무덤은 계단목실적석총이다. 3세기 말로 비정되는 임강총(臨江塚), 4세기 초로 비정되는 서대총(西大塚), 4세기 전반으로 비정되는 우산하992호분 등이 대표적이다.

2-2단계는 4세기 후반에서 5세기대로, 횡혈식매장부에 봉토분구, 묘실벽화 등 새로운 요소가 더해지면서 여러 형태의 무덤이 병존하며, 중앙과 지방의 무덤 형식에도 차이를 보인다. 이 시기 최상위 무덤은 계단석실적석총으로, 천추총, 태왕릉, 장군총 등이 대표적이다.

3단계는 6세기 이후로 적석총의 쇠퇴기이다. 특히 국내도읍기 최상위 무덤 형식이었던 계단석실적석총이 더 이상 축조되지 않는다. 평양 지역에서도 6세기대의 적석총은 확인되지 않으며 압록강 중하류 유역의 일부 지역을 제외하고 적석총은 더이상 확인되지 않는다. 다만 무기단석실적석총의 경우 동실묘(洞室墓), 봉석묘(封石墓), 토석혼봉묘 형태로 고구려 멸망 이후까지도 지속된다.

한편, 현존하는 적석총 중 가장 발전된 형식의 무덤은 집안 우산하 고분군 중 가장 동북쪽에 위치한 장군총이다. 장군총은 한 변의 길이 30~31m, 높이 13m, 7층의 계단으로 조성된 계단석실적석총이다. 계단석은 잘 다듬은 화강암의 장대석을 이용하였으며, 가장자리에는 턱을 만들어 바깥으로 밀려나지 않도록 하였다. 각 변에는 3개의 대형 보호석(산수석)을 세워놓았다. 고분의 정상부는 백회를 섞은 흙으로 봉하

그림5 | 고구려 적석총
1. 산성하고분군(ⓒ최종택)  2. 장군총(ⓒ양시은)

였는데, 정상부 가장자리 계단석의 윗면에는 둥근 홈이 일정한 간격으로 파여 있어 무덤 위에 구조물이 설치되어 있었음을 짐작해볼 수 있다.

석실은 3층부터 기초를 마련하여 조성하였는데, 현실의 한 변은 5.5m 내외로 정방형이며, 높이는 5.1m이다. 평행고임을 한 다음 거대한 천장석 1매로 상부를 덮었다. 석실의 바닥에는 판석을 깔고 관대를 2개 놓았는데, 석실의 입구는 5층 계단에 있다.

적석총 주변에는 담장시설과 배총(陪塚), 제대(祭臺)로 추정되는 적석시설 등이 확인되었다. 장군총에서는 연화문와당을 비롯한 각종 기와와 금동제머리장식, 철제연결고리 등이, 배총에서는 연화문와당, 기와 및 각종 철기, 제대에서는 순금제귀걸이와 금동제 신발과 고리 등이 출토되었다.

한편, 문헌에 기록된 고구려왕의 이름(왕호)은 상당수가 왕이 죽은 뒤에 묻힌 곳의 이름을 따 지은 것이다. 실례로 고국천왕(故國川王). 동천왕(東川王). 서천왕(西川王). 미천왕(美川王) 등은 강변에 장지(葬地)를 정한 왕들이다. 그렇지만 지금까지 알려진 고구려 무덤 중 왕릉이 확실한 것은 '원태왕릉안여산고여악(願太王陵安如山固如岳)'이라는 명문전돌이 출토된 태왕릉밖에 없는데, 피장자에 대해서는 아직까지도 논란이 있다.

고구려의 두 번째 도성이었던 집안 지역에는 그 규모와 형태, 입지 등에서 다른 적석총에 비해 배타적 우월성을 가지고 있는 초대형 적석총이 여러 기 분포해 있다. 이들 적석총은 한 변의 길이가 30~70m가량으로 같은 시기 다른 무덤과 비교하였을 때 규모 면에서 압도적이다. 그리고 개활한 곳에 독립된 묘역을 가지고 있고, 적석분구 위 상당한 범위에서 기와 혹은 와당이 출토되며, 능원의 담장시설이나, 제대 및 배장묘 등을 갖추고 있다.

중국에서는 이들 초대형 적석총을 국내도읍기의 왕릉으로 판단하고 있는데, 특히 '태왕릉'이라는 명문전돌과 '신묘년호대왕(辛卯年好大王)'이라는 명문이 새겨진 청동방울이 출토된 태왕릉은 광개토왕릉비와 가장 가까운 거리에 있다는 점에서 광개토왕의 무덤으로 추정하였다. 그리고 태왕릉을 집안 지역 왕릉의 기준으로 삼아 구조적으로 좀 더 발전된 장군총은 장수왕의 수릉(壽陵)으로 판단하였다(吉林省文物考古研究所 외, 2004c; 張福有 외, 2007). 『삼국지』 위서 동이전에 기록된 "남녀가 결혼하면 곧 죽어서 입고 갈 옷을 준비한다"는 기사를 근거로 장수왕이 살아 있을 때 미리 자신의 무덤을 만들어 놓았다고 본 것이다. 다만 장수왕은 평양 천도 이후 평양 지역에서 세상을 떠났으므로, 장군총은 실제 매장이 이루어지지 않은 허릉(虛陵)이었을 것으로 추정하였다.

그러나 수릉제의 적용 여부에 따라 왕릉의 주인공은 크게 달라지므로 신중을 기할 필요가 있으며, 해당 기사만을 가지고 고구려 왕릉에서 수릉제가 적용되었다고 보는 것은 그 근거가 부족하다(이희준, 2006). 『수서(隋書)』 고구려전에는 "사람이 죽으면 집 안에 안치하여 두었다가 3년이 지난 뒤에 좋은 날을 가려 장사를 지낸다"라는 빈장(殯葬)의 기록이 있고, 광개토왕릉비에도 갑인년(414) 9월에 산릉(山陵)으로 이장하고 비석을 세웠다고 하니, 왕의 사후에 왕릉이 조성되었을 가능성이 더 크다. 고구려 왕릉의 묘주 비정 문제는 수릉제를 가정하기보다는 일반적인 고고학 방법론을 이용하여 관련 자료를 분석하는 것이 중요하다.

태왕릉의 묘주 비정과 관련하여 집안 모두루총(牟頭婁塚)에서 발견된 묵서명에는 고국원왕을 '국강상성태왕(國岡上聖太王)'으로 지칭하고

표1    집안 지역 초대형 적석총 현황(임기환, 2009, 표2 수정)

| 고분명 | 입지 | 형식 | 규모<br>(길이×너비×높이) |
|---|---|---|---|
| 마선구2378 | 높은 언덕 정상 낭떠러지 변 | 전원 후방형 계장 | 46×30×4m |
| 산성하전창36 | 높은 언덕 급경사지 | 전원 후방형 계장 | 28×37.7×4.5m |
| 마선구626 | 높은 언덕 경사지 | 전원 후방형 계장 | 41×48×?m |
| 칠성산871 | 산기슭 경사지 | 방형 계장 | 40×48×9.7m |
| 임강총 | 높은 언덕 정상 | 방형 계단 석곽 | 76×71×10m |
| 우산하2110 | 완만한 경사지 | 장방형 계단 석곽 | 66.5×45×5.5m |
| 칠성산211 | 산기슭 완만한 경사지 | 방형 계단 석곽 | 66×55×14.52m |
| 서대총 | 산기슭 경사지 | 계단 석곽 | 53.5×62.5×11m |
| 우산하992 | 완만한 경사지 | 계단 석곽 | 36×38×6.5m |
| 마선구2100 | 낮은 구릉 평탄지 | 계단 석곽 | 29.6×33×6m |
| 천추총 | 낮은 구릉 평탄지 | 계단 석실 | 63×63×11m |
| 태왕릉 | 낮은 구릉 평탄지 | 계단 석실 | 62×62×14m |
| 장군총 | 산기슭 구릉 평탄지 | 계단 석실 | 30.15×31.25×13.07m |

표2    고구려 왕릉의 비정(임기환, 2009, 표3 수정)

| 연구자(연구소) | 마선구2378 | 산성하 전창36 | 마선구626 | 칠성산871 | 임강총 |
|---|---|---|---|---|---|
| 아즈마 우시오(東潮) | | | | | |
| 길림성문물고고연구소(2002) | | | | | 동천왕 |
| 길림성문물고고연구소(2004) | | | | | |
| 여호규 | | | | | 동천왕 |
| 장복유(張福有) | 차대왕 | 신대왕 | 대무신왕 | 태조왕 | 산상왕 |
| 위존성(魏存成) | | | | 산상왕 | 동천왕 |
| 임기환 | | | 산상왕 | 신대왕<br>고국천왕 | 동천왕 |
| 이희준 | | | | | |

| 고분 구성 | | 주요 시설 | | | | | 와당, 전 | | | 기와 | | 금제 장식 |
|---|---|---|---|---|---|---|---|---|---|---|---|---|
| 매장부 | 호석 | 배장묘 | 제대 | 담장 | 포석층 | 건물지 | 권운문 | 연화문 | 전 | 명문 | 지두문 | |
| | | ○ | | | | | | | | | | |
| | | ○ | | | | | | | | | | |
| | | ? | ○ | | | | | | | | | |
| | | ? | ○ | ○ | | | | | | | | |
| 석곽 | | | ○ | | | | | | | | | ○ |
| 석곽(2) | | | ○ | | | | | | | | | |
| 석곽 | | | ○ | | | | | | | | ○ | |
| 석곽 | ○ | | ○ | ○ | | | ○ 329 | ○ (1) | | ○ | ○ | |
| 석곽 | ○ | | ○ | | | | ○ 338 | ○ (1) | | ○ | ○ | ○ |
| 석곽 | ○ | | ? | ○ | ○ | | ○ | | | | ○ | ○ |
| 석실 가형 석곽 | ○ | | ? | ○ | ○ | ○ | ○ | ○ | ○ | ○ | ○ | ○ |
| 석실 가형 석곽 | ○ | | | ○ | ○ | ○ | | ○ | ○ | | ○ | ○ |
| 석실 | ○ | ○ | ○ | ○ | ○ | | ○ | | | ○ | | |

| 우산하2110 | 칠성산211 | 서대총 | 우산하992 | 마선구2100 | 천추총 | 태왕릉 | 장군총 |
|---|---|---|---|---|---|---|---|
| | | 미천왕 | 고국원왕 | 미천왕 2차 | 고국양왕 | 소수림왕 | 광개토왕 |
| | | 서천왕 | | | 고국양왕 | 광개토왕 | 장수왕 |
| | 서천왕 | 미천왕 | 고국원왕 | 소수림왕 | 고국양왕 | 광개토왕 | 장수왕 |
| | | 미천왕 | | | 고국원왕 | 고국양왕 | 광개토왕 |
| 고국천왕 | 서천왕 | 미천왕 | 고국원왕 | 봉상왕 | 소수림왕 | 광개토왕 | 장수왕 |
| 중천왕 | 서천왕 미천왕 | 미천왕 | 고국원왕 | 소수림왕 | 고국양왕 | 광개토왕 | 장수왕 |
| 중천왕 | 서천왕 | 미천왕 | 고국원왕 | | 소수림왕 | 고국양왕 | 광개토왕 |
| | | | | | | 고국양왕 | |

있어, 태왕이 광개토왕만을 의미하는 것은 아님을 알 수 있다. 그리고 경주 호우총에서 발견된 청동호우에 새겨진 '을묘년국강상광개토지호태왕호우십(乙卯年國罡上廣開土地好太王壺杅十)' 명문의 사례[1]에서와 마찬가지로 신묘년명 청동방울은 여러 정황상 광개토왕이 선왕이었던 고국양왕의 장례를 위해 391년에 만든 물품으로 이해하는 것이 가장 자연스럽다. 그렇다면 태왕릉의 묘주는 광개토왕이 아닌 고국양왕일 가능성이 크며, 그 경우 장군총이 자연스럽게 광개토왕의 능이 된다.

### 2) 석실봉토분

석실봉토분은 주검이 안치된 석실을 흙으로 덮고 쌓아 매장을 마감한 무덤이다. 석실의 문과 통로(연도)를 통하여 추가 매장이 가능한 횡혈식 구조이다. 고구려에서는 4세기 중엽에 처음 등장하였으며, 이후 고구려 후기의 대표 묘제로 자리매김하였다. 혼강과 압록강 중하류 및 그 지류에 집중 분포하고 있는 적석총과 달리 고구려 전 영역에 걸쳐 확인되는 관계로, 석실봉토분의 분포를 통해 확대된 고구려의 영역 추정이 가능하다(강현숙, 2013). 고구려에서 봉토분은 석실이 대다수를 차지하고 있지만, 석실 도입 초기에는 벽돌로 무덤방을 축조한 전실(塼室)이나 벽돌과 함께 천장 부분을 돌로 축조한 전석혼축실이 드물게 발견되기도 한다.

석실봉토분 중에는 돌로 기단을 만든 후 석실을 조성하고 흙으로 봉

---

[1] 고구려 장수왕이 선왕이었던 광개토왕의 장례를 위해 을묘년(415)에 제작한 청동합으로 이해된다.

분을 덮은 기단봉토분도 확인된다. 이러한 기단봉토분은 적석총의 기단 축조방식과 석실봉토분의 축조방식이 결합된 무덤 형식이다. 평양 지역에서 확인되는 대형 기단봉토석실분 중에는 평양 천도 이후 왕릉으로 추정되는 것들도 존재한다.

이 밖에도 석실봉토분 중에는 석실 내부에 그림을 그려 장식한 벽화분도 있다. 벽화가 그려진 석실은 벽화와 없는 석실에 비해 석실의 규모가 크고 구조도 복잡하며 천장 가구도 여러 가지가 함께 사용된다.

다만 고구려의 석실봉토분은 주로 벽화분을 중심으로 연구가 진행된 관계로, 분량상 이 글에서도 고분벽화를 중심으로 살펴보겠다.

### 3) 고분벽화

고분벽화는 중국 한대에 유행하였던 장의예술 중 하나로, 고구려에는 영역 확장이 본격적으로 이루어진 4세기를 전후한 시점에 중국 동북 지방을 통해 도입되었다. 무덤방 내에 그림을 그리는 고분벽화는 벽화 자체의 예술적인 아름다움은 물론이고 문헌기록이나 고고자료로서 확인하기 힘든 당대의 생활상과 문화상을 사실적으로 생생하게 보여주고 있을 뿐만 아니라, 고구려인의 죽음과 내세에 대한 관념세계까지도 파악이 가능하다는 점에서 매우 귀중한 문화유산이라 할 수 있다.

고구려 고분벽화는 석실봉토분에서 주로 확인되고 있으나, 적석총 내 석실이나 전실에서도 발견된 바 있다. 벽화분은 현재 중국의 환인과 집안, 그리고 북한의 평양과 안악 등에서 127기가 보고된 바 있다(전호태, 2020).

고구려 고분벽화의 주제로는 크게 생활풍속, 장식도안, 사신(四神)

이 있으며, 벽면에 회를 바른 뒤 그림을 그리거나 잘 다듬은 돌 위에 직접 그림을 그리는 방식이 모두 확인된다. 고구려에서는 처음에 주인공의 삶을 묘사한 생활풍속을 주제로 한 벽화가 도입되어 한동안 유행하였으나, 점차 죽은 자의 세계를 지키는 신수(神獸)로서의 사신이 벽화의 전면을 차지하게 된다.

앞에서 살펴본 바와 같이, 고구려의 전통적인 묘제는 적석총이었다. 4세기가 되면 고구려의 도성이었던 집안 지역에는 계단식적석총의 매장주체부가 석실로 변화하고, 석실봉토분이라는 새로운 묘제가 등장하였다. 집안 지역의 초기 벽화분으로는 만보정1368호분이 있는데, 벽면에 백회를 바른 후 기둥과 들보, 서까래 등을 그렸다. 이 무덤은 장방형 현실의 우편재 연도로, 벽에 비해 천장이 높다는 점에서 4세기 중엽으로 추정된다(강현숙 외, 2020).

그런데 이보다 비슷하거나 조금 이른 시기에 고구려의 지방이었던 황해도와 평안남도 일원에서도 석실봉토분이 출현하고 있어 이를 주목할 필요가 있다. 이들 지역은 고구려가 장악하기 전에는 낙랑군과 대방군의 영역이었던 관계로 중국 중원의 전통 묘제인 횡혈식장법의 전실묘(塼室墓)가 유행하였던 곳이다. 벽면에 적힌 묵서명으로 인해 무덤의 축조시기와 피장자의 내력을 가늠해볼 수 있는 안악3호분(357년 조성)과 덕흥리고분(408년 조성)은 황해도와 평양 일대에 축조된 이른 시기의 석실봉토분이자 벽화무덤이다.

묵서명에 따르면 안악3호분의 동수(冬壽)는 '유주 요동 평곽 도향 경상리(幽州遼東平郭都鄉敬上里)' 출신으로, '사지절 도독제군사 평동장군 호무이교위 낙랑상 창려·현도·대방태수 도향후(使持節都督諸軍事平東將軍護撫夷校尉樂浪相昌黎玄菟帶方太守都鄉侯)'를 지냈는데, 영화(永和)

13년에 69세의 나이로 죽었다. 이 내용으로 볼 때, 동수는 전연을 세운 모용황의 사마(司馬)로 336년에 고구려로 망명한 동수(佟壽)와 동일 인물일 가능성이 있다(정호섭, 2011).

한편, 안악3호분 주인공의 초상은 요양 상왕가촌(上王家村)의 서진대 벽화묘와 4세기대 초중반 사이로 편년되는 조양(朝陽) 원대자(袁台子)벽화묘의 초상과 많이 닮아 있다. 이들 주인공은 장막 내 평상에 앉아 정면을 응시하고 있는데, 비단옷을 입고 관을 쓰고 있으며, 한 손에는 부채를 들고 있다는 점 등이 공통된다. 주변에 수발을 드는 시종들은 주인공보다 작게 그리고 측면 모습으로 그려졌다. 이러한 주인공의 표현은 408년에 축조된 덕흥리고분과도 연결된다.

안악3호분은 회랑을 갖춘 석실봉토분인데, 평안남도 남포시 강서구역에 있는 태성리3호분을 제외하면 고구려 석실봉토분에서는 이러한 회랑 구조를 찾아보기 어렵다. 회랑은 동한 말기 화상석 무덤에서 유행하였던 구조로, 요양 지역의 위·진시기 벽화묘에서도 발견된다.

이처럼 안악3호분의 피장자인 동수가 모용선비의 관리였고, 정치적인 이유로 고구려로 망명하여 과거 대방군의 영역이었던 황해도 일원에서 생을 마감하였다면, 그가 거처하였던 요서 지역의 서진대 혹은 모용선비의 문화가 고구려로 자연스럽게 유입되었을 가능성이 크다. 특히 고구려의 수도가 아닌 변방이었던 황해도와 평안도 지역에 고구려의 전통 묘제인 적석총이 아니라 벽화로 장식된 석실봉토분이 새롭게 등장한 점, 낙랑군과 대방군이 멸망한 지 한참이 지났음에도 이 지역에 변형된 전실묘가 여전히 축조되고 있는 점, 그리고 당시 고구려가 중국의 유이민을 적극적으로 수용해 왔던 점 등은 고구려와 북중국 세력 간의 문화교류와 관련하여 시사하는 바가 크다. 석실분과 같은 새로운 유

그림6 | 안악3호분
(동북아역사재단, 2009)

1. 평면도(천장부)
2. 전면 투시도
3. 묘주 초상

그림7 | 고분벽화 비교
1. 요양 상왕가촌벽화묘
   (李慶發, 1959)
2. 조양 원대자벽화묘
   (서울대학교박물관, 2001)
3. 평양 덕흥리고분
   (동북아역사재단, 2009)

형의 무덤을 축조하거나 고분벽화라는 새로운 장의예술을 도입하기 위해서는 숙련된 기술을 가지고 있는 장인이 있어야만 가능했을 것이므로, 망명 과정에서 장인집단도 함께 고구려로 이주해왔을 가능성이 크다(양시은, 2022).

다만 고구려가 고분벽화라는 외래적인 문화요소를 수용하고 소화하는 방식은 선택적이며 제한적이었다. 벽화 도입 초기에는 전연과 마찬가지로 주인공의 삶을 묘사한 생활풍속을 공통의 주제로 삼으면서도 위·진시기 요양 지역의 고분벽화에서 주요한 제재이던 연음백희(宴飮百戱) 장면이 고구려 고분벽화에서는 생략되거나 간략하게 처리되었다. 이와 대조적으로 무덤 주인의 위세를 보여주는 행렬도와 사냥도는 주요한 제재로 취급되었다(전호태, 2021).

또한 인물의 복식이나 기물 벽화에는 고구려 실생활의 모습이 담겼다. 안악3호분 동쪽 측실 내부에 그려진 부엌의 부뚜막이나 쌓여 있는 접시, 우물가의 동이와 옹 등은 고구려 유적에서 출토되는 실제 유물과 동일하다. 행렬도에 그려진 각종 무구나 중장기병의 모습 등도 마찬가지이며, 더욱이 무덤에 부장된 유물 역시 고구려의 것이다. 또한 천장부의 제재와 구성방식이 매우 다양하다는 점에서 해, 달, 별자리 위주의 비교적 단순한 구성의 삼연 벽화와도 차이를 보인다.

이처럼 비슷한 시기에 조성된 벽화고분들이 지역에 따라 무덤의 축조방식이나 구조가 통일되지 않고 벽화의 제재에서도 차이가 발견된다는 점에서 고구려 고분벽화의 도입 과정은 결코 단선적이거나 획일적이지 않았음을 알 수 있다. 또한 고분벽화라는 외래의 문화를 수용하는 방식 역시 도입의 매개가 된 모용선비와도 상당한 차이가 있었음을 알 수 있다.

이렇게 도입된 고구려의 고분벽화는 이후 자체적인 발전을 겪었다. 고분의 구조와 벽화의 주제를 함께 고려해 볼 때, 세 단계에 걸친 변화를 상정해볼 수 있다(양시은, 2023a).

제1기는 고구려에 고분벽화가 도입되는 4세기경부터 5세기 초로, 고분의 구조가 아직 정형화되지 않은 시기이다. 방이 여러 개인 다실묘가 주를 이루며, 벽화의 중심 주제는 생활풍속이다. 이 시기의 고분벽화는 주로 벽면에 회칠을 한 다음 회가 마르기 전에 밑그림을 그리고 이어 채색을 하는 방식으로 그려진다. 벽화의 제작 도중에 안료가 백회에 스며들기 때문에, 안료의 산화와 퇴색이 덜하여 오랜 시일이 흘러도 처음의 명도와 채도가 유지된다.

생활풍속이 주제인 벽화는 무덤의 구조와 벽면 벽화의 내용에서 무덤 주인공의 생활모습을 재현하는 데 중점을 두고 있다. 무덤칸의 모서리와 벽면 윗부분에는 갈색안료로 기둥과 들보 등을 그려 넣어 무덤방을 마치 목조가옥의 내부처럼 꾸며 놓고, 벽면에는 무덤 주인공의 현실 생활에서의 여러 장면을, 천장에는 하늘과 천상세계를 표현하였다. 일상생활의 여러 장면이 사실적이면서도 구체적으로 묘사되어 있어, 당대의 생활상을 복원하는 데 중요한 자료가 된다. 무덤 주인공의 초상화, 출행도(出行圖), 빈객도(賓客圖) 등과 같이 사회적 지위를 보여주는 장면 외에도 부엌, 방앗간, 푸줏간 등과 같이 풍족한 삶을 볼 수 있는 부속건물의 모습, 무용이나 씨름, 사냥 등과 같이 여가생활의 장면이 잘 나타나 있다. 천장에는 해와 달, 별자리를 비롯하여 각종 선인과 길상동물을 그려 넣음으로써 이상적인 천상세계를 묘사하고 있다.

제2기는 5세기 중엽에서 6세기 초에 해당하는 시기로, 무덤의 구조는 두칸과 단칸 형식이 혼재되어 있다. 여전히 회벽이 마르기 전에 그림을 그리는 방식이 지속되나, 회가 마른 다음 그림을 그리는 방식도 사용된다. 이러한 방식으로 제작된 벽화는 선명도가 매우 높지만, 빛과 공기, 습기 등에 장기간 노출되면 안료의 특정 성분이 산화되어 벽화가 변색되거나 탈색되기 쉽다.

    5세기 중엽이 되면 고구려 고분벽화의 구조와 주제, 제재 구성 전반에 변화가 발생하게 된다. 생활상을 재현한 것 외에도 상징성이 높은 장식무늬를 주제로 하거나 천문신앙을 바탕으로 성립한 사신(四神)을 주제로 삼은 것이 모두 발견된다. 즉, 생활풍속, 장식무늬, 사신을 중심 주제로 삼거나 여러 주제를 다양한 비중으로 혼합한 사례도 확인된다 (전호태, 2021).

    생활풍속과 천상세계 및 사신이 등장하는 집안 지역의 무용총(舞踊塚)을 비롯하여, 불교의 영향으로 연꽃무늬가 화려하게 장식된 환인 지역의 미창구장군묘(米倉溝將軍墓), '왕(王)'자나 동심원무늬로 가득 찬 집안 왕자묘(王字墓)나 환문총(環文塚) 등이 대표적이다. 그리고 집안 지역의 삼실총(三室塚)이나 장천1호분에서 보이는 인물 묘사는 매우 세련된 수준에 도달해 있음이 확인된다. 장식무늬 가운데 구름무늬나 불꽃무늬는 점차 단순해지는 반면, 연꽃무늬와 인동당초무늬는 좀더 복잡하고 화려해진다. 사신과 상서로운 동물에 대한 묘사기법 또한 점차 세련되어진다.

    제3기는 6세기 중엽부터 고구려 멸망기인 7세기 중엽까지이다. 죽은 자의 세계를 지키는 신수로서의 사신(청룡, 백호, 주작, 현무)이 벽화의 전면을 차지하게 된다. 고분벽화에서 유일한 제재로 등장하는 사신은 벽화의 기원지는 물론이고 동아시아 다른 지역에서는 찾아볼 수 없는 고구려만의 독특한 것이다.

그림8 | 고구려 고분벽화에 표현된 사신의 비교(동북아역사재단, 2009)
1. 오회분4호분  2. 강서대묘

사신도가 그려진 고분벽화는 방형 현실과 중앙 연도, 평행삼각고임 구조의 단칸무덤으로 정형화되며, 벽화는 대체로 석실의 벽면과 천장 고임의 석면을 잘 다듬은 뒤 그 위에 직접 그림을 그리는 방식이 채택되었다. 이러한 방식으로 그려진 벽화는 그림 속 사신이 마치 살아 움직이는 것처럼 생생한 느낌을 주게 되며, 회벽 위에 그려진 벽화에 비해 비교적 오랫동안 제 모습을 유지할 수 있다.

이 시기 사신은 현실 벽면 전체를 장식하게 되는데, 평양 지역의 강서대총에서는 별다른 장식 없이 사신이 전면에 그려지지만, 집안 지역의 오회분 4호분과 5호분에서는 날아가는 구름, 연꽃, 화염 무늬 등이 사신의 배경으로 나타나면서 보다 화려해진다는 점에서 차이를 보인다. 현실의 고임과 천장에는 여러 장식무늬, 해와 달, 별자리, 연꽃, 선인 및 황룡 등을 그려 넣어 하늘세계를 표현하였다.

## 3. 유물

### 1) 토기

고구려 토기는 기본적으로 모든 기종이 평저(平底)로 제작되었다는 점이 가장 큰 특징이다. 호류와 옹류의 경우에는 목과 구연(口緣)이 발달하였고, 운반을 위한 용기류에는 대상파수(帶狀把手)가 부착된다는 점 역시 삼국의 다른 토기와 구분되는 특징이다. 고구려 토기의 전체 기종은 30여 개에 달한다. 관방유적과 생활유적에서는 거의 모든 기종이 출토되고 있으나, 무덤에는 구형호, 심발, 사이장경옹, 원통형삼족기, 부형토기, 시루, 완, 반, 호자 등이 부장되고 있어 상대적으로 제한적이다. 중기 이후의 부장 토기 중에는 시유(施釉)된 것도 상당수이다(최종택 외, 2023).

고구려 토기의 발전 과정은 대체로 전기(3세기 이전), 중기(4~5세기), 후기(6세기 이후)로 구분해 볼 수 있다.

전기의 토기는 태토에 굵은 사립이 섞인 조질태토에, 회전대를 사용하지 않고 손으로 직접 빚은 토기가 대다수를 차지한다. 이 시기에 확인되는 기종으로는 심발, 장경호, 호, 동이, 시루, 접시, 합, 잔, 뚜껑 등이 있는데, 모두 평저를 기본으로 한다. 그리고 심발과 장경호, 호에는 파수가 부착되는 경우가 많다.

고구려 토기는 일반적으로 고구려가 발원한 혼강과 압록강 유역 일대에서 청동기시대부터 이어지는 토기 제작 전통 위에 전국 말~한대 회도(灰陶)의 영향이 가미되어 창출된 것으로 알려져 있다(박순발, 1999). 구체적으로 토기의 표면을 마연하는 방식이나 대상파수의 부착 등은 청동기시대 이래의 전통이고, 니질태토와 회색토기 등의 속성은 새롭게 유입되었다고 본 것이다.

그렇지만 고구려의 첫 번째 도성이었던 환인 오녀산성이나 망강루 고분군에서 출토된 토기에는 니질태토와 마연기법이 확인되지 않는다. 오히려 이런 특징은 마성자(馬城子)동굴유적을 시작으로 요동 지역 전체에 널리 퍼진 청동기시대 토기에서 관찰되며, 초기철기시대나 고구려 초기의 토기는 가는 석립이 혼입된 태토로 제작되고 있어 재지적 전통의 계승이라고 보기 어렵다. 그뿐만 아니라 철기문화의 도입과 함께 한반도에 전해진 니질화된 태토, 타날기법, 가마 사용 등과 같은 새로운 기술적 요소 역시 고구려 초기 토기에서 확인되지 않으므로 이 역시

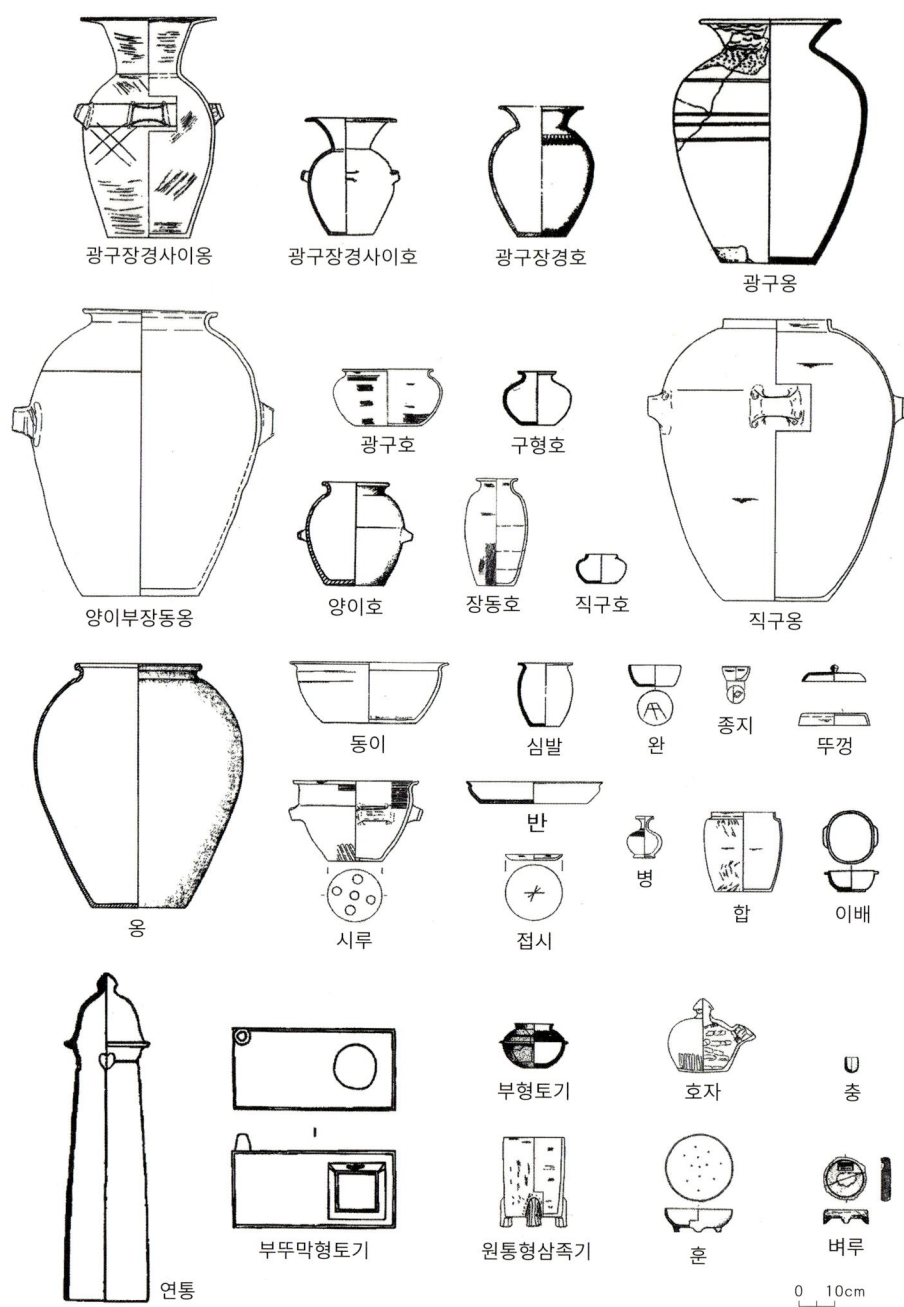

그림9 | 고구려 토기 기종 구성도(ⓒ국립문화재연구소)

직접적인 영향관계를 상정하기 어렵다(양시은, 2021b).

그럼에도 불구하고 청동기시대 후기에서 초기철기시대로 이어지는 토기의 일부 기형과 파수가 고구려 초기 토기에서 확인된다. 따라서 고구려 토기는 혼강과 압록강 중상류 일대에 거주하고 있던 집단이 청동기시대 후기의 토기 제작 전통을 일부 계승하고, 부여를 비롯한 외부의 영향을 받아 형성되었다고 이해하는 것이 현재로는 가장 합리적인 설명이다.

이처럼 이른 시기의 고구려 토기는 조질태토에 손으로 제작한 것이 일반적이지만, 4세기 이후가 되면 잘 알려진 바와 같이 고운 점토질의 니질태토, 회전대(돌림판)를 사용한 성형기법, 평저 기형, 횡위(橫位) 대상파수, 일부 기종의 시유, 특정한 문양의 시문과 암문(暗文) 기법 등이 나타나게 된다.

고구려 중기부터는 거의 모든 기종이 등장하게 되는데, 옹과 직구옹 등과 같은 대형 토기는 중기 후반에, 광구호와 대부완은 후기에 나타난다. 동체부는 테쌓기와 함께 회전대를 보조적으로 이용하는 방식으로 제작되었다(양시은, 2003). 5세기대 중후반 남한의 고구려 유적 출토품을 제외하고는 토기 겉면에서 타날(打捺) 흔적이 관찰되지 않는데, 고구려의 일반적인 토기 제작 과정에 본격적인 타날은 이루어지지 않았기 때문인 것으로 보인다(양시은, 2014b).

한편, 표면을 마연하는 기법은 고구려 토기의 특징적인 요소로 알려져 있으나, 실제로 토기 전체를 마연한 경우는 그리 많지 않다. 고구려 중기 이후 태토가 니질화되다 보니 기벽을 정면하는 과정에서 자연스럽게 부분적인 마연 효과가 나타나게 된 것으로 보인다.

고구려 토기에서 문양 시문은 큰 비중을 차지하지 않는다. 문양은 중기 이후부터 확인되는데, 기종 역시 매우 제한적이며, 종류도 단순하다. 주로 병이나 호의 어깨 부위에 중호문(重弧文)이나 파상문, 점열문 등이 횡침선대(橫沈線帶) 구획 안에 시문된다.

중기 이후에는 암문기법도 확인된다. 암문이란 토기의 표면을 단단한 도구로 문질러 시문하는, 일종의 마연기법에 의한 문양 장식을 말하는데, 종방향이나 횡방향의 암문 외에도 연속 고리문이나 격자문 등이 있다. 암문은 니질화된 태토로 제작된 토기에서만 관찰되지만, 호·옹·시루·동이 등 다양한 기종에서 폭넓게 확인된다. 암문은 고대 동북아시아 지역에서 시기를 달리하며 확인되는 매우 특징적인 시문기법으로, 흉노·삼연·북위·거란 토기를 비롯하여 고구려 토기의 영향을 받은 사비양식 백제 토기와 발해 토기에서도 발견된다.

이 밖에도 3세기 말, 늦어도 4세기 초에는 저화도 녹갈유가 시유된 토기가 사용되었다. 그렇지만 시유토기는 그 출토량이 많지 않고 주로 고분에서 출토된다.

한편, 한강 유역 출토 고구려 토기를 통해 6세기를 전후하여 약간의 변화가 있음이 확인된다. 5세기대 토기는 구연부 끝이 둥글거나 직선으로 마무리되는 비중이 높은 반면, 6세기 이후의 토기는 아가리 끝을 밖으로 말아 접은 구연의 비중이 높아진다. 또한 5세기대 토기는 동체 상단부에 횡침선과 함께 점열문, 파상문, 중호문 등 문양이 새겨진 경우가 있지만, 6세기대에서는 문양이 시문된 토기를 찾아볼 수 없다.

남한의 5세기대 토기 중에는 동체부 성형 과정에서 점토띠의 접합을 위해 타날을 실시하고 회전대를 이용하여 물손질을 함으로써 표면의 타날 흔적을 지운 경우가 다수 발견된다. 다만 475년 백제 수도인 한성 점령 당시 고구려 군대가 본토에서 가져왔을 것으로 추정되는 몽촌토

그림10 | 한강 유역 출토 고구려 토기(©서울대학교박물관)

성 출토 토기와 6세기 전반 아차산보루군 출토 토기에서는 타날 흔적이 남아있는 토기가 거의 없다. 이처럼 남한에서만 확인되는 타날기법의 고구려 토기는 제작 과정에서 현지의 백제 장인이 참여한 결과로 추정된다.

    고구려 토기는 실용성이 강한 편으로, 동이와 같은 대형 토기는 조리용, 저장용, 운반용 등 다용도로 활용이 가능하다. 심발은 기벽에 그을음이 남아있거나 표면이 박락된 것이 많아 직접적으로 불에 닿는 조리용기로 추정된다. 시루 역시 그 형태적인 특징이 오늘날의 찜기와 같아 조리용기로 구분할 수 있다. 완, 대부완, 종지, 접시, 이배(耳杯), 구절판 등은 크기와 형태상 개인용 배식용기로 구분이 가능하다. 이들 토기는 아궁이 주변에서 주로 발견되어, 이곳에 간단한 형태의 부엌을 마련하여 비치해 두고 사용되었음을 알 수 있다. 토기의 바닥이나 내면에는 다양한 부호가 새겨져 있는 경우가 많은데, 대부분 소성 후에 새겨졌다는 점에서 식별을 위한 것으로 보인다. 이 밖에도 대형 옹이나 직구옹은 토기의 용량으로 볼 때 저장용기로 구분이 가능하다(양시은, 2014b).

한편, 고구려 토기 중 완, 이배, 동이, 양이부호, 연통 등은 사비기 백제 토기에도 상당한 영향을 주었다. 그리고 한강 유역에서 확인되는 통일신라시대의 토기 중 생활용기류는 고구려 토기의 기형을 그대로 가지고 있거나 일부 요소를 받아들이고 있어서, 고구려 토기의 영향을 강하게 받고 있음을 알 수 있다. 고구려 토기 제작 전통은 발해에 그대로 이어졌으며, 고려 및 조선의 생활용기에도 그 전통이 이어져 오늘날 우리가 사용하는 옹기의 원형이 되었다고 생각된다(최종택 외, 2023).

### 2) 기와

기와는 가옥의 지붕을 덮는 건축 부재로, 제작틀을 사용하여 양질의 점토를 재료로 일정한 모양을 만든 다음 가마에서 높은 온도로 구워 제작한다. 이런 기와를 지붕에 사용하면 내구성과 방화성 등에서 유리할 뿐만 아니라, 고대에는 건축물의 존엄성과 장엄성을 나타내며 위계를 상징적으로 표현하게 된다(백종오, 2023).

이와 관련하여 『구당서』에는 고구려의 경우 "대부분 볏단으로 지붕을 얹었으나, 불교사원과 신묘, 왕궁, 관청 등은 기와를 사용하였다"라는 기사가 전하고 있어, 당시 기와건물이 권위를 가지고 있었음을 알 수 있다. 사실 기와건축물은 다량의 기와를 지붕에 올리기 때문에 막대한 하중을 견딜 수 있는 고도의 건축적인 기술이 필요하다. 그리고 다량의 기와를 제작하기 위한 장인집단은 물론이고 이를 생산하고 유통

할 수 있는 경제력도 요구된다.

한편, 집안 지역에서 출토된 기와에는 "조와소(造瓦所)"에서 만들었다는 기록과 "10곡의 주민이 만들었다(十谷民造)"는 등 명문이 확인되고 있어, 당시 기와를 만드는 관청과 관련 제도가 있었음을 짐작해볼 수 있다. 또한 '관(官)'이나 '사(寺)' 등의 글자가 새겨진 기와가 많이 출토되는 점으로 미루어 관청이나 사찰에 기와를 조달하는 수공업집단이 있었을 것으로 추정하기도 한다(최종택, 2020).

고구려에서 기와가 처음 사용된 시점에 대해서는 아직 명확하지 않으나 집안 지역의 마선구2378호분에서 기와가 출토되는 점으로 보아 늦어도 1세기경에는 기와가 사용되었을 것으로 추정하기도 하나(吉林省文物考古研究所 외, 2004c), 후대의 수즙(修葺) 등을 고려하면 확언하기 어렵다. 현재 연대를 비정할 수 있는 가장 이른 시기의 기와로는 집안 국내성에서 발견된 태녕4년(太寧四年)명 권운문와당이 있다. 태녕은 중국 동진 명제(明帝)의 연호로, 이 유물은 326년에 해당한다.

고구려에서 발견되는 기와는 기본적으로 암키와와 수키와를 비롯하여, 수막새(와당), 마루수막새, 현월화, 착고, 배와, 치미, 기타 변형와 등이 있다(주홍규, 2021). 드림새에 문양이 장식되는 암막새는 고구려에서 확인되지 않지만, 집안 지역 출토 암키와류에는 지두문(指頭文) 등 단순한 문양을 암키와 끝부분에 반복적으로 장식한 것들이 초대형 적석총에서 발견된 바 있다.

평기와는 건물의 지붕 전체를 덮는 가장 기본적인 기와로, 서까래의 위를 덮는 반원형의 수키와와 그 사이를 덮는 장방형의 암키와가 있다. 수키와는 단의 유무에 따라 토수기와(무단식)와 미구기와(유단식)로 구분이 가능하다. 미구기와는 기와 하단부에 언강으로 불리는 턱을 만들고 미구를 달아 다른 기와와 겹쳐 쌓도록 만들었으며, 토수기와는 하단부의 지름이 상단의 지름보다 좁게 만들어 다른 기와와 겹쳐 쌓을 수 있도록 하였다(최종택, 2020). 임진강이나 한강 유역에서는 토수기와만 확인되는 데 비하여 서대총, 태왕릉, 임강총, 우산하2110호분, 서대총, 태왕릉 등 집안 지역의 고분에서는 토수기와와 미구기와가 모두 출토되었다. 경우에 따라 언강부와 미구 등부분에 빗물을 차단하는 절수홈이 있거나, 기와가 흔들리는 것을 막기 위한 못구멍이 뚫려 있는 것도 발견된다(백종오, 2023).

평양 천도 이후 출토되는 기와류는 적갈색 계통이 많지만, 집안 지역 고분에서 출토되는 기와류는 대체로 회색 계통이 다수를 차지하고 있다. 고분에서 출토된 암키와는 승문과 무문이 주를 이루지만, 집안의 임강총과 칠성산211호분과 우산하992호분에서는 격자문이 타날된 기와도 소량 확인된다. 앞서 언급한 바와 같이 초대형 적석총에서는 지두문으로 장식된 암키와도 발견된다.

남한 임진강 유역의 호로고루에서도 적갈색 계통의 기와류가 발견되었다. 태토에는 한강 유역 고구려 토기와 마찬가지로 산화철 성분의 붉은색 덩어리가 섞여 있는 경우가 많다. 암키와의 성형은 원형의 와통에 포목을 두르고 점토띠나 점토판 소지를 붙여 제작하였다. 와통은 좁은 각재를 둥글게 연결하여 만든 모골와통을 사용하였으며, 기와 등면에는 승문, 거치문, 횡선문, 격자문, 사격자문, 복합문 등을 타날하였다. 하단부 모서리를 잘라 귀접이를 한 경우도 상당수가 확인된다. 반면 수키와는 타날 후 문양을 지운 것이 주를 이룬다(심광주, 2005b).

고구려의 수막새는 와당면의 문양에 따라 크게는 권운문, 연화문, 인동문, 귀면문, 복합문 와당으로 구분할 수 있다. 권운문와당은 앞서

그림11 | 고구려 수막새
1. 권운문와당  2. 구획선(복선) 연화문와당  3. 복합 연화문와당

언급한 바와 같이 4세기경에 출현한 것으로, 현재까지 발견된 와당 중에 출현 시점이 가장 빠르다. 이후에는 구획선(복선)이 있는 연화문와당이 4세기 후엽에 출현하였으며, 5세기 후반경부터는 연화문 계열의 수막새들이 본격적으로 제작된다(주홍규, 2021). 연화문와당은 고구려 와당 중 가장 많은 비중을 차지하고 있으며, 문양의 종류도 다양하다.

이 밖에도 집안 및 평양에서는 와당면 전체에 귀면을 시문한 귀면문와당도 발견되었다. 귀면문와당은 커다랗게 튀어나온 반구형의 두 눈과 코, 과장되게 표현한 입과 송곳니 등을 특징으로 한다.

고구려의 현월와는 중국의 전국시대나 한대의 반와당과는 달리 와당면과 수키와를 직각으로 접합하지 않고 비스듬하게 접합한 것이다. 평양 지역에서만 발견되었으며, 지붕이 연결되는 경사면에 사용한 특수 기와이다(주홍규, 2021). 지붕마루 중 추녀마루나 내림마루의 끝단에 사용되는 곱새기와는 집안 환도산성이나 평양 안학궁에서 출토되었다. 지붕마루 밑의 공간을 막는 착고는 집안의 우산하3319호분과 천추총, 그리고 남한의 연천 호로고루에서도 출토되었다. 용마루 좌우에 얹어 지붕을 장식하는 치미는 안학궁과 호로고루에서 출토되었다.

## 3) 무기와 무구

 일반적으로 공격용 무기는 활(弓)과 화살, 쇠뇌(弩)와 같은 원거리 무기와 도(刀)·검(劍)·도끼(斧)·창(矛)·꺾창(戈)·극(戟)·낫(鎌) 등 근거리 무기, 그리고 성을 공격할 때 사용되는 충차와 포차, 사다리 같은 공성용 무기로 나뉜다. 방어용 무기로는 갑옷(甲)과 투구(冑) 및 방패와 같은 개인용 방어구 외에도 마름쇠, 노포(弩砲)와 포노(砲弩) 등과 같이 성을 지키기 위한 것들이 있다.
 이들 중 공성용 무기와 방패는 아직까지 실물로 발견된 사례가 없지만, 고분벽화를 통해 보병이 착용하고 있는 방패에 대한 기본 형태는 파악이 가능하다. 벽화에 그려진 중장기병의 모습에서 말갑옷인 마갑(馬甲)과 투구인 마주(馬冑)의 사용도 확인된다.
 활은 고구려의 대표적인 원거리 무기로, 고구려를 건국한 주몽은 어렸을 때부터 활을 잘 쏘았다고 한다. 실물자료로는 동리묘(佟利墓)로도 알려진 평양역전이실분에서 출토된 골제활부속구가 유일하다. 『삼국지』 위서 동이전에 고구려에서는 '맥궁(貊弓)'이라고 하는 우수한 활이 생산된다고 기록되어 있다. 고구려 고분벽화에도 여러 활이 묘사되어 있는데, 길이 1m가 넘지 않는 단궁(短弓)이 기본이었던 것으로 추정된다. 이들 단궁은 말 위에서 쏘기에 적합한 기마용 활로 알려져 있다.
 화살은 화살촉과 화살대, 깃, 오늬 등으로 구성되지만, 유적에서는 철촉만 다수 확인된다. 철촉의 세부적인 형태는 매우 다양하지만, 대체적으로는 그 형태적 특징에 따라 넓은잎모양의 광엽형(廣葉形), 날이 직선인 도끼날형(斧形), 세 갈래 날개가 달린 삼익형(三翼形), 도끼날형 철촉에 비해 촉신이 좁고 긴 형태의 착두날형(鑿頭刃形), 단면이 마름모

꼴인 능형(菱形), 오각형의 납작한 촉두와 단면 방형의 긴 촉신에 좁고 긴 슴베를 가진 뱀머리 형태의 사두형(蛇頭形) 등으로 구분이 가능하다. 이처럼 다양한 철촉의 형태는 기능적인 차이에 따른 것으로 이해되는데, 고구려 고분벽화에서도 한 장면에 다양한 철촉이 등장하거나, 유적에서도 다양한 형태의 철촉이 함께 출토되기 때문이다(양시은, 2023b). 고구려 중기 이후에는 이른 시기에 주로 확인되는 광엽형 철촉 대신 그 이전보다 슴베의 길이가 길어진 세장한 형태의 철촉이 유행하게 된다(김보람, 2013).

쇠뇌는 방아쇠를 사용하여 화살을 발사하는 원거리 무기로, 보통의 활보다 사정거리가 길고 파괴력도 강하다. 쇠뇌는 기본적으로 보병의 병기인데, 강력한 쇠뇌로 무장한 보병부대는 기병이 보유한 활의 사정거리 밖에서 기병을 제압하여 무력화시킬 수 있었다. 따라서 쇠뇌의 보급은 기병의 장비에도 큰 영향을 미치게 되어 투구와 갑옷을 더욱 견고하게 만들었으며, 말에게도 철갑옷을 입힌 중무장기병의 탄생을 재촉하였다고 할 수 있다(김길식, 2005).

고구려의 쇠뇌는 아직까지 실물로 발견된 바 없다. 그렇지만 문헌기록에는 6세기 후반 고구려가 우수한 쇠뇌 제작에 힘을 기울였고, 이어 612년 수와의 전쟁 당시 성곽전투에서 이를 적극 사용하고 있었음이 확인된다(정동민, 2020).

근거리 무기인 고구려 도의 경우 고분벽화에는 모두 손잡이 끝부분에 둥근 고리가 있는 환두도(環頭刀)가 기본이지만, 실제 유적에서는 환두가 없는 도가 다수 발견된다. 일부에서는 이들 무환두 역시 원래는 고리가 있었을 것으로 추정하고 있지만, 나무자루가 달린 목병도였을 가능성도 제기된 바 있다(성정용, 2000). 삼국의 다른 국가와 달리 고구려의 환두도는 별다른 장식을 하지 않은 경우가 대부분이다. 다만 환인 고력묘자15호분, 집안 마선구1호분, 평양 병기창유적에서 세 갈래의 잎이 장식된 삼엽문(三葉文) 계통의 환두도가 출토된 바 있다.

전투용 도끼는 도구로 사용되는 보통의 철제도끼(鐵斧)와 마찬가지로 몸체 측면에 자루를 가로로 착장한 횡공부(橫銎斧)를 말한다. 투부(鬪斧)는 중장기병에 대항하기 위한 보병의 무기로 일찍부터 발달하였다. 투부는 기본적으로 타격을 위주로 하는 근접무기로, 철제갑주에 강력한 효과를 발휘할 수 있다.

고구려에서 도끼가 무기로 사용되었음은 안악3호분이나 약수리고분의 벽화에서 확인이 가능하며, 환인 오녀산성이나 구의동보루를 비롯한 한강 유역의 아차산보루군에서도 실물자료가 출토된 바 있다. 이들 도끼는 한쪽에만 날이 있는 단인(單刃)의 횡공부와 양쪽에 날이 있는 양인부(兩刃斧)로 구분이 가능한데, 횡공부가 대다수를 차지한다. 이 밖에도 날의 위치나 형태에 따라 상인부(上刃斧)와 월형부(月形斧)도 있다.

장병기를 대표하는 창은 목제자루에 철로 만든 창끝(鐵鋒)과 하단부에 끼우는 물미인 창고달(鐵鐏)을 착장하여 사용한다. 문헌에서는 창을 길이에 따라 기병용 장창인 삭(矟), 보병용 창인 모(矛), 단창인 연(鋋)으로 구분하기도 하지만, 실제 고고자료는 목제자루 없이 철제로 된 창끝과 창고달만 잔존하고 있어 명확한 구분은 불가능하다.

고구려 고분벽화에는 창을 들고 있거나 창을 가지고 전투하는 장면이 많이 묘사되어 있어 창이 고구려군의 중요 무기였음을 알 수 있다. 벽화에서 창은 보병과 기병이 모두 소지하고 있어 병종에 상관없이 사용되었음을 알 수 있다. 다만 보병이 소지하고 있는 창은 병사의 키

보다 조금 긴 단창이고, 기병이 소지하고 있는 창은 길이가 훨씬 더 긴 장창이다.

창끝은 형태에 따라 유관직기형(有關直基形), 무관직기형(無關直基形), 유관연미형(有關燕尾形) 등으로 나눌 수 있다. 투겁과 창날 부분을 경계 짓는 관부(關部)의 형성 여부와 함께 끝부분의 형태를 가지고 구분한 것이다. 일반적으로 유관직기형이 유관연미형에 비해 먼저 출현하고 다수를 차지하고 있으며, 무관직기형은 출토 사례가 많지 않다.

이 밖에도 봉부의 형태에 따라 광봉형(廣鋒形)과 협봉형(狹鋒形)으로 나누기도 하는데, 광봉형은 고구려 전기에 주로 출토되고 있을 뿐이며, 고구려 중기 이후에는 대체로 협봉형이다. 봉부의 길이에 따라 장봉과 단봉으로 구분하기도 하나, 단봉이 다수를 차지하고 있다.

삼국시대의 갑옷은 기본적으로 비늘갑옷인 찰갑(札甲)과 철제판을 이어 붙여 만든 판갑(板甲)으로 구분되지만, 고구려에서는 작은 철편을 이어 붙여 활동성과 방어력을 높인 찰갑을 기본으로 한다. 고구려 찰갑의 완전한 형태는 연천 무등리2보루를 제외하면 찾아보기 어렵다. 그럼에도 평안남도의 덕흥리고분, 약수리고분, 감신총, 평양의 개마총, 그리고 중국 집안의 통구12호분, 삼실총 등과 같은 고분벽화에서 갑주의 형태가 잘 묘사되어 있어 참고가 된다.

갑옷과 함께 세트를 이루는 투구는 머리를 보호하기 위한 방어구이다. 가늘고 긴 철판을 횡으로 연결하여 만든 투구인 종장판주(縱長板冑)와 작은 철판을 이어 붙여 만든 소찰주(小札冑)가 대표적이다. 간혹 복발이 없는 채로 확인된 투구의 경우에는 정수리 부분에 유기질로 된 막음장치가 있었을 것이며, 이마가 닿는 투구 하단의 외연은 가죽으로 감쌌을 것으로 추정된다.

고구려 고분벽화에서는 다양한 형태의 투구가 확인된다. 안악 2호분과 3호분, 감신총(龕神塚)과 약수리고분 등에서는 종장판주가 묘사되어 있다. 집안 삼실총 2실 서벽의 무사나 통구12호분의 무사는 오각형이나 사각형의 작은 철판을 이어 붙여 만든 소찰주가 묘사되어 있다. 고분벽화에 그려진 투구 중에는 깃털로 장식을 하거나 뿔을 부착하여 장식한 것도 있다.

투구와 관련한 실물자료는 중국 환인 오녀산성과 무순 고이산성, 북한 롱오리산성, 남한의 구리 아차산4보루, 연천 무등리2보루, 양주 태봉산보루 등과 같은 관방유적에서 주로 발견되었다. 이 중 종장판주는 고이산성과 롱오리산성에서, 소찰주는 아차산4보루에서 확인되었다.

## 참고문헌

강현숙, 2013, 『고구려 고분 연구』, 진인진.
강현숙·양시은·최종택, 2020, 『고구려 고고학』(중앙문화재연구원 학술총서 45), 진인진.
국립문화재연구소, 2016, 『고구려의 토기』.
김일성종합대학출판사, 1973, 『대성산의 고구려 유적』(고고 및 민속학 강좌).
동북아역사재단, 2007, 『고구려 안학궁 조사 보고서 2006』.
서울대학교박물관, 2001, 『2000년전 우리이웃: 중국 요령지역의 벽화와 문물 특별전』.
양시은, 2016, 『고구려 성 연구』, 진인진.
양시은·강현숙·전호태·최종택, 2021, 『고구려 고고 – 유적 편』(고구려통사 8), 동북아역사재단.
임기환 외, 2009, 『고구려 왕릉 연구』, 동북아역사재단.
전호태, 2000, 『고구려 고분벽화 연구』, 사계절.
_____, 2016, 『고구려 생활문화사 연구』, 서울대학교출판문화원.
_____, 2020, 『고구려 벽화고분의 과거와 현재』, 성균관대출판부.
정호섭, 2011, 『고구려 고분의 造營과 祭儀』, 서경문화사.
조선유적유물도감편찬위원회, 1990, 『조선유적유물도감』 5.
주영헌, 1961, 『고구려 벽화무덤의 편년에 관한 연구』, 과학원출판사.
채희국, 1964, 『대성산 일대의 고구려 유적에 관한 연구』, 사회과학원출판사.
최종택·백종오·양시은·강현숙·김재홍·이한상·최성은·장은정, 2023, 『고구려 고고 – 유물 편』(고구려통사 9), 동북아역사재단.
최희림, 1978, 『고구려 평양성』, 과학백과사전출판사.

강현숙, 2015, 「고구려 초기 도성에 대한 몇 가지 고고학적 추론」, 『역사문화연구』 56.
권순홍, 2019, 「고구려 도성 연구」, 성균관대학교 박사학위논문.
기경량, 2017, 「高句麗 王都 硏究」, 서울대학교 박사학위논문.
_____, 2019, 「고구려 왕도·도성의 공간과 경관」, 『고대도성과 월성의 공간구조와 경관』(제51회 한국상고사학회 학술대회 자료집), 국립문화재연구소.
김길식, 2005, 「고구려의 무기체계의 변화」, 『한국 고대의 Global Pride 고구려』, 고려대학교박물관.
김보람, 2013, 「高句麗 鐵鏃 硏究」, 고려대학교 석사학위논문.
김현봉, 2021, 「고구려 평양도성의 경관 연구」, 충북대학교 석사학위논문.
남일룡·김경찬, 1998, 「청암동토성에 대하여(1)」, 『조선고고연구』 1998-2.
_____, 2000, 「청암동토성에 대하여(2)」, 『조선고고연구』 2000-1.
노태돈, 2012, 「고구려 초기의 천도에 관한 약간의 논의」, 『한국고대사연구』 68.
박순발, 1999, 「高句麗土器의 形成에 대하여」, 『백제연구』 29.
_____, 2012, 「高句麗의 都城과 墓域」, 『한국고대사탐구』 12.
백종오, 2023, 「와전」, 『고구려 고고 - 유물 편』(고구려통사 9), 동북아역사재단.
심광주, 2005a, 「高句麗 國家 形成期의 城郭硏究」, 『고구려의 국가 형성』, 고구려연구재단.
_____, 2005b, 「南韓地域 出土 高句麗 기와에 대한 硏究」, 『한국기와학회 학술논집』 1.
양시은, 2003, 「漢江流域 高句麗土器의 製作技法에 대하여」, 서울대학교 석사학위논문.
_____, 2010, 「일제강점기 고구려 발해 유적조사와 그 의미: 서울대학교 박물관 소장품을 중심으로」, 『고구려발해연구』 38.
_____, 2013, 「高句麗 城 硏究」, 서울대학교 박사학위논문.
_____, 2014a, 「고구려 도성 연구의 현황과 과제」, 『고구려발해연구』 50.
_____, 2014b, 「남한지역 출토 고구려 토기의 현황과 특징」, 『호남고고학보』 46.
_____, 2020, 「오녀산성의 성격과 활용 연대 연구」, 『한국고고학보』 115.
_____, 2021a, 「高句麗 都城制 再考」, 『한국상고사학보』 112.
_____, 2021b, 「통화 만발발자 유적을 통해 본 고구려 토기의 기원과 형성」, 『동북

아역사논총』 71.

_____, 2022, 「고분과 유물을 통해 본 고구려와 모용선비의 문화교류 양상」, 『고고학』 21-2.

_____, 2023a, 「고구려의 사회와 문화」, 한국고고학회 편, 『한국고고학 이해』, 진인진.

_____, 2023b, 「무기와 무구」, 『고구려 고고 - 유물 편』(고구려통사 9), 동북아역사재단.

양은경, 2023, 「발해 팔각건물지의 구조와 계통」, 『동아시아 고대 사원의 최신 발굴 성과 및 새로운 이해』, 국립문화재연구원.

여호규, 2005, 「高句麗 國內 遷都의 시기와 배경」, 『한국고대사연구』 38.

이희준, 2006, 「太王陵의 墓主는 누구인가?」, 『한국고고학보』 59.

임기환, 2015, 「고구려 國內都城의 형성과 공간구성 - 문헌 검토를 중심으로」, 『한국사학보』 59.

田中俊明, 2005, 「高句麗平壤遷都と王宮城」, 『고대도성과 익산왕궁성』(제17회 마한백제문화국제학술회의), 원광대학교 마한·백제문화연구소.

전호태, 2021, 「고분벽화」, 『고구려 고고 - 유적 편』(고구려통사 8), 동북아역사재단.

정동민, 2020, 「612년 高句麗 - 隋 전쟁의 전개 양상」, 『한국고대사탐구』 34.

정찬영, 1973, 「기원 4세기까지의 고구려 묘제에 대한 연구」, 『고고민속논문집』 5.

주홍규, 2021, 「와전」, 『동북아시아 고고학 개설 Ⅱ - 역사시대 편』, 동북아역사재단.

채희국, 1957, 「평양 부근에 있는 고구려시기의 유적 - 고구려 평양 천도 1530주년에 제하여-」, 『문화유산』 1957-3.

최종택, 1999, 「高句麗 土器 研究」, 서울대학교 박사학위논문.

_____, 2015, 「고구려 고고학 연구 120년」, 『고구려발해연구』 53.

_____, 2020, 「고구려유물」, 『고구려 고고학』, 진인진.

황오, 1949, 「高句麗의 古都(平壤城雜考)」, 『문화유물』 1949-1.


吉林省文物考古研究所, 2024, 『羅通山城 - 2007~2012年度考古調查與發掘報告』, 科學出版社.

吉林省文物考古研究所·集安市博物館, 2002, 『洞溝古墓群 - 1997年調查測繪

　　　　報告』, 科學出版社.

_____, 2004a, 『國內城, 2000-2003年集安國內城與民主遺址試掘報告』, 文物出版社.

_____, 2004b, 『丸都山城』, 文物出版社.

_____, 2004c, 『集安高句麗王陵』, 文物出版社.

王綿厚, 2002, 『高句麗古城研究』, 文物出版社.

遼寧省文物考古研究所, 2004, 『五女山城-1996~1999, 2003年桓仁五女山城調查發掘報告』, 文物出版社.

遼寧省文物考古研究所 外, 2012, 『石臺子山城』, 文物出版社.

張福有·孫仁杰·遲勇, 2007, 『高句麗王陵通考』, 香港亞洲出版社.

吉林省文物考古研究所·集安市博物館, 2012, 「集安國內城東南城垣考古淸理收穫」, 『邊疆考古研究』11.

梁志龍·李新全, 2009, 「本溪地區高句麗考古三十年」, 『高句麗與東北民族研究』.

王志剛, 2016, 「高句麗王城及相觀遺存研究」, 吉林大學 博士學位論文.

王洪峰·孫仁傑·遲勇, 2003, 「吉林長白縣干溝子墓地發掘簡報」, 『考古』2003-8.

魏存成, 1985, 「高句麗初中期的都城」, 『北方文物』1985-2.

李慶發, 1959, 「遼陽上王家村晉代壁畫墓淸理簡報」, 『文物』1959-7.

李新全, 2009, 「高句麗的早期都城及遷徒」, 『東北史地』2009-6.

集安縣文物保管所, 1984, 「集安高句麗國內城址的調查與試掘」, 『文物』1984-1.

三上次男·田村晃一, 1993, 『北關山城』, 中央公論美術出版.

日滿文化協會, 1938, 『通溝 上-滿洲國通化省輯安縣高句麗遺蹟』.

_____, 1940, 『通溝 下-滿洲國通化省輯安縣高句麗壁畫墳』.

朝鮮總督府, 1929, 『高句麗時代之遺蹟』圖版 上冊, 古蹟調査特別報告 第5冊.

_____, 1930, 『高句麗時代之遺蹟』圖版 下冊, 古蹟調査特別報告 第6冊.

關野貞, 1914, 「國內城及丸都城の位置」, 『史學雜誌』25-11.

_____, 1928, 「高句麗の平壤城と長安城に就いて」, 『史學雜誌』39-1.

白鳥庫吉, 1914,「丸都城及國內城考」,『史學雜誌』25-4·5.
小泉顯夫, 1938,「平壤萬壽臺及其附近の建築物址」,『昭和十二年度古蹟調査報告』, 朝鮮總督府.
_____, 1940,「平壤淸岩里廢寺址の調査」,『昭和十三年度古蹟調査報』, 朝鮮古蹟硏究會.
鳥居龍藏, 1914,「丸都城及び國內城の位置に就きて」,『史學雜誌』25-7.

고구려통사 10

# 고구려통사
## – 총론 편

**초판 1쇄 발행**   2024년 11월 29일

**엮은이**   동북아역사재단 한중연구소
**지은이**   이성제, 임기환, 이정빈, 김현숙, 정호섭, 여호규, 양시은
**펴낸이**   박지향
**펴낸곳**   동북아역사재단

**등록**   제312-2004-050호(2004년 10월 18일)
**주소**   서울시 서대문구 통일로 81 NH농협생명빌딩
**전화**   02-2012-6065
**홈페이지**   www.nahf.or.kr
**제작·인쇄**   역사공간

**ISBN**   979-11-7161-145-4  94910
         978-89-6187-595-0  (세트)

- 이 책은 저작권법에 의해 보호를 받는 저작물이므로 어떤 형태나 어떤 방법으로도 무단전재와 무단복제를 금합니다.
- 책값은 뒤표지에 있습니다. 잘못된 책은 바꾸어 드립니다.